el Gran Libro de las Citas y Frases célebres

el Gran Libro de las Citas y Frases célebres

LIBSA

C/ San Rafael, 4
28108 Alcobendas (Madrid)
Tel. (34) 91 657 25 80
Fax (34) 91 657 25 83
e-mail: libsa@libsa.es
www.libsa.es

Recopilación, edición y maquetación de textos:
José Ignacio de Benito
Edición: Equipo Editorial LIBSA

ISBN: 84-662-0960-3
Depósito legal: TO-546-05

Impreso en España/*Printed in Spain*

Contenido

Introducción

Es un axioma sostenido y reiterado de forma permanente en cualquier facultad de filología que el conocimiento del idioma es esencial para el desarrollo del pensamiento. Ningún pensamiento puede ser realizado en nuestra mente si no puede ser identificado o conceptualizado. O dicho de otra manera, ninguna idea es posible si no se puede expresar con palabras. El poder de la palabra es tal que puede ser más explícita que un pictograma pero también más implícita que una imagen (de ahí la exageración de que «una imagen vale más que mil palabras»). Lo que pensamos, lo hacemos con palabras. Lo que opinamos, lo expresamos con palabras. Lo que hacemos, lo contamos con palabras. Nada relacionado con el ser humano escapa al lenguaje y a nada debe tanto el ser humano como a su capacidad para el lenguaje.

Una cita es la expresión de un convencimiento. Es, aunque se produzca de forma espontánea, el resultado de un proceso latente del pensamiento. Es la concentración, en unas palabras concretas, de la personalidad de su autor. Por eso, las citas llevan esa aureola de autoridad que todos tenemos presente. Una cita, aunque sea reflejo del ingenio más que de la reflexión, e incluso aunque se trate de una necedad más que evidente, nos dice mucho más sobre su autor que la mayoría de sus actos, escritos u obras. Es esa relación tan profunda entre la palabra y el pensamiento lo que hace que la cita sea tan clarificadora, y es eso precisamente lo que nos atrae a todos de ellas.

Naturalmente, existen detractores de esta fórmula de expresión. Son aquellos que critican la actitud que toman ciertas personas ante éstas. Es el «no es que lo diga yo, sino que lo dice ...» y se les llena la boca con el nombre del autor de la cita. Lo cierto es que esta utilización no es lo que ha hecho ni a ese autor célebre ni ha dado a la cita longevidad. El paso del tiempo y el cambio en las sociedades son tan profundos, que se convierten en un filtro extremadamente severo, de tal manera que sólo sobreviven, como si de la misma selección natural se tratara, aquellas que verdaderamente tienen valor en sí mismas. Lo que suele ocurrir es que detrás de cualquier cita de valor, se encuentra un hombre de las mismas características. De hecho, el uso de la cita por nuestra parte no está vinculada a que sea tal personaje o no el autor de la misma. No es extraño ver a un ateo recurrir a una cita de un hombre de Iglesia ni a un creyente a una argumentada por un ateo confeso. No, el uso de la cita se debe a que expresa nuestro pensamiento mucho mejor de lo que nosotros lo podríamos llegar a hacer. Y es ahí precisamente donde reside el verdadero éxito de la cita: en que nosotros no seríamos capaz de expresar de una forma tan clara y concisa aquello que pensamos u opinamos.

A lo largo de la historia de la Humanidad muchos han sido los avatares a los que ha sido expuesto el ser humano, tanto de forma individual como colectiva. Estos sucesos de naturaleza diferente han provocado así mismo reacciones diferentes. Para poder apreciar mejor dichas reacciones, se ha seguido un orden cronológico a la hora de organizar las citas, lo que nos permite ver, por un lado, cómo han sido tratados ciertos temas con el transcurrir de los siglos, pero también las diferentes posturas que en una misma época presentan personajes coetáneos. Es sencillo advertir así, como en una época o dentro de un período existe una forma unánime de entender algunas cuestiones por parte de la mayoría, y cómo ese criterio varía radicalmente tan sólo cincuenta años después. También se pueden reconocer por sus reflexiones a los visionarios de ciertas épocas, y cómo son capaces de mostrar un comportamiento que a veces no sólo se adelanta a su tiempo, sino que se convierte desde entonces en universal.

Cuatro han sido los apartados en los que han sido agrupadas las citas en este volumen: Amor, Mundo interior, Sociedad y Arte y libros. Se trata de compendiar de forma generalizada aquello que ha movido al ser humano a mostrarse tal y como es. Así, tenemos el «Amor», motor e inicio de la vida, y causa del mayor de los gozos y de los mayores sufrimientos; «Mundo interior», donde encontramos los pensamientos más profundos y reflexivos fruto de cuando uno mira en su interior y ve en sus preocupaciones y sentimientos su esencia misma; en «Sociedad» el hombre se mira también a sí mismo, pero no por dentro, sino por fuera, y se pronuncia sobre la reacción que le produce el verse reflejado en los demás. Y, por último, está el «Arte y libros», la expresión más destacada del espíritu humano.

En todos los apartados encontramos temas de gran profundidad y universalidad así como los asuntos más triviales o cuestiones ciertamente puntuales. Vemos temas tratados con absoluta seriedad y otros bañados con un gran sentido del humor. En ocasiones, estos temas no son diferentes de un apartado a otro, sino que son tratados desde diferentes puntos de vista en una u otra sección. De este modo, el amor por ejemplo, se observa desde el interior mismo del corazón, así como sus efectos en el ser humano, en su faceta social como el matrimonio o en su reflejo en una obra de arte. Otros, sin embargo, son exclusivos de un momento determinado y se abordan desde una perspectiva única. De todos estos temas, lo que sí nos sugerirán las citas es una reacción, una aproximación a las mismas o un rechazo instantáneo. Otras nos harán reflexionar, nos harán parar la lectura y nos harán abstraernos durante un instante buscando en nosotros mismos una actitud. También las habrá que nos harán reír, otras que nos dejarán perplejos y otras que nos harán volvernos suspicaces. Son, en definitiva, las citas que, durante los 3.000 últimos años de historia, han hecho mostrarse como son a los hombres y mujeres más prominentes de la especie humana.

Amor

Amor

El amor es para muchos el auténtico motor que mueve al ser humano. En su nombre se han hecho desde actos de fe hasta las locuras más inimaginables. Hoy en día sabemos que esa extraña sensación que nos invade cuando estamos enamorados se debe a que el cerebro segrega una serie de sustancias químicas muy parecidas en sus efectos a las conseguidas por algunos tipos de drogas.

Hay muchos tipos de amor, tantos como personas. Cada uno vive el amor de una manera totalmente distinta a otra y es capaz de fijar su objetivo de enamoramiento en las personas y cosas más variopintas y, en ocasiones, insólitas. El amor transmite a quien lo disfruta o lo sufre una fuerza que mueve cada uno de sus actos o decisiones. Por eso, incluso el amor se ha convertido en el motor de muchas vidas.

Es tal la fuerza del amor, que dependiendo del orden de prioridad en que nuestro amor se desarrolle seremos de una manera o de otra. Están aquellos para los que lo más importante es el amor a la vida. Para otros es el amor a uno mismo. También los hay que piensan que el más importante es el llamado amor filial. Pero el que suele encontrarse con mayor frecuencia en primer lugar es el amor por otra persona. Si todavía alguien no tiene claro qué es el amor, en esta sección podrá encontrar argumentos que le llevarán a establecer cuáles son verdaderamente sus prioridades.

De todas maneras, es tan profundo el sentimiento del amor en todos nosotros, que lo que sí encontrará es, probablemente, las expresiones más bellas y conmovedoras que nunca haya leído.

Amor

1. **Mejor es la comida de legumbres donde hay amor, que de ternero cebado donde hay odio.**
   Salomón *(siglo X a.C.), rey de Israel.*

2. **El hombre no puede hallar nada mejor que una mujer, cuando es buena; pero tampoco nada peor, cuando no lo es.**
   Hesiodo de Ascra *(siglo VIII a. C.), poeta griego*

3. **Todo hombre sabio ama a la esposa que ha elegido.**
   Homero *(siglo VIII a.C.), poeta griego.*

4. **Cásate con una persona igual, porque la desigualdad en los matrimonios quebranta la doble armonía.**
   Solón de Atenas *(639-559 a.C.), político y poeta griego.*

5. **Muchacha, pasa corriendo al altar de Himeneo, si has tocado, aunque ligeramente, el arco abrasador del amor.**
   Pitágoras de Samos *(582-497 a.C.), filósofo griego.*

6. **Dos especies de lágrimas tienen los ojos de la mujer: de verdadero dolor y de despecho.**
   Pitágoras de Samos *(582-497 a.C.), filósofo griego.*

7. **Cuatro cosas gana el temerario que codicia la mujer de su prójimo: demérito, lecho incómodo, en tercer lugar castigo, finalmente, infierno.**
   Sakyamuni, *Buda (563-483 a.C.), religioso hindú.*

8. **Amar y reconocer los defectos de quien tuvieras que odiar; odiar y reconocer las buenas cualidades de quien se odia son dos cosas rarísimas bajo el cielo.**
   Confucio *(h. 551-h. 479 a.C.), filósofo chino.*

9. **Para mi hija, mejor prefiero un hombre sin dinero que mucho dinero sin hombre.**
   Temístocles *(542-460 a.C.), político griego.*

10. **Cada uno debe contraer matrimonio según su condición. Las bodas de personas semejantes son las únicas que se hallan exentas de desengaños.**
    Esquilo de Eleusis *(525-456 a. C.), poeta trágico griego.*

11. **Haced bien a vuestros amigos y enemigos, porque así conoceréis a los unos y os será posible atraer a los otros.**
    CLEÓBULO *(siglo VI a.C.), sabio griego.*

12. **Cásate con mujer de tu igual, porque si la eliges más rica o más noble que tú, los suyos te mandarán.**
    CLEÓBULO *(siglo VI a.C.), sabio griego.*

13. **La mujer puede quedar purificada inmediatamente después del contacto con su marido. Pero de otro jamás.**
    TEANO *(siglo VI a.C.), dama griega, esposa de Pitágoras.*

14. **El amor pasa la noche sobre las mejillas delicadas de las muchachas.**
    SÓFOCLES *(495-406 a.C.), poeta trágico griego.*

15. **Sólo sé compartir el amor, no el odio.**
    SÓFOCLES *(495-406 a.C.), poeta trágico griego.*

16. **Me preguntas si debes o no casarte; pues de cualquier cosa que hagas, te arrepentirás.**
    SÓFOCLES *(495-406 a.C.), poeta trágico griego.*

17. **El que prescinde de un amigo es como el que prescinde de su vida.**
    SÓFOCLES *(495-406 a.C.), poeta trágico griego.*

18. **Cásate; si por casualidad das con una buena mujer, serás feliz; si no, te volverás filósofo, lo que siempre es útil para un hombre.**
    SÓFOCLES *(495-406 a.C.), poeta trágico griego.*

19. **No la belleza, sino la virtud, ¡oh, mujeres!, hace feliz un matrimonio.**
    EURÍPIDES DE SALAMINA *(480-406 a.C.), poeta trágico griego.*

20. **Existe una ley que ordena al hombre a amar a su mujer, y a ésta hacer lo que su marido desee.**
    EURÍPIDES DE SALAMINA *(480-406 a.C.), poeta trágico griego.*

21. **Cuando la fortuna sonríe, ¿qué necesidad hay de amigos?**
    EURÍPIDES DE SALAMINA *(480-406 a.C.), poeta trágico griego.*

22. **El amor propio nace en todo el mundo antes que el amor al prójimo.**
    EURÍPIDES DE SALAMINA *(480-406 a.C.), poeta trágico griego.*

23. **El amor es la cosa más dulce, pero también la más amarga.**
    EURÍPIDES DE SALAMINA *(480-406 a.C.), poeta trágico griego.*

Amor

24. **No es decoroso que un hombre solo tenga la rienda de dos mujeres, sino un solo amor conyugal, y que contento con él pueda vivir feliz en su hogar.**
    EURÍPIDES DE SALAMINA *(480-406 a.C.), poeta trágico griego.*

25. **Una mujer que, en ausencia del marido, pierde el tiempo acicalándose, ha de considerarse, más, como infiel. Pues, ¿qué necesidad tiene de hacer admirar su belleza por los demás, si no tuviese la intención de obrar mal?**
    EURÍPIDES DE SALAMINA *(480-406 a.C.), poeta trágico griego.*

26. **En la alternativa de elegir mal, elegí el menor.**
    DEMÓCRITO DE ABDERA *(h. 460-361 a.C.), filósofo griego.*
    (Ésta fue la respuesta de Demócrito cuando le preguntaron por qué se casaba con una mujer pequeña).

27. **El que a nadie ama, me parece que por nadie es amado.**
    DEMÓCRITO DE ABDERA *(h. 460-361 a.C.), filósofo griego.*

28. **Si eliges mujer hermosa, no la disfrutarás solo; si fea, te fastidiará pronto. Te conviene, pues, elegirla ni fea ni hermosa.**
    ANTÍSTENES *(455-360 a.C.), filósofo griego.*

29. **Cuando el amor le hiere, cualquiera se hace poeta, aunque antes nunca hubiese sido favorecido por las musas.**
    PLATÓN *(428-347 a.C.), filósofo griego.*

30. **Al toque de amor, todo hombre se vuelve poeta.**
    PLATÓN *(428-347 a.C.), filósofo griego.*

31. **La mayor declaración de amor es la que no se hace; el hombre que siente mucho habla poco.**
    PLATÓN *(428-347 a.C.), filósofo griego.*

32. **No hay hombre tan cobarde a quien el amor no haga valiente y transforme en héroe.**
    PLATÓN *(428-347 a.C.), filósofo griego.*

33. **Cuando un hombre ama lo bello, ¿qué es lo que desea? Que lo bello pueda ser suyo.**
    PLATÓN *(428-347 a.C.), filósofo griego.*

34. **¡Cómo! ¿Qué se ha casado? ¡Y pensar que lo dejé gozando de tanta salud!**
ANTÍFANES DE RODAS *(388-311 a.C.), dramaturgo griego.*

35. **En el hogar difieren bastante los deberes del hombre y los de la mujer. El de uno es adquirir, el de la otra, conservar.**
ARISTÓTELES *(384-322 a.C.), filósofo griego.*

36. **La amistad perfecta es la que existe entre hombres buenos, iguales en virtud.**
ARISTÓTELES *(384-322 a.C.), filósofo griego.*

37. **El matrimonio, a decir verdad, es un mal, pero un mal necesario.**
MENANDRO DE ATENAS *(h. 343-290 a.C.), dramaturgo griego.*

38. **Tres veces infeliz el que siendo pobre se casa y tiene hijos.**
MENANDRO DE ATENAS *(h. 343-290 a.C.), dramaturgo griego.*

39. **Feliz yo, que no tengo esposa.**
MENANDRO DE ATENAS *(h. 343-290 a.C.), dramaturgo griego.*

40. **Los que dejan el amor para la edad madura han de pagar siempre una gran usura.**
MENANDRO DE ATENAS *(h. 343-290 a.C.), dramaturgo griego.*

41. **Yo creo que el amor antecede en importancia a cualquier cosa, incluso a las más brillantes magnificencias, y que no puede mencionarse nada que tenga más sal u ofrezca más atractivo que el amor.**
TITO MACCIO PLAUTO *(254-184 a.C.), dramaturgo latino.*

42. **Cuando se ama, un vientre vacío no siente hambre.**
TITO MACCIO PLAUTO *(254-184 a.C.), dramaturgo latino.*

43. **El hombre adúltero trabaja el campo ajeno, y deja el suyo inculto.**
TITO MACCIO PLAUTO *(254-184 a.C.), dramaturgo latino.*

44. **Para casarte, cuando joven es temprano y cuando viejo es tarde.**
DIÓGENES LAERCIO *(siglo III a.C.), filósofo griego.*

45. **La envidia es causada por ver a otro gozar de lo que deseamos; los celos, por ver a otro poseer lo que quisiéramos poseer nosotros.**
DIÓGENES LAERCIO *(siglo III a.C.), filósofo griego.*

Amor

46. **Represiones, celos, debates, reconciliaciones, guerra, paz; he aquí el cortejo que acompaña siempre al amor.**
PUBLIO TERENCIO AFER *(184-159 a.C.), dramaturgo latino.*

47. **Cuanto menor es la esperanza, más grande es mi querer.**
PUBLIO TERENCIO AFER *(184-159 a.C.), dramaturgo latino.*

48. **Comete un grave error, a mi parecer, el que se imagina que es más firme y duradera la autoridad fundada en el rigor que la fundada en el cariño.**
PUBLIO TERENCIO AFER *(184-159 a.C.), dramaturgo latino.*

49. **Las disputas entre los amantes son una renovación de su amor.**
PUBLIO TERENCIO AFER *(184-159 a.C.), dramaturgo latino.*

50. **La amistad sólo puede existir cuando los hombres coinciden en sus opiniones sobre las cosas humanas y divinas.**
MARCO TULIO CICERÓN *(106-43 a.C.), político, orador, filósofo y literato romano.*

51. **Un amigo es un segundo yo.**
MARCO TULIO CICERÓN *(106-43 a.C.), político, orador, filósofo y literato romano.*

52. **Nunca ofendas a un amigo, ni siquiera en broma.**
MARCO TULIO CICERÓN *(106-43 a.C.), político, orador, filósofo y literato romano.*

53. **La amistad no existe cuando uno no quiere escuchar la verdad y el otro está dispuesto a mentir.**
MARCO TULIO CICERÓN *(106-43 a.C.), político, orador, filósofo y literato latino.*

54. **La primera ley de la amistad consiste en pedir a los amigos cosas honestas y hacer por los amigos cosas honestas.**
MARCO TULIO CICERÓN *(106-43 a.C.), político, orador, filósofo y literato latino.*

55. **El verdadero amigo se conoce en los peligros.**
MARCO TULIO CICERÓN *(106-43 a.C.), político, orador, filósofo y literato latino.*

56. **Aparta un amor viejo con un amor nuevo, como un clavo saca a otro clavo.**
MARCO TULIO CICERÓN *(106-43 a.C.), político, orador, filósofo y literato latino.*

57. **Si el amor fuera natural, todos amarían y amarían siempre y amarían lo mismo y no apartaría del amor a unos el poder, a otros el interés, a otros el hastío.**
MARCO TULIO CICERÓN *(106-43 a.C.), político, orador, filósofo y literato latino.*

58. **El segundo matrimonio es un adulterio decente.**
ATENÁGORAS DE ATENAS *(siglo II), filósofo griego.*

59. **El alma de un hombre enamorado vive en un cuerpo extraño.**
CATÓN DE ÚTICA *(95-46 a.C.), político latino.*

60. **Los juramentos del amor son el aliento húmedo de los vientos.**
CAYO VALERIO CATULO *(h. 87-54 a.C.), poeta latino.*

61. **¡Todo lo vence el amor! Cedamos, pues, al amor nosotros.**
PUBLIO VIRGILIO MARÓN *(70-21 a.C.), poeta latino.*

62. **Sé amable, para ser amado.**
PUBLIO VIRGILIO MARÓN *(70-21 a.C.), poeta latino.*

63. **Cuando los que se aman son separados, el amor aprieta los lazos.**
SEXTO PROPERCIO *(h. 50-15 a.C.), poeta latino.*

64. **En el amor existen estos males: primero la guerra, y luego la paz.**
QUINTO HORACIO FLACO *(65 a. C.-8 d.C.), poeta latino.*

65. **Para gustar, olvídate de ti mismo. Lo que ella te pide es lo que teme conseguir: que ceses en su conquista; lo que no te pide es lo que desea.**
PUBLIO NASÓN OVIDIO *(43 a.C.-17 d.C.), poeta latino.*

Ovidio es uno de los grandes poetas de la Antigüedad cuya influencia se ha transmitido de siglo en siglo hasta nuestros días. Perfección formal, extensa cultura e ingenio vivísimo se aúnan en este autor nacido para la literatura («Todo lo que trataba de decir se convertía en versos»). Antes de enfrascarse en sus monumentales *Metamorfosis*, Ovidio ensayó con éxito la literatura erótica en varios libros: *Amores*, colección de elegías dedicadas a los escarceos juveniles del poeta y cuya protagonista femenina es Corina, que resume las características de muchas y diferentes mujeres. Las *Heroidas* son cartas de amor que personajes mitológicos se envían; aquí despliega Ovidio su sabiduría en las andanzas sentimentales.

Pero el libro que más influencia tuvo en los siglos posteriores fue, sin duda, el *Ars amandi* (*El arte de amar*). Los dos primeros capítulos, imprescindibles en la cultura de cualquier «donjuán», están dedicados a la conquista amorosa. Los historiadores han revelado que Ovidio es toda una autoridad en el galanteo y las hazañas de amor, y que su obra es, en buena parte, una elaboración literaria de su vida disipada, de «juerguista romano». Se dice que *El arte de amar* le valió el destierro en la actual Rumania, pero seguramente Augusto tenía razones más poderosas para expulsarlo de la metrópoli (intrigas, conspiraciones o deseo de ocultar las tormentosas fiestas de la familia imperial).

A continuación se reproducen algunos consejos de Ovidio a los hombres, especialmente sobre el aspecto físico que deben mostrar. Y prosigue el texto:

«Los hombres han de agradar por su limpieza. Deben oscurecer sus cuerpos en el Campo de Marte, ejercitándose en la lucha; su toga debe estar bien hecha y sin manchas. Tu lengua no debe ser torpe ni tus dientes deben tener costra. Y que tu pie no vaya nadando en un calzado flojo, ni el corte del cabello haga ridículos tus pelos tiesos. Que la barba y la cabellera las corten manos diestras. Que tus uñas no sobresalgan ni estén sucias. Que tampoco aparezcan pelos en los agujeros de tu nariz. Ni un aliento inoportuno salga de tu maloliente boca; ni apestes al olfato como si fueras el padre y el macho de un rebaño. Todo lo demás, déjalo en manos de las hermosas jóvenes, o en manos de los hombres torcidos que prefieren gozar a los varones».

66. **El amor ausente se desvanece y uno nuevo toma su lugar.**
PUBLIO NASÓN OVIDIO *(43 a.C.-17 d.C.), poeta latino.*

67. **El amor, como la tos, no puede ocultarse.**
PUBLIO NASÓN OVIDIO *(43 a.C.-17 d.C.), poeta latino.*

68. **El amor es una especie de guerra.**
PUBLIO NASÓN OVIDIO *(43 a.C.-17 d.C.), poeta latino.*

69. **El amor es como un servicio militar.**
PUBLIO NASÓN OVIDIO *(43 a.C.-17 d.C.), poeta latino.*

70. **Si quieres casarte bien, cásate con una de tu igual.**
PUBLIO NASÓN OVIDIO *(43 a.C.-17 d.C.), poeta latino.*

71. **No puedo vivir contigo, ni sin ti.**
PUBLIO NASÓN OVIDIO *(43 a.C.-17 d.C.), poeta latino.*

72. **Para elegir un marido, la mujer virtuosa consulta su corazón, no sus ojos.**
PUBLIO NASÓN OVIDIO *(43 a.C.-17 d.C.), poeta latino.*

73. **La amistad beneficia siempre; el amor causa daño a veces.**
LUCIO ANNEO SÉNECA *(4 a. C.-65 d.C.), escritor y filósofo latino.*

74. **El primer acuerdo entre amor y razón es sentir la ausencia y no manifestarla.**
LUCIO ANNEO SÉNECA *(4 a.C.-65 d.C.), escritor y filósofo latino.*

75. **El amor que inspira la belleza es el olvido de la razón..., un vicio vergonzoso y que de ninguna manera puede aliarse a un espíritu sano.**
LUCIO ANNEO SÉNECA *(4 a.C.-65 d.C.), escritor y filósofo latino.*

76. **Con el fuego se prueba el oro. Con las desgracias, los grandes corazones.**
LUCIO ANNEO SÉNECA *(4 a.C.-65 d.C.), escritor y filósofo latino.*

77. **El tiempo y no el querer ponen fin al amor.**
PUBLIO SIRO *(siglo I a.C.), poeta latino.*

78. **La herida del amor la sana el mismo que la hizo.**
PUBLIO SIRO *(siglo I a.C.), poeta latino.*

79. **Es el corazón, y no el cuerpo, lo que hace la unión inalterable.**
PUBLIO SIRO *(siglo I a.C.), poeta latino.*

80. **Amémonos los unos a los otros, porque el amor es de Dios; y todo el que ama ha nacido de Dios y conoce a Dios. El que no ama no ha conocido a Dios, porque Dios es amor.**
LA BIBLIA.

Esta cita pertenece a la primera carta de san Juan (4, 7). Fue escrita a finales del siglo I por el discípulo predilecto de Jesús, y estaba dirigida a las comunidades cristianas de Asia Menor, desde Éfeso, donde por aquellos años vivía el Evangelista. La carta es, en realidad, un breve sermón en el que Juan trata de contrarrestar la influencia de las primeras herejías cristianas y otras religiones incipientes. En san Juan la prioridad es el amor de Dios o, lo que es lo mismo, la fe cristiana. El amor se extiende al prójimo; es necesario rechazar del pecado, seguir de la palabra de Dios, huir del mundo (la vanidad de las cosas del mundo), alejarse de los falsos profetas, orar y, sobre todo, amar a Dios.

Una de las formas del amor la representa esta tradición judeocristiana. En la misma carta dice san Juan: «Porque éste es el mensaje que oísteis desde el principio: que nos amemos los unos a los otros. No como Caín, que era del maligno y degolló a Abel» (3, 11). El amor fraternal, el amor entre los hombres y el amor a Dios es fundamental en las tesis de los primeros siglos del cristianismo; pero para entender en toda su extensión la base de esta religión en sus orígenes, acaso sea necesario reproducir la segunda parte del párrafo citado. Dice así: «En esto consiste el amor: no en que nosotros hayamos amado a Dios, sino en que Él nos amó y envió a su Hijo como sacrificio de purificación por nuestros pecados» (4, 10).

81. **Sus muchos pecados le serán condonados porque amó mucho.**
La Biblia.

82. **No seas celoso de tu esposa para que no se valga contra ti de las malas ideas que tú le sugieras.**
La Biblia.

83. **Los celos son crueles como el infierno, y su ardor es el ardor del fuego.**
La Biblia.

84. **Por tanto lo que Dios unió, el hombre no lo separe.**
La Biblia.

85. **El amor es fuerte como la muerte.**
La Biblia, Cantar de los Cantares.

86. **No es bueno que el hombre esté sólo.**
La Biblia, Génesis.

87. **Casa a tu hija y harás una buena cosa.**
La Biblia, Génesis.

88. **Feliz el marido de una mujer buena, porque duplicará los años de su vida.**
La Biblia, Génesis.

89. **El hombre se unirá a su mujer y ambos formarán una sola carne.**
La Biblia, Génesis.

90. **Que todo aquel que pusiera los ojos en una mujer para codiciarla, ya cometió adulterio en su corazón.**
La Biblia, san Mateo.

91. **El amor es paciente, es benigno,**
no es envidioso, no es jactancioso.
La Biblia, san Pablo.

92. **El que ama a su mujer, a sí mismo se ama.**
La Biblia, san Pablo.

93. **Porque más vale casarse que abrasarse.**
La Biblia, san Pablo.

94. **¿Me preguntáis por qué no quiero casarme con una mujer rica? Porque no quiero hacer en mi casa el papel que corresponde a la esposa.**
Marco Valerio Marcial *(h. 40-104), poeta latino.*

95. **Quiero para mí una esposa no muy letrada.**
Marco Valerio Marcial *(h. 40-104), poeta latino.*

96. **La que se casa muchas veces, no se casa;**
es una adúltera dentro de la ley.
Marco Valerio Marcial *(h. 40-104), poeta latino.*

97. **De nadie te hagas demasiado amigo: tendrás menos alegrías, pero también menos penas.**
Marco Valerio Marcial *(h. 40-104), poeta latino.*

98. **Hay maridos tan injustos que exigen de sus mujeres una fidelidad que ellos mismos violan; se parecen a aquellos generales de ejército que huyen cobardemente del enemigo y quieren, sin embargo, que sus soldados sostengan el puesto con valor.**
Plutarco de Querona *(46-120), historiador y moralista griego.*

99. **No nos cansemos de hacer el bien a nuestros semejantes.**
Plutarco de Querona *(46-120), historiador y moralista griego.*

100. **Debemos rehuir la amistad de los malos**
y la enemistad de los buenos.
Epicteto de Frigia *(h. 50-h.120), filósofo latino.*

101. **En la prosperidad es muy fácil encontrar amigos;**
en la adversidad no hay nada tan difícil.
Epicteto de Frigia *(h. 50-h.120), filósofo latino.*

Amor

102. **Ama y haz lo que quieras.**
Si callas, callarás con amor;
si gritas, gritarás con amor;
si corriges, corregirás con amor;
si perdonas, perdonarás con amor.
PUBLIO CORNELIO TÁCITO *(h. 54/57-h. 125), historiador y orador latino.*

103. **La fidelidad comprada es siempre sospechosa,**
y en general de breve duración.
PUBLIO CORNELIO TÁCITO *(h. 54/57-h. 125), historiador y orador latino.*

104. **El lecho nupcial es un asilo de preocupaciones.**
Es el lecho donde menos suele dormirse.
DECIMUS IUNIUS JUVENAL *(h. 60-h. 140), poeta latino.*

105. **Antiquísimo pecado es seducir a la mujer ajena**
y despreciar el vínculo sagrado.
DECIMUS IUNIUS JUVENAL *(h. 60-h. 140), poeta latino.*

106. **La medida del amor es amar sin medida.**
SAN AGUSTÍN *(354-430), teólogo y Padre de la Iglesia cristiana.*

107. **La pasión del amor no puede comprenderla quien no la siente.**
SAN AGUSTÍN *(354-430), teólogo y Padre de la Iglesia cristiana.*

108. **Con el amor al prójimo, el pobre es rico;**
sin el amor al prójimo, el rico es pobre.
SAN AGUSTÍN *(354-430), teólogo y Padre de la Iglesia cristiana.*

109. **Lo que hayas amado quedará; el resto sólo serán cenizas.**
SAN AGUSTÍN *(354-430), teólogo y Padre de la Iglesia cristiana.*

110. **Si está dentro de ti la raíz del amor, ninguna otra cosa**
sino el bien podrá salir de tal raíz.
SAN AGUSTÍN *(354-430), teólogo y Padre de la Iglesia cristiana.*

111. **Casarse está bien; no casarse está mejor.**
SAN AGUSTÍN *(354-430), teólogo y Padre de la Iglesia cristiana.*

112. **Si al oficio del sabio le incumbe la formación de los hijos,**
y con ese fin solamente busca el yugo del matrimonio,
me parece cosa más de admirar que de imitar.
SAN AGUSTÍN *(354-430), teólogo y Padre de la Iglesia cristiana.*

113. El amor no conoce leyes.

ANICIO MANLIO SEVERINO BOECIO *(h. 480-524), filósofo y político romano.*

114. Vuestras mujeres son vuestros campos de labor.

CORÁN *(siglo VII).*

115. La primera boda es la ley;
la segunda, la tolerancia;
la tercera, la iniquidad.

SAN GREGORIO VII *(1024-1085), Papa de la Iglesia cristiana.*

116. Amar es sufrir cuando tu amigo sufre.

PIERRE ABELARDO, ABBÉ PIERRE *(1079-1142), teólogo francés.*

117. La causa de amar es amar;
el fruto de amar es amar;
el fin de amar es amar:
amo porque amo;
amo para amar.

SAN BERNARDO *(1090-1153), Doctor francés de la Iglesia ctistiana.*

118. Ser bella y amada es condición de muchas mujeres. Ser fea y saber hacerse amar, es, acaso, la máxima expresión del genio de la mujer.

AVERROES *(1126-1198), filósofo, astrónomo jurisconsulto árabe.*

119. Si amas realmente, despójate de tu personalidad a favor del objeto amado; porque desde el momento en que piensas establecer diferencia entre los dos, le eres infiel.

MUSLIH-UD-DIN SAADI *(1184-1291), poeta persa.*

120. El amor no es una pasión, porque ninguna virtud es pasión y todo amor es «cierta virtud».

SANTO TOMÁS DE AQUINO *(1225-1274), teólogo y filósofo italiano.*

121. El amor nace del recuerdo, vive de la inteligencia y muere por olvido.

RAMÓN LLULL *(1233-1315), poeta y teólogo español.*

122. Amor es aquello que a los que están libres reduce a esclavitud, y a los esclavos pone en libertad.

RAMÓN LLULL *(1233-1315), poeta y teólogo español.*

Amor

123. Si te casas para adquirir mayor consideración, no establezcas excesiva familiaridad con tu mujer.

RAMÓN LLULL *(1233-1315), poeta y teólogo español.*

124. Tomar una mujer por un mes es muy peligroso; más que tomarla por una noche, pero mucho menos peligroso que tomarla para toda una vida.

RAMÓN LLULL *(1233-1315), poeta y teólogo español.*

125. Las condiciones del amor son que el amigo sea sufrido, paciente, humilde, temeroso, diligente, confiado, y que se arriesgue en grandes peligros para honrar a su Amado.

RAMÓN LLULL *(1233-1315), poeta y teólogo español.*

126. El amor me impulsa y me hace hablar así.

DANTE ALIGHIERI *(1265-1321), poeta italiano.*

Dante Alighieri, el autor de la sublime *Divina Comedia* (1304-1320), antes de emprender el grandioso trabajo de versificar su concepción del universo, se entregó con ardiente pasión a la recreación poética de un amor más cercano: Beatriz, la joven que con su sólo ser, desbordó los sentimientos del poeta. La temprana muerte de la hermosa dama a la edad de veinticinco años y el amor no satisfecho que con la trágica muerte desconsoló a Dante se reflejaron en *Vita nuova* (*Vida nueva*), que constituye el poemario y glosario de la educación sentimental del poeta. Las leyendas han elaborado toda una iconografía de este amor juvenil, y nos proponen una visión idílica, tierna y sentimental de estos primeros amores. Se toma como seguro, por ejemplo, que la muerte de Beatriz fue soñada por Dante cuando éste se veía sometido al delirio por causa de una grave enfermedad. También se cuenta que el poeta acudía a su tumba y allí componía, entre lágrimas y lamentos de fidelidad póstuma, sus más apasionados versos. Pero, en verdad, la existencia real de esta dama no ha sido probada y la crítica literaria advierte contra lecturas anacrónicas: Beatriz es sólo el medio para expresar los sentimientos y reflexiones de Dante sobre el amor.

127. El amor mueve el sol y las demás estrellas.

DANTE ALIGHIERI *(1265-1321), poeta italiano.*

128. Pronto se aprende a amar a un corazón gentil.

DANTE ALIGHIERI *(1265-1321), poeta italiano.*

129. **El amor nos encamina a ambos a la misma muerte.**
Dante Alighieri *(1265-1321), poeta italiano.*

130. **Yo no lloraba; mi corazón era como una piedra.**
Dante Alighieri *(1265-1321), poeta italiano.*

131. **Dura es la ley de amor, pero por dura que sea, hay que obedecerla, pues la tierra y el cielo por ella están unidos desde el fondo de las edades.**
Francesco Petrarca *(1304-1374), poeta italiano.*

132. **El amor ha hecho de mí el blanco hacia el que corre la flecha, me ha hecho nieve al sol, cera al contacto con el fuego, y bruma en el viento.**
Francesco Petrarca *(1304-1374), poeta italiano.*

133. **Y el cruel amor a quien acaso ha cambiado en constante dulzura la amargura de vivir.**
Francesco Petrarca *(1304-1374), poeta italiano.*

134. **Quien pueda decir cuánto ama, pequeño amor siente.**
Francesco Petrarca *(1304-1374), poeta italiano.*

135. **La mujer es voluble por naturaleza... Por esto sé que un amoroso estado, en corazón de mujer, poco tiempo dura.**
Francesco Petrarca *(1304-1374), poeta italiano.*

136. **De todas las pasiones, el amor es la que más crece cuando encuentra obstáculos.**
Giovanni Boccaccio *(1313-1375), escritor italiano.*

137. **A fin de cuentas, en latín, adulterio quiere decir ir a buscar de noche la cama de otro hombre para dividir en tres lo que antes estaba en dos, de uno solo y mismo cuerpo, según las leyes del cielo.**
Geoffrey Chaucer *(h. 1340-h. 1400), poeta inglés.*

138. **Quien bien ama tarde olvida.**
Geoffrey Chaucer *(h. 1340-h. 1400), poeta inglés.*

139. **Siervo en el amor; amo en el matrimonio.**
Geoffrey Chaucer *(h. 1340-h. 1400), poeta inglés.*

Amor

140. **Dos talentos en un matrimonio son mucho talento para una casa.**
Santa Catalina de Siena *(1347-1380), religiosa italiana.*

141. **Para el alma apasionada de la mujer de talento, la viudez no es sino una ausencia más o menos prolongada.**
Santa Catalina de Siena *(1347-1380), religiosa italiana.*

142. **El amor faz sotil al home que es rudo,**
fácele fablar fermoso al que antes es mudo,
al home que es covarde fácele atrevudo,
al perezoso face ser presto e agudo.
Juan Ruiz, Arcipreste de Hita *(† h. 1350), poeta castellano.*

143. **Que el amor fabla mintroso.**
Juan Ruiz, arcipreste de Hita *(† h. 1350), poeta castellano.*

144. **¡Ay, Dios, cuán fermosa viene doña Endrina por la plaça!**
¡Qué talle, qué donaire, qué alto cuello de garça!
¡Qué cabellos, qué boquilla, qué color, qué buenandança!
Con saetas de amor fiere cuando los sus ojos alça.
Juan Ruiz, arcipreste de Hita *(† h. 1350), escritor español.*

145. **Mi amor está prendido del tiempo pasado,**
aunque sin amar nada, pues ya todo se acabó.
Ausias March *(1397-1459), poeta español.*

146. **Mas vi la fermosa**
de buen continente,
la cara placiente
fresca como una rosa,
cual no vi dama,
nin otra, señores.
Íñigo López de Mendoza, marqués de Santillana *(1398-1458), político y escritor español.*

Una de las tradiciones literarias más afortunadas durante la Edad Media (y después en el Renacimiento) fue la de las serranillas o cantares de camino. Las escenas, que se venían transmitiendo desde los versos antiguos del arcipreste de Hita, tenían unas características bien conocidas y limitadas. En general, el caminante se veía perdido en la espesura, en los montes o en los caminos. En esta angustiosa ficción, el viajero topaba con una joven serrana. La muchacha podía tener una agradable apariencia (pareciéndose más a una cortesana que a una pastora), o podía tener aspecto verdaderamente rural: desaliñada, con bigote, fiera, maleducada y lujuriosa. Los encuentros podían resolverse de distintos modos: en unos casos, el caminante se veía obligado a huir ante el acoso sexual de la moza; en otras ocasiones, se producía el cortejo amoroso y, finalmente, como no podía ser de otra manera, el viajero yacía con la pastora-cortesana en una cabaña bucólica.

El fragmento seleccionado sigue esta tradición literaria y pertenece, como es sabido, a la serranilla titulada «La moçuela de Bores». El caminante comienza su poesía lamentando que Amor le ha olvidado; en ese momento descubre a la pastora y le espeta el halago de la cita; la muchacha le ruega que se aleje, pero el caballero insiste. Éste es el pícaro final del lance:

Assí concluimos
el nuestro processo,
sin fazer excesso,
e nos avenimos.
E fueron las flores
de cabe Espinama
los encubridores.

147. Ama e serás amado, y podrás hacer
lo que no harás desamado.

ÍÑIGO LÓPEZ DE MENDOZA, MARQUÉS DE SANTILLANA *(1398-1458), político y escritor español.*

148. ¡[...] tal es la llaga del dardo amoroso!

ÍÑIGO LÓPEZ DE MENDOZA, MARQUÉS DE SANTILLANA *(1398-1458), político y escritor español.*

149. ¡Oh, amores locos, que tornan a los hombres en animales...!

FRANÇOIS VILLON *(1431-1480), poeta francés.*

150. Quien quisiera ser amado,
trabaje por ser presente;
que quien presto fuera ausente,
tan presto será olvidado.

JORGE MANRIQUE *(1440-1479), poeta español.*

Amor

151. **Puedes censurar al amigo en confianza, pero debes alabarlo delante de los demás.**
LEONARDO DA VINCI *(1452-1519), humanista italiano.*

152. **Todo nuestro conocimiento tiene su principio en los sentimientos.**
LEONARDO DA VINCI *(1452-1519), humanista italiano.*

153. **El amor es el rey de la juventud y el tirano de los viejos.**
LUIS XII *(1462-1515), monarca francés.*

154. **Mientras el matrimonio no pasa de ser un purgatorio, hay que respetarlo; pero si llega a ser un infierno, es fuerza disolverlo.**
ERASMO DE ROTTERDAM *(1466-1536), teólogo holandés.*

155. **Otros aman primero que escogen. Yo primero escogí que amé, y esto más lo tomé para la generación que para el deleite.**
ERASMO DE ROTTERDAM *(1466-1536), teólogo holandés.*

156. **La gente se ríe del infeliz que se ablanda con las lágrimas de la adúltera y le llama cornudo, consentido y no sé cuántas cosas más; pero ¿no es mejor vivir engañado que dejarse consumir por los celos y convertirlo todo en una escena de tragedia?**
ERASMO DE ROTTERDAM *(1466-1536), teólogo holandés.*

157. **Ninguno cierra sus puertas**
si amor viniere a llamar,
que no le ha de aprovechar.
JUAN DEL ENCINA *(1468-1529), poeta y músico español.*

158. **Los hombres ofenden antes al que aman que al que temen.**
NICOLÁS MAQUIAVELO *(1469-1527), escritor y político italiano.*

159. **SEMPRONIO: ¿Tú no eres cristiano?**
CALISTO: ¿Yo? Melibeo soy, y a Melibea adoro, y en Melibea creo, y a Melibea amo.
FERNANDO DE ROJAS *(h. 1470-1541), escritor español.*

160. **El amor no admite sino amor por paga.**
FERNANDO DE ROJAS *(h. 1470-1541), escritor español.*

161. **Naciste para casada como yo para soltera.**

FERNANDO DE ROJAS *(h. 1470-1541), escritor español.*

162. **Amor es un fuego escondido, una agradable llaga, un sabroso veneno, una dulce amargura, una delectable dolencia, un alegre tormento, una dulce fiera herida, una blanda muerte.**

FERNANDO DE ROJAS *(h. 1470-1541), escritor español.*

163. **Graves y muchas son de amor las penas.**

LUDOVICO ARIOSTO *(1474-1533), poeta italiano.*

164. **Nadie puede saber de quién es amado, cuando la suerte le es propicia.**

LUDOVICO ARIOSTO *(1474-1533), poeta italiano.*

165. **Sin una mujer al lado no puede el hombre ser en verdad perfecto.**

LUDOVICO ARIOSTO *(1474-1533), poeta italiano.*

166. **El amor es el ala que Dios ha dado al hombre para volar hasta Él.**

MICHELANGELO BUONARROTI, *MIGUEL ÁNGEL (1475-1564), pintor, escultor y arquitecto italiano.*

167. **¿Qué es esto, Amor, que entra en el corazón por los ojos, y crece dentro en un pequeño espacio y llega a rebosar?**

MICHELANGELO BUONARROTI, *MIGUEL ÁNGEL (1475-1564), pintor, escultor y arquitecto italiano.*

168. **Es verdaderamente imposible que en el corazón del hombre en el que haya entrado una vez el verdadero amor reine nunca la vileza.**

BALTASAR DE CASTIGLIONE *(1478-1529), escritor y político italiano.*

169. **Y así bien puede decir que los ojos son la guía de los amores, en especial si son graciosos y dulces, negros y claros, alegres con buena risa.**

BALTASAR DE CASTIGLIONE *(1478-1529), escritor y político italiano.*

Amor

170. Moza de veinte años con viejo de sesenta años, es vida de dos años.

FRAY ANTONIO DE GUEVARA *(1480-1545), político y moralista español.*

171. Tienen por imaginación los celosos que lo que las mujeres de otros hicieron con ellos han de hacer sus mujeres con otros.

FRAY ANTONIO DE GUEVARA *(1480-1545), político y moralista español.*

172. De lo que nadie se ha arrepentido es de haberse acostumbrado a madrugar y de haberse casado joven.

MARTÍN LUTERO *(1483-1546), teólogo alemán.*

173. El que no ama el vino, las mujeres y las canciones permanece siendo un bobo toda su vida.

MARTÍN LUTERO *(1483-1546), teólogo alemán.*

174. El corazón del hombre es una rueda de molino que trabaja sin cesar; si nada echáis a moler, corréis el riesgo de que se triture a sí mismo.

MARTÍN LUTERO *(1483-1546), teólogo alemán.*

175. Las pasiones de los hombres no entienden las cosas como son o no las dicen como las entienden.

HERNÁN CORTÉS *(1485-1547), conquistador español.*

176. Como Dios hizo a los hijos libres, parece ser que en lo referente al matrimonio les dio privilegio de casarse con quien quisieran.

FRANCISCO DE VITORIA *(1486-1546), teólogo español.*

177. Los esposos han de ser amados con más intensidad que los padres, pero éstos han de ser más reverenciados.

FRANCISCO DE VITORIA *(1486-1546), teólogo español.*

178. A los que quieren nada hay difícil, sobre todo en las cosas que se hacen por amor de Nuestro Señor.

SAN IGNACIO DE LOYOLA *(1491-1556), religioso español.*

179. Aunque los celos sean producidos por el amor, como lo son las cenizas por el fuego, aquéllos extinguen el amor lo mismo que las cenizas apagan las llamas.

MARGARITA DE ANGULEMA *(1492-1549), reina de Navarra.*

180. **Yo sólo quisiera para mí**
tanto cuanto me bastase
para que nadie me aborreciese,
pero no tan poco que moviese a otros
a tenerme compasión.
PIETRO ARETINO *(1492-1556), escritor italiano.*

181. **Amor es voluntad dulce y sabrosa,**
que todo corazón duro enternece:
por quien remoza el mundo y reverdece.
JUAN BOSCÁN *(h. 1495-1542), poeta español.*

182. **¡Amor, amor! Un hábito he vestido**
del paño de tu tienda,
bien cortado, pero después
estrecho y desabrido,
al vestir le hallé ancho y holgado.
GARCILASO DE LA VEGA *(1501-1536), poeta español.*

183. **En tanto que de rosa y azucena**
se muestra la color en vuestro gesto,
y que vuestro mirar ardiente, honesto
enciende el corazón y lo refrena...
GARCILASO DE LA VEGA *(1501-1536), poeta español.*

184. **¿Dó están agora aquellos claros ojos**
que llevaban tras sí, como colgada,
mi alma doquier que ellos se volvían?
GARCILASO DE LA VEGA *(1501-1536), poeta español.*

185. **De tus rubios cabellos, ¿dónde, ingrata mía,**
hizo el Amor la cuerda para el homicida?
GARCILASO DE LA VEGA *(1501-1536), poeta español.*

186. **Yo no nací sino para quereros;**
mi alma os ha cortado a su medida;
por el hábito del alma misma os quiero;
cuanto tengo confieso yo deberos;
por vos nací, por vos tengo la vida,
por vos he de morir y por vos muero.
GARCILASO DE LA VEGA *(1501-1536), poeta español.*

Amor

187. **El amor perfecto tiene esta fuerza:**
que olvidamos nuestro contento
para contentar a quien amamos.
SANTA TERESA DE JESÚS *(1515-1582), escritora mística española.*

188. **El natural de las mujeres es muy flaco, y el amor propio**
que reina entre nosotras es muy sutil.
SANTA TERESA DE JESÚS *(1515-1582), escritora mística española.*

189. **Donde no hay amor, poned amor y encontraréis amor.**
SANTA TERESA DE JESÚS *(1515-1582), escritora mística española.*

190. **Este cuerpo tiene una falta: que mientras más le regalan,**
más necesidades se descubren.
SANTA TERESA DE JESÚS *(1515-1582), escritora mística española.*

191. **Dejémonos de celos indiscretos, que nos pueden hacer mucho daño;**
cada uno se mire a sí.
SANTA TERESA DE JESÚS *(1515-1582), escritora mística española.*

192. **Si el amor es la primera entre las pasiones,**
es porque halaga a todas las demás.
JOAN DE TIMONEDA *(1520-1583), escritor español.*

193. **Canonizaría sin inconveniente alguno a la mujer**
cuyo marido nunca se hubiera quejado de ella.
SIXTO V *(1521-1590), Papa de la Iglesia católica.*

194. **Que al ofenderme más,**
yo más te quiero.
LUIS DE CAMÕENS *(1524-1580), poeta portugués.*

195. **Amor es fuego que arde sin arder;**
una herida que duele sin lamento;
un gran contentamento sin contento;
un dolor que maltrata sin doler.
LUIS DE CAMÕENS *(1524-1580), poeta portugués.*

196. **Pero como sus iras son de amor,**
todos sus males son un puro bien
que yo por ningún otro trocaría.
LUIS DE CAMÕENS *(1524-1580), poeta portugués.*

197. **Pues es muy común esto en las esposas que bien aman a sus esposos: que, en faltándoles de noche de casa, les viene mala sospecha, o que no las aman o que aman a otra.**
FRAY LUIS DE LEÓN *(1527-1591), teólogo y poeta español.*

198. **El amor verdadero no espera a ser invitado, antes él se invita y se ofrece primero.**
FRAY LUIS DE LEÓN *(1527-1591), teólogo y poeta español.*

199. **El que tiene buena mujer es estimado por dichoso en tenerla, y por virtuoso en haber merecido tenerla.**
FRAY LUIS DE LEÓN *(1527-1591), teólogo y poeta español.*

200. **El estado de los casados es estado noble y santo y muy preciado por Dios.**
FRAY LUIS DE LEÓN *(1527-1591), teólogo y poeta español.*

201. **Ama a tu amigo como si algún día debieses odiarlo.**
MICHEL D'EYCHEM, SEÑOR DE MONTAIGNE *(1533-1592), ensayista francés.*

202. **El mejor matrimonio sería aquel que reuniese a una mujer ciega con un marido sordo.**
MICHEL D'EYCHEM, SEÑOR DE MONTAIGNE *(1533-1592), ensayista francés.*

203. **Hay hombres verdaderamente admirables en quienes ni su mujer ni su criado encuentran nada de particular.**
MICHEL D'EYCHEM, SEÑOR DE MONTAIGNE *(1533-1592), ensayista francés.*

204. **Gobernar una familia es casi tan difícil como gobernar todo un reino.**
MICHEL D'EYCHEM, SEÑOR DE MONTAIGNE *(1533-1592), ensayista francés.*

205. **La celotipia es, de todas las enfermedades del espíritu, aquella a la cual más cosas sirven de alimento y ninguna de remedio.**
MICHEL D'EYCHEM, SEÑOR DE MONTAIGNE *(1533-1592), ensayista francés.*

206. **El amor es un fuego temerario y voluble, ondulante y diverso; un fuego de fiebre que crece y se apaga y que nos ataca en un solo punto.**
MICHEL D'EYCHEM, SEÑOR DE MONTAIGNE *(1533-1592), ensayista francés.*

207. **El dejar de querer mal es un principio de querer bien.**
ALONSO DE ERCILLA *(1533-1594), poeta español.*

Amor

208. **Que la gloria de amor tarde se alcanza.**
Fernando de Herrera *(1534-1597), poeta español.*

209. **Siendo hueso la mujer
que del costado ha salido,
en ella tiene el marido
muy buen hueso que roer.**
Francisco de la Torre *(c. 1535-h. 1570), poeta español.*

210. **Descubre tu presencia,
y máteme tu vista y hermosura;
mira que la dolencia
de amor que no se cura
sino con la presencia y la figura.**
San Juan de la Cruz *(1542-1591), poeta místico español.*

211. **Buscando mis amores
iré por esos montes y riberas,
ni cogeré las flores,
ni temeré las fieras,
y pasaré los fuertes y fronteras.**
San Juan de la Cruz *(1542-1591), poeta místico español.*

212. **La persona que anda en amor no se cansa ni cansa a los demás.**
San Juan de la Cruz *(1542-1591), poeta místico español.*

213. **Ni ya tengo otro oficio
que ya sólo en amar es mi ejercicio.**
San Juan de la Cruz *(1542-1591), poeta místico español.*

214. **Amor alma es del mundo.**
Torcuato Tasso *(1544-1595), poeta italiano.*

215. **No hay mujer tan alta, que no huelgue ser mirada,
aunque el hombre sea muy bajo.**
Mateo Alemán *(1547-1614), escritor español.*

216. **Parécelas a las señoras doncellas que serán libres y podrán
correr y salir, en saliendo de casa de sus padres y entrando
en la de sus maridos, que podrán mandar con imperio,
tendrán qué dar y criadas en quienes dar.**
Mateo Alemán *(1547-1614), escritor español.*

217. Y tiene tanta fuerza y virtud este milagroso sacramento del matrimonio, que hace que dos diferentes personas sean una mesma carne, y aún hace más en los buenos casados: que, aunque tienen dos almas, no tienen más de una voluntad.

MIGUEL DE CERVANTES SAAVEDRA *(1547-1616), escritor español.*

El texto de la cita pertenece a la primera parte de *El Quijote*, capítulo XXXIII, donde se cuenta la novela del *Curioso impertinente*.

Desde luego Cervantes era un hombre vivamente interesado en las relaciones humanas, y el matrimonio no quedaba fuera de sus objetivos. A juzgar por el famoso episodio de las bodas de Camacho en *El Quijote*, las ideas sobre este asunto en Cervantes parecen inclinarse hacia matrimonio por amor, sentimental y razonable. Sin embargo, el autor muestra cuáles eran los términos en que se concebía el matrimonio en la época: habla Teresa, la mujer de Sancho, a propósito de la boda de su hija: «En fin, mejor parece la hija mal casada que bien abarraganada»; o lo que es lo mismo: más vale hacer casamiento desigual, antes que la pobre muchacha no se case o ande amancebada con cualquiera. Cervantes recoge el sentir popular en boca de Teresa: «Siempre, hermano, fui amiga de la igualdad y no puedo ver entonos [arrogancias] sin fundamentos» (véase Lope de Vega, *La malmaridada*: «El amistad es de iguales, / y, si va a decir verdad, / siempre la desigualdad / hace cosas desiguales»).

A continuación reproducimos el parlamento de don Quijote (capítulo XXI, segunda parte) con motivo de la definitiva unión de Quiteria y Basilio, los dos enamorados que están a punto de separarse por el empeño del acaudalado Camacho en tomar por esposa a Quiteria. Basilio, mediante una trampa, consigue desposar a Quiteria, pero los invitados pretenden apalearlo por haber engañado a toda la concurrencia. Habla entonces el caballero de la Triste Figura:

«Teneos, señores, teneos, que no es razón toméis venganza de los agravios que el amor nos hace, y advertid que el amor y la guerra son una misma cosa, y así como en la guerra es cosa lícita y acostumbrada usar de ardides y estratagemas para vencer al enemigo, así en las contiendas y competencias amorosas se tienen por buenos los embustes y marañas que se hacen para conseguir el fin que se desea, como no sean en menoscabo y deshonra de la cosa amada. Quiteria era de Basilio, y Basilio de Quiteria, por justa y favorable disposición de los cielos.

Camacho es rico y podrá comprar su gusto cuando, donde y como quisiere. Basilio no tiene más desta oveja, y no se la ha de quitar alguno, por poderoso que sea, que a los dos que Dios junta no podrá separar el hombre, y el que lo intentare, primero ha de pasar por la punta de esta lanza».

218. **Quien bien te quiere te hará llorar.**
Miguel de Cervantes Saavedra *(1547-1616), escritor español* (*del refranero popular*).

219. **Casamiento de parientes**
tiene mil inconvenientes.
Miguel de Cervantes Saavedra *(1547-1616), escritor español* (*del refranero popular*).

220. **Sobre todas las acciones de esta vida tiene imperio la buena o la mala suerte, pero más sobre los casamientos.**
Miguel de Cervantes Saavedra *(1547-1616), escritor español.*

221. **Nacen las mujeres con la carga de ser obedientes a sus maridos, aunque sean unos perros.**
Miguel de Cervantes Saavedra *(1547-1616), escritor español.*

222. **Cuando dije que moriría soltero, no pensaba vivir hasta que me hubiera casado.**
Miguel de Cervantes Saavedra *(1547-1616), escritor español.*

223. **En los casamientos graves, y en todos, es justo se ajuste la voluntad de los hijos con la de los padres.**
Miguel de Cervantes Saavedra *(1547-1616), escritor español.*

224. **Por eso juzgo y discierno**
por cosa cierta y notoria,
que tiene el amor su gloria,
a las puertas del infierno.
Miguel de Cervantes Saavedra *(1547-1616), escritor español.*

225. **Amo en fin. Y he dicho mucho en sólo decir que amo.**
Miguel de Cervantes Saavedra *(1547-1616), escritor español.*

226. **El amor antojadizo no busca calidades sino hermosuras.**
Miguel de Cervantes Saavedra *(1547-1616), escritor español.*

227. **El mejor ministro del amor es la ocasión.**
MIGUEL DE CERVANTES SAAVEDRA *(1547-1616), escritor español.*

228. **El amor es un enemigo al que no puede vencerse cuerpo a cuerpo, sino huyendo.**
MIGUEL DE CERVANTES SAAVEDRA *(1547-1616), escritor español.*

229. **¡Oh, poderosa guerra de los celos!**
¡Oh, enfermedad que te pegas
al alma de tal manera que sólo te despegas con la vida!
MIGUEL DE CERVANTES SAAVEDRA *(1547-1616), escritor español.*

230. **Aunque la rabia de celos**
es tan fuerte y rigurosa,
si nos lo pide una hermosa
no son celos, sino cielos.
MIGUEL DE CERVANTES SAAVEDRA *(1547-1616), escritor español.*

231. **Si los celos son señales de amor, es como la calentura**
en el hombre enfermo, que el tenerla es señal de tener vida,
pero vida enferma y mal dispuesta.
MIGUEL DE CERVANTES SAAVEDRA *(1547-1616), escritor español.*

232. **El que fuere amante verdadero no ha de tener atrevimiento**
para pedir celos a la cosa amada.
MIGUEL DE CERVANTES SAAVEDRA *(1547-1616), escritor español.*

233. **En los principios amorosos los desengaños prestos suelen ser remedios calificados.**
MIGUEL DE CERVANTES SAAVEDRA *(1547-1616), escritor español.*

234. **Los celos se engendran, entre los que bien se quieren,**
del aire que pasa, del sol que toca y aún de la tierra que pisa.
MIGUEL DE CERVANTES SAAVEDRA *(1547-1616), escritor español.*

235. **Que es enemigo amor de la mudanza,**
y nunca tuvo próspero suceso,
el que no aquilata en la firmeza.
MIGUEL DE CERVANTES SAAVEDRA *(1547-1616), escritor español.*

236. **Siempre son desestimadas las venganzas de los celos.**
MIGUEL DE CERVANTES SAAVEDRA *(1547-1616), escritor español.*

Amor

237. **Porque el amor, según he oído decir, unas veces vuela y otras anda; con éste corre y con aquél va despacio; a unos entibia y a otros abrasa; a unos hiere y a otros mata...**
MIGUEL DE CERVANTES SAAVEDRA *(1547-1616), escritor español.*

238. **Así como suele decirse que parece mal el ejército sin su general y el castillo sin su castellano, digo yo que parece muy peor la mujer casada y moza sin su marido.**
MIGUEL DE CERVANTES SAAVEDRA *(1547-1616), escritor español.*

239. **Promesas de enamorados, por la mayor parte son ligeras de prometer y muy pesadas de cumplir.**
MIGUEL DE CERVANTES SAAVEDRA *(1547-1616), escritor español.*

240. **Amor y deseo son dos cosas diferentes, que no todo lo que se ama se desea, ni todo lo que se desea se ama.**
MIGUEL DE CERVANTES SAAVEDRA *(1547-1616), escritor español.*

241. **Mi brazo abrirá carrera**
a tu vida y a mi muerte,
porque más me mata el verte,
¡oh, mi amor! desta manera.
MIGUEL DE CERVANTES SAAVEDRA *(1547-1616), escritor español.*

242. **No se han de visitar ni continuar las casas de los amigos casados, de la misma manera que cuando eran solteros.**
MIGUEL DE CERVANTES SAAVEDRA *(1547-1616), escritor español.*

243. **La edad causa la ruina de los animales y el matrimonio la de las gentes.**
WILLIAM CAMDEN *(1551-1623), historiador inglés.*

244. **En el amor es lo mismo que en la guerra, plaza que parlamenta está medio conquistada.**
MARGARITA DE VALOIS *(1552-1615), reina de Francia.*

245. **De todo y cuanto poseemos, sólo las mujeres sienten placer al ser poseídas.**
FRANÇOIS DE MALHERBE *(1555-1628), escritor francés.*

246. **Cuanto más desnudo está el amor, menos frío tiene.**
JOHN OWEN *(1560-1662), poeta inglés.*

247. **¿Qué motivo tengo para irritarme porque un hombre se ama a sí mismo más que a mí?**
FRANCIS BACON *(1561-1626), filósofo inglés.*

248. **La mujer es la amante del marido joven, la compañera para el maduro, la enfermera del viejo.**
FRANCIS BACON *(1561-1626), filósofo inglés.*

249. **Desde el primer día, el que se casa envejece siete años.**
FRANCIS BACON *(1561-1626), filósofo inglés.*

250. **Amadores desdichados**
que seguís milicia tal,
decidme, ¿qué buena guía
podéis de un ciego sacar?
LUIS DE GÓNGORA Y ARGOTE *(1561-1627), poeta español.*

251. **Porque, entre un labio y otro colorado,**
Amor está de su veneno armado
cual entre flor y flor sierpe escondida.
LUIS DE GÓNGORA Y ARGOTE *(1561-1627), poeta español.*

252. **Dulces guerras de amor y dulces paces.**
LUIS DE GÓNGORA Y ARGOTE *(1561-1627), poeta español.*

253. **La dama que llama al paje**
dejó en la cama a su esposo
y le halló, de celoso,
más helado que el potaje.
LUIS DE GÓNGORA Y ARGOTE *(1561-1627), poeta español.*

254. **Ya besando unas manos cristalinas,**
ya anudándome a un blanco y liso cuello,
ya esparciendo por él aquel cabello,
que Amor sacó entre el oro de sus minas.
LUIS DE GÓNGORA Y ARGOTE *(1561-1627), poeta español.*

255. **Mientras por competir con tu cabello,**
oro bruñido, el sol relumbra en vano,
mientras con menosprecio, en medio del llano
mira tu blanca frente el lirio bello.
LUIS DE GÓNGORA Y ARGOTE *(1561-1627), poeta español.*

Amor

256. En fin, señora, me veo
sin mí, sin vos y sin Dios.
Sin Dios por lo que os deseo,
sin mí porque estoy sin vos,
sin vos porque no os poseo.

FÉLIX LOPE DE VEGA Y CARPIO *(1562-1635), dramaturgo y poeta español.*

Lope de Vega es una de las cumbres de la literatura universal. Llamado el «Fénix de los ingenios españoles», declaró haber escrito cerca de 1.500 comedias, aunque sólo se conservan unas 300 obras dramáticas de las que se pueda asegurar su autoría. Entre ellas, las famosísimas *La Dama Boba*, *El perro del hortelano*, *Fuenteovejuna* o *El caballero de Olmedo*.

Como hombre, Lope de Vega fue un mujeriego impenitente. Entre sus muchos amoríos destaca Elena Osorio, a quien él llamaba Filis en sus versos. Ciertas disputas y altercados con otros amantes de Elena, le proporcionaron un destierro en Valencia. Se casó con una tal Isabel de Urbina, Belisa en su poesía. Celia es el nombre figurado de Micaela Luján, una mujer casada con la que tuvo turbulentas relaciones. Y Amarilis se corresponde con otra dama adúltera: Marta de Nevares. Hubo muchas otras mujeres, y esta existencia escandalosa le privó de puestos honoríficos que merecía por su obra literaria. El éxito de sus comedias le proporcionó grandes riquezas que malgastaba y dilapidaba a espuertas. Murió intentando corregirse de su afición por las faldas, aclamado por el público y olvidado por reyes y magnates.

Por tanto, si alguien sabe cómo ha de ser el amor entre el hombre y la mujer, éste debe ser, sin duda, Lope de Vega. Y así lo demuestra en su obra *Peribáñez y el comendador de Ocaña*, donde los protagonistas esbozan poéticamente el abecé de los amantes: la mujer debe dar Amor, y ser Buena. Cuerda, Dulce, Entendida; y con la F, Fuerte, Firme y de Fe. Grave (Seria y Prudente), Honrada, Ilustre, Limpia, Maestra de los hijos. Debe aprender a decir NO a propuestas locas, Pensativa, bien Querida, Solícita, y Tal que no se halle otra igual. Verdadera, Cristiana (X) y Zelosa. El hombre no debe mostrarse Altanero, ni hacer Burlas con la dama. Ha de ser Compañero, Dadivoso, Fácil de trato, Galán, Honesto y sin Ingratitud. Liberal, el Mejor. Evitará ser Necio y procurará estar todas las horas con su dama. Será Padre, para Querer, para Regalar, para Servir; para Tener firmeza y tratar con Verdad a la mujer.

257. **La raíz de todas las pasiones es el amor. De él nace la tristeza, el gozo, la alegría y la desesperación.**
FÉLIX LOPE DE VEGA Y CARPIO *(1562-1635), dramaturgo y poeta español.*

258. **Creer que un cielo en un infierno cabe,**
dar la vida y el alma a un desengaño,
esto es amor; quien lo probó lo sabe.
FÉLIX LOPE DE VEGA Y CARPIO *(1562-1635), dramaturgo y poeta español.*

259. **El querer no es elección**
porque ha de ser accidente.
FÉLIX LOPE DE VEGA Y CARPIO *(1562-1635), dramaturgo y poeta español.*

260. **El amor tiene fácil la entrada y difícil la salida.**
FÉLIX LOPE DE VEGA Y CARPIO *(1562-1635), dramaturgo y poeta español.*

261. **Ciencia es amor**
que el más rudo labrador
a pocos cursos la adquiere.
FÉLIX LOPE DE VEGA Y CARPIO *(1562-1635), dramaturgo y poeta español.*

262. **¿Cuándo amor de la razón**
se ha dejado gobernar?
FÉLIX LOPE DE VEGA Y CARPIO *(1562-1635), dramaturgo y poeta español.*

263. **Que es mejor quedar sin honra**
que casada con disgusto.
FÉLIX LOPE DE VEGA Y CARPIO *(1562-1635), dramaturgo y poeta español.*

264. **La casa en que no hay mujer**
como el limbo viene a ser.
FÉLIX LOPE DE VEGA Y CARPIO *(1562-1635), dramaturgo y poeta español.*

265. **A tu mujer:**
ámala, sirve y regala;
con celos no le des pena;
que no hay mujer que no sea buena
si ve que piensan que es mala.
FÉLIX LOPE DE VEGA Y CARPIO *(1562-1635), dramaturgo y poeta español.*

266. **Celos son hijos del amor,**
mas ser bastardos te confieso.
FÉLIX LOPE DE VEGA Y CARPIO *(1562-1635), dramaturgo y poeta español.*

Amor

267. Son celos cierto temor
tan delgado y tan sutil,
que si no fuera tan vil,
pudiera llamarse amor.

FÉLIX LOPE DE VEGA Y CARPIO *(1562-1635), dramaturgo y poeta español.*

268. Porque dicen, Amor, que no caminas si los celos no te calzan las espuelas.

FÉLIX LOPE DE VEGA Y CARPIO *(1562-1635), dramaturgo y poeta español.*

269. A una casada le basta
para estimación honrosa,
no el saber que ha sido hermosa,
sino el saber que fue casta.

FÉLIX LOPE DE VEGA Y CARPIO *(1562-1635), dramaturgo y poeta español.*

270. Recién casado de ayer,
¿dejas, señor, a tu esposa
rapaza, alegre y hermosa
ausente, sola y mujer?

FÉLIX LOPE DE VEGA Y CARPIO *(1562-1635), dramaturgo y poeta español.*

271. Luego amor ¿no es inmortal?
—No; que al primer vendaval
suele cambiar de opinión.

FÉLIX LOPE DE VEGA Y CARPIO *(1562-1635), dramaturgo y poeta español.*

272. Un pecho traicionado, ofendido,
volando pasa del amor al olvido.

FÉLIX LOPE DE VEGA Y CARPIO *(1562-1635), dramaturgo y poeta español.*

273. [...] locos celos,
de la clara verdad oscuros velos,
y del sol del amor nublados pardos.

FÉLIX LOPE DE VEGA Y CARPIO *(1562-1635), dramaturgo y poeta español.*

274. Que amor se hace gigante con los celos.

FÉLIX LOPE DE VEGA Y CARPIO *(1562-1635), dramaturgo y poeta español.*

275. El amor vuelve elocuentes a los que aman.

CHRISTOPHER MARLOWE *(1564-1593), poeta y dramaturgo inglés.*

276. **Pero el amor es ciego, y los enamorados no pueden ver las hermosas locuras que ellos mismos cometen.**
WILLIAM SHAKESPEARE *(1564-1616), escritor inglés.*

277. **Los hombres mueren de cuando en cuando y los gusanos se los comen; pero no es de amor de lo que fallecen.**
WILLIAM SHAKESPEARE *(1564-1616), escritor inglés.*

278. **El amor empieza siempre por el amor.**
WILLIAM SHAKESPEARE *(1564-1616), escritor inglés.*

279. **En amor, tan a destiempo llega el que va demasiado deprisa como el que va demasiado despacio.**
WILLIAM SHAKESPEARE *(1564-1616), escritor inglés.*

280. **No hay marido peor que el mejor de los hombres.**
WILLIAM SHAKESPEARE *(1564-1616), escritor inglés.*

281. **Si el amor es ciego no puede dar en el blanco.**
WILLIAM SHAKESPEARE *(1564-1616), escritor inglés.*

282. **El amor va al amor como los colegiales huyen de sus libros, pero el amor se aparta del amor como van ellos a la escuela, con la cara triste.**
WILLIAM SHAKESPEARE *(1564-1616), escritor inglés.*

283. **¿Es tierna cosa el amor? Es demasiado duro, demasiado violento y pincha como los espinos.**
WILLIAM SHAKESPEARE *(1564-1616), escritor inglés.*

284. **El amor de los jóvenes no reside de veras en sus corazones, sino en sus ojos.**
WILLIAM SHAKESPEARE *(1564-1616), escritor inglés.*

285. **El amor, que nos persigue, es con frecuencia un tormento para nosotros; y, sin embargo, le damos las gracias porque es el amor.**
WILLIAM SHAKESPEARE *(1564-1616), escritor inglés.*

286. **El amor puede hacer ladrar en verso a un perro.**
WILLIAM SHAKESPEARE *(1564-1616), escritor inglés.*

287. **La mujer, manjar de dioses, guisada a veces por el diablo.**
WILLIAM SHAKESPEARE *(1564-1616), escritor inglés.*

**288. El hombre que tiene lengua no es hombre,
si no puede con ella conquistar a una mujer.**
WILLIAM SHAKESPEARE *(1564-1616), escritor inglés.*

289. La horca y el matrimonio, ambas, cosas del destino.
WILLIAM SHAKESPEARE *(1564-1616), escritor inglés.*

**290. Las simientes nacen de las simientes,
y la hermosura produce hermosura.
Tú que fuiste engendrado,
engendrar es tu deber.**
WILLIAM SHAKESPEARE *(1564-1616), escritor inglés.*

**291. Bagatelas tan ligeras como el aire son, para los celosos,
pruebas tan poderosas como las sagradas afirmaciones.**
WILLIAM SHAKESPEARE *(1564-1616), escritor inglés.*

**292. Los más fuertes juramentos se queman en el fuego
de una pasión, como una ligera paja.**
WILLIAM SHAKESPEARE *(1564-1616), escritor inglés.*

**293. Los acres clamores de la mujer celosa envenenan más
mortalmente que la mordedura de un perro rabioso.**
WILLIAM SHAKESPEARE *(1564-1616), escritor inglés.*

**294. Las almas celosas no siempre lo son con motivo:
son celosas porque lo son. Los celos son un monstruo
que se engendra y nace de sí mismo.**
WILLIAM SHAKESPEARE *(1564-1616), escritor inglés.*

295. El corazón indiferente tiene muy larga vida.
WILLIAM SHAKESPEARE *(1564-1616), escritor inglés.*

**296. Aunque la separación sea un corrosivo violento,
sin embargo se la aplica a una herida mortal.**
WILLIAM SHAKESPEARE *(1564-1616), escritor inglés.*

**297. Duda de que sean fuego las estrellas,
duda de que el sol se mueva,
duda de que la verdad sea mentira,
pero no dudes jamás de que te amo.**
WILLIAM SHAKESPEARE *(1564-1616), escritor inglés.*

298. **En la elección de esposa, como en un plan de guerra, errar una vez es perderse para siempre.**
THOMAS MIDDLETON *(1570-1627), dramaturgo inglés.*

299. **El beso más lento resulta aun demasiado fugaz.**
THOMAS MIDDLETON *(1570-1627), dramaturgo inglés.*

300. **Amor vergonzoso y mudo**
medrará poco, señor,
que a tener vergüenza amor
no le pintaran desnudo.
GABRIEL TÉLLEZ, *TIRSO DE MOLINA (1571-1648), dramaturgo español.*

301. **Pues de fingir desatinos**
tanto interés tu amor saca,
fingirme celoso quiero.
GABRIEL TÉLLEZ, *TIRSO DE MOLINA (1571-1648), dramaturgo español.*

302. **El amor es un tributo**
y una deuda natural,
en cuantos viven, igual
desde el ángel hasta el bruto.
GABRIEL TÉLLEZ, *TIRSO DE MOLINA (1571-1648), dramaturgo español.*

303. **Que en este tiempo no parece justo**
casar las hijas contra el propio gusto.
GABRIEL TÉLLEZ, *TIRSO DE MOLINA (1571-1648), dramaturgo español.*

304. **Nunca sale de raíz**
una pasión encendida;
que en el hombre más feliz,
aunque se sane la herida,
se queda la cicatriz.
GABRIEL TÉLLEZ, *TIRSO DE MOLINA (1571-1648), dramaturgo español.*

305. **Que la que es rica y se casa**
con pobre, lleva a su casa
en un marido un criado.
GABRIEL TÉLLEZ, *TIRSO DE MOLINA (1571-1648), dramaturgo español.*

306. **Que quien ama, jura y miente.**
GABRIEL TÉLLEZ, *TIRSO DE MOLINA (1571-1648), dramaturgo español.*

Amor

307. **Una boda es medicina que sana a toda mujer.**
GABRIEL TÉLLEZ, *TIRSO DE MOLINA (1571-1648), dramaturgo español.*

308. **Con razón se llama amor enfermedad y locura.**
GABRIEL TÉLLEZ, *TIRSO DE MOLINA (1571-1648), dramaturgo español.*

309. **Que es víbora enfurecida**
despreciada una mujer.
GABRIEL TÉLLEZ, *TIRSO DE MOLINA (1571-1648), dramaturgo español.*

310. **Por lo que tiene de fuego suele apagarse el amor.**
GABRIEL TÉLLEZ, *TIRSO DE MOLINA (1571-1648), dramaturgo español.*

311. **Que los celos siempre nacen sin ojos y sin orejas.**
GABRIEL TÉLLEZ, *TIRSO DE MOLINA (1571-1648), dramaturgo español.*

312. **Que si es abeja amor, y el panal labra,**
los zánganos la comen, que son celos.
GABRIEL TÉLLEZ, *TIRSO DE MOLINA (1571-1648), dramaturgo español.*

313. **Celos, si aumentáis amores,**
feliz quien suyos os llama.
GABRIEL TÉLLEZ, *TIRSO DE MOLINA (1571-1648), dramaturgo español.*

314. **Amor que ardides dispone**
y la ocasión que enloquece...
GABRIEL TÉLLEZ, *TIRSO DE MOLINA (1571-1648), dramaturgo español.*

315. **No busques mujer hermosa**
porque es cosa peligrosa,
ser en la cárcel más segura,
alcalde de una hermosura,
donde es la afrenta forzosa.
GABRIEL TÉLLEZ, *TIRSO DE MOLINA (1571-1648), dramaturgo español.*

316. **¡Por amor de Dios, cerrad el pico y dejadme amar! Burlaos de mi reuma, o de mi gota, reíos de mis cuatro pelos canosos o de mi fortuna arruinada; amasad riquezas para mejorar vuestra posición, o estudiad las artes, buscaos la vida, buscaos un puesto, arrastraos ante Su Excelencia o Su Majestad, o contemplad el rostro del rey, verdadero o en las monedas; haced lo que os venga en gana, pero dejadme amar.**
JOHN DONNE *(1572-1631), poeta inglés.*

317. **El que quiera tener invitados distinguidos, que se case con una mujer distinguida.**
BENJAMIN JONSON, *(1572-1637), poeta y dramaturgo inglés.*

318. **Uno no se enamoró nunca, y ése fue su infierno. Otro, sí, y ésa fue su condena.**
ROBERT BURTON *(1577-1640), humanista inglés.*

319. **El lenguaje del amor está en los ojos.**
JOHN PHINEAS FLETCHER *(1579-1625), escritor inglés.*

320. **El amor consuela como el resplandor del sol después de la lluvia.**
JOHN PHINEAS FLETCHER *(1579-1625), escritor inglés.*

321. **De todos los caminos que llevan al amor de una mujer, el más fuerte es la piedad.**
JOHN PHINEAS FLETCHER *(1579-1625), escritor inglés.*

322. **¡Qué verdadero dolor,**
y qué apurado sufrir!
¡Qué mentiroso vivir!
¡Qué puro morir de amor!
FRANCISCO DE QUEVEDO Y VILLEGAS *(1580-1645), escritor español.*

Así comienzan las redondillas tituladas «En lo penoso de estar enamorado». El poema sigue el tradicional esquema enumerativo de la lírica cancioneril y, además, se añaden las típicas oposiciones de este género: «adorado disfavor», «apetecidos daños», etc. Todo ello, naturalmente, aderezado con el verbo ágil, ingenioso, pero también apasionado de Quevedo.

La crítica literaria ha considerado a Francisco de Quevedo desde dos puntos de vista diferentes; en primer lugar se le considera un autor puramente verbal, lo cual es tanto como decir que se distancia de la obra escrita hasta desligarse por completo de ella; de otra parte, algunos eminentes eruditos niegan esta falta de sinceridad: Quevedo es puro fuego y pura pasión en su poesía, y ni siquiera el uso de determinados tópicos barrocos limita su asombrosa capacidad comunicativa.

A Quevedo se debe, según algunos críticos, el mejor poema de amor en lengua castellana. Y, desde luego, siempre es maravilloso leerlo y asombrarse ante la capacidad conceptual de su poesía:

Amor

«Amor constante más allá de la muerte»

Cerrar podrá mis ojos la postrera
sombra que me llevare el blanco día,
y podrá desatar esta alma mía
hora a su afán ansioso lisonjera;

mas no, de esotra parte, en la ribera,
dejará la memoria, en donde ardía:
nadar sabe mi llama la agua fría,
y perder el respeto a ley severa.

Alma a quien todo un dios prisión ha sido,
venas que humor a tanto fuego han dado,
médulas que han gloriosamente ardido,

su cuerpo dejará, no su cuidado;
serán ceniza, mas tendrá sentido;
polvo serán, mas polvo enamorado.

323. **Los que de corazón se quieren,**
sólo con el corazón se hablan.

Francisco de Quevedo y Villegas *(1580-1645), escritor español.*

324. **Pregunta a mi pasión y a mi ventura**
y sabrá que es pasión de mi sentido
lo que juzga blasón de mi locura.

Francisco de Quevedo y Villegas *(1580-1645), escritor español.*

325. **No hay nada que avive tanto el amor como el temor de perder el ser amado.**

Francisco de Quevedo y Villegas *(1580-1645), escritor español.*

326. **¡Ay, Floralba! Soñé que te... ¿diréle?**
Sí, pues que sueño fue: que tc gozaba.
¿Y quién, sino un amante que soñaba,
juntara tanto infierno a tanto cielo?

Francisco de Quevedo y Villegas *(1580-1645), escritor español.*

327. **No hay amor sin temor de ofender o perder lo que se ama, y este temor es enamorado y filial.**

Francisco de Quevedo y Villegas *(1580-1645), escritor español.*

328. **Ojos, yo no sé qué espero**
viendo cómo me tratáis;
pues si me veis me matáis,
y si yo os miro, me muero.
FRANCISCO DE QUEVEDO Y VILLEGAS *(1580-1645), escritor español.*

329. **El amor es la última filosofía de la tierra y el cielo.**
FRANCISCO DE QUEVEDO Y VILLEGAS *(1580-1645), escritor español.*

330. **A los hombres que están desesperados cásalos, en lugar de darles sogas;**
morirán poco menos que ahorcados.
FRANCISCO DE QUEVEDO Y VILLEGAS *(1580-1645), escritor español.*

331. **¡Soltero soy, vive Dios!**
JUAN RUIZ DE ALARCÓN *(1581-1639), dramaturgo mexicano.*

332. **Para querer**
no pienso que ha menester
licencia mi voluntad.
JUAN RUIZ DE ALARCÓN *(1581-1639), dramaturgo mexicano.*

333. **¿No ves que no tengo amor**
y me hiela el menor frío?
JUAN RUIZ DE ALARCÓN *(1581-1639), dramaturgo mexicano.*

334. **Al que más avaro nace**
hace el amor dadivoso.
JUAN RUIZ DE ALARCÓN *(1581-1639), dramaturgo mexicano.*

335. **Quien tiene mujer buena**
si los celos la inflama,
merece que no lo sea.
JUAN RUIZ DE ALARCÓN *(1581-1639), dramaturgo mexicano.*

336. **La suma de todo cuanto hace feliz a un hombre**
consiste en la elección de una buena mujer.
PHILIP MASSINGER *(1583-1640), poeta inglés.*

337. **El celoso pasa la vida buscando un secreto cuyo descubrimiento ha de causar su desdicha.**
AXEL OXESTIERNE *(1583-1654), político sueco.*

Amor

338. Amor, yo de mí digo
que has sido cuerdo y verdadero amigo.
ESTEBAN MANUEL DE VILLEGAS *(1589-1669), poeta español.*

339. ¿Qué me sirve el dinero,
si no me ha de alcanzar
lo que yo quiero?
ESTEBAN MANUEL DE VILLEGAS *(1589-1669), poeta español.*

340. No diga que tiene amor quien no tiene atrevimiento.
PEDRO CALDERÓN DE LA BARCA *(1600-1681), dramaturgo español.*

341. Porque nadie convalece de amor mejor ni más presto,
que un enamorado ausente.
PEDRO CALDERÓN DE LA BARCA *(1600-1681), dramaturgo español.*

342. Amor sin arte es el arte de amar.
PEDRO CALDERÓN DE LA BARCA *(1600-1681), dramaturgo español.*

343. ¿Qué importa, pues, que el amor
tenga del cielo el color,
si tiene el mal del infierno?
PEDRO CALDERÓN DE LA BARCA *(1600-1681), dramaturgo español.*

344. Cuatro eses ha de tener
amor para ser perfecto
sabio, solo, solícito y secreto.
PEDRO CALDERÓN DE LA BARCA *(1600-1681), dramaturgo español.*

345. [...] Quien
ama sin sentimiento,
sonar hace el instrumento,
pero no que suena bien.
PEDRO CALDERÓN DE LA BARCA *(1600-1681), dramaturgo español.*

346. Razón, razón ¿hasta cuándo
el amor te ha de vencer?
PEDRO CALDERÓN DE LA BARCA *(1600-1681), dramaturgo español.*

347. La guerra es casarse:
todo en uno, en este tiempo.
PEDRO CALDERÓN DE LA BARCA *(1600-1681), dramaturgo español.*

348. **Muerte de amor son los celos,**
que no perdonan a nadie,
ni por humilde le dejan,
ni le respetan por grave.
PEDRO CALDERÓN DE LA BARCA *(1600-1681), dramaturgo español.*

349. **Que quien no sabe querer**
sea mármol, no mujer.
A la que me quiere, quiero.
Y a la que me olvida, olvido.
PEDRO CALDERÓN DE LA BARCA *(1600-1681), dramaturgo español.*

350. **Que aprende mal una lección de amores,**
quien no teme el azote de unos celos.
PEDRO CALDERÓN DE LA BARCA *(1600-1681), dramaturgo español.*

351. **El amor o el recelo paternos es un fatal escollo,**
donde dieron al traste muchos sucesores.
BALTASAR GRACIÁN *(1601-1658), escritor español.*

352. **Amar es el más poderoso hechizo para ser amado.**
BALTASAR GRACIÁN *(1601-1658), escritor español.*

353. **Que siempre quien celos**
tiene mayor desconsuelo
el que tener lo imagina,
que en ver lo que está temiendo.
JUAN PÉREZ DE MONTALBÁN *(1602-1638), escritor español.*

354. **El beso, como todas las emociones,**
rehúye la presencia de testigos.
BARTOLOMEO CORSINI *(1606-1673), escritor italiano.*

355. **La conversación de los que aman requiere un riguroso secreto.**
PIERRE CORNEILLE *(1606-1684), dramaturgo francés.*

356. **Si el amor vive de esperanzas, con ellas muere.**
PIERRE CORNEILLE *(1606-1684), dramaturgo francés.*

357. **¡Adiós, querido y encantador!**
Adiós, desgraciado y perfecto amante.
PIERRE CORNEILLE *(1606-1684), dramaturgo francés.*

Amor

358. **El amor es una herida que siempre deja señal.**

Francisco de Rojas Zorrilla *(1607-1648), dramaturgo español.*

359. **No hay salsa para mi amor**
como el mismo inconveniente.

Francisco de Rojas Zorrilla *(1607-1648), dramaturgo español.*

360. **Y aquel amor que es honesto**
es el que es perfecto amor.

Francisco de Rojas Zorrilla *(1607-1648), dramaturgo español.*

361. **Que la mujer que, picada,**
solicita otro galán
por vengarse de su amante,
se venga de sí no más.

Francisco de Rojas Zorrilla *(1607-1648), dramaturgo español.*

362. **La mujer es un hermoso defecto de la naturaleza.**

John Milton *(1608-1674), poeta inglés.*

La mujer, como elemento defectuoso de la naturaleza, es una idea que aparece de manera distintiva en el ámbito de las religiones. En las dos grandes religiones monoteístas (el judaísmo y el islam) la mujer es un ser impuro, contiene el germen del mal, de los vicios, y debe ser considerada inferior al hombre en todo. Aunque los *Evangelios* proponen piedad para las mujeres, lo cierto es que el cristianismo institucional mantuvo vigentes las arcaicas ideas hebreas en este campo, ya que el interés en afianzar la figura masculina frente la femenina era un objetivo necesario en el sistema jerárquico que impusieron en su organización. En cualquier caso, la posición de la mujer respecto al hombre, no es una idea original de las religiones, sino del mundo patriarcal antiguo. Aristóteles, en su *De generatione animalium*, señala ya este tópico de la literatura misógina.

363. **Lo que quiso el amor,**
que jamás quiso cosa alguna en vano.

John Milton *(1608-1674), poeta inglés.*

364. **Sólo me falta la sordera para ser el mejor partido de Inglaterra.**

John Milton *(1608-1674), poeta inglés.*

(Se asegura que el poeta respondió de este modo a un amigo suyo cuando éste le preguntó si pensaba casarse por segunda vez.)

365. No hay hombre que pueda ser feliz sin un amigo ni que esté seguro de éste hasta que es desgraciado.
THOMAS FULLER *(1609-1661), escritor inglés.*

366. Quien se ama a sí mismo ama a un hombre malvado.
THOMAS FULLER *(1609-1661), escritor inglés.*

367. La ausencia aviva el amor; la presencia lo fortalece.
THOMAS FULLER *(1609-1661), escritor inglés.*

368. Manda el marido sobre la mujer que constantemente le obedece.
THOMAS FULLER *(1609-1661), escritor inglés.*

369. Un momento muy indicado para hacerle el amor a una viuda es cuando regresa de los funerales de su esposo.
THOMAS FULLER *(1609-1661), escritor inglés.*

370. El que se casa en la pobreza no será rico cuando lo entierren.
THOMAS FULLER *(1609-1661), escritor inglés.*

371. Seguramente fue el diablo quien enseñó a amar a las mujeres.
THOMAS FULLER *(1609-1661), escritor inglés.*

372. Cuando la pobreza entra por la puerta el amor sale por la ventana.
THOMAS FULLER *(1609-1661), escritor inglés.*

373. Amor es duende inoportuno
que al mundo asombrado trae;
todos dicen que le hay
y no le ha visto ninguno.
ANTONIO DE SOLÍS *(1610-1686), escritor español.*

374. En la adversidad de nuestros mejores amigos solemos encontrar algo que no nos desagrada.
FRANÇOIS DE LA ROCHEFOUCAULD *(1613-1680), escritor moralista francés.*

375. Amamos siempre a los que nos admiran, pero no a los que admiramos.
FRANÇOIS DE LA ROCHEFOUCAULD *(1613-1680), escritor moralista francés.*

376. En los celos hay más amor propio que verdadero amor.
FRANÇOIS DE LA ROCHEFOUCAULD *(1613-1680), escritor moralista francés.*

377. Es muy difícil que dos que ya no se aman riñan de veras.
FRANÇOIS DE LA ROCHEFOUCAULD *(1613-1680), escritor moralista francés.*

Amor

378. **Lo que hace que la mayoría de las mujeres sean tan poco sensibles a la amistad es que la encuentran insípida una vez que han probado el gusto del amor.**

FRANÇOIS DE LA ROCHEFOUCAULD *(1613-1680), escritor moralista francés.*

379. **Lo que los hombres llaman amistad no es otra cosa que una alianza, una armonización recíproca de intereses, un intercambio de favores; en realidad, no es más que un sistema de trueque en el que el amor propio se propone siempre lograr alguna ventaja.**

FRANÇOIS DE LA ROCHEFOUCAULD *(1613-1680), escritor moralista francés.*

380. **El amor, como el fuego, no puede subsistir sin un movimiento continuo y muere en cuanto deja de esperar o de temer.**

FRANÇOIS DE LA ROCHEFOUCAULD (1613-1680), *escritor moralista francés.*

381. **En la amistad, como en el amor, solemos ser más felices con las cosas que ignoramos acerca de aquellos con quienes nos une el afecto.**

FRANÇOIS DE LA ROCHEFOUCAULD *(1613-1680), escritor moralista francés.*

382. **Se pueden encontrar mujeres que no hayan tenido ninguna aventura amorosa, pero es muy difícil encontrar mujeres que sólo hayan tenido una.**

FRANÇOIS DE LA ROCHEFOUCAULD *(1613-1680), escritor moralista francés.*

383. **Hay una cierta clase de amor cuyo exceso impide sentir celos.**

FRANÇOIS DE LA ROCHEFOUCAULD *(1613-1680), escritor moralista francés.*

384. **Las mujeres, en sus primeras pasiones, aman al amante; en las sucesivas, aman el amor, o más bien, aman los placeres.**

FRANÇOIS DE LA ROCHEFOUCAULD *(1613-1680), escritor moralista francés.*

385. **La ausencia disminuye las pequeñas pasiones y aumenta las grandes; como el viento, que apaga una bujía y atiza una hoguera.**

FRANÇOIS DE LA ROCHEFOUCAULD *(1613-1680), escritor moralista francés.*

386. **El placer del amor consiste en amar, y se es más feliz por la pasión que se siente que por la que se inspira.**

FRANÇOIS DE LA ROCHEFOUCAULD *(1613-1680), escritor moralista francés.*

387. **Una mujer se convence mucho mejor de que es amada por lo que adivina que por lo que se le dice.**
Ninon de Lenclos *(1616-1705), escritora francesa.*

388. **La necesidad de amar es parte de la naturaleza de la mujer.**
Ninon de Lenclos *(1616-1705), escritora francesa.*

389. **El amor es más bien el dios de las sensaciones que el de los sentimientos.**
Ninon de Lenclos *(1616-1705), escritora francesa.*

390. **El amor nunca muere de hambre; con frecuencia, de indigestión.**
Ninon de Lenclos *(1616-1705), escritora francesa.*

391. **Una mujer soltera es un enigma que no se explica hasta después del matrimonio.**
Ninon de Lenclos *(1616-1705), escritora francesa.*

392. **Los enamorados son ciegos, cogen las rosas y dejan las espinas; el supremo placer consiste en destrozarse las manos.**
Ninon de Lenclos *(1616-1705), escritora francesa.*

393. **Nada tan apreciable como un hombre atractivo, pero nada más odioso que un seductor.**
Ninon de Lenclos *(1616-1705), escritora francesa.*

394. **Que un casamiento forzado**
lleva el honor arriesgado,
y soy muy honrada yo.
Agustín Moreto *(1618-1669), dramaturgo y poeta español.*

395. **Si yo a querer algún día**
me inclinase, fuera a vos.
—¿Por qué?
—Porque entre los dos
hay oculta simpatía.
Agustín Moreto *(1618-1669), dramaturgo y poeta español.*

396. **Es delito**
tan desdichado el querer,
que ajeno parece mal
y, propio, parece bien.
Agustín Moreto *(1618-1669), dramaturgo y poeta español.*

Amor

397. **El amor es una unión**
de dos almas, que su ser
truecan por transformación.
AGUSTÍN MORETO *(1618-1669), dramaturgo y poeta español.*

398. **Amor es quita-razón,**
quita-sueño, quita-bien,
quita pelillos también.
AGUSTÍN MORETO *(1618-1669), dramaturgo y poeta español.*

399. **¿Pues qué será el amor desesperado**
si aun el correspondido es un tormento?
AGUSTÍN MORETO *(1618-1669), dramaturgo y poeta español.*

400. **Que quien ama ha de creer,**
que no creer no es amar.
AGUSTÍN MORETO *(1618-1669), dramaturgo y poeta español.*

401. **Porque es amor sin pendencia,**
peor que olla sin tocino.
AGUSTÍN MORETO *(1618-1669), dramaturgo y poeta español.*

402. **Nada domina al amor, y el amor domina a todas las cosas.**
JEAN DE LA FONTAINE *(1621-1695), escritor francés.*

403. **La desdicha es el vínculo más estrecho de los corazones.**
JEAN DE LA FONTAINE *(1621-1695), escritor francés.*

404. **¡Amor! ¡Amor! Cuando nos dominas**
bien puede decirse: «¡Adiós, prudencia!».
JEAN DE LA FONTAINE *(1621-1695), escritor francés.*

405. **Enamórate y no te faltará inventiva.**
JEAN DE LA FONTAINE *(1621-1695), escritor francés.*

406. **Todo el universo obedece al amor.**
¡Amad, lo demás no importa nada!
JEAN DE LA FONTAINE *(1621-1695), escritor francés.*

407. **La pérdida del esposo supone dolor; se hace mucho ruido**
pero el consuelo llega pronto.
JEAN DE LA FONTAINE *(1621-1695), escritor francés.*

408. El matrimonio es una cadena a la cual no se debe ligar a nadie violentamente.

JEAN-BAPTISTE POQUELIN, *MOLIÈRE (1622-1673), escritor francés.*

409. El amor es con frecuencia fruto del matrimonio.

JEAN-BAPTISTE POQUELIN, *MOLIÈRE (1622-1673), escritor francés.*

410. Quince años de matrimonio hacen inútiles las palabras. Después de mucho tiempo, ya nos hemos dicho todo.

JEAN-BAPTISTE POQUELIN, *MOLIÈRE (1622-1673), escritor francés.*

411. En un momentáneo ataque de desesperación el hombre se casa; y después se arrepiente durante toda la vida.

JEAN-BAPTISTE POQUELIN, *MOLIÈRE (1622-1673), escritor francés.*

412. En las batallas del amor siempre les toca perder a los tímidos.

JEAN-BAPTISTE POQUELIN, *MOLIÈRE (1622-1673), escritor francés.*

413. Nadie es capaz de evitar el amor, y nadie es capaz de evitar que su amor se acabe. De nosotros sólo depende usar bien el amor, vivirlo y gozarlo bien; que exista y que deje de existir no depende de nosotros.

JEAN-BAPTISTE POQUELIN, *MOLIÈRE (1622-1673), escritor francés.*

414. No hay nada tan conmovedor como un enamorado que se llega a las puertas de la amada y cuenta sus dolencias a los goznes y a los cerrojos.

JEAN-BAPTISTE POQUELIN, *MOLIÈRE (1622-1673), escritor francés.*

415. El fastidio mata a los amores, y el olvido es su sepulcro.

JEAN-BAPTISTE POQUELIN, *MOLIÈRE (1622-1673), escritor francés.*

416. Amor, sin escándalo, y placer sin miedo.

JEAN-BAPTISTE POQUELIN, *MOLIÈRE (1622-1673), escritor francés.*

417. Ten tus ojos muy abiertos antes del matrimonio, y medio cerrados después de él.

JEAN-BAPTISTE POQUELIN, *MOLIÈRE (1622-1673), escritor francés.*

418. Nunca se entra, por la violencia, dentro de un corazón.

JEAN-BAPTISTE POQUELIN, *MOLIÈRE (1622-1673), escritor francés.*

419. El que no es amigo de toda la humanidad no es amigo mío.

JEAN-BAPTISTE POQUELIN, *MOLIÈRE (1622-1673), escritor francés.*

Amor

420. **Preciso es reconocer que el amor es un gran maestro.**
JEAN-BAPTISTE POQUELIN, *MOLIÈRE (1622-1673), escritor francés.*

421. **Cuanto más amamos a alguien, menos debemos adularle.**
JEAN-BAPTISTE POQUELIN, *MOLIÈRE (1622-1673), escritor francés.*

422. **Lo que el amor hace, él mismo lo excusa.**
JEAN-BAPTISTE POQUELIN, *MOLIÈRE (1622-1673), escritor francés.*

423. **Estimar a todo el mundo es no querer a nadie.**
JEAN-BAPTISTE POQUELIN, *MOLIÈRE (1622-1673), escritor francés.*

424. **Amad en tanto no os falten atractivos porque el tiempo pasa para no volver.**
JEAN-BAPTISTE POQUELIN, *MOLIÈRE (1622-1673), escritor francés.*

425. **Un Dios que disculpa todo lo que hace hacer: el Amor.**
JEAN-BAPTISTE POQUELIN, *MOLIÈRE (1622-1673), escritor francés.*

426. **Aunque el hombre y la mujer sean dos mitades, estas dos mitades no son ni pueden ser iguales. Hay una mitad principal y otra mitad subalterna; la primera manda y la segunda obedece.**
JEAN-BAPTISTE POQUELIN, *MOLIÈRE (1622-1673), escritor francés.*

427. **En amor, demostrar celos es desempeñar un mal papel y hacerse desgraciado a crédito.**
JEAN-BAPTISTE POQUELIN, *MOLIÈRE (1622-1673), escritor francés.*

428. **Todas las cerraduras y los cerrojos no guardan las personas, que es el corazón al que hay que detener por medio de la dulzura y compasión.**
JEAN-BAPTISTE POQUELIN, *MOLIÈRE (1622-1673), escritor francés.*

429. **El celoso ama más, pero el que no lo es ama mejor.**
JEAN-BAPTISTE POQUELIN, *MOLIÈRE (1622-1673), escritor francés.*

430. **No hay nada tan horrible como cambiar de amor. Todo corazón infiel es moralmente monstruoso.**
JEAN-BAPTISTE POQUELIN, *MOLIÈRE (1622-1673), escritor francés.*

431. **Los celos son siempre un monstruo abominable y cuanto más entrañable es el amor que los origina, más deben sentir los efectos de esa ofensa.**
JEAN-BAPTISTE POQUELIN, *MOLIÈRE (1622-1673), escritor francés.*

432. **¡Qué vida tan feliz la que comienza por el amor y termina por la ambición!**
BLAISE PASCAL *(1623-1662), escritor, matemático, físico y filósofo francés.*

433. **El corazón tiene razones que la razón desconoce.**
BLAISE PASCAL *(1623-1662), escritor, matemático, físico y filósofo francés.*

434. **El amor es un tirano que no tolera ninguna compañía; es preciso que todas la pasiones se sometan y le obedezcan.**
BLAISE PASCAL *(1623-1662), escritor, matemático, físico y filósofo francés.*

435. **La causa del amor es pequeña y sus efectos sorprendentes: tan poca cosa mueve la tierra y el mundo entero.**
BLAISE PASCAL *(1623-1662), escritor, matemático, físico y filósofo francés.*

436. **Es curioso que muchas veces amar a otro es amar ciertas cualidades que pueden perderse. Nunca se ama a la persona; se aman las cualidades.**
BLAISE PASCAL *(1623-1662), escritor, matemático, físico y filósofo francés.*

437. **Muchas mujeres se casan para tener la libertad.**
CRISTINA DE SUECIA *(1626-1689), reina de Suecia.*

438. **Las infidelidades se perdonan, pero no se olvidan jamás.**
MARIE DE RABUTIN-CHANTAL, MARQUESA DE SÉVIGNÉ *(1626-1696), escritora francesa.*

439. **¡La que nace hermosa, nace casada!**
JOHN RAY *(1627-1705), escritor inglés.*

440. **El amor es la más noble flaqueza del espíritu.**
JOHN DRYDEN *(1631-1700), poeta y dramaturgo inglés.*

441. **Es necesario poner en claro de una vez si el matrimonio es uno de los siete sacramentos o uno de los siete pecados capitales.**
JOHN DRYDEN *(1631-1700), poeta y dramaturgo inglés.*

442. **Los celos son la ictericia del alma.**
JOHN DRYDEN *(1631-1700), poeta y dramaturgo inglés.*

443. **El amor cuenta las horas por meses, los días por años y una pequeña ausencia es un siglo.**
JOHN DRYDEN *(1631-1700), poeta y dramaturgo inglés.*

Amor

444. Perdonar sinceramente y sin reservas; he aquí la prueba más dura a que puede ser sometido el amor.
LOUIS BOURDALONE *(1632-1704), teólogo francés.*

445. Para abrir el corazón ajeno es necesario antes abrir el propio.
PASQUIER QUESNEL *(1634-1719), teólogo francés.*

446. El amor más discreto deja por algún detalle escapar su secreto.
JEAN BAPTISTE RACINE *(1639-1699), dramaturgo francés.*

447. Si te he amado inconstante, ¿qué hubiera hecho siendo fiel?
JEAN BAPTISTE RACINE *(1639-1699), dramaturgo francés.*

448. No siempre el himeneo está rodeado de banderas triunfales.
JEAN BAPTISTE RACINE *(1639-1699), dramaturgo francés.*
(Himeneo era la divinidad mitológica que presidía el matrimonio y personificaba los cantos nupciales en la antigüedad).

449. No es el amor un fuego que puede ocultarse dentro del alma, porque quien lo siente lo manifiesta en su voz, en sus ojos e incluso en su silencio.
JEAN BAPTISTE RACINE *(1639-1699), dramaturgo francés.*

450. Es imposible ocultar el amor en los ojos del que ama.
JOHN CROWNE *(1640-1703), escritor inglés.*

451. En la amistad sólo vemos aquellos defectos que pueden herir a nuestro amigo; en el amor vemos solamente aquellos que nos hieren a nosotros.
JEAN DE LA BRUYÈRE *(1645-1696), escritor francés.*

452. Hay pocas mujeres tan perfectas que no hagan arrepentirse a sus maridos, por lo menos una vez al día, de haber contraído matrimonio.
JEAN DE LA BRUYÈRE *(1645-1696), escritor francés.*

453. Sin la condición de herederos, acaso los padres quisieran más a sus hijos, y recíprocamente.
JEAN DE LA BRUYÈRE *(1645-1696), escritor francés.*

454. Más fácil es encontrar un amor apasionado que una amistad perfecta.
JEAN DE LA BRUYÈRE *(1645-1696), escritor francés.*

455. Para un marido resulta ya demasiado tener una esposa coqueta y devota, al mismo tiempo. Ella debe optar por una u otra cosa.

JEAN DE LA BRUYÈRE *(1645-1696), escritor francés.*

456. Un rostro hermoso es el más hermoso de los espectáculos y la más suave de las armonías es el sonido de la voz amada.

JEAN DE LA BRUYÈRE *(1645-1696), escritor francés.*

457. Antes de casarnos tenía seis teorías sobre el modo de educar a los pequeños. Ahora tengo seis hijos y ninguna teoría.

JOHN WILMOT, CONDE DE ROCHESTER *(1647-1680), cortesano y poeta inglés.*

458. ¿Por qué me enamoras lisonjero si has de burlarme luego fugitivo?

SOR JUANA INÉS DE LA CRUZ *(1651-1695), poetisa mexicana.*

Lo más apreciado de sor Juana Inés de la Cruz es la *Carta atenagórica* y la *Respuesta a sor Filotea*, donde sor Juana trata de defender su necesidad de lecturas y erudición, y donde pone de manifiesto su vocación literaria. Con todo, el favor popular lo han obtenido siempre las redondillas que comienzan con el famoso «Hombres necios que acusáis», y que suelen transcribirse bajo el siguiente enunciado: «Arguye de inconsecuente el gusto y la censura de los hombres, que en las mujeres acusan lo que causan». O lo que es lo mismo: es una crítica contra la costumbre de los hombres de acusar a las mujeres de livianas y volubles cuando, en efecto, son los hombres los que originan estos defectos:

Combatís su resistencia
y luego, con gravedad,
decís que fue liviandad
lo que hizo la diligencia.

Sor Juana Inés lamenta que los hombres se quejen cuando las mujeres los tratan mal, y que se burlen si se les quiere bien. Las damas, dice, nunca salen favorecidas de los amores porque, si se muestran recatadas, resultan ingratas, y si son complacientes, se las tacha de ligeras. En fin, para la necedad del hombre, las mujeres siempre son o crueles, o fáciles. La que es cruel, ofende; la que es fácil, enfada. Sor Juana Inés desea que la mujer se muestre ingrata y cruel, porque eso y no otra cosa es lo que merece el hombre. Aún otra acusación se hace a las mujeres, y es que tienden a enamorarse del oro más que de su dueño. A ello responde la poetisa que mejor será pecar por la paga, que pagar por pecar (como suelen hacer los varones). Así concluye sus redondillas:

Dejad de solicitar,
y después, con más razón,
acusaréis la afición
de la que os fuere a rogar.
Bien con muchas armas fundo
que lidia vuestra arrogancia,
pues en promesa e inconstancia,
juntáis diablo, carne y mundo.

459. **¿Cuál es la pena más grave**
que en las penas de amor cabe?
SOR JUANA INÉS DE LA CRUZ *(1651-1695), poetisa mexicana.*

460. **Al que ingrato me deja, busco amante;**
al que amante me sigue, dejo ingrata;
constante adoro a quien mi amor maltrata;
maltrato a quien mi amor busca constante.
SOR JUANA INÉS DE LA CRUZ *(1651-1695), poetisa mexicana.*

461. **Un acceso de celos puede impeler a cometer una acción indigna, de la cual, pasado el vértigo, todo hombre delicado se ruboriza.**
JEAN BAPTISTE MASSILLON *(1663-1742), moralista francés.*

462. **Lo que en el cielo están haciendo, lo ignoramos. Lo que no están haciendo nos lo han dicho expresamente: allí no se casa nadie.**
JONATHAN SWIFT *(1667-1745), escritor inglés.*

463. **El primer cuidado de todo hombre debe ser evitar**
los remordimientos de su propio corazón.
JOSEPH ADDISON *(1672-1719), periodista y escritor inglés.*

464. **La mujer celosa cree todo lo que la pasión le sugiere.**
JOHN GAY *(1685-1732), poeta inglés.*

465. **Los enamorados sueñan; los esposos son despertados.**
ALEXANDER POPE *(1688-1744), poeta inglés.*

466. **El divorcio es indispensable en las modernas civilizaciones.**
CHARLES-LOUIS DE SÉCONDAT, BARÓN DE MONTESQUIEU *(1689-1755), pensador francés.*

467. **Cuando los hombres prometen a una mujer que la amarán siempre, suponen a su vez que ellas les prometen ser siempre amables; si ella falta a su palabra, ellos no se creen obligados por la suya.**
CHARLES-LOUIS DE SÉCONDAT, BARÓN DE MONTESQUIEU *(1689-1755), pensador francés.*

468. **No puedo soportar ni la más mínima sospecha de que no me prefieras a mí antes que a cualquier otro hombre del mundo, como yo te he mostrado que te prefiero a ti entre todas las de tu sexo, sea cual sea la clase a la que pertenezcan.**
SAMUEL RICHARDSON *(1689-1761), escritor inglés.*

469. **El primer deber de una esposa es el de parecer feliz.**
PIERRE CLAUDE NIVELLE DE LA CHAUSSÉE *(1692-1754), dramaturgo francés.*

470. **Amistad, don del cielo, deleite de las grandes almas; amistad, cosa que los reyes, que tanto se distinguen por su ingratitud, no tienen la dicha de conocer.**
FRANÇOIS MARIE AROUET, *VOLTAIRE (1694-1778), escritor francés.*

471. **La amistad es el matrimonio del alma, y este matrimonio está sujeto al divorcio.**
FRANÇOIS MARIE AROUET, *VOLTAIRE (1694-1778), escritor francés.*

472. **Todas las personas se extinguen con la edad, pero el amor propio es inmortal.**
FRANÇOIS MARIE AROUET, *VOLTAIRE (1694-1778), escritor francés.*

473. **Los amigos nos abandonan con demasiada facilidad, pero nuestros enemigos son implacables.**
FRANÇOIS MARIE AROUET, *VOLTAIRE (1694-1778), escritor francés.*

474. **Cuanto concierne a los matrimonios depende exclusivamente del juez, limitándose los sacerdotes a la augusta función de bendecirlos.**
FRANÇOIS MARIE AROUET, *VOLTAIRE (1694-1778), escritor francés.*

475. **Toda la grandeza de este mundo no vale lo que un buen amigo.**
FRANÇOIS MARIE AROUET, *VOLTAIRE (1694-1778), escritor francés.*

Amor

476. **Los celos –cuyo objeto parece no ser otro que la persona amada– demuestran mejor que todas las demás pasiones que no amamos a nadie más que a nosotros mismos.**
ÉTIENNE COEUILHE *(1697-1749), escritor francés.*

477. **Amor: un juego en el cual hay dos que pierden, el hombre y la mujer; y uno sólo que gana: la especie.**
ANTOINE-FRANÇOIS PRÉVOST, ABATE PRÉVOST *(1697-1763), escritor francés.*

478. **El que vive enamorado sabe que delira, se lamenta con frecuencia y suspira sin cesar, y no habla de otra cosa más que de morir.**
PIETRO BONAVENTURA TRAPASSI, *PIETRO METASTASIO (1698-1782), escritor italiano.*

479. **La lengua del corazón es universal y sólo se necesita sensibilidad para entenderla y para hablarla.**
CHARLES PINOT DUCLOS *(1704-1772), escritor francés.*

480. **Un hermano puede no ser un amigo; pero un amigo será siempre un hermano.**
BENJAMIN FRANKLIN *(1706-1790), científico y político estadounidense.*

481. **Al elegir un amigo ve despacio, y más despacio todavía al cambiar de amigos.**
BENJAMIN FRANKLIN *(1706-1790), científico y político estadounidense.*

482. **Un buen marido vale más que dos buenas esposas, pues las cosas que más escasean son las más preciadas.**
BENJAMIN FRANKLIN *(1706-1790), científico y político estadounidense.*

483. **Todo mi placer consiste en verme servida, agasajada, adorada. Ésta es mi debilidad y ésta es la debilidad de casi todas las mujeres.**
CARLO GOLDONI *(1707-1793), dramaturgo italiano.*

484. **Cuando una mujer se encoleriza, cuatro besitos son suficientes para aplacarla.**
CARLO GOLDONI *(1707-1793), escritor italiano.*

485. **El amor puede esperar todavía cuando la razón desespera.**
GEORGE LYTTELTON *(1709-1773), escritor inglés.*

486. **El amor es la sabiduría de los locos y la locura de los sabios.**
SAMUEL JOHNSON *(1709-1784), escritor inglés.*

487. **Casarse por segunda vez es el triunfo de la esperanza sobre la experiencia.**
SAMUEL JOHNSON *(1709-1784), escritor inglés.*

488. **El matrimonio tiene muchos sinsabores, pero la soltería no goza de ningún placer.**
SAMUEL JOHNSON *(1709-1784), escritor inglés.*

489. **El que se casa sólo por amor es un hombre débil.**
SAMUEL JOHNSON *(1709-1784), escritor inglés.*

490. **Las cartas de amor se empiezan sin saber lo que se va a decir, y se terminan sin saber lo que se ha dicho.**
JEAN-JACQUES ROUSSEAU *(1712-1778), filósofo ginebrino.*

Uno de los pensadores más importantes de la cultura moderna occidental es este ginebrino polémico y genial. Sus obras más importantes son *La nueva Eloísa* (1757), un remedo sentimental de las novelas de Samuel Richardson, *El contrato social* (1762) sobre teoría política, y *Emilio o La educación* (1762). En 1782 aparecieron sus *Confesiones*, donde se muestra al desnudo en sus pensamientos y en sus obras. Este libro le ha procurado algunos calificativos poco halagüeños. Se dice de él, por ejemplo, que es un psicópata genial, un refinado hipócrita, un esquizofrénico con manía persecutoria, un egoísta, un arribista, un desagradecido, un inmoral, un ignorante, un estúpido, un cándido falso y un egocéntrico.

El amor de Rousseau fue Madame de Warens, que lo protegió y le dio cobijo a cambio de algunos cariñosos favores. Como Rousseau era incapaz de aprender nada y resultaba imposible que desempeñara ningún oficio con solvencia, siempre volvía a casa de la señora de Warens, a quien el ginebrino llamaba «Mamá». A fuerza de recomendaciones, conoce a Diderot, a Voltaire, a Buffon y a otros insignes sabios de la época, pero éstos acaban por despreciarlo y olvidarlo. Sus relaciones con distintas señoras nobles de París fueron el trampolín de su fama, la cual se acrecentó con discursos ingeniosos y subversivos. Aunque nunca dejó de amar a su «Mamá», convivió con una señora, llamada Teresa Levasseur, con quien tuvo cinco hijos, los cuales fueron directamente al hospicio, puesto que no se consideraba responsable de esos vástagos. Escribía: «Me he mostrado como fui: despreciable y vil, o bueno, generoso y sublime cuando lo he sido». Sus últimas letras fueron para su amor de juventud: Luisa Eleonora de Warens.

491. **Si quitáis de los corazones el amor o lo bello, les quitaréis todo el encanto de vivir.**
JEAN-JACQUES ROUSSEAU *(1712-1778), filósofo ginebrino.*

492. **No basta que una esposa sea fiel, es menester que su marido, sus amigos y sus vecinos crean en su fidelidad.**
JEAN-JACQUES ROUSSEAU *(1712-1778), filósofo ginebrino.*

493. **El amor priva de espíritu a quienes lo tienen, y se lo da a los que carecen de él.**
DENIS DIDEROT *(1713-1784), filósofo francés.*

494. **Los celos son una ceguera que arruina los corazones; quejarse y querellarse no representa signos de afecto sino de locura y de malestar.**
GASPARO GOZZI *(1713-1786), escritor y periodista italiano.*

495. **Placer y pena son los dos únicos resortes que mueven y moverán siempre al hombre.**
CLAUDE-ADRIEN HELVÉTIUS *(1715-1771), filósofo francés.*

496. **El amor propio es un malvado, el amor propio es un traidor, que siempre nos está adulando y nos induce al error.**
GIUSEPPE BARETTI *(1719-1789), escritor italiano.*

497. **La primera falta entre los casados es la consideración.**
MADAME DE PUYSIEUX *(1720-1798), escritora francesa.*

498. **La amistad es la manía de todos los retóricos morales: es para ellos néctar y ambrosía.**
IMMANUEL KANT *(1724-1804), filósofo alemán.*

499. **La mujer deviene libre con el matrimonio, pero el hombre pierde su libertad.**
IMMANUEL KANT *(1724-1804), filósofo alemán.*

500. **En la vida conyugal, la pareja unida debe constituir como una sola persona moral, regida y animada por la inteligencia del hombre y el gusto de la mujer.**
IMMANUEL KANT *(1724-1804), filósofo alemán.*

501. **El hombre siente celos cuando está enamorado, y la mujer, aunque no lo esté.**
IMMANUEL KANT *(1724-1804), filósofo alemán.*

502. **No puede decirse que el español sea más altivo o más enamorado que cualquiera de otro pueblo; pero lo es de una manera extravagante que resulta rara y fuera de lo habitual.**
IMMANUEL KANT *(1724-1804), filósofo alemán.*

503. **La fidelidad es una virtud que ennoblece hasta la esclavitud.**
WILLIAM MASON *(1725-1795), poeta inglés.*

504. **El amor no es más que una curiosidad.**
GIOVANNI GIACOMO CASANOVA *(1725-1798), aventurero italiano.*

505. **La amistad es un comienzo desinteresado entre iguales.**
OLIVER GOLDSMITH *(1728-1774), escritor inglés.*

506. **El corazón sólo es indiferente respecto a aquello en lo que no piensa; sólo respecto a algo que para él no es nada. Y ser sólo indiferente respecto a algo que no es nada... equivale a no ser indiferente. ¿Es esto demasiado elevado para ti, bobo?**
GOTTHOLD EPHRAIM LESSING *(1729-1781), dramaturgo alemán.*

507. **A lo sumo, solamente hay en el mundo una mujer mala; lo terrible es que cada uno cree que sea la mujer propia.**
GOTTHOLD EPHRAIM LESSING *(1729-1781), dramaturgo alemán.*

508. **El hombre enamorado se convierte a menudo en una criatura completamente diferente.**
GOTTHOLD EPHRAIM LESSING *(1729-1781), dramaturgo alemán.*

509. **El amor celoso enciende su antorcha en el fuego de las furias.**
EDMUND BURKE *(1729-1797), escritor y político irlandés.*

510. **El divorcio es el sacramento del adulterio.**
JEAN FRANÇOIS GUICHARD *(1731-1811), escritor francés.*

Amor

511. **Entre todas las cosas serias, el matrimonio es la más divertida.**
PIERRE-AUGUSTIN CARON, BARÓN DE BEAUMARCHAIS *(1732-1799), dramaturgo francés.*

512. **Para la cólera y para el amor, todo lo que se aplaza se pierde.**
PIERRE AUGUSTIN CARON, BARÓN DE BEAUMARCHAIS *(1732-1799), dramaturgo francés.*

513. **Beber sin sed y amar en todo tiempo es lo único que diferencia al hombre del animal.**
PIERRE-AUGUSTIN CARON, BARÓN DE BEAUMARCHAIS *(1732-1799), dramaturgo francés.*

514. **La verdadera amistad es una planta de lento desarrollo y debe experimentar y resistir los embates de la adversidad antes de tener derecho a esa denominación.**
GEORGES WASHINGTON *(1732-1799), político estadounidense.*

515. **Probablemente el amor y la virtud gozan con amargos placeres.**
JACQUES-HENRI BERNARDIN DE SAINT-PIERRE *(1737-1814), escritor francés.*

516. **Los celos son los hermanos del amor, como el diablo es hermano de los ángeles.**
JEAN STANISLAS BOUFLERS, MARQUÉS DE BOUFLERS *(1738-1815), escritor y político francés.*

517. **En el amor todas las cumbres son borrascosas.**
DONATIEN ALPHONSE FRANÇOIS SADE, MARQUÉS DE SADE *(1740-1814), escritor francés.*

518. **El que anda en un cortejo es como el bruto que tira de una noria (basto el ejemplo pero propio): anda sin fin y con los ojos vendados y siempre se está en la misma parte.**
JOSÉ CADALSO *(1741-1782), escritor español.*

519. **En amor, todo es verdad y todo mentira; es la única cosa sobre la cual no puede decirse un absurdo.**
NICOLAS-SÉBASTIEN ROCH, *NICOLAS DE CHAMFORT (1741-1794), escritor francés.*

520. **Pregunté a M. de... si se casaría: «Creo que no» me contestó, y añadió riéndose: «La mujer que me haría falta no la busco, pero tampoco la evito».**
NICOLAS-SÉBASTIEN ROCH, *NICOLAS DE CHAMFORT (1741-1794), escritor francés.*

521. **El amor gusta más que el matrimonio, porque las novelas gustan más que la historia.**
NICOLAS-SÉBASTIEN ROCH, *NICOLAS DE CHAMFORT (1741-1794), escritor francés.*

522. **Las mujeres no conceden a la amistad más que lo que sisan al amor.**
NICOLAS-SÉBASTIEN ROCH, *NICOLAS DE CHAMFORT (1741-1794), escritor francés.*

523. **El matrimonio, al contrario que la fiebre, empieza por el calor y termina por el frío.**
GEORG CHRISTOPH LICHTENBERG *(1742-1799), escritor y científico alemán.*

524. **El amor es ciego, pero el matrimonio le devuelve la vista.**
GEORG CHRISTOPH LICHTENBERG *(1742-1799), escritor y científico alemán.*

525. **La mujer gusta de suscitar quejas en amor, para gozarse más tarde en el placer de la reconciliación.**
THOMAS JEFFERSON *(1743-1826), político estadounidense.*

526. **Los momentos más felices que mi corazón conoce son aquellos en que derrama su afecto sobre unas cuantas personas estimadas.**
THOMAS JEFFERSON *(1743-1826), político estadounidense.*

527. **Un hombre que penetra en el tocado de su esposa o es un filósofo, o es un imbécil.**
SOFÍA ARNOULD *(1744-1802), actriz francesa.*

528. **Quien no tiene lo preciso para mantenerse solo, ¿buscará en el matrimonio la multiplicación de sus necesidades?**
GASPAR MELCHOR DE JOVELLANOS *(1744-1811), escritor y ensayista español.*

529. **El matrimonio es la escuela segura del orden, de la bondad, de la humanidad, que son cualidades mucho más necesarias que la instrucción y el talento.**
GABRIEL HONORÉ RIQUETI, CONDE DE MIRABEAU (*1749-1791), político francés.*

530. **Las mujeres son muy sutiles y tienen razón; si saben mantener a dos pretendientes en buenas relaciones, el provecho es siempre de ellas, aunque muy raramente se da el caso.**
JOHANN WOLFGANG VON GOETHE *(1749-1832), escritor alemán.*

El texto seleccionado pertenece, como no podía ser de otra manera, a la famosa novela epistolar *Werther*. Johann Wolfgang von Goethe la escribió cuando el movimiento literario y cultural de Weimar denominado *Sturm und Drang* se hallaba en su apogeo. *Las desventuras o las tribulaciones del joven Werther* (*Die Leiden des jungen Werther*) narra la peripecia sentimental y emocional de un joven que vive la vida de un modo tan apasionado que todo suceso se convierte en hazaña o aventura. Alejado del mundanal ruido, Werther vive en una aldea lúdicamente dedicado a la pintura y a los libros. Conoce en un baile a Charlotte (Lotte) y como no podía ser de otra manera, queda total y absolutamente prendado de ella. A pesar de las buenas relaciones que ambos mantienen, Lotte se compromete con Albert y entonces la desesperación del protagonista se desborda. La angustia de Werther es aún mayor porque, al menos en parte, comprende el amor de Lotte y Albert, y comprende que ambos se desposen. Y es este aspecto que la razón da al turbulento corazón del protagonista, el origen de su mayor desconsuelo.

De la tragedia sentimental de Werther pueden escogerse numerosos pasajes. Aquí se ha seleccionado una carta (sin destinatario explícito) con fecha del 3 de septiembre de 1771 que definen el amor romántico:

«Hay ocasiones en que no comprendo cómo puede haber otro que la quiera, que se permita amarla, cuando yo, tan sólo yo, la quiero tan profunda y totalmente, ¡Yo, que no conozco otra cosa, ni sé, ni tengo más que a ella!».

531. Hogar propio y mujer buena valen el oro y las perlas.

JOHANN WOLFGANG VON GOETHE *(1749-1832), escritor alemán.*

532. Bueno es tener la alegría en casa y no haber menester de buscarla fuera.

JOHANN WOLFGANG VON GOETHE *(1749-1832), escritor alemán.*

533. El amor es una cosa ideal; el matrimonio, una cosa real; la confusión de lo real con lo ideal jamás queda impune.

JOHANN WOLFANG VON GOETHE *(1749-1832), escritor alemán.*

534. Cierto que en el mundo de los hombres nada hay necesario, excepto el amor.

JOHANN WOLFANG VON GOETHE *(1749-1832), escritor alemán.*

535. Alegría y amor son las alas para las grandes empresas.

JOHANN WOLFANG VON GOETHE *(1749-1832), escritor alemán.*

536. Haz que la vida de nuestro amor no sea como la de una rosa.

JOHANN WOLFANG VON GOETHE *(1749-1832), escritor alemán.*

537. La fidelidad es el esfuerzo de un alma noble para igualarse a otra más grande que ella.

JOHANN WOLFANG VON GOETHE *(1749-1832), escritor alemán.*

538. Cuando un viejo se casa con una joven merece... Realmente, nada merece. Ya lleva en ello su propio castigo.

RICHARD BRINSLEY SHERIDAN *(1751-1816), político y dramaturgo inglés.*

539. El corazón necesita un segundo corazón. La alegría compartida es doble alegría.

CHRISTOPHER A. TIEDGE *(1752-1841), poeta alemán.*

540. Cuando se ama es el corazón quien juzga.

JOSEPH JOUBERT *(1754-1824), moralista francés.*

541. Nada hace más honor a la mujer que su paciencia, y nada la honra menos que la paciencia de su marido.

JOSEPH JOUBERT *(1754-1824), moralista francés.*

542. No hay que elegir por esposa sino aquella que elegiríamos como amigo, si fuera hombre.

JOSEPH JOUBERT *(1754-1824), moralista francés.*

543. El castigo de aquellos que se consagran demasiado a las mujeres es no poder librarse de ellas.

JOSEPH JOUBERT *(1754-1824), moralista francés.*

544. El matrimonio es una cosa tan bella que es preciso pensar en él toda la vida.

CHARLES MAURICE DE TALLEYRAND, DUQUE DE PÉRIGORD *(1754-1838), político francés.*

545. Ni una inteligencia sublime, ni una gran imaginación, ni las dos cosas juntas forman el genio; amor, eso es el alma del genio.

WOLFGANG AMADEUS MOZART *(1756-1791), compositor austriaco.*

546. Los juramentos de amor son como los votos de los marinos: se olvidan pasada la tormenta.

NOAH WEBSTER *(1758-1843), escritor estadounidense.*

Amor

547. Créeme, en tu corazón brilla la estrella de tu destino.
JOHANN CHRISTOPH FRIEDRICH VON SCHILLER *(1759-1805), escritor alemán.*

Friedrich Schiller es una de las cumbres del romanticismo alemán. Junto a Goethe, destacó en el movimiento llamado *Sturm und Drang*, la versión primera y más pura del romanticismo europeo. Si el *Werther* de Goethe supuso una revolución en el campo del amor, el *Guillermo Tell* de Schiller es un monumento a la libertad y a la dignidad del hombre. El movimiento romántico es muy complejo y, en ocasiones, contradictorio: la exaltación de la libertad individual y moral del hombre es uno de sus pilares básicos. A partir de aquí, todo cuanto nace en el corazón humano se hace sagrado: el amor, la amistad, el dolor, la venganza, etc. La cita que precede a este breve comentario ofrece una pincelada de lo que significaba el romanticismo: el corazón del hombre es único, poderoso, independiente y sublime. La tragedia romántica consiste en conocer que los sentimientos humanos son demasiado grandes para el cuerpo que los contiene y demasiado hermosos para el mundo que le rodea.

548. Amor es el precio del amor.
JOHANN CHRISTOPH FRIEDRICH VON SCHILLER *(1759-1805), escritor alemán.*

549. Sólo conoce el amor quien ama sin esperanza.
JOHANN CHRISTOPH FRIEDRICH VON SCHILLER *(1759-1805), escritor alemán.*

550. No es la carne y la sangre, sino el corazón,
los que nos hace padre e hijos.
JOHANN CHRISTOPH FRIEDRICH VON SCHILLER *(1759-1805), escritor alemán.*

551. El anillo hace los matrimonios,
y son los anillos los que hacen una cadena.
JOHANN CHRISTOPH FRIEDRICH VON SCHILLER *(1759-1805), escritor alemán.*

552. Dime qué es lo que verdaderamente amas, lo que buscas con todo tu empeño y me habrás dado con ello una expresión de tu vida.
JOHANN GOTLIEB FICHTE *(1762-1814), filósofo alemán.*

553. La libertad es incompatible con el amor. Un amor es siempre esclavo.
GERMAINE NECKER, MADAME DE STAËL *(1766-1817), escritora francesa.*

554. Me siento feliz de no ser hombre y verme en el caso de tener que casarme con una mujer.
GERMAINE NECKER, MADAME DE STAËL *(1766-1817), escritora francesa.*

555. El amor no es más que un punto luminoso y, sin embargo, parece abarcar la eternidad.

BENJAMIN CONSTANT *(1767-1830), escritor y político suizo.*

556. ¡Oh! ¿Qué corazón, por duro que sea, no se estremece al oír las campanas de su patria natal, las mismas que repicaron con alegría el día de su nacimiento, anunciando su llegada a la vida, que marcaron el primer latido de su corazón, que difundieron por todos los alrededores la santa alegría del padre, y los dolores y alegrías aún más inefables de la madre?

RENÉ DE CHATEAUBRIAND *(1768-1848), escritor francés.*

557. Mientras el corazón tiene deseo, la imaginación conserva ilusiones.

RENÉ DE CHATEAUBRIAND *(1768-1848), escritor francés.*

558. Los hombres serán siempre lo que quieran las mujeres.

RENÉ DE CHATEUBRIAND *(1768-1848), escritor francés.*

559. ¡Por tus besos vendería el porvenir!

RENÉ DE CHATEUBRIAND *(1768-1848), escritor francés.*

560. Después de diez años de matrimonio, el divorcio debería ser imposible.

NAPOLEÓN BONAPARTE *(1769-1821), emperador francés.*

561. Para ser enteramente feliz, el matrimonio exige un cambio continuo de transpiraciones.

NAPOLEÓN BONAPARTE *(1769-1821), emperador francés.*

562. El más peligroso de nuestros consejeros es el amor propio.

NAPOLEÓN BONAPARTE *(1769-1821), emperador francés.*

563. El amor es una tontería hecha por dos.

NAPOLEÓN BONAPARTE *(1769-1821), emperador francés.*

564. Había un pequeño número de mujeres con las cuales el matrimonio me parecía antaño la dicha suprema; después he comprobado que ha sido una gran suerte que ninguna haya llegado a ser mi mujer.

LUDWIG VAN BEETHOVEN *(1770-1827), compositor alemán.*

565. Un hombre ama poco y muchas veces; la mujer ama mucho y en contadas ocasiones.

MADAME BASTA, CONDESA DE TOUCHIMBERT *(1770-1836), escritora francesa.*

Amor

566. **El soltero escoge,**
el viudo recoge.
Manuel María de Arjona *(1771-1820), poeta español.*

567. **«Tu viuda no te olvidará jamás», hizo grabar en la lápida de la tumba de su marido. Y terminó casándose con el marmolista.**
August Christian Fischer *(1771-1829), escritor alemán.*

568. **El amor propio es el más grande de todos los aduladores.**
Sir Walter Scott *(1771-1832), escritor escocés.*

569. **Un niño es un amor que se ha hecho visible.**
Friedrich von Hardenberg, *Novalis (1772-1801), poeta alemán.*

570. **La coqueta que toma amante es el soberano que abdica.**
Aimée Coigny, madame de Coigny *(1776-1820), dama francesa.*

571. **Hay unos celos villanos que consisten en desconfiar de la persona amada, y otros celos hay más nobles que sólo desconfían de sí mismo.**
Filippo Pananti *(1776-1837), poeta italiano.*

572. **¡Salve, divino amor, del hombre vida,**
fuego dulce y fecundo,
deidad amable, que a placer convida,
por todo el ancho mundo!
Juan Nicasio Gallego *(1777-1853), poeta y político español.*

573. **El amor, que, sin previa invitación**
a todas partes acude.
Charles Albert Demonstier *(1780-1801), poeta y dramaturgo francés.*

574. **Quiere tan sólo, y cambiará la faz del mundo.**
Félicité Robert de Lamennais *(1782-1854), escritor francés.*

575. **No hay más uniones legítimas que las que están gobernadas por una verdadera pasión.**
Henri Beyle, *Stendhal (1783-1842), escritor francés.*

576. **Cuando se acaba de ver íntimamente a la mujer querida, la presencia de cualquier otra mujer causa a la mirada una especie de malestar físico.**
Henri Beyle, *Stendhal (1783-1842), escritor francés.*

577. **La fidelidad de las mujeres casadas, cuando en su matrimonio no la alienta el amor, probablemente es algo contra natura.**
HENRI BEYLE, *STENDHAL (1783-1842), escritor francés.*

578. **La más grande felicidad que pueda dar el amor es el primer apretón de manos de la mujer amada.**
HENRI BEYLE, *STENDHAL (1783-1842), escritor francés.*

579. **El hombre que no ha amado apasionadamente ignora la mitad más bella de la vida.**
HENRI BEYLE, *STENDHAL (1783-1842), escritor francés.*

580. **El amor es como la fiebre: brota y aumenta contra nuestra voluntad.**
HENRI BEYLE, *STENDHAL (1783-1842), escritor francés.*

581. **Únicamente existe un modo para lograr más fidelidad de las mujeres en el matrimonio: conceder la libertad a las jóvenes, y el divorcio a los casados.**
HENRI BEYLE, *STENDHAL (1783-1842), escritor francés.*

582. **Es tan real la diferencia que existe entre la infidelidad de los dos sexos, que una mujer apasionada puede perdonar una infidelidad, pero ello resulta un problema para el hombre.**
HENRI BEYLE, *STENDHAL (1783-1842), escritor francés.*

583. **Una discusión matrimonial es más eficaz que todos los sermones del mundo.**
WASHINGTON IRVING *(1783-1859), escritor estadounidense.*

584. **El arte guerrero de las mujeres es tal, que cuando renuncian a la lucha, triunfan.**
ERNST RAUPACK *(1784-1852), poeta alemán.*

585. **La vida es un arte, y la vida matrimonial la parte más difícil de ese arte.**
KARL MARIA VON WEBER *(1786-1826), compositor alemán.*

586. **Una amante es leche; una esposa, mantequilla; y una mujer, queso.**
LÖB BARUCH, *LUDWIG BÖRNE (1786-1837), escritor y político alemán.*

587. **Por su parte, mi esposo, los instantes íntimos contaba con un afán... Pero el exceso de este afán nos perdió.**
FRANCISCO MARTÍNEZ DE LA ROSA *(1787-1862), político y escritor español.*

588. Sufrir sin poder quejarme...
Callar y abrasarme de celos...
¡No, Juana, no me es posible
tolerar tantos tormentos!

FRANCISCO MARTÍNEZ DE LA ROSA *(1787-1862), político y escritor español.*

589. Una mujer bonita siempre es un huésped bienvenido.

GEORGE GORDON, *LORD BYRON (1788-1824), poeta inglés.*

Lord Byron es considerado universalmente como el poeta romántico. Su poesía agresiva, mordaz, libertaria y apasionada cautivó a las damas tanto como su personalidad y su vida aventurera. Atractivo y sugerente, lord Byron se convirtió en un personaje admirado y amado, y en todos los rincones de Europa se conocían más sus andanzas que sus versos. Una escritora inglesa, Caroline Lamb, decía que Byron era un hombre loco, malo y peligroso. Casado con Annabella Milbanke, su matrimonio se deshizo ante la relación incestuosa del poeta con su hermanastra Augusta, la cual hubo de ir tras él durante sus peregrinaciones por Europa. Le abandonó cuando Byron se dio a una vida desenfrenada y excesiva en Italia. Clara Clairmont o Teresa Guiccioli fueron también amantes suyas. Su muerte, cuando pretendía apoyar la causa de la independencia de Grecia, le otorgó una memoria de héroe, aunque no murió en combate sino a causa de unas fiebres. Su mundo poético e intelectual se concentraba, como en todos los románticos, en la tortura de ser una cosa y desear ser otra bien distinta. Sus sentimientos apasionados y torturados pueden verse reflejados en su *Childe Harold* (1811-1822), *El corsario y Lara* (1813-1816) o *Don Juan* (1822). De su etapa en Italia es *Manfred*: éste es un ejemplo de su verdadera idea de la mujer, compañera y amante. «Ella se parecía a mí: sus ojos, su pelo, sus gestos, todo, hasta el acento mismo de su voz; se decía que era igual a mí, pero más dulce, más hermosa. Como a mí, le gustaban los paseos y la reflexión solitaria, buscaba el saber oculto y deseaba comprender el mundo; pero no sólo con eso, sino con poderes más amables que los míos: compasión, sonrisas y lágrimas que yo no tenía; ternura que sólo ella sentía; humildad que yo jamás tuve. Sus faltas eran mías, y sus virtudes, suyas. La amé y yo mismo la destruí.»

590. ¡Oh, amor! Tú eres un diablo. Pero después de todo,
no te podemos llamar demonio.

GEORGE GORDON, LORD BYRON *(1788-1824), poeta inglés.*

591. **En su primera pasión la mujer ama a su amado; en todas las demás, sólo al amor.**
George Gordon, *lord Byron (1788-1824), poeta inglés.*

592. **El amor encontrará su camino, incluso a través de lugares donde ni los lobos se atreverían a entrar.**
George Gordon, *lord Byron (1788-1824), poeta inglés.*

593. **La prueba de un afecto puro es una lágrima.**
George Gordon, *lord Byron (1788-1824), poeta inglés.*

594. **Es fácil morir por una mujer; lo difícil es vivir con ella.**
George Gordon, *lord Byron (1788-1824), poeta inglés.*

595. **El matrimonio, del amor; como del vino, el vinagre.**
George Gordon, *lord Byron (1788-1824), poeta inglés.*

596. **Habla seis veces con la misma mujer soltera y ya puedes preparar tu traje de boda.**
George Gordon, *lord Byron (1788-1824), poeta inglés.*

597. **¡Oh, el amor de las mujeres! Ya se sabe que es una cosa encantadora y terrible.**
George Gordon, *lord Byron (1788-1824), poeta inglés.*

598. **El matrimonio es una trampa que la naturaleza nos tiende.**
Arthur Schopenhauer *(1788-1860), filósofo alemán.*

599. **El amor no es sino una estratagema de la que la naturaleza se sirve para lograr sus objetivos, la continuidad de la vida y la propagación de la especie.**
Arthur Schopenhauer *(1788-1860), filósofo alemán.*

600. **Al tratar a la mayoría de la gente, no estará de más mezclar un poco de desdén: eso les hará apreciar más vuestra amistad.**
Arthur Schopenhauer *(1788-1860), filósofo alemán.*

601. **En lo referente a la amistad, el amor y el matrimonio, el hombre se comporta con absoluta lealtad..., pero sólo consigo mismo y, si acaso, con su hijo.**
Arthur Schopenhauer *(1788-1860), filósofo alemán.*

Amor

602. **El celoso, el que se encoleriza con la idea de no ser bastante amado, es un verdadero tirano.**
SILVIO PELLICO *(1789-1854), poeta y dramaturgo italiano.*

603. **Sólo desde que amo sé que estoy vivo.**
THEODOR KÖRNER *(1791-1813), poeta alemán.*

604. **El amor no tiene medida para el tiempo,
germina y florece en una hora feliz.**
THEODOR KÖRNER *(1791-1813), poeta alemán.*

605. **La férrea voluntad de un destino se rompe como una ola
contra los escollos ante la fe firme de una pareja fiel.**
THEODOR KÖRNER *(1791-1813), poeta alemán.*

606. **El amor es un espíritu dentro de dos formas.**
PERCY BYSSHE SHELLEY *(1792-1822), poeta inglés.*

607. **¿Qué es el amor?
¿Preguntáis al que vive qué es la vida?
¿Preguntáis al que reza quién es Dios?**
PERCY BYSSHE SHELLEY *(1792-1822), poeta inglés.*

608. **Para el amor, para la belleza, para la felicidad no hay muerte ni hay cambios.**
PERCY BYSSHE SHELLEY *(1792-1822), poeta inglés.*

609. **A los dieciocho años se adora; a los veinte, se ama;
a los treinta, se desea; a los cuarenta, se reflexiona.**
PAUL DE KOCK *(1793-1871), escritor francés.*

610. **Todos deben casarse; no es lícito sustraerse egoístamente a una calamidad general.**
MOISES G. SAPHIR *(1795-1853), escritor alemán.*

611. **Las mujeres consideran el matrimonio como una comedia que comienza con la boda; los hombres, como una tragedia que termina con la muerte.**
MOISES G. SAPHIR *(1795-1853), escritor alemán.*

612. **La música en una boda me hace siempre pensar en la que acompañan a los soldados que van a la guerra.**
THOMAS CARLYLE *(1795-1881), filósofo, crítico e historiador inglés.*

613. **Los enamorados no ven en todo el mundo más que a sí mismos; pero se olvidan que el mundo les ve.**
AUGUST PLATEN HALLERMUND, CONDE VON PLATEN *(1796-1835), escritor alemán.*

614. **Boda quiere la soltera**
por gozar de libertad,
y mayor cautividad
con un marido la espera.
MANUEL BRETÓN DE LOS HERREROS *(1796-1873), escritor español.*

615. **¡Con qué gozo,**
con que voluptuoso afán
te beso, prenda de amor!
MANUEL BRETÓN DE LOS HERREROS *(1796-1873), escritor español.*

616. **La mayor felicidad de la mujer**
es poder vanagloriarse de su marido.
CECILIA BÖHL DE FABER, *FERNÁN CABALLERO (1796-1877), escritora española.*

617. **Feliz quien encuentre un verdadero amigo,**
pero infinitamente más feliz el que encuentre
una verdadera esposa.
FRANZ SCHUBERT *(1797-1828), compositor austriaco.*

618. **Los ángeles lo llaman placer divino; los demonios,**
sufrimiento infernal; los hombres, amor.
HEINRICH HEINE *(1797-1856), poeta alemán.*

619. **Cuando una mujer te ha engañado,**
procura amar inmediatamente a otra.
HEINRICH HEINE *(1797-1856), poeta alemán.*

620. **¡Locura de amor! ¡Pleonasmo!**
El amor es ya una locura.
HEINRICH HEINE *(1797-1856), poeta alemán.*

621. **Para ser amado de todo corazón... hay que sufrir.**
HEINRICH HEINE *(1797-1856), poeta alemán.*

622. **Te amo y desciendo.**
Pero, ¿qué dirán los cielos?
ALFRED DE VIGNY *(1797-1863), escritor francés.*

Amor

623. Respecto a las mujeres, he perdido ya dos virtudes teologales, la fe y la esperanza. Queda el amor, es decir, la tercera virtud, de la que no puedo prescindir, pese a que ya no crea ni espere nada.

GIACOMO LEOPARDI *(1798-1837), poeta italiano.*

Giacomo Leopardi es considerado por los eruditos más que un poeta romántico. Su personalidad contradictoria y sometida a los vaivenes de la pasión o la razón, la desesperanza o la acción, convierten su obra en una de las cimas de la poesía universal. Su examen del amor es, a un tiempo, fruto de una profunda reflexión, un conocimiento de sabio y una arrebatadora pasión. En los jardines de Florencia, en el invierno de 1817, Giacomo Leopardi se ve invadido de una amarga melancolía: allí inicia un poema titulado *El primer amor*. Éstos son sus primeros versos: «Vuelve a mi memoria el día en que sentí la batalla del primer amor, y dije: ¡Ay de mí! ¡Si esto es amor, cómo angustia!». Años más tarde, la desesperanza le lleva a escribir: «La suerte hizo hermanos al Amor y a la Muerte».

624. Confiad en los que se esfuerzan por ser amados; dudad de los que sólo procuran parecer amables.

GIACOMO LEOPARDI *(1798-1837), poeta italiano.*

**625. ¡Ay, amor! ¡Qué mal me gobernaste!
¿Por qué un sentimiento tan dulce
me trae tanto dolor, tanto deseo?**

GIACOMO LEOPARDI *(1798-1837), poeta italiano.*

626. Para vivir en paz, los hombres necesitan creer en la fidelidad de sus mujeres, y cada uno cree en la fidelidad de la suya, aunque medio mundo sabe a qué atenerse.

GIACOMO LEOPARDI *(1798-1837), poeta italiano.*

627. Vivir para los demás no es solamente la ley del deber sino también la ley de la felicidad.

AUGUSTE COMTE *(1798-1857), filósofo francés.*

628. Si no es puro, el amor no puede ser profundo.

AUGUSTE COMTE *(1798-1857), filósofo francés.*

629. La viuda es el alma retrasada del esposo.

JULES MICHELET *(1798-1874), historiador francés.*

630. **En un marido no hay más que un hombre; en una mujer casada hay un hombre, un padre, una madre y una mujer.**
HONORÉ DE BALZAC *(1799-1850), escritor francés.*

631. **El matrimonio es un combate contra todo, antes del cual los dos esposos piden al cielo su bendición, porque amarse siempre es la más necesaria de las empresas.**
HONORÉ DE BALZAC *(1799-1850), escritor francés.*

632. **Cuando un marido y una mujer se comprenden, sólo el diablo sabe quién comprende a quién.**
HONORÉ DE BALZAC *(1799-1850), escritor francés.*

633. **Una gran comedia precede a toda vida conyugal.**
HONORÉ DE BALZAC *(1799-1850), escritor francés.*

634. **El matrimonio debe combatir sin tregua un monstruo que todo lo devora: la costumbre.**
HONORÉ DE BALZAC *(1799-1850), escritor francés.*

635. **Ningún hombre debe casarse hasta haber estudiado anatomía y haber hecho la disección de una mujer.**
HONORÉ DE BALZAC *(1799-1850), escritor francés.*

636. **¿Es que se acaba de amar alguna vez? Hay gente que ha muerto y que yo siento que aún ama.**
HONORÉ DE BALZAC *(1799-1850), escritor francés.*

637. **El amor es la poesía de los sentidos.**
HONORÉ DE BALZAC *(1799-1850), escritor francés.*

638. **El amor no es sólo un sentimiento. Es también un arte.**
HONORÉ DE BALZAC *(1799-1850), escritor francés.*

639. **Si la luz es el primer amor de la vida, ¿no es el amor la primera luz del corazón?**
HONORÉ DE BALZAC *(1799-1850), escritor francés.*

640. **El amor es un poema enteramente personal.**
HONORÉ DE BALZAC *(1799-1850), escritor francés.*

641. **Lo verdaderamente mágico del primer amor es la absoluta ignorancia de que alguna vez ha de terminar.**
HONORÉ DE BALZAC *(1799-1850), escritor francés.*

642. **Las mujeres abandonadas son las que simplemente aman; las conservadas son las que saben amar.**
HONORÉ DE BALZAC *(1799-1850), escritor francés.*

643. **Puede uno amar sin ser feliz; puede uno ser feliz sin amar; pero amar y ser feliz es algo prodigioso.**
HONORÉ DE BALZAC *(1799-1850), escritor francés.*

644. **El amor es la eterna historia del juguete que los hombres creen recibir y del tesoro que las mujeres creen dar.**
HONORÉ DE BALZAC *(1799-1850), escritor francés.*

645. **Cuando un hombre dice a una mujer que la ama, ella, por poco sólidas que le parezcan las bases de este sentimiento, sin razonarlo, se siente impulsada a tomarlo por verdadero, lo cree siempre.**
HONORÉ DE BALZAC *(1799-1850), escritor francés.*

646. **Es mucho más fácil quedar bien como amante que como marido, porque es mucho más fácil ser oportuno e ingenioso de vez en cuando que todos los días.**
HONORÉ DE BALZAC *(1799-1850), escritor francés.*

647. **Quien sabe gobernar una mujer, sabe gobernar un estado.**
HONORÉ DE BALZAC *(1799-1850), escritor francés.*

648. **La mujer es la reina del mundo; pero es la esclava de un deseo.**
HONORÉ DE BALZAC *(1799-1850), escritor francés.*

649. **Estar celoso es el colmo del egoísmo, es el amor propio en defecto, es la irritación de una falsa vanidad.**
HONORÉ DE BALZAC *(1799-1850), escritor francés.*

650. **Las mujeres son golosas, precisamente del hombre que no les pertenece.**
HONORÉ DE BALZAC *(1799-1850), escritor francés.*

651. **La mujer se burla de los hombres como quiere, cuando quiere y mientras quiere.**
HONORÉ DE BALZAC *(1799-1850), escritor francés.*

652. **Los celos son un disolvente espantoso que todo lo destruye.**
HONORÉ DE BALZAC *(1799-1850), escritor francés.*

653. **No olvides que el primer beso se da con los ojos.**
O. K. BERNHARDT *(1800-1875), escritor alemán.*

654. **El que quiera estudiar el amor se quedará siempre en la escuela.**
O. K. BERNHARDT *(1800-1875), escritor alemán.*

655. **El matrimonio es como la muerte: pocos llegan a él suficientemente preparados.**
NICCOLO TOMMASEO *(1802-1874), político y pintor italiano.*

656. **Los celos son la medianería entre el amor y el odio.**
JEAN LOUIS AUGUSTE COMMERSON *(1802-1879), escritor francés.*

657. **Amores juveniles, que duraron tan poco,**
sois el alba de nuestro corazón...
VICTOR HUGO *(1802-1885), escritor francés.*

El recuerdo nostálgico, risueño o triste de los amores perdidos, es otra de las potencias del amor. En ocasiones, el amor funciona como resorte para que el hombre conozca cómo pasa el tiempo y para que sepa cómo el tiempo perdido no vuelve jamás. Así la memoria y el amor juegan con el corazón de los seres humanos. Rubén Darío, especialista en amores y en licores entre otras cosas, escribió un célebre poema en que vienen a confirmarse nuestras sospechas: nos referimos a *Canción de otoño en primavera* (acaso más conocida por sus primeros versos «Juventud, divino tesoro...»), donde el poeta relata la «plural» historia de su corazón: sus amores de juventud desde una perspectiva «a posteriori». Finalmente el lector no sabe si Rubén Darío lamenta más sus antiguos amores o su juventud perdida; o quizás ambas cosas, y en este caso el amor y la juventud vendrían a ser la misma cosa. He aquí un fragmento del poema de Rubén Darío al que hacemos referencia:

Juventud, divino tesoro,
¡ya te vas para no volver!
Cuando quiero llorar, no lloro...
y a veces lloro sin querer...

Plural ha sido la celeste
historia de mi corazón.
Era una dulce niña, en este
mundo de duelo y aflicción...

Amor

Rubén Darío, como otros muchos poetas, debe mucho a la prolífica pluma de Victor Hugo, por más que los poetas de la segunda mitad del siglo XIX renegaran de él: cuando preguntaron a André Gide quién era el mejor poeta del siglo, éste respondió: «Victor Hugo, ¡qué le vamos a hacer!» («*Victor Hugo, hélas!*»). El texto de la cita corresponde a un poema perteneciente a *Las contemplaciones*, titulado «*Lise*», en el que recrea poéticamente los primeros amores juveniles.

658. **El amor es semejante a un árbol; se inclina por su propio peso, arraiga profundamente en nuestro ser y a veces sigue verdeciendo en las ruinas de un corazón.**
VICTOR HUGO *(1802-1885), escritor francés.*

659. **Amar... es la mitad de querer.**
VICTOR HUGO *(1802-1885), escritor francés.*

660. **La reducción del Universo a un solo ser,**
la dilatación de un solo ser hasta Dios;
esto es el amor.
VICTOR HUGO *(1802-1885), escritor francés.*

661. **Los que padecéis porque amáis:**
amad más todavía; morir de amor es vivir.
VICTOR HUGO *(1802-1885), escritor francés.*

662. **Entre dos, la vida es posible; uno solo no puede sobrellevarla.**
VICTOR HUGO *(1802-1885), escritor francés.*

663. **Cuando dos bocas, hechos sagrados para el amor, se aproximan, es imposible que por encima de este beso inefable no haya un estremecimiento en el inmenso misterio de las estrellas.**
VICTOR HUGO *(1802-1885), escritor francés.*

664. **Pero el beso del otro, ¿quién podrá borrarlo?**
VICTOR HUGO *(1802-1885), escritor francés.*

665. **La libertad de amar no es menos sagrada que la libertad de pensar. Lo que hoy se llama adulterio, antaño se llamó herejía.**
VICTOR HUGO *(1802-1885), escritor francés.*

666. **Soy del vulgo para seguir; y de los escogidos, para amar.**
VICTOR HUGO *(1802-1885), escritor francés.*

667. La fidelidad de muchos hombres se apoya únicamente en su pereza; la fidelidad de muchas mujeres, en la costumbre.
VICTOR HUGO *(1802-1885), escritor francés.*

668. Veamos, mi bella enamorada. ¿Qué locuras son ésas? ¡Valiente cosa el matrimonio! ¿Se es acaso menos amante por no haber soltado unos latinajos delante de un cura?
VICTOR HUGO *(1802-1885), escritor francés.*

669. Cuantas más lágrimas ha vertido una madre por sus hijos, más lo ama su corazón.
ALEXANDRE DUMAS (PADRE) *(1803-1870), escritor francés.*

670. El amor es física; el matrimonio, química.
ALEXANDRE DUMAS (PADRE) *(1803-1870), escritor francés.*

671. El amor es la ocupación de los ociosos, y el ocio de los ocupados.
EDWARD GEORGE BULWER LYTTON *(1803-1873), escritor inglés.*

672. La pasión representa la avalancha del corazón humano; un solo aliento puede acabar con su reposo.
EDWARD GEORGE BULWER LYTTON *(1803-1873), escritor inglés.*

673. La condición que la amistad perfecta exige consiste en poder pasarse sin ella.
RALPH WALDO EMERSON *(1803-1882), escritor y político estadounidense.*

674. Un amigo es una persona con la que yo puedo ser sincero: ante él puedo pensar en voz alta.
RALPH WALDO EMERSON *(1803-1882), escritor y político estadounidense.*

675. Yo apunto siempre al corazón. Es legal y es seguro.
EUGÈNE SUÉ *(1804-1857), escritor francés.*

676. Siempre se ama en sí mismo, hasta en aquello que se admira.
CHARLES A. SAINTE-BEUVE *(1804-1869), crítico y escritor francés.*

677. Donde no hay amor no hay nada. Sólo es algo aquel que ama algo. No ser nada y no amar nada es lo mismo.
LUDWIG FEUERBACH *(1804-1872), filósofo alemán.*

Amor

678. **El amor que es un necio a los veinte años es un loco del todo a los sesenta.**
AURORE DUPIN, *GEORGE SAND (1804-1876), escritora francesa.*

679. **El amor sin admiración sólo es amistad.**
AURORE DUPIN, *GEORGE SAND (1804-1876), escritora francesa.*

680. **El espíritu busca, pero es el corazón el que encuentra.**
AURORE DUPIN, *GEORGE SAND (1804-1876), escritora francesa.*

681. **¡Ay del hombre que quiere actuar sinceramente en el amor!**
AURORE DUPIN, *GEORGE SAND (1804-1876), escritora francesa.*

682. **He leído en alguna parte que para amarse hay que tener principios semejantes, con gustos opuestos.**
AURORE DUPIN, *GEORGE SAND (1804-1876), escritora francesa.*

683. **En la mujer, el orgullo es a menudo el móvil del amor.**
AURORE DUPIN, *GEORGE SAND (1804-1876), escritora francesa.*

684. **El beso es una forma de diálogo.**
AURORE DUPIN, *GEORGE SAND (1804-1876), escritora francesa.*

685. **Te amo para amarte y no para ser amado, puesto que nada me place tanto como verte feliz.**
AURORE DUPIN, *GEORGE SAND (1804-1876), escritora francesa.*

686. **El recuerdo de una amistad de colegio tiene cierta fuerza mágica: ablanda el corazón y hasta conmueve el sistema nervioso de los que no tienen corazón.**
BENJAMIN DISRAELI *(1804-1881), político y escritor inglés.*

687. **La magia del primer amor consiste en nuestra ignorancia de que pueda tener fin.**
BENJAMIN DISRAELI *(1804-1881), político y escritor inglés.*

688. **He opinado siempre que todas las mujeres deben casarse, pero no todos los hombres.**
BENJAMIN DISRAELI *(1804-1881), político y escritor inglés.*

689. **Los desengaños de la edad madura suceden a las ilusiones de la juventud; esperemos que la herencia de la vejez no sea la desesperación.**
BENJAMIN DISRAELI *(1804-1881), político y escritor inglés.*

690. El celoso sin consejo sueña en vela perpetuamente.
JUAN AROLAS *(1805-1849), poeta español.*

691. Los celos cierran una puerta y abren dos.
SAMUEL PALMER *(1805-1881), pintor inglés.*

692. El contrato nupcial establecido a perpetuidad se opone a la naturaleza; de ahí la razón con la que se infringe con tanta frecuencia. Un contrato que tuvo como base el amor exige estipularse por el plazo que dura el amor.
CARLO BINI *(1806-1842), escritor italiano.*

693. Si amarme quieres, sólo amor te mueva.
ELIZABETH BARRETT BROWNING *(1806-1861), poetisa inglesa.*

694. Que no se mueran de amor
las mujeres hoy en día.
JOSÉ DE ESPRONCEDA *(1808-1842), poeta español.*

695. ¡Hojas del árbol caídas
juguetes del viento son!
Las ilusiones perdidas
hojas son, ¡ay!, desprendidas
del árbol del corazón.
JOSÉ DE ESPRONCEDA *(1808-1842), poeta español.*

696. Y alegre, audaz, ansioso, enamorado,
en tus brazos en lánguido abandono,
de glorias y deleites rodeado
levantar para ti soñé un trono.
JOSÉ DE ESPRONCEDA *(1808-1842), poeta español.*

697. ¿Qué me valen la gracia y la belleza,
y amar como jamás amó ninguna,
si la pasión que el alma me devora
la desconoce aquél que me enamora?
JOSÉ DE ESPRONCEDA *(1808-1842), poeta español.*

698. Estoy convencido de que si el hombre no cambiase, los amores serían eternos; pero si se transforma y pierde hábitos y hasta figura, ¿cómo es posible que conserve los afectos?
GÉRARD DE NERVAL *(1808-1855), escritor francés.*

Amor

699. **Los enamorados son como los sonámbulos: no ven sólo con los ojos, sino con el cuerpo entero.**
JULES A. BARBEY D'AUREVILLY *(1808-1889), escritor francés.*

700. **Los celos son una mezcla explosiva de amor, odio, avaricia y orgullo.**
ALPHONSE KARR *(1808-1890), escritor francés.*

701. **Se ama sin razón y se olvida sin motivo.**
ALPHONSE KARR *(1808-1890), escritor francés.*

702. **El castigo de los que aman en exceso a las mujeres consiste en que no dejan de amarlas.**
ALPHONSE KARR *(1808-1890), escritor francés.*

703. **El amor es lo que Dios creó en la tarde del séptimo día, para dar movimiento y vida a toda su obra anterior.**
ALPHONSE KARR *(1808-1890), escritor francés.*

704. **En la vida, como en el paseo, la mujer debe apoyarse en un hombre un poco más alto que ella.**
ALPHONSE KARR *(1808-1890), escritor francés.*

705. **El mundo y el matrimonio parecerá pronto un baile donde no hay bastantes caballeros.**
ALPHONSE KARR *(1808-1890), escritor francés.*

706. **¡Bienaventurado todo aquel a quien la mujer dice «no quiero», porque ése, a lo menos, oye la verdad!**
MARIANO JOSÉ DE LARRA *(1809-1837), escritor y periodista español.*

707. **Los amores más duraderos son aquellos en que uno de los dos amantes es extraordinariamente celoso.**
MARIANO JOSÉ DE LARRA *(1809-1837), escritor y periodista español.*

708. **En punto a amores tengo otra superstición: imagino que la mayor desgracia que a un hombre le puede suceder es que una mujer le diga que le quiere.**
MARIANO JOSÉ DE LARRA *(1809-1837), escritor y periodista español.*

709. **El que ama, si ama bien, ha de parecer que enloquece; y para ser infinito el amor, ha de parecer una infinita locura.**
JUAN MARÍA DONOSO CORTÉS *(1809-1853), político y académico español.*

710. **El matrimonio es el sacramento de la justicia, el misterio viviente de la armonía universal, la forma dada por la naturaleza misma a la religión del género humano.**
PIERRE JOSEPH PROUDHON *(1809-1865), filósofo francés.*

711. **Es mejor haber amado y haber perdido que no haber amado nunca.**
ALFRED TENNYSON *(1809-1892), poeta inglés.*

712. **El ruido de un beso no es tan fuerte como el de un cañón, pero su eco dura mucho más.**
OLIVER WENDELL HOLMES *(1809-1894), escritor estadounidense.*

713. **La mujer sin pudor ofrecerá un cebo a la voluptuosidad; pero no arrastrará jamás el alma con el mismo sentimiento que se apellida amor.**
JAIME BALMES *(1810-1848), filósofo español.*

714. **Amar es lo esencial, ¿qué importa a quién? ¿Qué importa la botella en tanto el vino embriague?**
LOUIS CHARLES ALFRED DE MUSSET *(1810-1857), escritor francés.*

715. **El amor es planta que el sol hace fructificar de modos diferentes según la oblicuidad de sus rayos...**
LOUIS CHARLES ALFRED DE MUSSET *(1810-1857), escritor francés.*

716. **Dudad, si queréis, del ser a quien amáis; de una mujer o de un perro, pero no del amor.**
LOUIS CHARLES ALFRED DE MUSSET *(1810-1857), escritor francés.*

717. **El olvido llega al corazón como a los ojos el sueño.**
LOUIS CHARLES ALFRED DE MUSSET *(1810-1857), escritor francés.*

718. **El único idioma universal es el beso.**
LOUIS CHARLES ALFRED DE MUSSET *(1810-1857), escritor francés.*

719. **Nada hace a un hombre tan depravado como el hecho de no ser amado.**
PIERRE JULES THÉOPHILE GAUTIER *(1811-1872), poeta y novelista francés.*

720. **El amor es como la fortuna: no le gusta que le vayan detrás.**
PIERRE JULES THÉOPHILE GAUTIER *(1811-1872), poeta y novelista francés.*

721. **Ama a una nube, ama a una mujer, pero ama.**
PIERRE JULES THÉOPHILE GAUTIER *(1811-1872), poeta y novelista francés.*

Amor

722. **Está bien claro que se es siempre el primer amante de una mujer.**
PIERRE JULES THÉOPHILE GAUTIER *(1811-1872), poeta y novelista francés.*

723. **El verdadero paraíso no está en el cielo,
sino en la boca de la mujer amada.**
PIERRE JULES THÉOPHILE GAUTIER *(1811-1872), poeta y novelista francés.*

724. **Quien no haya visto a una mujer enamorada,
no puede decir lo que es.**
PIERRE JULES THÉOPHILE GAUTIER *(1811-1872), poeta y novelista francés.*

725. **Tratemos de ver con el corazón.**
FRANZ LISZT *(1811-1886), compositor austriaco.*

726. **Cada niño que viene al mundo es más hermoso que el anterior.**
CHARLES DICKENS *(1812-1870), escritor inglés.*

727. **Si realmente el período del noviazgo es el más bello de todos,
¿por qué se casan los hombres?**
SOREN A. KIERKEGAARD *(1813-1855), filósofo danés.*

728. **Si te casas, lo lamentarás. Si no te casas, también lo lamentarás.**
SOREN A. KIERKEGAARD *(1813-1855), filósofo danés.*

729. **En ninguna cosa la infidelidad es más innoble y repugnante
que en el amor.**
SOREN A. KIERKEGAARD *(1813-1855), filósofo danés.*

730. **El que tenga un secreto que no se case.**
SOREN A. KIERKEGAARD *(1813-1855), filósofo danés.*

731. **En las relaciones con las mujeres, los hombres se parecen a ciertos borrachos, que después de haber vaciado una botella se creen obligados por gratitud a reverenciar el frasco.**
CHRISTIAN FRIEDRICH HEBBEL *(1813-1863), escritor alemán.*

732. **A menudo, los hijos comienzan a amar al padre
cuando dejan de estimar a la madre.**
CHRISTIAN FRIEDRICH HEBBEL *(1813-1863), escritor alemán.*

733. **El que ama cumple con su deber.**
RICHARD WAGNER *(1813-1883), compositor alemán.*

734. **El placer no está en las cosas, sino en nosotros mismos.**
RICHARD WAGNER *(1813-1883), compositor alemán.*

735. **Y mi ardiente pasión murió de frío;**
que así muere el amor cuando no hay celos.

ANTONIO GARCÍA GUTIÉRREZ *(1813-1884), dramaturgo español.*

736. **El amor es como el fuego, si no es alimentado se apaga.**

MIJAIL YUREVICH LERMONTOV *(1814-1841), poeta ruso.*

737. **Te amé, no te amo ya: piénsalo al menos;**
nunca, si fuese error, la verdad mire.
Que tantos años de amargura llenos
trague el olvido; el corazón respire.

GERTRUDIS GÓMEZ DE AVELLANEDA *(1814-1873), escritora hispano-cubana.*

738. **Cuando se separan dos corazones que un día se amaron,**
es tan grande el dolor que otro mayor no existe.

EMMANUEL GEIBEL *(1815-1894), poeta alemán.*

739. **Lo más que yo puedo hacer por mi amigo es, simplemente,**
ser su amigo.

HENRY DAVID THOREAU *(1817-1862), escritor estadounidense.*

740. **¡Ah! Callad, por compasión;**
que, oyéndoos, me parece
que mi cerebro enloquece
y se arde mi corazón.

JOSÉ ZORRILLA *(1817-1893), poeta y dramaturgo español.*

El vallisoletano José Zorrilla es uno de los máximos representantes de la escena romántica y, seguramente, nadie lo iguala en la brillantez del verso fácil, la elaboración de los cuadros dramáticos y en la aparente sencillez que le valieron el favor del público. Es quizás uno de los mejores ejemplos de la expresión de las propias emociones en torno al mundo de los sentimientos: el amor, la duda, la tristeza, la angustia, el temor, el terror, la sorpresa. La necesidad (como en el caso de Lope de Vega) fue un acicate en la extensa producción de José Zorrilla y los contratos firmados con los teatros madrileños le obligaban a redactar pronto y rápidamente numerosas obras dramáticas. De aquella época (década de los cuarenta) merecen señalarse títulos como *El zapatero y el rey*, *El alcalde Ronquillo* o *Traidor, inconfeso y mártir*. Pero, sin duda, su obra fundamental es *Don Juan Tenorio* (1844), a la que pertenecen los versos de la cita seleccionada. El drama no sólo ha obtenido el favor del público, sino que ha sido estimado por la crítica como el más valioso ejemplo del romanticismo conservador en España. Los versos extraídos pertenecen a la famosísima escena de amores entre don Juan y doña Inés: la conocida como «escena del sofá» (acto IV, escena III). Don Juan, acaso sinceramente, muestra su amor por la novicia («¿No es cierto ángel de amor...?»), y doña Inés a duras penas puede resistir el encanto de este galán enamorado. Le pide entonces que calle («Callad, por compasión») y que no encienda aún más la llama de pasión en su pecho. Y continúa:

¡Ah! Me habéis dado a beber
un filtro infernal, sin duda,
que a rendiros os ayuda
la virtud de una mujer.
Tal vez poseéis, don Juan,
un misterioso amuleto
que a vos me atrae en secreto
como irresistible imán.

Y más adelante, ya rendida de amor, Inés declara:

No, don Juan, en poder mío
resistirte no está ya:
yo voy a ti como va
sorbido al mar ese río.
Tu presencia me enajena,
tus palabras me alucinan,
y tus ojos me fascinan,
y tu aliento me envenena.

La tradición suponía estas causas y estos efectos del amor y la pasión, pues si amar es morir y perder la razón, era bien fácil establecer la relación entre la magia y la pasión. Zorrilla no quedó nunca contento con esta escena del *Tenorio* ni con el drama en su conjunto, y declaró a un amigo suyo: «Yo no he logrado nunca ser más que una máquina de hacer versos». Pero el público (y algunos críticos) no han estado de acuerdo con su apreciación: Zorrilla es, sin duda, uno de los más brillantes versificadores en lengua castellana y uno de los grandes autores de nuestra escena: hacer versos y dramas era su oficio, y dominaba la técnica como pocos antes y después de él.

741. **Amor es fruto que dan**
tiempos, interés y costumbre;
amor es como la lumbre:
una chispa hace un volcán.

JOSÉ ZORRILLA *(1817-1893), poeta y dramaturgo español.*

742. **No sabe lo que es amar**
quien reconoce el olvido,
que amor se puede ocultar
cual si nunca hubiera sido.

JOSÉ ZORRILLA *(1817-1893), poeta y dramaturgo español.*

743. **¿Qué es morir? Dejar de ser.**
¿Qué es vivir? Poder gozar.
¿Y qué goce puede haber
mayor que el goce de amar?

JOSÉ ZORRILLA *(1817-1893), poeta y dramaturgo español.*

744. **Yo voy a ti como va**
sorbido al mar ese río.

JOSÉ ZORRILLA *(1817-1893), poeta y dramaturgo español.*

745. **Todo en amor es triste,**
mas, triste y todo,
es lo mejor que existe.

RAMÓN DE CAMPOAMOR *(1817-1901), poeta español.*

746. **Le falta algo de amor a los amores**
que no son un infierno de dolores.

RAMÓN DE CAMPOAMOR *(1817-1901), poeta español.*

747. **La amistad es un amor que no se comunica**
por los sentidos.

RAMÓN DE CAMPOAMOR *(1817-1901), poeta español.*

748. **Con un día de celos no puede competir la vida eterna.**

RAMÓN DE CAMPOAMOR *(1817-1901), poeta español.*

749. **Aunque el amor suele morir de hartura,**
lo que nunca hastía es la ternura.

RAMÓN DE CAMPOAMOR *(1817-1901), poeta español.*

Amor

750. **Que en materia de amor y matrimonio,**
por muy triste que sea,
puede más que los santos el demonio.
RAMÓN DE CAMPOAMOR *(1817-1901), poeta español.*

751. **Se casaron los dos, y al otro día**
la esposa, con acento candoroso,
al despertar, le preguntó al esposo:
«¿Me quieres todavía?»
RAMÓN DE CAMPOAMOR *(1817-1901), poeta español.*

752. **Siempre es algún consuelo**
que un marido, por serlo,
gane el cielo.
RAMÓN DE CAMPOAMOR *(1817-1901), poeta español.*

753. **El mayor desengaño es el primero.**
RAMÓN DE CAMPOAMOR *(1817-1901), poeta español.*

754. **Que me conteste el juez más implacable:**
¿es crimen ser infiel de pensamiento?
Ser fiel, siempre que quieres, es tu lema.
Pero tú, ¿quieres siempre? He aquí el problema.
RAMÓN DE CAMPOAMOR *(1817-1901), poeta español.*

755. **Saben bien los amantes instruidos**
que quiere decir «sí» tres «no» seguidos.
RAMÓN DE CAMPOAMOR *(1817-1901), poeta español.*

756. **El amor que razona es un niño que no vivirá:**
es demasiado inteligente.
A. BERTHET *(1818-1888), escritor francés.*

757. **El matrimonio debe ser una relación o de simpatía o de conquista.**
MARY ANN EVANS, *GEORGE ELIOT (1819-1880), escritora inglesa.*

758. **Los niños son aún el símbolo del matrimonio eterno**
entre el amor y el deber.
MARY ANN EVANS, *GEORGE ELIOT (1819-1880), escritora inglesa.*

759. **El que camina una sola legua sin amor,**
camina amortajado a su propio funeral.
WALT WHITMAN *(1819-1892), poeta estadounidense.*

760. **Da un poco de amor a un niño y ganarás un corazón.**
JOHN RUSKIN *(1819-1900), sociólogo inglés.*

761. **¡Oh, padre de familia; oh, poeta! Te amo.**
GUILLAUME AUGIER *(1820-1889), escritor francés.*

762. **El amor es para el niño lo que el sol para las flores; no le basta pan: necesita caricias para ser bueno y para ser fuerte.**
CONCEPCIÓN ARENAL *(1820-1893), escritora española.*

763. **A veces, un hombre perverso es esposo y padre amante, y en la atmósfera contaminada de maldad, el amor paternal se conserva puro, como una flor que crece en un muladar.**
CONCEPCIÓN ARENAL *(1820-1893), escritora española.*

764. **El amor vive más de lo que da que de lo que recibe.**
CONCEPCIÓN ARENAL *(1820-1893), escritora española.*

765. **Hay un camino seguro para llegar a todo corazón: es el amor.**
CONCEPCIÓN ARENAL *(1820-1893), escritora española.*

766. **Sustituir el amor propio por el amor a los demás es cambiar.**
CONCEPCIÓN ARENAL *(1820-1893), escritora española.*

767. **Desconfiad de la luna y las estrellas, de la Venus de Milo, de los lagos, de las guitarras, de las escaleras de cuerda y de todas las novelas y novelerías. ¡Pero amad vigorosamente, arrogantemente, ferozmente, a la mujer que améis!**
CHARLES BAUDELAIRE *(1821-1867), poeta francés.*

Charles Baudelaire, el autor maldito de *Flores del Mal*, fue considerado, durante más de un siglo, un poeta indecente, inmoral, pornográfico, degenerado. Los críticos del siglo XIX advertían en la prensa diaria contra aquellas flores envenenadas. Hasta los años cuarenta del siglo XX, Baudelaire fue ignorado y silenciado como si jamás hubiese existido. Hoy, el poeta francés es considerado en su justa medida y con todo su mérito. Su idea del amor se desenvuelve en todos los términos, excepto en el sentimental: el amor es hastío, carroña, mentira, vergüenza, sensualidad, lujuria, placer, decadencia o muerte. Baudelaire concebía el amor como un mal deseado, como un veneno que se ansía beber. En torno a 1857 escribe estos versos sobre el amor: «¡Amado veneno preparado por los ángeles! ¡Licor que me devora; oh, la vida y la muerte de mi corazón!».

Amor

768. **El amor es la necesidad de salir de sí mismo.**
CHARLES BAUDELAIRE *(1821-1867), poeta francés.*

769. **La voluptuosidad única y suprema del amor estriba en la certeza de pecar.**
CHARLES BAUDELAIRE *(1821-1867), poeta francés.*

770. **Tiene unos ojos que penetran en el corazón como barrenas.**
GUSTAVE FLAUBERT *(1821-1880), escritor francés.*

771. **Cuanto más se ama más se sufre.**
HENRI-FRÉDÉRIC AMIEL *(1821-1881), filósofo suizo.*

772. **El amor es el olvido del yo.**
HENRI-FRÉDÉRIC AMIEL *(1821-1881), filósofo suizo.*

773. **Se entiende a las mujeres como se entiende el lenguaje de los pájaros, o por intuición o de ninguna manera.**
HENRI-FRÉDERIC AMIEL *(1821-1881), filósofo suizo.*

774. **El verdadero matrimonio es una devoción, es un culto, es la vida que se convierte en religión.**
HENRI-FRÉDÉRIC AMIEL *(1821-1881), filósofo suizo.*

775. **La mujer es la salvación o la perdición de la familia. Lleva consigo el destino de ésta en los pliegues de su manto.**
HENRI-FRÉDÉRIC AMIEL *(1821-1881), filósofo suizo.*

776. **Hay que querer hasta el extremo de alcanzar el fin; todo lo demás son insignificancias.**
FIODOR MIJAILOVICH DOSTOIEVSKI *(1821-1881), escritor ruso.*

777. **No te acuerdes de lo malo. Nos es preciso vivir juntos toda la vida.**
FIODOR MIJAILOVICH DOSTOIEVSKI *(1821-1881), escritor ruso.*

778. **No extremes nunca las cosas; esto es lo primero en el matrimonio.**
FIODOR MIJAILOVICH DOSTOIEVSKI *(1821-1881), escritor ruso.*

779. **Se sufre de dos clases de celos: los del amor y los del amor propio.**
FIODOR MIJAILOVICH DOSTOIEVSKI *(1821-1881), escritor ruso.*

780. **Es al separarse cuando se siente y se comprende la fuerza con que se ama.**
FIODOR MIJAILOVICH DOSTOIEVSKI *(1821-1881), escritor ruso.*

781. **Un ángel: la mujer soñada. Un demonio: la esposa.**
ADRIAN DECOURCELLE *(1821-1892), dramaturgo francés.*

782. **El amor es la poesía del hombre que no hace versos, la idea del hombre que no piensa y la novela del hombre que no escribe.**
EDMOND Y JULES GONCOURT *(1822-1896 y 1830-1870), escritores franceses.*

783. **Nada se parece tanto a la desdicha como el amor.**
EDMOND Y JULES GONCOURT *(1822-1896 y 1830-1870), escritores franceses.*

784. **No he considerado nunca el matrimonio más que como desenlace de una comedia.**
EDMOND Y JULES GONCOURT *(1822-1896 y 1830-1870), escritores franceses.*

785. **Todo en el matrimonio es grave, hasta el adulterio.**
EDMOND Y JULES GONCOURT *(1822-1896 y 1830-1870), escritores franceses.*

786. **¡Porque el amor es más fuerte**
que los Dioses y la muerte!
THÉODORE DE BANVILLE *(1823-1891), poeta francés.*

787. **El amor es quien inspira las grandes empresas**
y quien estorba su cumplimiento.
ALEXANDRE DUMAS (HIJO) *(1824-1895), escritor francés.*

788. **La cadena del matrimonio pesa tanto que es preciso sean dos para dos para llevarla, y a veces, tres.**
ALEXANDRE DUMAS (HIJO) *(1824-1895), escritor francés.*

789. **El primer amor, por amor;**
el segundo, por despecho;
y el tercero, por costumbre.
ALEXANDRE DUMAS (HIJO) *(1824-1895), escritor francés.*

790. **Y si él me ama, ¿por qué no lo deja todo y me busca,**
y se viene a mí y quebranta promesas y anula compromisos?
JUAN VALERA *(1824-1905), escritor y diplomático español.*

791. **Se estudia tres semanas, se ama tres meses, se disputa tres años, se tolera treinta años... y nuestros hijos, vuelta a comenzar.**
HIPPOLYTE TAINE *(1828-1893), crítico e historiador francés.*

792. **El adulterio es la curiosidad de los placeres ajenos.**
HIPPOLYTE TAINE *(1828-1893), crítico e historiador francés.*

Amor

793. **Los hombres se conquistan fácilmente si se les atiende. En última instancia, todos tienen un rinconcito en su corazón, donde la bondad se cobija a la vez que la fe y el amor.**
JULIUS GROSSE *(1828-1902), poeta alemán.*

794. **El odio como el amor, se apagan en la tumba.**
HENRIK IBSEN *(1828-1906), dramaturgo noruego.*

795. **El deber de una esposa es consolar. Su voz ha de sonar dulce y compasiva cuando el esposo lucha por el ideal, y recibe desilusiones y tristezas.**
HENRIK IBSEN *(1828-1906), dramaturgo noruego.*

796. **El matrimonio tiene que ser una especie de milagro, por el cual la mujer se transforma paulatinamente hasta parecerse a su marido.**
HENRIK IBSEN *(1828-1906), dramaturgo noruego.*

797. **Abro un libro viejo y allí leo que la mujer aún ama al hombre al que ha engañado.**
GEORGE MEREDITH *(1828-1909), escritor inglés.*

798. **Las mujeres saben muy bien que lo que llamamos amor sublime y romántico depende, no de sus cualidades morales, sino de su manera de peinarse y del color y corte de sus vestidos.**
LEV NIKOLAEVICH TOLSTOI *(1828-1910), escritor ruso.*

799. **El hombre soporta con facilidad las epidemias y torturas del alma, pero la tragedia más horrible es la del matrimonio.**
LEV NIKOLAEVICH TOLSTOI *(1828-1910), escritor ruso.*

800. **El matrimonio, tal como hoy existe, es la peor de todas las mentiras: la forma suprema del egoísmo.**
LEV NIKOLAEVICH TOLSTOI *(1828-1910), escritor ruso.*

801. **La vida conyugal es una barca que lleva dos personas por un mar tormentoso. Si uno de los dos hace algún movimiento brusco, la barca se hunde.**
LEV NIKOLAEVICH TOLSTOI *(1828-1910), escritor ruso.*

802. **Maté a la mujer desde el momento en que hube gustado la voluptuosidad sin amor.**
LEV NIKOLAEVICH TOLSTOI *(1828-1910), escritor ruso.*

803. **El que no encuentra la alegría dentro de su casa, ¿dónde la irá a buscar?**

MANUEL TAMAYO Y BAUS *(1829-1898), poeta y dramaturgo español.*

804. **El matrimonio lo inventó el mismo demonio con ayuda de una suegra.**

LUIS DE EGUILAZ *(1830-1874), escritor español.*

805. **Todo lo que sabemos del amor es que el amor es todo lo que hay.**

EMILY DICKINSON *(1830-1886), poetisa estadounidense.*

806. **La boca femenina es una flor y el pleno desarrollo de dicha flor crea las palabras «te quiero».**

JOHANN RUPERT, *ROBERT HAMERLING (1830-1889), poeta austriaco.*

807. **¡Cuántas mujeres se enamoran de un hombre, no para tenerlo, sino para no dejarlo a otra!**

GUSTAV ADOLF VON LINDNER *(1831-1881), escritor alemán.*

808. **¿Por qué es tan difícil «querer», mientras es tan fácil «desear»? Porque en el deseo se expresa la impotencia, y en el querer, la fuerza.**

GUSTAV ADOLF VON LINDNER *(1831-1881), escritor alemán.*

809. **¿Qué significa elegir una «amada»? La heroica decisión de querer olvidar todos los defectos de su sexo.**

GUSTAV ADOLF VON LINDNER *(1831-1881), escritor alemán.*

810. **Casarse por razón de higiene vale lo mismo que ahogarse para saciar la sed.**

PAOLO MANTEGAZZA *(1831-1910), escritor y médico italiano.*

811. **Casarse por salvar el honor es con frecuencia necesario, pero siempre horrible.**

PAOLO MANTEGAZZA *(1831-1910), escritor y médico italiano.*

812. **La naturaleza ha hecho al hombre polígamo; misión sublime de la mujer es hacerlo monógamo.**

PAOLO MANTEGAZZA *(1831-1910), escritor y médico italiano.*

813. **Decir que en la vida no se puede amar más que una sola vez es pronunciar una de las tantas y de las mayores necedades, de las cuales se hace cada día culpable al amor.**

PAOLO MANTEGAZZA *(1831-1910), escritor y médico italiano.*

Amor

814. **La viuda que contrae nuevas nupcias deja viuda el alma de su marido.**
SEVERO CATALINA *(1832-1871), escritor y político español.*

815. **La mujer es un enigma que no se explica hasta después del matrimonio.**
SEVERO CATALINA *(1832-1871), escritor y político español.*

816. **Las lágrimas de la viuda pierden su poética amargura desde el momento en que se acerque a enjugarlas la mano del amor.**
SEVERO CATALINA *(1832-1871), escritor y político español.*

817. **Los celos del hombre son casi siempre infundados e infaman a la mujer; los celos de la mujer son casi siempre justos y no infaman al hombre.**
SEVERO CATALINA *(1832-1871), escritor y político español.*

818. **La mujer perdona las infidelidades, pero no las olvida. El hombre olvida las infidelidades, pero no las perdona.**
SEVERO CATALINA *(1832-1871), escritor y político español.*

819. **En las ausencias largas, mucho más peligra la constancia del hombre que la de la mujer.**
SEVERO CATALINA *(1832-1871), escritor y político español.*

820. **¿Tú no sabes, pobre hermano,
que hombre a quien mujer desprecia
podrá ser amante al cabo,
pero si lleva su nombre
de esposo está deshonrado?**
JOSÉ ECHEGARAY *(1832-1916), escritor español.*

821. **No hay para el alma ley soberana que el amor.**
JOSÉ ECHEGARAY *(1832-1916), escritor español.*

822. **En conciencia
yo presumo que es demencia
lo que tú llamas amor.**
JOSÉ ECHEGARAY *(1832-1916), escritor español.*

823. **Quien aspira a adquirir riqueza u honores no sabe amar.**
JOSÉ MARÍA PEREDA *(1833-1906), escritor español.*

824. La muerte y el matrimonio deben venir juntos: éste promete la felicidad y aquélla la asegura.
SAMUEL LANGHORNE CLEMENS, *MARK TWAIN (1835-1910), escritor estadounidense.*

825. El amor
es un rayo de luna.
GUSTAVO ADOLFO BÉCQUER *(1836-1870), poeta español.*

826. ¿Quieres saber lo que es el amor? Recógete dentro de ti misma y, si es verdad que lo abrigas dentro de tu alma, siéntelo y lo comprenderás; pero no me lo preguntes.
GUSTAVO ADOLFO BÉCQUER *(1836-1870), poeta español.*

827. Los suspiros son aire y van al aire.
Las lágrimas son agua y van al mar.
Dime mujer, ¿cuándo el amor se olvida,
sabes tú a dónde va?
GUSTAVO ADOLFO BÉCQUER *(1836-1870), poeta español.*

828. ¡No! No ha nacido para amar, sin duda,
ni tampoco ha nacido para odiar,
ya que el amor y el odio han lastimado
su corazón de una manera igual.
ROSALÍA DE CASTRO *(1837-1885), poetisa española.*

829. Acto fatal,
contrato bilateral
y hasta negocio también,
que dos que se encuentran bien
hacen por hallarse mal.
MANUEL OSSORIO Y BERNARD *(1839-1904), escritor español.*

830. El corazón de una mujer late no sólo por su propia amargura, sino también por la de su marido.
THOMAS HARDY *(1840-1928), escritor inglés.*

831. Un amante sin indiscreciones no es amante en absoluto.
THOMAS HARDY *(1840-1928), escritor inglés.*

832. Teniendo miedo a morir cuando me acuesto solo...
STÉPHANE MALLARMÉ *(1842-1898), poeta francés.*

Amor

833. El amor es un arte que nunca se aprende y siempre se sabe.
BENITO PÉREZ GALDÓS *(1843-1920), escritor español.*

834. El verdadero amor, el sólido y durable, nace del trato; lo demás es invención de los poetas, de los músicos y demás gente holgazana.
BENITO PÉREZ GALDÓS *(1843-1920), escritor español.*

835. Junta tu frente a la mía y enlaza tu mano, y haz juramentos que mañana ya habrás roto.
PAUL VERLAINE *(1844-1896), poeta francés.*

836. Un filósofo casado es un personaje cómico.
FRIEDRICH NIETZSCHE *(1844-1900), filósofo alemán.*

837. Siempre hay un poco de locura en el amor. Pero siempre hay un poco de razón en la locura.
FRIEDRICH NIETZSCHE *(1844-1900), filósofo alemán.*

838. El amor es un estado en el que el hombre ve decididamente las cosas como no son.
FRIEDRICH NIETZSCHE *(1844-1900), filósofo alemán.*

839. Amo a quien quiere algo superior a él, aunque en este empeño sucumba.
FRIEDRICH NIETZSCHE *(1844-1900), filósofo alemán.*

840. Las bodas hechas por amor, los matrimonios llamados por amor, tienen por padre el error, y por madre, la necesidad.
FRIEDRICH NIETZSCHE *(1844-1900), filósofo alemán.*

841. El casarse es terminar una serie de pequeñas tonterías con una gran estupidez.
FRIEDRICH NIETZSCHE *(1844-1900), filósofo alemán.*

842. La edad de casarse llega mucho antes que la de quererse.
FRIEDRICH NIETZSCHE *(1844-1900), filósofo alemán.*

843. La timidez es un gran pecado contra el amor.
ANATOLE-FRANÇOIS THIBAULT, *ANATOLE FRANCE (1844-1924), escritor francés.*

844. El cristianismo ha hecho mucho por el amor convirtiéndolo en pecado.
ANATOLE-FRANÇOIS THIBAULT, *ANATOLE FRANCE (1844-1924), escritor francés.*

845. **No comprendo que un hombre se case, ni que una mujer cometa semejante locura a una edad en que ya sabemos lo que nos conviene.**
ANATOLE-FRANÇOIS THIBAULT, *ANATOLE FRANCE (1844-1924), escritor francés.*

846. **Los celos, que significan debilidad en el hombre, son una fuerza en la mujer y la impulsan en sus empresas.**
ANATOLE-FRANÇOIS THIBAULT, *ANATOLE FRANCE (1844-1924), escritor francés.*

847. **Sólo los egoístas quieren de verdad a las mujeres.**
ANATOLE-FRANÇOIS THIBAULT, *ANATOLE FRANCE (1844-1924), escritor francés.*

848. **Los celos, triste residuo de las costumbres bárbaras que no debe subsistir en un alma elegante y bien nacida.**
ANATOLE-FRANÇOIS THIBAULT, *ANATOLE FRANCE (1844-1924), escritor francés.*

849. **Las más rudas tentaciones no las produce la presencia de una mujer, las produce la imagen de una mujer ausente.**
ANATOLE-FRANÇOIS THIBAULT, *ANATOLE FRANCE (1844-1924), escritor francés.*

850. **Los celos para una mujer no son sino una herida en su amor propio, para el hombre son una tortura profunda como el dolor moral, continua como el dolor físico.**
ANATOLE-FRANÇOIS THIBAULT, *ANATOLE FRANCE (1844-1924), escritor francés.*

851. **Toda unión de dos sexos representa un signo de muerte: no sabríamos qué es el amor si hubiésemos de vivir eternamente.**
ANATOLE-FRANÇOIS THIBAULT, *ANATOLE FRANCE (1844-1924), escritor francés.*

852. **Nada es pequeño en el amor. Aquellos que esperan las grandes ocasiones para probar su ternura no saben amar.**
LAURE CONAN *(1845-1924), escritora canadiense.*

853. **Lo cierto es que malgastamos nuestra fuerza en la persecución del amor y éste huye igual que un ave.**
HENRYCK SIENKIEWICZ *(1846-1916), escritor polaco.*

854. **Nada más interesante que la conversación de dos enamorados que están callados.**
ACHILLE TOURNIER *(1847-1906), historiador francés.*

855. **Cuando el orgullo grita, es el amor el que calla.**
MADAME DARDENNE, *PHILIPH GERFAUT (1847-1919), escritora francesa.*

Amor

856. **Nada hay tan bueno como las mujeres que no se consiguen.**
JORIS-KARL HUYSMANS *(1848-1907), escritor francés.*

857. **En cada postura que uno puede adoptar con respecto a una mujer se sufre, porque ella es la más perfecta máquina de dolor que Dios ha dado al hombre.**
JORIS-KARL HUYSMANS *(1848-1907), escritor francés.*

858. **Un saco lleno de serpientes, en el que solamente hay una anguila; ésa es la lotería del matrimonio.**
CARLO ALBERTO PISANI, *CARLO DOSSI (1849-1910), escritor italiano.*

859. **¡Ojos de mujer, qué poder tenéis!**
GUY DE MAUPASSANT *(1850-1893), escritor francés.*

860. **Existe un amor sencillo, fruto de la ternura de dos almas, pero también otro terrible, que une dos seres distintos en todo, que se aborrecen aunque se amen.**
GUY DE MAUPASSANT *(1850-1893), escritor francés.*

861. **El amor legal es altanero y orgulloso con su hermano, el amor libre.**
GUY DE MAUPASSANT *(1850-1893), escritor francés.*

862. **Si quieres tener lo más selecto de los hombres y de las mujeres, escoge un buen soltero y una buena esposa.**
ROBERT LOUIS STEVENSON *(1850-1894), escritor escocés.*

863. **De todos modos, los celos son una consecuencia del amor; os guste o no os guste, es así.**
ROBERT LOUIS STEVENSON *(1850-1894), escritor escocés.*

864. **Amor sin deseo es peor que comer sin hambre.**
JACINTO OCTAVIO PICÓN *(1852-1923), escritor español.*

865. **Afortunadamente, en la mayoría de los casos, la esposa acostúmbrase al marido, como éste se habitúa a la cerveza o al tabaco.**
SANTIAGO RAMÓN Y CAJAL *(1852-1934), científico español.*

866. **Los celos iracundos de algunas mujeres significan, antes que el temor de perder un amante, el recelo de que se cierre un bolsillo.**
SANTIAGO RAMÓN Y CAJAL *(1852-1934), científico español.*

867. **En cuanto al amor, no existe más que una sabiduría: creer. Y tal sabiduría es una locura.**
PAUL BOURGET *(1852-1935), novelista y crítico francés.*

868. **La amistad noble es una obra maestra a dúo.**
PAUL BOURGET *(1852-1935), novelista y crítico francés.*

869. **Una mujer no siempre es feliz con el hombre que ama; pero siempre es desdichada con el que no ama.**
OSCAR WILDE *(1854-1900), escritor irlandés.*

Poeta, novelista y dramaturgo, Oscar Wilde es el prototipo del dandy de la sociedad victoriana inglesa del siglo XIX. Brillante, irónico y mordaz, su ingenio se reproduce en todas las recopilaciones de citas célebres; sus textos son, a veces, sucesiones de frases punzantes, divertidas o ingeniosas. Desde su formación en Oxford pasó a los elegantes salones aristocráticos de Londres, pero de allí fue expulsado por su condición de homosexual, y finalmente, se vio reducido a prisión y a una muerte miserable. Aunque su obra más conocida es la novela titulada *El retrato de Dorian Gray*, su producción dramática se considera el punto culminante de su labor literaria. Destacan *La importancia de llamarse Ernesto* y *La duquesa de Padua*, entre otras.

870. **Amarse a uno mismo es comenzar un romance de por vida.**
OSCAR WILDE *(1854-1900), escritor irlandés.*

871. **La mejor base para el matrimonio es la mutua incomprensión.**
OSCAR WILDE *(1854-1900), escritor irlandés.*

872. **En el matrimonio se puede ser absolutamente feliz; pero la felicidad de un hombre casado depende de las personas con las que no se ha casado.**
OSCAR WILDE *(1854-1900), escritor irlandés.*

873. **Veinte años de ilusión convierten a una mujer en una ruina, pero veinte años de matrimonio la transforman en algo así como un edificio público.**
OSCAR WILDE *(1854-1900), escritor irlandés.*

874. **Dulce es andar al son de los hombres cuando el amor y la vida nos sonríen.**
OSCAR WILDE *(1854-1900), escritor irlandés.*

Amor

875. La única diferencia que hay entre un capricho y una pasión eterna es que el capricho dura más tiempo.

OSCAR WILDE *(1854-1900), escritor irlandés.*

876. Un hombre muy enamorado nos hace soñar. Un hombre muy enamorado de su mujer nos hace sonreír.

OSCAR WILDE *(1854-1900), escritor irlandés.*

877. Los niños comienzan por amar a sus padres. Cuando ya han crecido, los juzgan, y, algunas veces, hasta los perdonan.

OSCAR WILDE *(1854-1900), escritor irlandés.*

878. Cualquier hombre puede llegar a ser feliz con una mujer, con tal de que no la ame.

OSCAR WILDE *(1854-1900), escritor irlandés.*

879. Cuando un hombre se casa por segunda vez es porque adoraba a su primera mujer.

OSCAR WILDE *(1854-1900), escritor irlandés.*

880. Ningún hombre debe tener secretos para su esposa, porque ésta –invariablemente– los descubre.

OSCAR WILDE *(1854-1900), escritor irlandés.*

881. Sólo hay una tragedia real en la vida de una mujer: el hecho de que su pasado es siempre su amante, y el futuro es invariablemente su marido.

OSCAR WILDE (1854-1900), *escritor irlandés.*

882. Los hombres casados son horriblemente aburridos cuando son buenos maridos, e insoportablemente presumidos cuando no lo son.

OSCAR WILDE *(1854-1900), escritor irlandés.*

883. Cosa curiosa: las mujeres feas están siempre celosas de sus maridos. Las bonitas, nunca. Y es que no tienen tiempo: están siempre demasiado ocupadas en estar celosas de los maridos de las demás.

OSCAR WILDE *(1854-1900), escritor irlandés.*

884. Quien ama una sola vez en su vida tiene una naturaleza superficial. Lo que algunos llaman lealtad o fidelidad yo lo llamaría, mejor, apatía, debido a la costumbre o a la falta de imaginación.

OSCAR WILDE *(1854-1900), escritor irlandés.*

885. **Los hombres jóvenes quieren ser fieles y no lo son; los viejos quieren ser infieles y no pueden.**
OSCAR WILDE *(1854-1900), escritor irlandés.*

886. **No hay nada en el mundo como la devoción de una mujer casada. Es algo de lo que nada sabe un hombre casado.**
OSCAR WILDE *(1854-1900), escritor irlandés.*

887. **El único medio que tiene una mujer de reformar a un hombre es fastidiarle de tal modo que le haga perder todo posible interés por la vida.**
OSCAR WILDE *(1854-1900), escritor irlandés.*

888. **Los hombres quieren ser el primer amor de la mujer; las mujeres, más inteligentes, quieren ser el último amor del hombre.**
OSCAR WILDE *(1854-1900), escritor irlandés.*

889. **Las mujeres nos aman por nuestros defectos; y si tenemos bastantes nos lo perdonan todo, hasta nuestra inteligencia.**
OSCAR WILDE *(1854-1900), escritor irlandés.*

890. **En el matrimonio feliz, no hay sitio para la neurosis.**
SIGMUND FREUD *(1856-1939), médico austriaco.*

891. **El matrimonio es la más licenciosa de las instituciones humanas. Éste es el secreto de su popularidad.**
GEORGE BERNARD SHAW *(1856-1950), escritor irlandés.*

892. **En el matrimonio sucede que cada uno tiene sus gustos, y éstos son incompatibles con los del otro y cada uno tira hacia los suyos. Uno tira hacia el norte y el otro hacia el sur, y el resultado es que se dirigen al este, a donde ninguno de los dos quería ir.**
GEORGE BERNARD SHAW *(1856-1950), escritor irlandés.*

893. **Pues no sé por qué no podría haber una máquina que escribiese cartas de amor. ¿No son todas iguales?**
GEORGE BERNARD SHAW *(1856-1950), escritor irlandés.*

894. **El matrimonio convierte a un hombre con un futuro en un hombre con un pasado.**
GEORGE BERNARD SHAW *(1856-1950), escritor irlandés.*

Amor

895. **En el fondo de cada alma existen tesoros escondidos que solamente descubre el amor.**
Édouard Rod *(1857-1910), escritor suizo.*

896. **El amor y el dolor están unidos por una cruel fraternidad. ¿Quién sabe si el dolor no es la fuente viva en que el amor se eterniza?**
Édouard Rod *(1857-1910), escritor suizo.*

897. **Ningún hombre puede enamorarse de una mujer que no le despierte el instinto sexual.**
Axel Munthe *(1857-1949), médico y escritor sueco.*

898. **El hombre comienza por amar al amor y termina por amar a una mujer.**
Rémy de Gourmont *(1858-1915), crítico y escritor francés.*

899. **Además, y como ya habrás podido comprender, en nuestra época no se casa uno bien la primera vez. Hace falta repetir.**
Alfred Capus *(1858-1922), periodista francés.*

900. **Entre amantes, hay siempre uno de los dos que no sabe lo que el otro piensa: éste es el que ama.**
Alfred Capus *(1858-1922), periodista francés.*

901. **Las mujeres de hoy en día no nos perdonan nuestras faltas; no nos perdonan siquiera las suyas.**
Alfred Capus *(1858-1922), periodista francés.*

902. **Para una mujer de nuestra época, la boda es una cosa delicada, muy delicada. Pero un lío, un buen lío con un hombre casado puede ser la seguridad.**
Alfred Capus *(1858-1922), periodista francés.*

903. **El amor vive en el corazón de los hombres y duerme en las semillas de los granos.**
Selma Lagerlöf *(1858-1940), novelista sueca.*

904. **La vida familiar más feliz la arrastra... un viudo sin hijos.**
Franz von Schöntan *(1859-1905), escritor austriaco.*

905. **El amor es el deseo infinito del beso eterno.**
Nieves Xenet *(1859-1915), poetisa cubana.*

906. **El amor es una música cálida.**

KNUT HAMSUN *(1859-1952), escritor noruego.*

907. **Las palabras van al corazón, cuando han salido del corazón.**

RABINDRANATH TAGORE *(1861-1941), filósofo y escritor hindú.*

908. **La abundancia del amor produce el tesoro de la castidad.**

RABINDRANATH TAGORE *(1861-1941), filósofo y escritor hindú.*

909. **La hoja, cuando ama, se convierte en flor;
la flor, cuando ama, se convierte en fruto.**

RABINDRANATH TAGORE *(1861-1941), filósofo y escritor hindú.*

910. **Amor, cuando tu mano trae, roja, la lámpara del dolor,
¡qué bien te veo la cara y cómo comprendo que eres la felicidad!**

RABINDRANATH TAGORE *(1861-1941), filósofo y escritor hindú.*

911. **Nuestro corazón tiene la edad de aquello que ama.**

MARCEL PRÉVOST *(1862-1941), escritor francés.*

912. **En el amor no existe una felicidad duradera y completa
hasta el momento en que se mantiene la atmósfera translúcida
de una perfecta sinceridad.**

MAURICE MAETERLINCK *(1862-1949), escritor belga.*

913. **El dolor es el primer alimento del amor y todo amor
que no se nutre de un poco de dolor puro, muere.**

MAURICE MAETERLINCK *(1862-1949), escritor belga.*

914. **El secreto de la felicidad conyugal consiste en exigir mucho
de sí mismo y poco del otro.**

ALBERT GUINON *(1863-1923), periodista y dramaturgo francés.*

915. **El corazón es el compañero más fuerte.**

GABRIELE D'ANNUNZIO *(1863-1938), escritor italiano.*

916. **La vida es una sonrisa; el amor es un rayo fecundo.**

GABRIELE D'ANNUNZIO *(1863-1938), escritor italiano.*

917. **Los amigos son por regla general del mismo sexo, pues cuando los hombres y las mujeres coinciden lo hacen solamente por lo que se refiere a las conclusiones: los motivos son diferentes.**

GEORGE SANTAYANA *(1863-1952), filósofo estadounidense.*

Amor

918. Cerca de una mujer experimento ese placer un poco melancólico que sentimos en un puente viendo correr el agua.
JULES RENARD *(1864-1910), escritor francés.*

919. El divorcio sería una cosa inútil si el día de la boda, en lugar de poner el anillo en el dedo de la mujer, se lo pusiéramos en la nariz.
JULES RENARD *(1864-1910), escritor francés.*

920. «Te amo» es cursi por ser literario y erudito, a fuer de latino; «Te quiero» es lo castellano y castizo, y encierra harto más que el «Te amo».
JULIO CEJADOR *(1864-1927), filólogo español.*

921. La gloria vale lo que el perfume de una rosa, únicamente es eternidad el tiempo que amamos.
HENRI FRANÇOIS DE REGNIER *(1864-1936), escritor francés.*

922. El amor es eterno mientras dura.
HENRI FRANÇOIS DE RÉGNIER *(1864-1936), escritor francés.*

923. El que mejor sabe que ama, es el que ama mejor.
MIGUEL DE UNAMUNO *(1864-1936), escritor español.*

924. El amor no quiere ser agradecido ni quiere ser compadecido. El amor quiere ser amado porque sí y no por razón alguna, por noble que ésta sea.
MIGUEL DE UNAMUNO *(1864-1936), escritor español.*

925. Lo mismo que une el amor al amante y al amado, une el odio al odiador y al odiado, y no menos fuerte ni menos duramente que aquél.
MIGUEL DE UNAMUNO *(1864-1936), escritor español.*

926. Grande es siempre el amor maternal, pero toca en lo sublime cuando se mezcla con la admiración por el hijo amado.
ÁNGEL GANIVET *(1865-1898), escritor y pensador español.*

927. Quien quiere a su madre no puede ser malo.
ÁNGEL GANIVET *(1865-1898), escritor y pensador español.*

928. Se dice que el enamorado no ve, porque la pasión ciega. Yo afirmo que los indiferentes son los que no ven, porque les ciega la indiferencia.
ÁNGEL GANIVET *(1865-1898), escritor y pensador español.*

929. **No sin razón se llama a la mujer la mitad del hombre, porque todo un hombre casado no es sino medio hombre.**

ROMAIN ROLLAND *(1866-1944), escritor francés.*

930. **Desengaños del pensamiento, decepciones en la esperanza... Todo es secundario. La única desgracia irreparable está en la muerte de lo que amamos.**

ROMAIN ROLLAND *(1866-1944), escritor francés.*

931. **Que estoy loco, que no puedo vivir así, que me muero, que no sé qué me pasa, que esto es un castigo, que esto es un infierno...**

JACINTO BENAVENTE *(1866-1954), dramaturgo español.*

La vida de Jacinto Benavente fue el teatro. Su personalidad literaria marca decisivamente la escena española durante la primera mitad del siglo XX, especialmente desde que en 1907 se representara *Los intereses creados*, obra que llegó a ser emblemática. Se le ha considerado el «renovador» del teatro español porque su obra supera de modo definitivo los efectismos y la sensiblería de la dramaturgia posromántica, y se ciñe a presupuestos más adecuados al pensamiento de principios de siglo. La introspección psicológica, la habilidad para confeccionar tramas de gran solidez dramática y, sobre todo, el dominio del lenguaje sitúan a Jacinto Benavente en la «cumbre» de la escena a lo largo de varias décadas. El público acogió con entusiasmo la obra del autor, pero la crítica moderna ha destacado la baja intensidad de su observación, señalando que, como otros tantos dramaturgos, Benavente se plegó al gusto de los espectadores. La consagración de este escritor que abandonó los estudios de derecho por dedicarse a la literatura y que durante un tiempo fue empresario de circo, le llegó al recibir el premio Nobel de Literatura en 1922.

La malquerida (1913), a la cual pertenece la cita escogida, es la segunda gran obra de Benavente. Se trata de un drama de ambiente rural en el que las pasiones acaban por desbordarse y producir la tragedia. Raimunda se casa en segundas nupcias con Esteban; ambos parecen quererse pero, en realidad, Esteban está enamorado de su hijastra, Acacia. La sola idea de que Acacia pueda casarse desespera a Esteban que, finalmente, acaba por cometer un crimen... Los celos y sus consecuencias permanecen ocultos durante toda la obra y son el origen de la cita arriba transcrita. Esteban había dicho: «Si esa mujer es para otro hombre, no miraré nada».

Amor

932. **Los cementerios del amor parecen jardines, porque no hay amor enterrado que no esté cubierto de flores... las flores de los nuevos amores, que no hablan de muerte ni remordimientos.**
JACINTO BENAVENTE *(1866-1954), dramaturgo español.*

933. **El verdadero momento en que una mujer deja de querer a su marido no es cuando se decide a engañarlo, sino cuando él se entera del engaño, porque destruye el encanto de engañarle.**
JACINTO BENAVENTE *(1866-1954), dramaturgo español.*

934. **Los que no pueden querernos, por mucho que les queramos, bien saben vengar a los que no les quisieron sin lograr ser queridos.**
JACINTO BENAVENTE *(1866-1954), dramaturgo español.*

935. **El amor es como don Quijote: cuando recobra el juicio es para morir.**
JACINTO BENAVENTE *(1866-1954), dramaturgo español.*

936. **Las mujeres aman, frecuentemente, a quien lo merece menos; y es que las mujeres prefieren hacer limosna a dar premios.**
JACINTO BENAVENTE *(1866-1954), dramaturgo español.*

937. **Es tan importante el amor en España, que tiene toda la importancia de un pecado.**
JACINTO BENAVENTE *(1866-1954), dramaturgo español.*

938. **El amor es lo más parecido a la guerra, y una guerra en la que es indiferente vencer o ser vencido, porque siempre se gana.**
JACINTO BENAVENTE *(1866-1954), dramaturgo español.*

939. **El único camino de nuestra redención es el amor.**
JACINTO BENAVENTE *(1866-1954), dramaturgo español.*

940. **La estimación depende de creer o no creer en quien se estima; el amor, ésta es su tragedia, aunque no crea, ama.**
JACINTO BENAVENTE *(1866-1954), dramaturgo español.*

941. **No quieras saber. En amor, como en religión, el amor está muy cerca de la herejía.**
JACINTO BENAVENTE *(1866-1954), dramaturgo español.*

942. **El amor es un niño delicado y resiste pocas privaciones.**
JACINTO BENAVENTE *(1866-1954), dramaturgo español.*

943. **El verdadero amor, el amor ideal, el amor del alma, es el que sólo desea la felicidad de la persona amada, sin exigirle en pago nuestra felicidad.**

JACINTO BENAVENTE *(1866-1954), dramaturgo español.*

944. **El amor es como el fuego. Ven antes el humo los que están fuera... que las llamas los que están dentro.**

JACINTO BENAVENTE *(1866-1954), dramaturgo español.*

945. **No hay sentimiento que valga; el amor es una ocupación como otra cualquiera.**

JACINTO BENAVENTE *(1866-1954), dramaturgo español.*

946. **En asunto de amor los locos son los que tienen más experiencia. De amor no preguntes nunca a los cuerdos; los cuerdos aman cuerdamente, que es como no haber amado nunca.**

JACINTO BENAVENTE *(1866-1954), dramaturgo español.*

947. **Los amores son como los niños recién nacidos; hasta que no lloran no se sabe si viven.**

JACINTO BENAVENTE *(1866-1954), dramaturgo español.*

948. **Y el matrimonio es un cóctel; para estar bien ha de llevar muchas cosas y saber a una sola: matrimonio.**

JACINTO BENAVENTE *(1866-1954), dramaturgo español.*

949. **Concédame usted también que, en cualquier situación con respecto a ellas, es difícil que el hombre no se acuerde siempre de que es hombre.**

JACINTO BENAVENTE *(1866-1954), dramaturgo español.*

950. **El matrimonio, o no es nada o es algo muy serio. Si no es nada, no vale la pena tomarlo en serio, y si es algo serio, aunque pretendamos desentendernos de su seriedad al fin se impone, como en todo lo que en verdad es serio en la vida.**

JACINTO BENAVENTE *(1866-1954), dramaturgo español.*

951. **El amor pone siete velos ante nuestros ojos, pero el matrimonio es una especie de danza de los siete velos: antes de terminar la luna de miel, que es la danza, no queda un velo...**

JACINTO BENAVENTE *(1866-1954), dramaturgo español.*

Amor

952. **Amar, amar, amar siempre y con todo**
el ser y con la tierra y con el cielo,
con lo claro del sol y lo oscuro del lodo;
amar por toda ciencia y amar por todo anhelo.
Y cuando la montaña de la vida
nos sea dura y larga y alta y llena de abismos,
¡amar la inmensidad que es de amor encendida
y arder en la fusión de nuestros pechos mismos!
FÉLIX RUBÉN GARCÍA SARMIENTO, *RUBÉN DARÍO (1867-1916),*
escritor nicaragüense.

El poeta Félix Rubén García Sarmiento, Rubén Darío, es considerado el adalid del modernismo, movimiento literario heredero del romanticismo decadente. El modernismo fue un sistema preocupado por la imagen exótica, elegante y sentimental. En ocasiones, se señalan otros elementos, como el misticismo o el erotismo. Según el propio Rubén Darío, el poeta debía interpretar el mundo descubriendo en él lo que tiene de eterno e inefable. *Azul* (1888) es su poemario fundacional, integrado por una serie de cuentos de prosa refinada y musical, y varios poemas; más adelante publicará *Prosas profanas* (1896-1901) y *Cantos de vida y esperanza* (1907). En su vida alcohólica y desmesurada, sobre todo a partir de su llegada primero a España en 1898 y dos años después a París donde fijó su residencia, fue derivando hacia la melancolía y la reflexión: su poesía se hace más sincera y evita la pompa de su formación modernista. A pesar de su ingente producción periodística, sus más de ochenta cuentos y otras obras en prosa, es por sus poemas, como este «Sonatina», por lo que será siempre recordado:

La princesa está triste... ¿Qué tendrá la princesa?
Los suspiros se escapan de su boca de fresa,
que ha perdido la risa, que ha perdido el color.
La princesa está pálida en su silla de oro,
está mudo el teclado de su clave sonoro,
y en un vaso, olvidada, se desmaya una flor. [...]

953. **El amor pasajero tiene el encanto breve,**
y se ofrece en igual término para el gozo y la pena.
FÉLIX RUBÉN GARCÍA SARMIENTO, *RUBÉN DARÍO (1867-1916),*
escritor nicaragüense.

954. **El eterno femenino**
puede tornar lo humano en divino.
FÉLIX RUBÉN GARCÍA SARMIENTO, *RUBÉN DARÍO (1867-1916), escritor nicaragüense.*

955. **Es un juego de azar Amor, lectores,**
es un juego de azar tan peligroso,
que aun ganando se sufren sus dolores,
y el perder suele a veces ser dichoso.
FÉLIX RUBÉN GARCÍA SARMIENTO, *RUBÉN DARÍO (1867-1916), escritor nicaragüense.*

956. **Pues para el alma ardiente, enamorada,**
hay una miel más dulce todavía:
y es el «sí» de los labios de una amada.
FÉLIX RUBÉN GARCÍA SARMIENTO, *RUBÉN DARÍO (1867-1916), escritor nicaragüense.*

957. **Tú puedes infundir hondas pasiones,**
pues de tus ojos negros como abismos,
brota un mariposeo de ilusiones
que pueblan la cabeza de espejismos.
FÉLIX RUBÉN GARCÍA SARMIENTO, *RUBÉN DARÍO (1867-1916), escritor nicaragüense.*

958. **[...] siento como un eco del corazón del mundo**
que penetra y conmueve mi propio corazón.
FÉLIX RUBÉN GARCÍA SARMIENTO, *RUBÉN DARÍO (1867-1916), escritor nicaragüense.*

959. **La mujer raramente nos perdona ser celosos;**
pero no nos perdonaría nunca si no lo fuéramos.
PAUL-JEAN TOULET *(1867-1920) escritor francés.*

960. **Nada más doloroso que los celos**
por un pasado desconocido.
VICENTE BLASCO IBÁÑEZ *(1867-1928), escritor español.*

961. **Es engañoso hacer depender todo el interés de la vida**
de sentimientos tan imprecisos como el amor.
MARIE CURIE *(1867-1934), científica polaca.*

Amor

962. **Es tan fácil hacer sufrir a un ser que nos ama, tan fácil, que ni siquiera puede ser divertido.**
EDMOND ROSTAND *(1868-1918), dramaturgo francés.*

963. **Un beso, ¿qué es un beso? Un juramento hecho desde más cerca, una promesa que concierta una confesión que desea confirmar... Un secreto que toma la boca por la oreja.**
EDMOND ROSTAND *(1868-1918), dramaturgo francés.*

964. **El amor es un conflicto entre reflejos y reflexiones.**
MAGNUS HIRDCHFELD *(1868-1935), sexólogo alemán.*

965. **Lo mejor que podemos hacer en favor de quienes nos aman es seguir siendo felices.**
ÉMILE-AUGUSTE CHARTIER, *ALAIN (1868-1951), filósofo y escritor francés.*

966. **El matrimonio es un sacramento por el cual se unen dos contrarios acérrimos, para producir una lastimosa medianía.**
MAKSIM GORKI *(1869-1936), escritor ruso.*

967. **El amor jamás reclama; da siempre. El amor tolera, jamás se irrita, nunca se venga.**
MAHATMA GANDHI *(1869-1948), líder pacifista hindú.*

968. **El amor y la verdad son dos caras de la misma moneda.**
MAHATMA GANDHI *(1869-1948), líder pacifista hindú.*

969. **He comprendido ahora que, permanente en todo lo que pasa, Dios no habita en el objeto, sino el amor; y ahora sé gozar la quieta eternidad del instante.**
ANDRÉ GIDE *(1869-1951), escritor francés.*

970. **El amor es una invención completamente humana, el amor no existe en la naturaleza.**
ANDRÉ GIDE *(1869-1951), escritor francés.*

971. **¡Hogar, cómo se suaviza el penoso trajín de las faenas cuando hay amor en casa...!**
JOSÉ MARÍA GABRIEL Y GALÁN *(1870-1905), poeta español.*

972. **Yo aprendí en el hogar en que se funda**
la dicha más perfecta,
y para hacerla mía
quise ser como mi padre era,
y busqué una mujer como mi madre
entre las hijas de mi hidalga tierra.

JOSÉ MARÍA GABRIEL Y GALÁN *(1870-1905), poeta español.*

973. **Porque en habiendo un querer**
–la verdad se ha de decir–
ni cuasi puedes comer,
ni cuasi puedes dormir.

JOSÉ MARÍA GABRIEL Y GALÁN *(1870-1905), poeta español.*

974. **Siempre que haya un vacío en tu vida,**
llénalo de amor.

AMADO NERVO *(1870-1919), poeta mexicano.*

Amado Nervo es una de las figuras más importantes del modernismo en México. Su labor literaria empezó como articulista, se extendió a la crítica social y literaria, los ensayos, crónicas teatrales, una zarzuela (inédita y que se ha perdido) y las narraciones breves, pero el reconocimiento popular lo obtuvo con sus poemas. De todos los textos de Amado Nervo, el más leído es, sin duda, *La amada inmóvil*, publicado tras su muerte, en 1922. Este poemario tiene rasgos autobiográficos, y la sinceridad del poeta al abordar los últimos días de su amante (Ana Daillez), junto a la desesperación de la soledad, han logrado que *La amada inmóvil* se entienda como una crónica sentimental del autor. La leyenda que rodeó los apasionados amores de Amado Nervo y la suposición poética de una convivencia con el cadáver inmóvil de su amada han reavivado el interés popular por el poeta mexicano, aunque la crítica no lo ha favorecido en exceso.

975. **El amor verdadero hace milagros, porque el amor mismo**
es ya el mayor milagro.

AMADO NERVO *(1870-1919), escritor mexicano.*

976. **Si el amor de Dios se parece a algo en este mundo,**
es sin duda al amor de la madre.

AMADO NERVO *(1870-1919), poeta mexicano.*

Amor

977. **La ausencia es un ingrediente que devuelve al amor el gusto que la costumbre le hizo perder.**
AMADO NERVO *(1870-1919), poeta mexicano.*

978. **Si no te quieren como tú quieres que te quieran, ¿de qué sirve que te quieran?**
AMADO NERVO *(1870-1919), poeta mexicano.*

979. **Los celos son una falta de estima por la persona amada.**
IVAN ALEXEIVICH BUNIN *(1870-1953), escritor ruso.*

980. **La esposa que escojas debe tener tres virtudes: salud, cordura y alegría. En segundo lugar, belleza, talento y cultura.**
STEPHEN CRANE *(1871-1900), escritor estadounidense.*

981. **El enamorado celoso soporta mejor la enfermedad de su amante que su libertad.**
MARCEL PROUST *(1871-1922), escritor francés.*

982. **No digas nunca: «Ámame». No sirve para nada. Dios lo ha dicho.**
PAUL AMBROISE VALÉRY *(1871-1945), poeta francés.*

983. **Amor consiste en advertir que, a pesar de uno mismo, se ha cedido al otro lo que sólo era para uno mismo.**
PAUL AMBROISE VALÉRY *(1871-1945), poeta francés.*

984. **El amor nace de una mirada, y una mirada puede engendrar un odio eterno.**
PAUL AMBROISE VALÉRY *(1871-1945), poeta francés.*

985. **Comprender es una palabra viva y la carne de esa palabra es amor.**
HENRI BARBUSSE *(1872-1935), novelista francés.*

986. **Es la eterna historia del juguete que los hombres creen recibir y del tesoro que las mujeres creen dar.**
HENRI BARBUSSE *(1872-1935), novelista francés.*

987. **Las mujeres se inclinan, por no sé qué tendencia de su espíritu, a ver sólo los defectos en un hombre de talento y las cualidades en un tonto.**
HENRI BARBUSSE *(1872-1935), novelista francés.*

988. **Una mujer acaricia a un hombre con sólo acercarse a él siempre que esté sola.**
HENRI BARBUSSE *(1872-1935), novelista francés.*

989. **Un filósofo que había estado en presidio mucho tiempo por estafar a unos cuantos, me decía que en amor nada une tanto como el crimen y que nada desune tanto como la ridiculez y la torpeza. En nuestra alma tenemos el culto por todo lo que es exaltación y por todo lo que es belleza. El crimen participa de estas dos cosas. Hay en él siempre exaltación; hay en él casi siempre belleza.**

Pío Baroja *(1872-1956), escritor español.*

990. **El amor es un desengaño como la vida misma.**

Pío Baroja *(1872-1956), escritor español.*

991. **Supongo que el español y la española se entusiasman con la aventura romántica y peligrosa del amor en el libro, en el teatro y en el cine, más que en la vida.**

Pío Baroja *(1872-1956), escritor español.*

992. **Cuando un hombre y una mujer que viven juntos tienen las dos personalidades y una gran divergencia de sentimientos y de opiniones, llegan a odiarse.**

Pío Baroja *(1872-1956), escritor español.*

993. **La psicología del adulterio ha sido falsificada por la moral convencional, la cual parte del supuesto, en los países que observan la monogamia, de que la atracción por una persona no puede coexistir con un afecto serio por otra. Todo el mundo sabe que esto no es cierto.**

Bertrand Arthur William Russell *(1872-1970), filósofo y matemático inglés.*

994. **El amor tiene dos leyes: la primera, amar a los otros; la segunda, eliminar de nosotros aquello que impide a los otros amarnos.**

Alexis Carrel *(1873-1944), médico y escritor francés.*

995. **El único cemento sólido para unir a los hombres es el amor. La sociedad debería encerrar o suprimir a aquellos que siembran la discordia o el odio.**

Alexis Carrel *(1873-1944), médico y escritor francés.*

996. **Por fuerza han de ser muy escasos los matrimonios felices, pues la esencia del matrimonio es tener, como principal objetivo, no la generación actual, sino la generación futura.**

Alexis Carrel *(1873-1944), médico y escritor francés.*

Amor

997. **Soportaría una docena más de desengaños amorosos, si ello me ayudara a perder un par de kilos.**
GABRIELLE SIDONIE, *COLETTE (1873-1954), escritora francesa.*

998. **Si no hubiera maridos, ¿quién cuidaría de nuestros amantes?**
GEORGE MOORE *(1873-1958), filósofo inglés.*

999. **Tomar una sola mujer es pagar muy barato el privilegio de conocer de cerca a las mujeres.**
GILBERT KEITH CHESTERTON *(1874-1936), escritor inglés.*

1000. **Admiramos a las personas por motivos, pero las amamos sin motivos.**
GILBERT KEITH CHESTERTON *(1874-1936), escritor inglés.*

1001. **Solamente el bígamo cree de verdad en el matrimonio.**
GILBERT KEITH CHESTERTON *(1874-1936), escritor inglés.*

1002. **El divorcio es, en el mejor de los casos, un fracaso, y nos interesa mucho más buscar y remediar su causa que quejarnos de sus defectos.**
GILBERT KEITH CHESTERTON *(1874-1936), escritor inglés.*

1003. **De querer a no querer**
hay un camino muy largo,
que todo el mundo recorre
sin saber cómo ni cuándo.
MANUEL MACHADO *(1874-1947), poeta español.*

1004. **Se entristecía un poco, al pensar en lo mucho que le había querido, y en cómo después se le había apagado el cariño. Se sentía enfadado por la vida.**
WILLIAM SOMERSET MAUGHAM *(1874-1965), escritor inglés.*

1005. **El amor platónico es como un revólver cargado que manejamos sin darnos cuenta de que en cualquier momento se puede disparar.**
WILLIAM SOMERSET MAUGHAM *(1874-1965), escritor inglés.*

1006. **Sólo el amor y el arte hacen tolerable la existencia.**
WILLIAM SOMERSET MAUGHAM *(1874-1965), escritor inglés.*

1007. Cuando un hombre se casa, su mujer, tarde o temprano, le aleja de sus viejas amistades.
William Somerset Maugham *(1874-1965), escritor inglés.*

1008. El hombre que se casa con una mujer entra a formar parte de su familia y relaciones: se casa con todos.
William Somerset Maugham *(1874-1965), escritor inglés.*

1009. Cuando la mujer ve al hombre amado y éste no advierte su presencia, no piensa «le he visto», sino «no me ha visto».
José Martínez Ruiz, *Azorín (1874-1967), escritor español.*

1010. Amar es una oportunidad, un motivo sublime que se ofrece a cada individuo para madurar y llegar a ser algo en sí mismo, para volverse mundo.
Rainer María Rilke *(1875-1926), poeta checo.*

1011. El amor consiste en dos soledades que se protegen, limitan y procuran hacerse mutuamente felices.
Rainer María Rilke *(1875-1926), poeta checo.*

1012. El amor es tan sólo una posada
en mitad del camino de la vida...
José Santos Chocano *(1875-1934), poeta peruano.*

1013. ¿Qué es amor? Me preguntaba
una niña. Contesté:
«Verte una vez y pensar
haberte visto otra vez».
Antonio Machado *(1875-1939), escritor español.*

1014. A las palabras de amor
les sienta bien su poquito
de exageración.
Antonio Machado *(1875-1939), escritor español.*

1015. Poned atención:
un corazón solitario
no es un corazón.
Antonio Machado *(1875-1939), escritor español.*

1016. Cuando nos vimos por primera vez no hicimos sino recordarnos. Aunque te parezca absurdo yo he llorado cuando tuve conciencia de mi amor hacia ti, por no haberte querido toda la vida.
Antonio Machado *(1875-1939), escritor español.*

Amor

1017. Estamos persuadidos de que el amor –sentimiento y lujuria– es la cosa menos natural del mundo. En esto no hay ley natural más que la continuación de la especie.

FILIPPO TOMMASO MARINETTI *(1876-1944), escritor y político italiano.*

1018. Amar es cambiar de casa el alma.

CONSTANCIO VIGIL *(1876-1954), escritor y periodista venezolano.*

1019. El amor es un malentendido entre una dama y un caballero; un malentendido que se prolonga.

FRÉDÉRIC CHARLES BARGONE, *CLAUDE FARRÈRE (1876-1957), escritor francés.*

1020. El amor puede ser un pasatiempo y una tragedia.

ISADORA DUNCAN *(1877-1927), bailarina estadounidense.*

1021. El amor es como un rico. A medida que es más grande, va metiendo menos ruido.

FRANCISCO VILLAESPESA *(1877-1936), poeta y dramaturgo español.*

1022. ¡Tira tu semilla al viento,
que en el pecho de los hombres
recogerás desengaños,
aunque siembres ilusiones!

FRANCISCO DE VILLAESPESA *(1877-1936), escritor español.*

1023. El matrimonio es una mujer más y un hombre menos.

FRANCIS DE CROISSET, *FRANCIS WIENER (1877-1937), dramaturgo francés.*

1024. ¿Qué cosa es amor que así nos rinde
y nos posee, sin que valgan contra
su tiranía razón ni fuerza, ley ni cordura?

RICARDO LEÓN *(1877-1943), escritor español.*

1025. Si sólo se permitiera el matrimonio a los capaces moralmente para contraerlo, casi toda la humanidad sería familia ilegítima.

NICETO ALCALÁ ZAMORA *(1877-1949), político español.*

1026. No digas de ningún sentimiento que es pequeño o indigno. No vivimos de otra cosa que de nuestros pobres, hermosos y magníficos sentimientos, y cada uno de ellos contra el que cometemos una injusticia es una estrella que apagamos.

HERMANN HESSE *(1877-1962), escritor alemán.*

1027. **Un solo día de amor**
para la vida me basta.
EDUARDO MARQUINA *(1879-1946), escritor español.*

1028. **En la cárcel del querer**
prisionero me han metido,
y estoy besando las manos
que me pusieron los grillos.
CRISTÓBAL DE CASTRO *(1879-1953), escritor español.*

1029. **Vivimos en el mundo cuando amamos.**
ALBERT EINSTEIN *(1879-1955), físico y matemático alemán.*

1030. **Nada se hace por amor si no se hace por él todo lo posible.**
ÉTIENNE REY *(1879-), escritor francés.*

1031. **A una soltera se la puede conquistar con un piropo; a una casada, con una atención; a una viuda, con una cuenta corriente.**
JOAQUÍN BELDA *(1880-1935), novelista español.*

1032. **Las mujeres son en toda la tierra criaturas de amor.**
Lo que ocurre es que la mayor parte de los hombres son demasiado tontos para seguir el juego, y de aquí el involuntario monopolio de unos pocos.
HERMANN ALEXANDER VON KEYSERLING *(1880-1946), filósofo alemán.*

1033. **El amor requiere talento, como cualquier otra cosa.**
HERMANN ALEXANDER VON KEYSERLING *(1880-1946), filósofo alemán.*

1034. **Para muchos hombres y mujeres, la felicidad que da el amor consiste, sobre todo, en la posibilidad de hacer sufrir a otro. De aquí este culto**
tan antiguo y tan redondeado: el culto de los celos.
HERMANN ALEXANDER VON KEYSERLING *(1880-1946), filósofo alemán.*

1035. **Cuando un hombre y una mujer se casan, forman un solo ser.**
La primera dificultad está decidir cuál es.
HENRY LOUIS MENCKEN *(1880-1956), escritor y periodista norteamericano.*

1036. **Motivados por el amor, fragmentos del mundo se buscan entre sí para que pueda haber un mundo.**
PIERRE TEILHARD DE CHARDIN *(1881-1955), filósofo francés.*

Amor

**1037. El amor no es capaz de ver los lados malos de un ser;
el odio no es capaz de ver los lados buenos.**

GIOVANNI PAPINI *(1881-1956), escritor italiano.*

1038. El amor es como el fuego, que si no se comunica se apaga.

GIOVANNI PAPINI *(1881-1956), escritor italiano.*

1039. El hombre sin mujer está solo, pero libre; su alma, sin estorbo de pensamientos comunes y materiales, puede ascender más arriba.

GIOVANNI PAPINI *(1881-1956), escritor italiano.*

**1040. ¡Eres eterno, amor,
como la primavera!
¡Pues eres puro, eres
eterno! A tu presencia
vuelven por el azul, en blanco bando,
tiernas palomas que creíamos muertas...
Abre la flor con nuevas hojas...**

JUAN RAMÓN JIMÉNEZ *(1881-1958), poeta español.*

**1041. ¡Amor! ¡Amor! ¡Que abril se torne oscuro!
¡Que no coja el verano su abundancia!
¡Que encuentre ya divina mi tristeza!**

JUAN RAMÓN JIMÉNEZ *(1881-1958), poeta español.*

**1042. ¡Qué tristeza es amarlo todo sin saber
por qué se ama!**

JUAN RAMÓN JIMÉNEZ *(1881-1958), poeta español.*

1043. La pasión no se caracteriza por la cantidad o tensión amorosa, sino por la calidad. La pasión es la calidad femenina del amor.

RAMÓN PÉREZ DE AYALA *(1881-1962), escritor español.*

1044. Hay quien ama a los animales y flores porque es incapaz de entenderse con su prójimo.

SIGRID UNDSET *(1882-1949), escritora noruega.*

**1045. No hay ausencia más punzante
que la ausencia de los que se aman,
ausencia a veces peor que la muerte.**

JOSÉ VASCONCELOS *(1882-1959), escritor y político mexicano.*

1046. **El soltero se resigna aparentemente por su propia voluntad y en plena vida a un espacio vacío, cada vez más pequeño. Y si se muere, le basta el ataúd.**
FRANZ KAFKA *(1883-1924), escritor checo.*

1047. **Un viejo amigo que se casa, ya no es un amigo.**
FRANZ KAFKA *(1883-1924), escritor checo.*

1048. **Todo el enamoramiento tiende automáticamente hacia el frenesí.**
JOSÉ ORTEGA Y GASSET *(1883-1955), filósofo español.*

1049. **Si es una tontería decir que el verdadero amor no tiene nada de sexual, es otra tontería decir que el amor es sexualidad.**
JOSÉ ORTEGA Y GASSET *(1883-1955), filósofo español.*

1050. **Odio y amor son, en todo, dos gemelos enemigos, idénticos y contrarios. Como hay un enamoramiento, hay (y no con menos frecuencia) un «enodiamiento».**
JOSÉ ORTEGA Y GASSET *(1883-1955), filósofo español.*

1051. **No hay amor sin instinto sexual. El amor usa de este instinto como de una fuerza brutal, como el bergantín usa del viento.**
JOSÉ ORTEGA Y GASSET *(1883-1955), filósofo español.*

1052. **El amor auténtico se encuentra siempre hecho. En este amor un ser queda adscrito de una vez para siempre y del todo a otro ser. Es el amor que empieza por el amor.**
JOSÉ ORTEGA Y GASSET *(1883-1955), filósofo español.*

1053. **El hombre condenado a vivir con una mujer a quien no ama siente las caricias de ésta como un irritante roce de cadenas.**
JOSÉ ORTEGA Y GASSET *(1883-1955), filósofo español.*

1054. **Estar enamorado es un estado de imbecilidad transitoria.**
JOSÉ ORTEGA Y GASSET *(1883-1955), filósofo español.*

1055. **La belleza que atrae rara vez coincide con la belleza que enamora.**
JOSÉ ORTEGA Y GASSET *(1883-1955), filósofo español.*

1056. **Hay quien ha venido al mundo a enamorarse de una sola mujer y, consecuentemente, no es probable que tropiece con ella.**
JOSÉ ORTEGA Y GASSET *(1883-1955), filósofo español.*

Amor

1057. **Tu corazón despierta, late y llora: es el amor.**
Anna de Noailles *(1883-1973), poetisa rumana.*

1058. **Es una locura amar, a menos que se ame con locura.**
John Ythier *(1884-1920), escritor francés.*

1059. **Dar amor constituye, en sí, dar educación.**
Anne Eleanor Roosevelt *(1884-1962), socióloga estadounidense.*

1060. **Cuando una mujer ama a un hombre se le conoce enseguida: no sabe hablar de otra cosa.**
Georges Duhamel *(1884-1966), escritor francés.*

1061. **Hay un secreto para vivir feliz con la persona amada; no pretender modificarla.**
Jacques Chardonne *(1884-1968), escritor francés.*

1062. **La mujer a la que amamos y que no nos ama nos parece siempre incomprensible.**
Jacques Chardonne *(1884-1968), escritor francés.*

1063. **Difícilmente las mujeres se resignan a la indiferencia del hombre que alguna vez las ha querido.**
Francisco Camba *(1885-1948), escritor y periodista español.*

1064. **La mujer escoge muchas veces al hombre que la ha de escoger a ella.**
Paul Lefévre-Géraldy, *Paul Géraldy (1885-1954), escritor francés.*

1065. **Estamos convencidos de que un grado superior de inteligencia nos conduciría a aceptar la infidelidad. Sin duda, la propiedad es sólo una gerencia fastidiosa que sólo sirve a nuestra vanidad. Se ama más libremente lo que no es nuestro. Querer acaparar un ser, paralizar su fantasía, sujetar su voluntad, es una pretensión insensata. Pero si tan sabios y complacientes fuéramos, sólo amaríamos con medida, es decir, no amaríamos.**
Paul Lefévre-Géraldy, *Paul Géraldy (1885-1954), escritor francés.*

1066. **Si tú me amaras y yo te amase, ¡cómo nos amaríamos!**
Paul Lefévre-Géraldy, *Paul Géraldy (1885-1954), escritor francés.*

1067. **En el amor no hay crímenes ni delitos, sólo falta de buen gusto.**
Paul Lefévre-Géraldy, *Paul Géraldy (1885-1954), escritor francés.*

1068. **Seducimos valiéndonos de mentiras y pretendemos ser amados por nosotros mismos.**

PAUL LEFÉVRE-GÉRALDY, *PAUL GÉRALDY (1885-1954), escritor francés.*

1069. **El momento más hermoso del amor,
el único que nos embriaga realmente,
es este preludio: el beso.**

PAUL LEFÉVRE-GÉRALDY, *PAUL GÉRALDY (1885-1954), escritor francés.*

1070. **El secreto de un matrimonio feliz es perdonarse mutuamente el haberse casado.**

ALEXANDRE SACHA GUITRY *(1885-1957), escritor y cineasta francés.*

1071. **La desgracia es que las mujeres han nacido para casadas, y los hombres para solteros.**

ALEXANDRE SACHA GUITRY *(1885-1957), escritor y cineasta francés.*

1072. **Si alguno os quiere robar la esposa, la mejor forma de vengaros de él es dejar que se la lleve.**

ALEXANDRE SACHA GUITRY *(1885-1957), escritor y cineasta francés.*

1073. **Hay mujeres cuyas infidelidades son el único lazo que todavía les liga a su marido.**

ALEXANDRE SACHA GUITRY *(1885-1957), escritor y cineasta francés.*

1074. **Los sufrimientos de los celos están exclusivamente compuestos de orgullo y curiosidad.**

ÉMILE HERZOG, *ANDRÉ MAUROIS (1885-1967), novelista y ensayista francés.*

1075. **Mientras el hombre se tortura pensando cuáles serán las reacciones de la mujer amada, ella se tortura pensando cómo es que él tarda tanto en decirle algo.**

ÉMILE HERZOG, *ANDRÉ MAUROIS (1885-1967), novelista y ensayista francés.*

1076. **Querer no es únicamente decir que uno quiere. Querer es más poderoso, más duro, más laborioso, más cansado y más difícil que obrar.**

ÉMILE HERZOG, *ANDRÉ MAUROIS (1885-1967), novelista y ensayista francés.*

1077. **En amor han de ser más atrevidos los gestos que las palabras; asustan menos.**

ÉMILE HERZOG, *ANDRÉ MAUROIS (1885-1967), novelista y ensayista francés.*

Amor

1078. **No amamos a una mujer por lo que dice.**
Amamos lo que dice porque la amamos.
ÉMILE HERZOG, *ANDRÉ MAUROIS (1885-1967), novelista y ensayista francés.*

1079. **Mi idea del amor consiste en estar siempre participando del trato de aquella persona amada, de compartir mis fantasías, toda mi felicidad y todos mis cuidados.**
ÉMILE HERZOG, *ANDRÉ MAUROIS (1885-1967), novelista y ensayista francés.*

1080. **Carecemos de ojos cuando sólo están en juego los sentimientos de los demás.**
ÉMILE HERZOG, *ANDRÉ MAUROIS (1885-1967), novelista y ensayista francés.*

1081. **El matrimonio no es una cosa por «hacer» sino también por «rehacer» sin cesar.**
ÉMILE HERZOG, *ANDRÉ MAUROIS (1885-1967), novelista y ensayista francés.*

1082. **Un matrimonio feliz es una larga conversación que parece siempre demasiado breve.**
ÉMILE HERZOG, *ANDRÉ MAUROIS (1885-1967), novelista y ensayista francés.*

1083. **Los matrimonios por amor suelen ser peligrosos para el amor.**
ÉMILE HERZOG, *ANDRÉ MAUROIS (1885-1967), novelista y ensayista francés.*

1084. **La fidelidad del corazón es más fuerte que el poder destructor de los hombres.**
FRANÇOIS MAURIAC *(1885-1970), escritor francés.*

1085. **No olvidéis aquello que ha dicho alguien: la mujer no ha nacido para que se la comprenda, sino para que se la ame.**
FEDERICO GARCÍA SANCHIZ *(1886-1964), escritor español.*

1086. **No sabrás todo lo que valgo hasta que no pueda ser junto a ti todo lo que soy.**
GREGORIO MARAÑÓN *(1887-1960), médico y ensayista español.*

1087. **Amar y sufrir es, a la larga, la única forma de vivir con plenitud y dignidad.**
GREGORIO MARAÑÓN *(1887-1960), médico y ensayista español.*

1088. **El enamoramiento es el peor consejero del matrimonio.**
GREGORIO MARAÑÓN *(1887-1960), médico y ensayista español.*

1089. **Los celos son siempre el instrumento certero que destruye la libertad interior y elimina en la compañía toda la felicidad posible.**
GREGORIO MARAÑÓN *(1887-1960), médico y ensayista español.*

1090. **La intimidad entre el hombre y la mujer no debe ser nunca tan grande que envenene nuestra necesidad radical de la libertad interior.**
GREGORIO MARAÑÓN *(1887-1960), médico y ensayista español.*

1091. **En la soledad de dos es donde a veces se encuentra la compañía maravillosa, la que no mata la libertad.**
GREGORIO MARAÑÓN *(1887-1960), médico y ensayista español.*

1092. **El amor no tiene razones y la falta de amor tampoco; en amor todo son milagros.**
EUGÈNE O'NEILL *(1888-1953), dramaturgo estadounidense.*

1093. **Estar enamorados de la paz y juntos. Amar cada uno la paz del otro. Dormir en paz, juntos.**
EUGENE O'NEILL *(1888-1953), dramaturgo estadounidense.*

1094. **Si amas, perdona; si no amas, olvida.**
VICKI BAUM *(1888-1960), escritora austríaca.*

1095. **Una mujer que es amada siempre tiene éxito.**
VICKI BAUM *(1888-1960), escritora austríaca.*

1096. **La única alegría de los casados es asistir a la boda de los otros... ¡Alegría diabólica!**
RAMÓN GÓMEZ DE LA SERNA *(1888-1963), escritor español.*

1097. **Cuando el teléfono público le devuelve la ficha al hombre, éste se la guarda tristemente; pero si es a la mujer a quien se la rechaza, ésta la recoge, la mete otra vez en la ranura y marca otro número.**
RAMÓN GÓMEZ DE LA SERNA *(1888-1963), escritor español.*

1098. **El viaje de novios me ha parecido siempre una de tantas comedias de nuestras costumbres. Se casan para formar un hogar, y la primera cosa que hacen es desertar del mismo.**
PAUL MORAND *(1888-1976), diplomático y escritor francés.*

1099. **Ella era hermosa como la mujer de otro.**
PAUL MORAND *(1888-1976), diplomático y escritor francés.*

Amor

1100. El corazón tiene sus cárceles que la inteligencia no abre.

MARCEL HENRI JOUHANDEAU *(1888-1979), escritor francés.*

1101. Se está enamorado de una mujer cuando se enamora uno de ella a cada instante.

JACINTO MIQUELARENA *(1891-1966), escritor español.*

1102. Sólo hay un amor hasta la muerte: el último.

JACINTO MIQUELARENA *(1891-1966), escritor español.*

1103. Cásate con un arqueólogo. Cuanto más vieja te hagas, más encantadora te encontrará.

AGATHA (MARY CLARISSA) CHRISTIE *(1891-1976), escritora inglesa.*

1104. Cuatro cosas hay que me hubiera pasado mejor sin ellas: amor, curiosidad, pecas y dudas.

DOROTHY PARKER *(1893-1967), escritora y crítica estadounidense.*

1105. El amor es un beso, dos besos, tres besos, cuatro besos, cinco besos, cuatro besos, tres besos, dos besos, un beso y ningún beso.

DINO SEGRE, *DINO PITIGRILLI (1893-1975), escritor italiano.*

1106. Hay mujeres que despiertan el deseo en los hombres y otras no. Ésta es la gran diferencia. Y nadie funda sus razones en esto aunque luego sufren las consecuencias.

CHARLES MORGAN *(1894-1958), escritor inglés.*

1107. Cuando el individuo siente, la comunidad se resiente.

LEONARD ALDOUS HUXLEY *(1894-1963), escritor inglés.*

1108. La castidad entraña la pasión, y la pasión y la neurastenia entrañan la inestabilidad. Y la inestabilidad, a su vez, el fin de la civilización.

LEONARD ALDOUS HUXLEY *(1894-1963), escritor inglés.*

1109. Si te ocurriese ser débil por amor, procura que no se sepa: vale más que te crean débil por debilidad.

JEAN ROSTAND *(1894-1977), biólogo y ensayista francés.*

1110. Es necesario recordar que el primer deber, en el matrimonio, es hacerse perdonar el estar allí.

JEAN ROSTAND *(1894-1977), biólogo y ensayista francés.*

1111. **Si hay peligro en casarse por amor
no es solamente porque el amor pasa,
sino también porque puede ser duradero.**
JEAN ROSTAND *(1894-1977), biólogo y ensayista francés.*

1112. **El matrimonio es como la cautividad,
o irrita, o domestica.**
JEAN ROSTAND *(1894-1977), biólogo y ensayista francés.*

1113. **Un buen matrimonio será aquel en que se olvidase,
durante el día, ser amantes, y por la noche, ser esposos.**
JEAN ROSTAND *(1894-1977), biólogo y ensayista francés.*

1114. **Los yerros de tu esposa no anulan los que tú cometes;
se suman a ellos.**
JEAN ROSTAND *(1894-1977), biólogo y ensayista francés.*

1115. **Los sacrificios que tú haces por ella ceñudamente,
los apreciará tu esposa anulados por tu descortesía;
en cuanto a los que de ella aceptes sonriente,
argüirá que nada te cuestan.**
JEAN ROSTAND *(1894-1977), biólogo y ensayista francés.*

1116. **Los que tienen alguna fortuna piensan que lo más importante
en el mundo es el amor. Los pobres saben que es el dinero.**
GERALD BRENAN *(1894-1987), historiador británico.*

1117. **Mienten los que afirman que jamás han tenido celos.
Lo que ocurre es que nunca se han enamorado.**
GERALD BRENAN *(1894-1987), historiador inglés.*

1118. **No es la política la que crea extraños compañeros de cama,
sino el matrimonio.**
«GROUCHO» MARX *(1895-1977), humorista y actor estadounidense.*

1119. **Las mujeres son muy útiles, sobre todo por la noche,
y con frecuencia, durante el día.**
«GROUCHO» MARX *(1895-1977), humorista y actor estadounidense.*

1120. **En el amor como en el deporte, la condición de amateur
debe ser estrictamente mantenida.**
ROBERT GRAVES *(1895-1985), escritor inglés.*

Amor

1121. **Me estás enseñando a amar.**
Yo no sabía.
Amar, es no pedir, es dar.
Noche tras día.

GERARDO DIEGO *(1896-1987), poeta español.*

1122. **Lo más triste del amor no es que no dure siempre, sino que la desesperación que produce se pueda olvidar tan pronto.**

WILLIAM FAULKNER *(1897-1962), escritor estadounidense.*

1123. **Amar es el principio,**
amar es la fuerza,
amar es el método.

PABLO VI *(1897-1978), Papa de la Iglesia cristiana.*

1124. **Y no quise enamorarme**
porque teniendo marido,
me dijo que era mozuela
cuando la llevaba al río.

FEDERICO GARCÍA LORCA *(1898-1936), poeta español.*

1125. **Y aunque no me quisieras, te querría**
por tu mirar sombrío,
como quiere la alondra al nuevo día,
sólo por el rocío.

FEDERICO GARCÍA LORCA *(1898-1936), poeta español.*

1126. **Pero, ¡pronto! Que unidos, enlazados,**
boca rota de amor y alma mordida,
el tiempo nos encuentre destrozados.

FEDERICO GARCÍA LORCA *(1898-1936), poeta español.*

1127. **La empresa más difícil entre un hombre y una mujer es amarse siempre.**

NOEL COWARD *(1899-1973), escritor inglés.*

1128. **Cuando discutimos con una mujer bonita no sentimos estar equivocados, sino que lamentamos tener razón.**

MARCEL ACHARD *(1899-1974), dramaturgo y humorista francés.*

1129. **Uno está enamorado cuando se da cuenta de que la otra persona es única.**
Jorge Luis Borges *(1899-1986), escritor argentino.*

1130. **Los espejos y la copulación son abominables porque multiplican el número de hombres.**
Jorge Luis Borges *(1899-1986), escritor argentino.*

1131. **Amor no es mirarse el uno al otro, sino mirar los dos en la misma dirección.**
Antoine Marie de Saint-Exupéry *(1900-1944), escritor francés.*

1132. **El que quiere demasiado es más rico de lo que se cree.**
Camille Goemans *(1900-1960), escritor belga.*

1133. **Es tan simple, el amor.**
Jacques Prévert *(1900-1977), poeta francés.*

1134. **El amor sólo empieza a desarrollarse cuando amamos a quien no necesitamos para nuestros fines.**
Erich Fromm *(1900-1989), psicoanalista y escritor alemán.*

1135. **A las mujeres les seduce que se las seduzca.**
Enrique Jardiel Poncela *(1901-1952), escritor español.*

1136. **Un novio es un hombre feliz que está a punto de dejar de serlo.**
Enrique Jardiel Poncela *(1901-1952), escritor español.*

1137. **El amor es como la salsa mayonesa: cuando se corta, hay que tirarlo y empezar otro nuevo.**
Enrique Jardiel Poncela *(1901-1952), escritor español.*

1138. **El amor es una comedia en un acto: el sexual.**
Enrique Jardiel Poncela *(1901-1952), escritor español.*

1139. **Bajo su caparazón de cobardía, el hombre aspira a la bondad y quiere ser amado. Si toma el camino del vicio, es que ha creído tomar un atajo que le conduciría al amor.**
John Steinbeck *(1902-1968), novelista estadounidense.*

1140. **Un poco de amor es como un poco de vino. Pero si uno u otro se toma en demasía, el hombre enferma.**
John Steinbeck *(1902-1968), escritor estadounidense.*

Amor

1141. Cualquier muchacho de escuela puede amar como un loco.
Pero odiar, amigo mío, odiar es un arte.

OGDEN NASH *(1902-1971), poeta y humorista estadounidense.*

1142. En el verdadero amor no manda nadie; obedecen los dos.

ALEJANDRO CASONA *(1903-1965), dramaturgo español.*

1143. El amor sólo es bueno cuando se toma como acicate para mayores empresas. Se quiere a una mujer y se dice: «Lucharé por ella, revolveré el mundo, la conseguiré». Y si esto último no llega ¿qué importa? Lo esencial es lo otro: luchar, revolver el mundo.

ALEJANDRO CASONA *(1903-1965), dramaturgo español.*

1144. Sólo con quien te ama puedes mostrarte débil
sin provocar una reacción de fuerza.

THEODOR W. ADORNO *(1903-1969), filósofo alemán.*

1145. El amor nunca muere de muerte natural.

ANAÏS NIN *(1903-1977), escritora francesa.*

1146. Siempre amor... Más allá de toda fuga,
de toda hiel, de todo pensamiento
más allá de los hombres
y de la distancia y del tiempo,
siempre amor...

DULCE MARÍA LOYNAZ *(1903-1997), poetisa cubana.*

1147. El hombre que no tiene un corazón compasivo
padece el peor de los males cardíacos.

LESLIE TOWNES HOPE, *BOB HOPE (1903), actor estadounidense.*

1148. Para mi corazón basta tu pecho,
para tu libertad bastan mis alas.

NEFTALÍ RICARDO REYES, *PABLO NERUDA (1904-1973), poeta chileno.*

1149. Hay que amar a todas las almas como si cada una fuese el propio hijo.

GRAHAM GREENE *(1904-1991), novelista inglés.*

1150. El matrimonio es una gran institución para quienes admiran las instituciones.

GRAHAM GREENE *(1904-1991), novelista inglés.*

1151. **El amor humano no conoce qué puede llamarse victoria. Algún pequeño triunfo estratégico antes de llegar el desastre final de la muerte o de la indiferencia.**
GRAHAM GREENE *(1904-1991), novelista inglés.*

1152. **Amar es verse como otro ser nos ve.**
MARÍA ZAMBRANO *(1904-1991), filósofa y ensayista española.*

1153. **El corazón es centro, porque es lo único de nuestro ser que da sonido.**
MARÍA ZAMBRANO *(1904-1991), filósofa y ensayista española.*

1154. **El único matrimonio que siempre hace feliz al hombre es el de sus hijos.**
NOEL CLARASÓ *(1905-1985), escritor español.*

1155. **Saber amar sólo consiste, a la larga, en saber soportar con grandeza de ánimo las molestias que nos causa la presencia diaria del ser amado.**
NOEL CLARASÓ *(1905-1985), escritor español.*

1156. **Lo único que hace falta para que los hombres descubran el amor es tener demasiado cerca a una mujer; y lo único que hace falta para que este amor se disipe es seguir teniéndola demasiado cerca.**
NOEL CLARASÓ *(1905-1985), escritor español.*

1157. **El amor es el único deporte que no se suspende por falta de luz.**
NOEL CLARASÓ *(1905-1985), escritor español.*

1158. **Sólo un buen amigo es capaz de comprender que su presencia puede llegar a molestarnos.**
NOEL CLARASÓ *(1905-1985), escritor español.*

1159. **Cuando se habla de estar enamorado como un loco se exagera; en general, se está enamorado como un tonto.**
NOEL CLARASÓ *(1905-1985), escritor español.*

1160. **El hombre necesita a la mujer; y la máxima sabiduría consiste en contentarse con una sola.**
NOEL CLARASÓ *(1905-1985), escritor español.*

1161. **Indudablemente, la época más feliz del matrimonio es la luna de miel; lo malo es que, para repetirla, han de suceder cosas muy desagradables.**
NOEL CLARASÓ *(1905-1985), escritor español.*

Amor

1162. **El hombre sólo puede hacer dos cosas duraderas con la mujer: o discutir o casarse con ella. Éste es un gran argumento a favor de la discusión.**
NOEL CLARASÓ *(1905-1985), escritor español.*

1163. **Una mujer perfecta es aquella que ayuda con abnegación a su marido a soportar las calamidades que no habría conocido jamás de quedarse soltero.**
NOEL CLARASÓ *(1905-1985), escritor español.*

1164. **Ningún hombre casado compadece a otro por ser soltero; y si a veces le dice que le compadece, miente para quedar bien.**
LEÓN DANDÚ *(1905-1985), escritor español.*

1165. **Hombres y mujeres se casan todos por el mismo motivo; porque ni ellos ni ellas saben lo que se hacen.**
LEÓN DANDÚ *(1905-1985), escritor español.*

1166. **El amor es física y química.**
SEVERO OCHOA *(1905-1993), bioquímico español.*

1167. **El deseo sexual es una intolerable comezón neuronal.**
WYSTAN HUGH AUDEN *(1907-1973), poeta estadounidense.*

1168. **El amor es un juego, el matrimonio un negocio.**
ALBERTO PINCHERLE, *ALBERTO MORAVIA (1907-1991), escritor italiano.*

1169. **El amor no tiene nada que ver con lo que esperas conseguir, sólo con lo que esperas dar; es decir, todo.**
KATHARINE HEPBURN *(1907-2003), actriz estadounidense.*

1170. **Uno no se mata por el amor de una mujer. Uno se mata porque un amor, cualquier amor, nos revela nuestra desnudez, nuestra miseria, nuestro desamparo: la nada.**
CESARE PAVESE *(1908-1950), escritor italiano.*

1171. **La familia es un nido de perversiones.**
SIMONE DE BEAUVOIR *(1908-1985), escritora francesa.*

1172. **El amor tiende siempre a ir más lejos; pero tiene un límite, el cual, si se sobrepasa, lo torna en odio.**
SIMONE WEIL *(1909-1943), escritora francesa.*

1173. **Qué parecidos son los gritos de amor y los de los moribundos.**
MALCOLM LOWRY *(1909-1957), poeta estadounidense.*

1174. **Entre un hombre y una mujer hay una sola razón: el amor. Sin el amor, ninguna otra cualidad sirve de nada; no hace falta nada más. Es decir, sí: hace falta la continuidad del amor; pero éste es un problema que el hombre nunca ha sabido cómo se resuelve.**

JEAN ANOUILH *(1910-1987), escritor francés.*

1175. **Amar al prójimo debe ser tan natural como vivir y respirar.**

TERESA DE CALCUTA *(1910-1997), religiosa yugoslava.*

1176. **No debemos permitir que alguien se aleje de nuestra presencia sin sentirse mejor y más feliz.**

TERESA DE CALCUTA *(1910-1997), religiosa yugoslava.*

1177. **Desconfíen del rencor de los solitarios que dan la espalda al amor, a la ambición, a la sociedad. Se vengarán un día de haber renunciado a todo eso.**

ÉMILE CIORAN *(1911-1995), filósofo francés.*

1178. **El hombre que haya encontrado una mujer con una pizca de sentido común, con dotes naturales y ganas de estar con él y no con otro, que la conserve con cuidado.**

DURRELL LAWRENCE *(1912-1990), escritor inglés.*

1179. **No ser amado es una simple desventura. La verdadera desgracia es no saber amar.**

ALBERT CAMUS *(1913-1960), escritor francés.*

1180. **Ven a dormir conmigo. No haremos el amor. El amor nos hará a nosotros.**

JULIO CORTÁZAR *(1914-1984), escritor argentino.*

1181. **Ningún amor en el mundo puede ocupar el lugar del amor.**

MARGUERITE DURAS *(1914-1996), escritora francesa.*

1182. **¿Puede alguien recordar el amor? Es como querer conjurar el aroma de las rosas en un sótano. Podrías ver la rosa, pero el perfume, jamás. Y esa es la verdad de las cosas, su perfume.**

ARTHUR MILLER *(1915), dramaturgo estadounidense.*

1183. **Sólo el amor con su ciencia nos vuelve tan inocentes...**

VIOLETA PARRA *(1917-1967), cantante y poetisa chilena.*

Amor

1184. De ninguna manera exageramos conceptos si enfatizamos en la idea básica de que el sexo es el centro de gravedad de todas las actividades humanas.

VÍCTOR MANUEL GÓMEZ RODRÍGUEZ, *SAMAEL AUN WEOR (1917-1977), escritor mexicano.*

1185. El edén es el mismo sexo y el árbol de la vida está en el mismo edén.

VÍCTOR MANUEL GÓMEZ RODRÍGUEZ, *SAMAEL AUN WEOR (1917-1977), escritor mexicano.*

1186. En el sexo se encuentra la mayor fuerza que puede liberar o esclavizar a un hombre.

VÍCTOR MANUEL GÓMEZ RODRÍGUEZ, *SAMAEL AUN WEOR (1917-1977), escritor mexicano.*

1187. El secreto de toda dicha en el amor consiste menos en ser ciego que en cerrar los ojos cuando hace falta.

SIMONE SIGNORET *(1921-1987), actriz francesa.*

1188. No creo que los amigos sean necesariamente la gente que más te gusta, son meramente la gente que estuvo allí primero.

PETER ALEXANDER USTINOV *(1921-2004), escritor, actor y director inglés.*

1189. Los hombres van en dos bandos: los que aman y fundan y los que odian y deshacen.

MANUEL FRAGA IRIBARNE *(1922), político español.*

1190. Yo creo en las familias numerosas: toda mujer debería tener, al menos, tres maridos.

ZSA ZSA GABOR *(1923-1995), actriz estadounidense.*

1191. Mi padre me dijo un día: merece la pena esperar para conseguir lo mejor de la vida. Y yo esperé hasta los quince años.

ZSA ZSA GABOR *(1923-1995), actriz estadounidense.*

1192. ¿Es acaso el amor la unificación del mundo en torno a un ser simbólico?

LUIS MARTÍN-SANTOS *(1924-1964), escritor español.*

1193. La falta de amor, pasional o físico, y la falta de contacto físico nos ofrecen la clave del mal americano y quizás occidental.

JAMES BALDWIN *(1924-1987), novelista y comediógrafo estadounidense.*

1194. La pareja no se apoya sobre la permanencia del amor y la sexualidad, sino sobre la permanencia de la ternura.

KOSTAS AXELOS *(1924), sociólogo griego contemporáneo.*

1195. El sexo forma parte de la naturaleza. Y yo me llevo de maravilla con la naturaleza.

NORMA JEAN MORTENSON (O BAKER), *MARILYN MONROE (1926-1962), actriz estadounidense.*

1196. Seguramente, existen muchas razones para los divorcios; pero la principal, es y será siempre el matrimonio.

JERRY LEWIS *(1926), actor estadounidense.*

1197. El amor entendido como gimnasia entre gente desocupada no me interesa.

CARLOS BARRAL *(1928-1989), escritor español.*

1198. El amor es tan importante como la comida. Pero no alimenta.

GABRIEL GARCÍA MÁRQUEZ *(1928), escritor colombiano.*

1199. Los amores son como los imperios: cuando desaparece la idea sobre la cual han sido construidos, perecen ellos también.

MILAN KUNDERA *(1929), escritor checo.*

1200. El amor no se manifiesta en el deseo de acostarse con alguien, sino en el deseo de dormir junto a alguien.

MILAN KUNDERA *(1929), escritor checo.*

1201. El sexo no es bueno, porque destroza la ropa.

JACQUELINE BOUVIER, *JACKIE KENNEDY (1931-1994), primera dama estadounidense.*

1202. El amor no tiene cura, pero es la única medicina para todos los males.

LEONARD COHEN *(1934), músico canadiense.*

1203. El amor es la respuesta, pero mientras usted la espera, el sexo le plantea unas cuantas preguntas.

WOODY ALLEN *(1935), actor y director de cine estadounidense.*

1204. ¿Es sucio el sexo? Sólo cuando se hace bien.

WOODY ALLEN *(1935), actor y director de cine estadounidense.*

1205. La masturbación es el sexo con alguien que amas.

WOODY ALLEN *(1935), actor y director de cine estadounidense.*

Amor

1206. **La capacidad de reír juntos es el amor.**

FRANÇOISE QUOIREZ, *FRANÇOISE SAGAN (1935), escritora francesa.*

1207. **La admiración es amor congelado.**

FRANÇOISE QUOIREZ, *FRANÇOISE SAGAN (1935), escritora francesa.*

1208. **Los hombres y las mujeres se mezclan tan bien como el aceite y el agua. Por eso hay que estar agitando continuamente; si no, se separan.**

ALAN ALDA *(1936), actor y director de cine estadounidense.*

1209. **El amor es la poesía de los sentidos. Pero hay poesías malísimas.**

ANTONIO GALA *(1937), escritor español.*

1210. **El amor es una amistad con momentos eróticos.**

ANTONIO GALA *(1937), escritor español.*

1211. **Esta sociedad nos da facilidades para hacer el amor, pero no para enamorarnos.**

ANTONIO GALA *(1937), escritor español.*

1212. **Quizás sea el tiempo la peor forma del desamor.**

ANTONIO GALA *(1937), escritor español.*

1213. **Por mucho que los hombres traten de suprimir su sexualidad, siempre serán incapaces de hacerlo.**

JACK NICHOLSON *(1937), actor estadounidense.*

1214. **Amar significa no tener que decir nunca «lo siento».**

ERICH SEGAL *(1937), novelista estadounidense.*

1215. **Amar y ser amado es sentir el sol por ambos lados.**

DAVID STEVEN VISCOTT *(1938), psiquiatra estadounidense.*

1216. **¿Me necesitarás todavía, me alimentarás todavía, cuando tenga sesenta y cuatro años?**

JOHN LENNON *(1940-1980)* y PAUL MCCARTNEY *(1942), músicos ingleses.*

En 1962 hicieron su aparición en el panorama musical de la época cuatro jóvenes que se convertirían en uno de los fenómenos de masas más importantes del siglo XX. Estos jóvenes se hacían llamar *The Beatles*; su nombre era una mezcla de dos conceptos distintos: el ritmo *beat*, muy utilizado en aquella época por los grupos de música popular; y la palabra «*beetle*», que significa cucaracha. La cita corresponde al disco *Sargeant Pepper's Lonely Hearts Club Band* (1967). La canción concreta se titula *Cuando tenga sesenta y cuatro años*, y es un recorrido irónico por los hábitos comunes y vulgares de una familia media inglesa: regalos en el día de San Valentín, ella tejiendo un jersey, un paseo los domingos, los nietos, una casa de alquiler para el verano, etc. La cita, que se incluye erróneamente en ciertas recopilaciones como frase de amor, ha de entenderse como lo más indeseable para una vida apasionada y emocionalmente activa.

1217. **Fue por amor. Fue por el amor y la dichosa paz. Fue una época fabulosa. Todavía me emociono cuando me doy cuenta de que era por eso: paz y amor. La gente ponía flores en las armas.**

RICHARD PARKIN (STARKEY), *RINGO STARR (1940), músico inglés.*
(A propósito de la influencia de la canción «All you need is love», de The Beatles.)

1218. **El sexo es básico en la vida de las personas, tanto cuando se produce como cuando se reprime.**

TERENCI MOIX *(1942-2003), escritor español.*

1219. **Si una mujer ofrece la mejilla para que su novio no la bese en la boca, hasta un ciego puede ver que ya no siente amor.**

ISABEL ALLENDE *(1942), escritora chilena.*

1220. **La relación sexual da esa intimidad que solamente tiene la madre con el recién nacido.**

ISABEL ALLENDE *(1942), escritora chilena.*

1221. **Amor, te digo esta palabra**
mil veces repetida,
que a fuerza de nombrarla
no sé que significa.

LUIS EDUARDO AUTE *(1943), músico español.*

1222. **El sexo es hereditario. Si tus padres jamás lo practicaron, es muy probable que tú tampoco.**

ROBERT FISCHER *(1943), jugador de ajedrez estadounidense.*

1223. **El amor es más frío que la muerte.**

RAINER WERNER FASSBINDER *(1946-1982), actor, director y productor de cine y teatro alemán.*

Amor

1224. **La prefiero compartida
antes de vaciar mi vida.**
PABLO MILANÉS *(1946), cantautor cubano.*

1225. **La cobardía es asunto de los hombres, no de los amantes. Los amores cobardes no llegan a amores ni a historias, se quedan ahí. Ni el recuerdo los puede salvar, ni el mejor orador conjugar.**
SILVIO RODRÍGUEZ *(1946), cantautor cubano.*

1226. **Cuando ves a una persona un día tras otro, la frescura se pierde, la relación se transforma, la pasión se enfría y empiezas a buscar a otra persona.**
SILVESTER STALLONE *(1946), actor estadounidense.*

1227. **La pasión es más satisfactoria que el amor, pero la pasión se acaba.**
JOSÉ CORONADO *(1947), actor español.*

1228. **Me enamoré de mi mujer y nunca más me volví a enamorar. La fidelidad te la propones inconscientemente: tienes una familia, unos hijos... ¿Cómo vas a jugar al amor por ahí?**
PACO DE LUCÍA *(1947), guitarrista español.*

1229. **Uno no puede hacer nada por las personas que ama, sólo seguir amándolas.**
FERNANDO SAVATER *(1947), filósofo español.*

1230. **Seamos francos: acudir a un médico para aprender a disfrutar del sexo es como ir a pedir consejos gastronómicos a un especialista del aparato digestivo.**
FERNANDO SAVATER *(1947), filósofo español.*

1231. **Los hombres engañan más que las mujeres; las mujeres, mejor.**
JOAQUÍN SABINA *(1949), músico español.*

1232. **Ama como tú quieras, pero nunca les preguntes a los demás cómo lo hacen. Sé como a ti te dé la gana, pero nunca les digas a los demás cómo tienen que ser.**
MONCHO BORRAJO *(1950), humorista español.*

1233. **Fidelidad: constancia y exclusividad con que un determinado sexo penetra o es penetrado por otro igualmente determinado, o se abstiene de ser penetrado o penetrar.**
JAVIER MARÍAS *(1951), escritor español.*

1234. **Tener derecho al amor no significa que alguien te vaya a amar.**
ANA ROSSETTI*(1951), escritora española.*

1235. **No digas nunca: «Ya está aquí el amor».**
El verdadero amor es el que no ha llegado todavía.
LUIS ANTONIO DE VILLENA *(1951), poeta español.*

1236. **No conozco ninguna relación verdadera**
que no sea al mismo tiempo un acuerdo sexual.
CARMEN LLERA *(1953), escritora española.*

1237. **Los efectos del amor o de la ternura son fugaces,**
pero los del error, los de un solo error, no se acaban
nunca, como una cavernícola enfermedad sin remedio.
ANTONIO MUÑOZ MOLINA *(1956), escritor español.*

1238. **Al contrario que la mujer de Lot, en el amor jamás**
hay que detenerse a volver la cabeza pues uno corre
el riesgo de convertirse en estatua de sal.
CARMEN POSADAS *(1957), escritora uruguaya.*

1239. **Son tan diminutos los ojos del amor que jamás se detiene ante**
una arruga o una imperfección; son tan miopes que serían
capaces de adorar una peca sólo porque es de ella.
CARMEN POSADAS *(1957), escritora uruguaya.*

1240. **Me regaló su despedida,**
fue tan suave que ni un solo ruido
se escuchó,
sin embargo día a día
cada cual disfruta mucho más
de aquel que amó.
ANTONIO VEGA *(1957), músico español.*

1241. **El amor es emoción, y el sexo, acción.**
LOUISE VERÓNICA CICCONE, *MADONNA (1958), cantante y actriz estadounidense.*

1242. **Hacer el amor es algo muy sano:**
quemas calorías y hasta te olvidas de quién eres.
ISABEL GEMIO *(1959), periodista española.*

1243. **El amor no es cosa que se pueda negociar.**
JEANNETTE WINTERSON *(1959), escritora inglesa.*

Amor

1244. **Un poema de amor tiene un alma que vuela**
sobre un reino de humo;
quiero decir que apenas
su sentido es real, porque el amor dispone
su retórica propia, que poco tiene
que ver con el amor
y es fantasmagoría.

FELIPE BENÍTEZ REYES *(1960), poeta español.*

1245. **Las relaciones sexuales son como el dinero: cuando lo tienes te lo gastas, y cuando careces de él sólo piensas en eso.**

ALMUDENA GRANDES *(1960), escritora española.*

1246. **El sexo es perfecto cuando el cuerpo está supeditado al espíritu.**

SHARON STONE *(1960), actriz estadounidense.*

1247. **Antes de casarme veía difícil permanecer fiel a una persona. Ahora creo en el calor de un hogar, en la relación oficial. Cuando se está enamorada, la fidelidad es fácil.**

JULIA ROBERTS *(1967), actriz estadounidense.*

1248. **El amor no sólo convierte al hombre en un ser ciego: también lo hace bueno o malo.**

J. ASCHNEIDER-ARNO, *escritor alemán contemporáneo.*

1249. **El odio es un medio, el amor es un fin.**

MARÍA ANGÉLICA BOSCO, *escritora italiana contemporánea.*

1250. **Una locomotora tiene mucho de mujer. Tiene su porte. Cuando viene hacia nosotros parece un busto que por su sola gallardía ha de abrirse paso.**

JORGE FERRETIS, *novelista mexicano contemporáneo.*

1251. **El amor tiene un poderoso hermano: el odio. Procura no ofender al primero porque el otro puede matarte.**

F. HEUMER, *escritor alemán contemporáneo.*

1252. **El amor hace pasar el tiempo, y el tiempo hace pasar el amor.**

ANÓNIMO.

1253. **El día que pasas sin amar es el día más inútil de tu vida.**

ANÓNIMO.

1254. **El amor más puro y más fuerte no es el que sube desde la impresión, sino el que desciende desde la admiración.**
ANÓNIMO.

1255. **El amor que pudo morir no era amor.**
ANÓNIMO.

1256. **El que quiere estudiar amor se queda siempre en alumno.**
ANÓNIMO.

1257. **Te amo no sólo por lo que eres, sino por lo que soy cuando estoy contigo.**
ANÓNIMO.

1258. **El matrimonio es un puente que conduce al cielo, a través del infierno.**
ANÓNIMO.

1259. **El matrimonio es un dúo o un duelo.**
ANÓNIMO.

1260. **El amor en el hombre, comienza por una exaltación de su amor propio... y a veces no pasa de ahí.**
ANÓNIMO.

1261. **Hay dos cosas que no se pueden disimular: el amor y la borrachera.**
ANÓNIMO.

1262. **El amor es una flor de primavera entre dos personas que se desarrolla en verano y se marchita en invierno.**
ANÓNIMO.

1263. **En la caza como en el amor se comienza cuando se quiere, pero se termina cuando se puede.**
ANÓNIMO.

1264. **El amor, cuando se alimenta de regalos, siempre tiene hambre.**
ANÓNIMO.

1265. **El amor entra en los hombres por los ojos y en las mujeres por las orejas.**
ANÓNIMO.

1266. **Me opongo a las relaciones sexuales antes de la boda: se corre el peligro de llegar tarde a la ceremonia.**
ANÓNIMO.

Amor

1267. **El compañero de noche se debe escoger de día.**
ANÓNIMO.

1268. **El amor es un jardín florido; y el matrimonio es el mismo jardín, en el que han nacido ortigas.**
ANÓNIMO.

1269. **Es curioso que se llame «sexo oral» a la práctica sexual en la que menos se puede hablar.**
ANÓNIMO.

1270. **El corazón no habla, mas adivina aunque calla.**
ANÓNIMO.

1271. **Más vale un mal marido que un buen querido.**
ANÓNIMO.

1272. **Si te gusta una mujer y tú a ella no... ¡ánimo! Hay muchas más mujeres con las que podrás estar en la misma situación en el futuro.**
ANÓNIMO.

Mundo interior

Mundo interior

Dicen los especialistas, aunque no llegan a ponerse completamente de acuerdo, que en el desarrollo de la personalidad del ser humano confluyen principalmente dos aspectos: por un lado, ciertas predisposiciones genéticas con las que nacemos, y por otro, la influencia que ejercen los factores ambientales que nos rodean a lo largo de nuestra vida. Ambos aspectos quedan claramente de manifiesto en las páginas que vienen a continuación.

Si bien la mayoría de las cuestiones que se plantean aquí son universales, es decir, han sido motivo de reflexión y enjuiciamiento a lo largo de todas las épocas, la forma en que han sido tratadas y las conclusiones a las que se han llegado han sido muy diferentes.

Es fácil comprobar cómo el sexo, el país o la raza se manifiesta en el mantenimiento de una opinión, pero también lo es, que por debajo de todas esas cuestiones particulares a cada ser humano, subyace una esencia que nos aúna y aún más, nos iguala, ante lo profundo de nuestra existencia. La primera y la última citas de este apartado son:

«Dejemos que el pasado sea el pasado»

«Los idiotas escriben sus nombres en todas partes»

Mundo interior

1273. **Dejemos que el pasado sea el pasado.**
HOMERO *(siglo VIII a.C.), poeta griego.*

1274. **No envidies la riqueza del prójimo.**
HOMERO *(siglo VIII a.C.), poeta griego.*

1275. **Las almas generosas son dóciles.**
HOMERO *(siglo VIII a.C.), poeta griego.*

1276. **Desdichado el que duerme en el mañana.**
HESIODO DE ASERA *(siglo VIII a.C.), poeta griego.*

1277. **A menudo el odio se disfraza con una careta sonriente y la lengua se expresa en tono amistoso, mientras el corazón está lleno de hiel.**
SOLÓN DE ATENAS *(639-559 a.C.), político y poeta griego.*

1278. **La felicidad del cuerpo se funda en la salud.
La del entendimiento en el saber.**
TALES DE MILETO *(h. 625-h. 546 a.C.), filósofo griego.*

1279. **Mejor es morir de una vez que estar siempre temiendo por la vida.**
ESOPO *(620-560 a.C.), fabulista griego.*

1280. **Quien nace mortal, camina hacia la muerte.**
CALINO DE ÉFESO *(siglo VII a.C.), orador y poeta lírico griego.*

1281. **Nada perece en el universo, cuanto en él acontece no pasa de meras transformaciones.**
PITÁGORAS DE SAMOS *(582-497 a.C.), filósofo griego.*

Pitágoras no se refiere en esta ocasión al hecho de la muerte del hombre, sino que aborda más bien los cambios y mutaciones que se producen en la naturaleza, los cuales hacen pensar al hombre en conceptos como «creación» y «destrucción». La sentencia de Pitágoras se ha modificado habitualmente para convertirla en una frase más simple: «Nada se crea ni se destruye, sólo se transforma». Aunque las opiniones varían según los autores, en general, los griegos pensaban que todo cuanto existía en la Naturaleza se componía de cuatro elementos: el aire, el agua, la tierra y el fuego, los cuales, combinados en distintos grados formaban los objetos, los animales o las plantas. Ellos solían utilizar el ejemplo de la madera: cuando un tronco se quema, el tronco no desaparece, sino que se ha transformado y ha variado su composición, convirtiéndose en aire, en fuego, en ceniza, etc.

Para la idea moral de la muerte, los antiguos griegos tenían el recurso de la mitología. ¿Dónde van los hombres cuando mueren? ¿Dónde queda su espíritu? Existen numerosas variantes que resuelven estas preguntas. La más común atribuye a Hades, un dios oscuro y tenebroso, el reino de los muertos y de los infiernos. Por extensión se suele llamar Hades también al mismo Infierno. Algunos autores señalan que, para llegar al reino de los muertos, era necesario cruzar la laguna Estigia. En la orilla esperaba un barquero, llamado Caronte, el cual trasladaba a los vivos al otro lado. A la puerta del reino de los muertos había un perro monstruoso, llamado Cerbero, que vigilaba las puertas: ningún vivo podía entrar allí, y ningún muerto podría salir de aquel recinto. El pensamiento mitológico griego, establece una complicada red de símbolos para reflejar las evidencias del mundo natural y para tratar de comprender un suceso biológico angustioso.

1282. **La felicidad consiste en saber unir el final con el principio.**
PITÁGORAS DE SAMOS *(582-497 a.C.), filósofo griego.*

1283. **Diferentes en la vida, los hombres son semejantes en la muerte.**
LAO TSE *(h. 565 a.C.), filósofo chino, fundador del Taoísmo.*

1284. **El que ante la ganancia piensa en la justicia, y frente al peligro ofrece su vida, y aun tras largos años no se desdice de las promesas que hizo en su juventud, tal hombre puede llamarse perfecto.**
CONFUCIO *(h. 551-h. 479 a.C.), filósofo chino.*

1285. **Si no conocemos todavía la vida,**
¿cómo puede ser posible conocer la muerte?
CONFUCIO *(h. 551-h. 479 a.C.), filósofo chino.*

1286. **La naturaleza de los hombres es siempre la misma;**
lo que les diferencia son sus hábitos.
CONFUCIO *(h. 551-h. 479 a.C.), filósofo chino.*

1287. **El hombre superior piensa siempre en la virtud;**
el hombre vulgar piensa en la comodidad.
CONFUCIO *(h. 551-h. 479 a.C.), filósofo chino.*

1288. **No son las malas hierbas las que ahogan la buena semilla,**
sino la negligencia del campesino.
CONFUCIO *(h. 551-h. 479 a.C), filósofo chino.*

Mundo interior

1289. La virtud nunca se queda sola: aquel que la posee tendrá vecinos.
CONFUCIO *(h. 551-h. 479 a.C.), filósofo chino.*

1290. Sólo puede ser feliz siempre el que sepa ser feliz con todo.
CONFUCIO *(551-479 a.C.), filósofo chino.*

1291. No he visto todavía a nadie que ame tanto la virtud como se ama la belleza física.
CONFUCIO *(h. 551-h. 479 a.C.), filósofo chino.*

1292. Cuando veas a un hombre bueno, trata de imitarlo; cuando veas a uno malo, reflexiona sobre ti mismo.
CONFUCIO *(h. 551-h. 479 a.C.), filósofo chino.*

1293. Lo que quiere el sabio lo busca en sí mismo; lo que quiere el vulgo lo busca en los demás.
CONFUCIO *(h. 551-h. 479 a.C.), filósofo chino.*

1294. Siempre hay una mayoría de necios.
HERÁCLITO DE ÉFESO *(540-475 a.C.), filósofo griego.*

1295. No hagas reír hasta el punto de dar motivo a la risa.
HERÁCLITO DE ÉFESO *(540-475 a.C.), filósofo griego.*

1296. La mayor parte de los hombres prefieren parecer que ser.
ESQUILO DE ELEUSIS *(525-456 a.C.), poeta trágico griego.*

1297. Pocos hombres tienen la fuerza de carácter suficiente para alegrarse del éxito de un amigo sin sentir cierta envidia.
ESQUILO DE ELEUSIS *(525-456 a.C.), poeta trágico griego.*

1298. Los que no son envidiosos nunca son completamente felices.
ESQUILO DE ELEUSIS *(525-456 a.C.), poeta trágico griego.*

1299. Ningún mortal atraviesa intacto su vida sin pegar.
ESQUILO DE ELEUSIS *(525-456 a.C.), poeta trágico griego.*

1300. Constituye un destino más noble ser envidiado que ser compadecido.
PÍNDARO DE CINOSCÉFALOS *(h. 521-h. 441 a.C.), poeta griego.*

1301. Cierto: el primer trofeo es ser feliz; mas viene luego una decente estimación. Y el hombre a quien le es dado obtener ambos tiene la corona suprema.
PÍNDARO DE CINOSCÉFALOS *(h. 521-h. 441 a.C.), poeta griego.*

1302. Primero es la virtud;
luego el renombre,
si ambos obtiene,
¿qué más quiere el hombre?

PÍNDARO DE CINOSCÉFALOS *(h. 521-h. 441 a.C.), poeta griego.*

1303. La felicidad no depende de la voluntad de los mortales. Sólo Dios puede concederla.

PÍNDARO DE CINOSCÉFALOS *(h. 521-h. 441 a.C.), poeta griego.*

1304. Después de haber comido y bebido mucho, y de haber hablado tan mal como pude, aquí reposo yo: Timocreón de Rodas.

SIMÓNIDES DE CEOS *(siglo VI a.C.), poeta griego.*

1305. Serás doblemente desgraciado si no sabes sobrellevar tu desgracia.

BIAS DE PRIENA *(finales del siglo VI-principios del siglo V a.C.), uno de los siete sabios de Grecia.*

1306. Solamente es duradero lo que con la virtud se consigue.

SÓFOCLES *(495-406 a.C.), poeta trágico griego.*

1307. La más dulce vida consiste en no saber nada.

SÓFOCLES *(495-406 a.C.), poeta trágico griego.*

1308. En la naturaleza humana hay generalmente más del necio que del sabio.

EURÍPIDES DE SALAMINA *(480-406 a.C.), poeta trágico griego.*

1309. Nadie es feliz durante toda su vida.

EURÍPIDES DE SALAMINA *(480-406 a.C.), poeta trágico griego.*

1310. El necio sólo dice necedades.

EURÍPIDES DE SALAMINA *(480-406 a.C.), poeta trágico griego.*

1311. Los regalos convencen incluso a los dioses.

EURÍPIDES DE SALAMINA *(480-406 a.C.), poeta trágico griego.*

1312. Al hombre comedido le basta lo suficiente.

EURÍPIDES DE SALAMINA *(480-406 a.C.), poeta trágico griego.*

1313. Ninguno de los mortales es feliz, y cuando la prosperidad se derrama, uno podrá ser más afortunado, pero no más feliz.

EURÍPIDES DE SALAMINA *(480-406 a.C.), poeta trágico griego.*

Mundo interior

1314. **Sólo hay un bien: el conocimiento; sólo hay un mal: la ignorancia.**
Sócrates *(470-399 a.C.), filósofo griego.*

1315. **Los hombres pueden soportar que se elogie a los demás mientras crean que las acciones elogiadas pueden ser ejecutadas también por ellos; pero en caso contrario sienten envidia.**
Tucídides *(h. 460-h. 396 a.C.), historiador griego.*

1316. **Recordad que el secreto de la felicidad está en la libertad, y el secreto de la libertad, en el coraje.**
Tucídides *(h. 460-h. 396 a.C.), historiador griego.*

1317. **Los hombres sabios aprenden mucho de sus enemigos.**
Aristófanes de Atenas *(h. 448-h. 386 a.C.), poeta griego.*

1318. **La virtud es una especie de salud, de belleza y de buenas costumbres del alma.**
Platón *(428-347 a.C.), filósofo griego.*

1319. **El hombre sabio querrá estar siempre con quien sea mejor que él.**
Platón *(428-347 a.C.), filósofo griego.*

1320. **Los espíritus superiores, si dirigen bien su vuelo, difunden paz y bienestar. Los espíritus vulgares no tienen destino.**
Platón *(428-347 a.C.), filósofo griego.*

1321. **Debemos buscar para nuestros males otra causa que no sea Dios.**
Platón *(427-347 a.C.), filósofo griego.*

1322. **El mejor guardián de una cosa es también el mejor ladrón.**
Platón *(427-347 a.C.), filósofo griego.*

1323. **La virtud, como el arte, se consagra constantemente a lo que es difícil de hacer, y cuanto más dura es la tarea más brillante es el éxito.**
Aristóteles *(384-322 a.C.), filósofo griego.*

1324. **El ocio del espíritu es una forma de libertad.**
Aristóteles *(384-322 a.C.), filósofo griego.*

1325. **El carácter es aquello que revela la finalidad moral, poniendo de manifiesto la clase de cosas que un hombre prefiere o evita.**
Aristóteles *(384-322 a.C.), filósofo griego.*

1326. **Bastarse a sí mismo es también una forma de felicidad.**
ARISTÓTELES *(384-322 a.C.), filósofo griego.*

1327. **Un buen carácter favorece en el más alto grado que una cosa sea creída.**
ARISTÓTELES *(384-322 a.C.), filósofo griego.*

1328. **La naturaleza, según las condiciones de que disponga, y en tanto que sea posible, siempre hace las cosas más bellas y mejores.**
ARISTÓTELES *(384-322 a.C.), filósofo griego.*

1329. **Fatiga menos caminar sobre terreno accidentado que sobre terreno llano.**
ARISTÓTELES *(384-322 a.C.), filósofo griego.*

1330. **Las virtudes más grandes son aquellas que más utilidad reportan a otras personas.**
ARISTÓTELES *(384-322 a.C.), filósofo griego.*

1331. **La virtud resplandece en las desgracias.**
ARISTÓTELES *(384-322 a.C.), filósofo griego.*

1332. **El sacrificio de sí mismo es la condición de la virtud.**
ARISTÓTELES *(384-322 a.C.), filósofo griego.*

1333. **El odio es el camino para aprender.**
ARISTÓTELES *(384-322 a.C.), filósofo griego.*

1334. **La felicidad la poseen los hombres que moderadamente provistos de bienes exteriores han llevado a cabo las acciones más hermosas y han vivido templadamente.**
ARISTÓTELES *(384-322 a.C.), filósofo griego.*

1335. **El que no quiera deber su felicidad más que a sí mismo, que la busque en la filosofía, pues todos los demás gustos no se satisfacen sin la ayuda de los demás hombres.**
ARISTÓTELES *(384-322 a.C.), filósofo griego.*

1336. **La felicidad es al mismo tiempo la mejor, la más noble y la más placentera de todas las cosas.**
ARISTÓTELES *(384-322 a.C.), filósofo griego.*

1337. **El tiempo es la cosa más valiosa que el hombre puede gastar.**
TEOFRASTO *(h. 372-h. 287 a.C.), filósofo griego.*

Mundo interior

1338. Al hombre le cuesta muy poco esfuerzo atraerse la desgracia.
MENANDRO DE ATENAS *(h. 343-290 a.C.), dramaturgo griego.*

1339. Durante la noche llegan a la inteligencia del sabio los mejores pensamientos.
MENANDRO DE ATENAS *(h. 343-290 a.C.), dramaturgo griego.*

1340. El que no considera lo que tiene como la riqueza más grande del mundo es desdichado, aunque sea el dueño del mundo.
EPICURO DE SAMOS *(341-270 a.C.), filósofo griego.*

1341. El hombre más desgraciado es el que con más ardor desea la felicidad.
BION DE ABDERA *(h. 300 a.C.), filósofo griego.*

1342. El que muere por amor a la virtud, no perece.
TITO MACCIO PLAUTO *(254-184 a.C.), dramaturgo latino.*

1343. La diosa Fortuna desbarata ella sola las previsiones de cien sabios.
TITO MACCIO PLAUTO *(254-184 a.C.), dramaturgo latino.*

1344. Tales decía que no existía diferencia entre la vida y la muerte. «¿Por qué no mueres entonces?», le preguntaron. «Porque no hay diferencia alguna», repuso.
DIÓGENES LAERCIO *(siglo III a.C.), filósofo griego.*

1345. Tantos hombres, tantos pareceres: cada uno tiene su manera.
PUBLIO TERENCIO AFER *(h. 184-h. 159 a.C.), dramaturgo latino.*

1346. Tengo todo y no poseo nada: nada es y nada me falta.
PUBLIO TERENCIO AFER *(h. 184-h. 159 a.C.), dramaturgo latino.*

1347. Con la virtud por guía, con la fortuna por compañera.
MARCO TULIO CICERÓN *(106-43 a.C.), político, orador, filósofo y literato romano.*

La mayoría de los eruditos están de acuerdo cuando se trata de elegir al escritor más puro y perfecto de la antigua Roma: su nombre es Cicerón. Por encima de su pasión por la filosofía, de la política o de la ciencia, Cicerón se esforzó en elaborar una obra donde «el bien decir», la oratoria, fuera su eje central. Sus tratados políticos (*Sobre la República*) o morales (*De la amistad*, *De la vejez*), o sus cartas, ofrecen todos los rasgos de un pensador sereno y de un escritor impecable. Para Cicerón, la virtud es un servicio a la sociedad: es una cualidad moral que se ofrece a los demás. Por esta razón el autor vincula la virtud con la amistad:

«Os aconsejo, sobre todo, que valoréis la virtud. Sin ella, es imposible la amistad. Excepto la virtud, nada debéis apreciar tanto como la amistad». Este tipo de argumentos deben entenderse en función de la cultura romana: Roma no era una civilización individualista, todo cuanto se hacía o se pensaba, contribuía a engrandecer o perfeccionar la República o el Imperio Romano. El hombre no era un «individuo», sino un «ciudadano», un «esclavo» o un «soldado». El valor del hombre se estimaba en virtud de lo que significaba dentro de un ámbito mayor: la sociedad.

1348. **Cuanto más virtuoso es el hombre, menos acusa de vicios a los demás.**
MARCO TULIO CICERÓN *(106-43 a.C.), político, orador, filósofo y literato romano.*

1349. **El hombre no tiene enemigo peor que él mismo.**
MARCO TULIO CICERÓN *(106-43 a.C.), político, orador, filósofo y literato romano.*

1350. **El hábito es una especie de segunda naturaleza.**
MARCO TULIO CICERÓN *(106-43 a.C.), político, orador, filósofo y literato romano.*

1351. **El hombre que cultiva un campo no piensa en hacer mal a nadie.**
MARCO TULIO CICERÓN *(106-43 a.C.), político, orador, filósofo y literato romano.*

1352. **La virtud encuentra su recompensa en sí misma.**
MARCO TULIO CICERÓN *(106-43 a.C.), político, orador, filósofo y literato romano.*

1353. **La virtud es la razón perfeccionada.**
MARCO TULIO CICERÓN *(106-43 a.C.), político, orador, filósofo y literato romano.*

1354. **La vida de los muertos está en la memoria de los vivos.**
MARCO TULIO CICERÓN *(106-43 a.C.), político, orador, filósofo y literato romano.*

1355. **No quiero morir, aunque en realidad el estar muerto me parece indiferente.**
MARCO TULIO CICERÓN *(106-43 a.C.), político, orador, filósofo y literato romano.*

1356. **Los hombres son como los vinos: la edad agría los malos y mejora los buenos.**
MARCO TULIO CICERÓN *(106-43 a.C.), político, orador, filósofo y literato romano.*

1357. **Los ojos, como centinelas, se sitúan en la parte más alta del cuerpo.**
MARCO TULIO CICERÓN *(106-43 a.C.), político, orador, filósofo y literato romano.*

Mundo interior

1358. **Nada es más fácil que censurar a los muertos.**
JULIO CÉSAR *(100-44 a.C.), emperador romano.*

1359. **¿Por qué no salir de esta vida como de un banquete el convidado harto?**
TITO CAYO LUCRECIO *(h. 98-55 a.C.), poeta latino.*

1360. **¿Qué cosa pueden darnos los dioses más apetecible que una hora feliz?**
CAYO VALERIO CATULO *(h. 87-54 a.C.), poeta latino.*

1361. **El sol se pone y nace de nuevo; pero nosotros, cuando se apaga nuestra breve luz, dormimos para siempre en una noche perpetua.**
CAYO VALERIO CATULO *(h. 87-54 a.C.), poeta latino*

1362. **La avaricia es corruptora de la fidelidad, de la honradez y de todas las demás virtudes.**
CAYO CRISPO SALUSTIO *(86-34 a.C.), historiador y político latino.*

1363. **¡Qué felices serían los campesinos, si supieran que son felices!**
PUBLIO VIRGILIO MARÓN *(70-19 a.C.), poeta latino.*

1364. **Feliz quien puede conocer las causas de las cosas.**
PUBLIO VIRGILIO MARÓN *(70-19 a.C.), poeta latino.*

1365. **Si tus órganos están sanos, todas las riquezas de un rey no aumentarán tu felicidad.**
QUINTO HORACIO FLACO *(65 a.C.-8 d.C.), poeta latino.*

1366. **¿Qué impide decir la verdad con humor?**
QUINTO HORACIO FLACO *(65 a.C.-8 d.C.), poeta latino.*

1367. **La plata cede al oro; el oro, a la virtud.**
QUINTO HORACIO FLACO *(65 a.C.-8 d.C.), poeta latino.*

1368. **Todos los tiranos de Sicilia no han inventado nunca un tormento mayor que la envidia.**
QUINTO HORACIO FLACO *(65 a.C.-8 d.C.), poeta latino.*

1369. **La virtud es el punto medio entre dos vicios opuestos.**
QUINTO HORACIO FLACO *(65 a.C.-8 d.C.), poeta latino.*

1370. **Coge el día presente y fíate lo menos posible del mañana.**
QUINTO HORACIO FLACO *(65 a.C.-8 d.C.), poeta latino.*

1371. Huir del vicio es virtud, y la primera condición para ser sabio es no ser necio.

QUINTO HORACIO FLACO *(65 a.C.-8 d.C.), poeta latino.*

1372. Nadie nace libre de vicios; y el hombre más perfecto es el que tiene menos.

QUINTO HORACIO FLACO *(65 a.C.-8 d.C.), poeta latino.*

1373. Los necios, cuando quieren esquivar unos vicios, dan en sus contrarios.

QUINTO HORACIO FLACO *(65 a.C.-8 d.C.), poeta latino.*

1374. Un día empuja al otro y las lunas nuevas corren hacia la muerte.

QUINTO HORACIO FLACO *(65 a.C.-8 d.C.), poeta latino.*

1375. Si el vaso no está limpio, lo que en él derrames se corrompe.

QUINTO HORACIO FLACO *(65 a.C.-8 d.C.), poeta latino.*

1376. La brevedad de la vida nos impide tener largas esperanzas.

QUINTO HORACIO FLACO *(65 a.C.-8 d.C.), poeta latino.*

1377. Sin amor y sin risas, nada hay agradable.

QUINTO HORACIO FLACO *(65 a.C.-8 d.C.), poeta latino.*

1378. ¡Feliz el mortal que, alejado del trato ajeno, al modo de los primitivos hombres, cuida de los paternos campos con sus propios bueyes, libre de todo afán de lucro!

QUINTO HORACIO FLACO *(65 a.C.-8 d.C.), poeta latino.*

1379. Olvidemos lo que ya sucedió, pues puede lamentarse, pero no rehacerse.

TITO LIVIO *(59 a.C.-17 d.C.), historiador romano.*

1380. Nosotros no podemos soportar ni nuestros vicios ni sus remedios.

TITO LIVIO *(59 a.C.-17 d.C.), historiador romano.*

1381. ¡Sorpréndame la muerte en medio de mi trabajo!

PUBLIO NASÓN OVIDIO *(43 a. C.-17 d.C.), poeta latino.*

1382. El otoño da frutos; el estío es hermoso por sus mieses; la primavera nos regala sus flores; el invierno se nos alivia con el fuego.

PUBLIO NASÓN OVIDIO *(43 a. C.-17 d.C.), poeta latino.*

Mundo interior

1383. El regalo tiene la categoría de quien lo hace.
PUBLIO NASÓN OVIDIO *(43 a.C.-17 d.C.), poeta latino.*

**1384. La envidia, el más mezquino de los vicios,
se arrastra por el suelo como una serpiente.**
PUBLIO NASÓN OVIDIO *(43 a.C.-17 d.C.), poeta latino.*

**1385. No se puede lograr que retorne el agua que pasó,
ni reclamar que vuelva la hora pretérita.**
PUBLIO NASÓN OVIDIO *(43 a.C.-17 d.C.), poeta latino.*

**1386. El vulgo estima a los amigos por las ventajas
que pueden obtenerse de ellos.**
PUBLIO NASÓN OVIDIO *(43 a.C.-17 d.C.), poeta latino.*

1387. El peso que se soporta y lleva con alegría se hace ligero.
PUBLIO NASÓN OVIDIO *(43 a.C.-17 d.C.), poeta latino.*

1388. Antes de morir y ser enterrado nadie puede llamarse feliz.
PUBLIO NASÓN OVIDIO *(43 a.C.-17 d.C.), poeta latino.*

1389. El hombre instruido tiene siempre las riquezas en sí mismo.
FEDRO *(10 a.C.-70 d.C.), fabulista latino.*

1390. Soportad esta calamidad, no sea que os venga otra mayor.
FEDRO *(h. 10 a.C.-70 d.C.), fabulista latino.*

**1391. Morir más temprano o más tarde es cosa de poca importancia;
lo que importa es morir bien o mal. Morir bien, por otra parte,
es huir del peligro de vivir mal.**
LUCIO ANNEO SÉNECA *(4 a.C.-65 d.C.), escritor y filósofo romano.*

Esta cita y algunas otras de las anteriores pertenecen al más famoso de los tratados de Séneca, *De vita brevis* (*De la brevedad de la vida*). En este ensayo Séneca se dirige a su suegro, Pompeyo Paulino, y le sugiere dejar los agobiantes asuntos públicos para dedicar el tiempo a la reflexión, al estudio de sí mismo. Los filósofos griegos y romanos se preguntaban con angustia cuál era la razón de la vida, y por qué resultaba tan breve y vacía. Una de las soluciones filosóficas más admitidas era la que proporcionó el alegre Epicuro de Samos (341-270 a.C.), filósofo griego. Éste proponía vivir intensamente cada segundo de la existencia, sin ocuparse de lo que sucediera tras la muerte. Séneca no era de esta opinión: sugería conocer bien nuestros sentimientos morales, conocer el bien y el mal, conocer los verdaderos valores: la dignidad humana. Sólo una vida interior plena y dichosa puede hacer feliz la existencia, según el filósofo cordobés. Se le considera el principal representante del estoicismo clásico, precisamente por desvincularse del mundo exterior y atender sólo a los verdaderos conocimientos del espíritu.

1392. **No existe ningún gran genio sin un toque de locura.**
LUCIO ANNEO SÉNECA *(4 a.C.-65 d.C.), escritor y filósofo romano.*

1393. **La naturaleza no nos otorga la virtud: ser bueno es un arte.**
LUCIO ANNEO SÉNECA *(4 a.C.-65 d.C.), escritor y filósofo romano.*

1394. **Toda virtud se funda en la medida.**
LUCIO ANNEO SÉNECA *(4 a.C.-65 d.C.), escritor y filósofo romano.*

1395. **La virtud que se adorna y se alaba ya tiene un defecto.**
LUCIO ANNEO SÉNECA *(4 a.C.-65 d.C.), escritor y filósofo romano.*

1396. **La virtud está en hacer beneficios que de cierto no se han de corresponder.**
LUCIO ANNEO SÉNECA *(4 a.C.-65 d.C.), escritor y filósofo romano.*

1397. **Tenemos los vicios ajenos delante de los ojos y los propios a la espalda.**
LUCIO ANNEO SÉNECA *(4 a.C.-65 d.C.), escritor y filósofo romano.*

1398. **Por el vicio ajeno, enmienda el sabio el suyo.**
LUCIO ANNEO SÉNECA *(4 a.C.-65 d.C.), escritor y filósofo romano.*

1399. **Cuando se está en medio de las adversidades ya es tarde para ser cauto.**
LUCIO ANNEO SÉNECA *(4 a.C.-65 d.C.), escritor y filósofo romano.*

1400. **Todo el mundo aspira a la vida dichosa, pero nadie sabe en qué consiste.**
LUCIO ANNEO SÉNECA *(4 a.C.-65 d.C.), escritor y filósofo romano.*

1401. **No os espante la pobreza. Nadie vive tan pobre como nació.**
LUCIO ANNEO SÉNECA *(4 a.C.-65 d.C.), escritor y filósofo romano.*

1402. **Nadie es desgraciado sino por su propia culpa.**
LUCIO ANNEO SÉNECA *(4 a.C.-65 d.C.), escritor y filósofo romano.*

Mundo interior

1403. **En la tormenta es cuando se conoce al buen piloto.**
LUCIO ANNEO SÉNECA *(4 a.C.-65 d.C.), escritor y filósofo romano.*

1404. **La adversidad acaba por encontrar al hombre junto al que había pasado.**
LUCIO ANNEO SÉNECA *(4 a.C.-65 d.C.), escritor y filósofo romano.*

1405. **Vivir es luchar.**
LUCIO ANNEO SÉNECA *(4 a.C.-65 d.C.), escritor y filósofo romano.*

1406. **Después de la muerte no hay nada y la misma muerte no es nada.**
LUCIO ANNEO SÉNECA *(4 a.C.-65 d.C.), escritor y filósofo romano.*

1407. **El mejor tiempo para morir es en plena prosperidad.**
LUCIO ANNEO SÉNECA *(4 a.C.-65 d.C.), escritor y filósofo romano.*

1408. **Aquel que tú lloras por muerto, no ha hecho más que precederte.**
LUCIO ANNEO SÉNECA *(4 a.C.-65 d.C.), escritor y filósofo romano.*

1409. **La muerte no es en bien ni en mal, porque para ser bien o mal es indispensable ser algo.**
LUCIO ANNEO SÉNECA *(4 a.C.-65 d.C.), escritor y filósofo romano.*

1410. **La vida es como una escuela de gladiadores: convivir y pelear.**
LUCIO ANNEO SÉNECA *(4 a.C.-65 d.C.), escritor y filósofo romano.*

1411. **La vida es un asunto de guerra.**
LUCIO ANNEO SÉNECA *(4 a.C.-65 d.C.), escritor y filósofo romano.*

1412. **La felicidad no es necesaria**
LUCIO ANNEO SÉNECA *(4 a.C.-65 d.C.), escritor y filósofo romano.*

1413. **Todo el mundo aspira a una vida dichosa, pero nadie sabe en qué consiste.**
LUCIO ANNEO SÉNECA *(4 a.C.-65 d.C.), escritor y filósofo romano.*

1414. **El hombre muere tantas veces como pierde a cada uno de los suyos.**
PUBLIO SIRO *(siglo I a.C.), poeta latino.*

1415. **Ningún hombre es feliz a menos que crea serlo.**
PUBLIO SIRO *(siglo I a.C.), poeta latino.*

1416. **El hombre sabio ve en las desventuras ajenas las que debe evitar.**
PUBLIO SIRO *(siglo I a.C.), poeta latino.*

1417. **El carácter de cada hombre es el árbitro de su fortuna.**
PUBLIO SIRO *(siglo I a.C.), poeta latino.*

1418. **Nunca se harta el ojo de ver, ni el oído de oír.**
La Biblia, Eclesiastés.

1419. **Es feliz quien convive con una mujer inteligente, quien no tuvo desliz con la lengua, y quien no sirvió a un indigno.**
La Biblia, Eclesiastés.

1420. **Es feliz quien encontró la prudencia,**
y quien diserta a oídos que escuchan.
La Biblia, Eclesiastés.

1421. **Hay tres cosas que no logro comprender,**
y una cuarta que ignoro por completo:
el vuelo del águila en el cielo,
el camino de la culebra sobre las piedras,
el rumbo de los barcos en el mar
y los actos del hombre en su adolescencia.
La Biblia, Proverbios.

1422. **Quien desprecia a su prójimo peca.**
¡Feliz quien se apiada de los pobres!
La Biblia, Proverbios.

1423. **No echéis vuestras perlas a los cerdos.**
La Biblia, San Mateo.

1424. **Aunque la virtud procede en sus principios de la naturaleza, recibe sus toques finales de la instrucción.**
Marco Fabio Quintiliano *(h. 35-h. 95), escritor y retórico latino.*

1425. **Más triste que la muerte es la manera de morir.**
Marco Valerio Marcial *(h. 40-104), poeta latino.*

1426. **La Fortuna a algunos les da demasiado, pero a ninguno le da lo bastante.**
Marco Valerio Marcial *(h. 40-104), poeta latino.*

1427. **Quien tiene muchos vicios, tiene muchos amos.**
Plutarco de Querona *(46-120), historiador y moralista griego.*

1428. **El odio es una tendencia a aprovechar todas las ocasiones para perjudicar a los demás.**
Plutarco de Querona *(46-120), historiador y moralista griego.*

Mundo interior

1429. No se encuentra mayor distancia de un animal a otro que de un hombre a otro.

PLUTARCO DE QUERONA *(46-120), historiador y moralista griego.*

1430. Navegar es necesario, vivir no lo es.

PLUTARCO DE QUERONA *(46-120), historiador y moralista griego.*

1431. Los hombres no tienen dificultades por las cosas mismas, sino por la opinión que tienen de ellas.

EPICTETO DE FRIGIA *(h. 50-h.120), filósofo latino.*

1432. La envidia es el adversario de los afortunados.

EPICTETO DE FRIGIA *(h. 50-h.120), filósofo latino.*

1433. El infortunio pone a prueba a los amigos y descubre a los enemigos.

EPICTETO DE FRIGIA *(h. 50-h.120), filósofo latino.*

1434. Cuando llegue mi hora de morir, moriré; pero sabré dar la vida como un hombre que no le duele devolver el préstamo que se le ha hecho.

EPICTETO DE FRIGIA *(h. 50-h.120), filósofo latino.*

1435. El pensamiento de la muerte te libraría de toda idea baja y servil y de desear nada con pasión desmedida.

EPICTETO DE FRIGIA *(h. 50-h.120), filósofo latino.*

1436. ¿No sabes que la fuente de todas las miserias, para el hombre, no es la muerte, sino el miedo a la muerte?

EPICTETO DE FRIGIA *(h. 50-h.120), filósofo latino.*

1437. Una bella muerte llena toda una vida de honor.

PUBLIO CORNELIO TÁCITO *(h. 54/57-h. 125), historiador y orador latino.*

1438. Mientras haya hombres habrá vicios.

PUBLIO CORNELIO TÁCITO *(h. 54/57-h. 125), historiador y orador latino.*

1439. En la naturaleza del hombre está odiar a quienes ha ofendido.

PUBLIO CORNELIO TÁCITO *(h. 54/57-h. 125), historiador y orador latino.*

1440. Por buena tiene esta vida quien no la conoce.

PUBLIO CORNELIO TÁCITO *(h. 54/57-h. 125), historiador y orador latino.*

1441. **Mientras bebemos y nos coronamos de rosas,
y reclamamos perfumes y mujeres,
la vejez se desliza sin ser notada.**
DECIMUS IUNIUS JUVENAL *(h. 60-h. 140), poeta latino.*

1442. **El vicio que se representa bajo apariencia o máscara de virtud, con continente adusto y con rostro y hábito severo, es muy engañador.**
DECIMUS IUNIUS JUVENAL *(h. 60-h. 140), poeta latino.*

1443. **El carácter más elevado es aquel que está dispuesto a perdonar los errores morales de los demás como si él mismo fuera culpable de ellos cada día, y que tiene tanto cuidado de no cometer una falta como si nunca las perdonara.**
PLINIO EL JOVEN *(62-114), político y escritor latino.*

1444. **Los ríos más profundos corren con menos ruido.**
CURCIO *(siglo I), historiador romano.*

1445. **Proceded en todos vuestros actos, palabras y pensamientos como el que está preparado para abandonar esta vida en cualquier momento.**
MARCO AURELIO *(121-180), emperador romano.*

1446. **Nada más mísero que el hombre que, girando sin cesar de un lado a otro, corriéndolo todo, averiguando hasta lo que hay en las entrañas de la tierra e indagando por conjeturas los pensamientos y secretos de su prójimo, no ha advertido que bastaba para su felicidad estar atento al espíritu que reside en él y consagrarle un culto sincero.**
MARCO AURELIO *(121-180), emperador romano.*

1447. **Acepta la muerte de buen grado, ya que forma parte de lo establecido por la naturaleza.**
MARCO AURELIO *(121-180), emperador romano.*

1448. **Acuérdate también de esto siempre: para vivir felizmente basta con muy poco.**
MARCO AURELIO *(121-180), emperador romano.*

1449. **El primer vaso corresponde a la sed; el segundo, a la alegría; el tercero, al placer; el cuarto, a la insensatez.**
LUCIO APULEYO *(123-180), escritor latino.*

Mundo interior

1450. **El tiempo es un gran velo suspendido delante de la eternidad como para ocultárnosla.**

QUINTUS SEPTIMIUS FLORENS TERTULIANO *(h. 155-h. 222), Doctor de la Iglesia cristiana, creador de la literatura teológica latina.*

1451. **Para los buenos, la muerte es un puerto de descanso; para los malos, es un naufragio.**

SAN AMBROSIO *(340-397), Padre y Doctor de la Iglesia cristiana.*

1452. **No hay cosa que embriague tanto como esa perturbación del espíritu, la tristeza, que arrastra al hombre hasta la muerte misma.**

SAN JERÓNIMO *(347-420), Padre y Doctor de la Iglesia cristiana.*

1453. **Trabaja en algo, así el diablo te encontrará siempre ocupado.**

SAN JERÓNIMO *(347-420), Padre y Doctor de la Iglesia cristiana.*

1454. **Lo que sabemos, lo sabemos más como opinión particular que como verdad fundada; es más una estimación personal que un saber lo que es cierto.**

SAN JERÓNIMO *(347-420), Padre y Doctor de la Iglesia cristiana.*

1455. **Equivocarse es humano, perseverar es diabólico.**

SAN AGUSTÍN *(354-430), teólogo y Padre de la Iglesia cristiana.*

Esta sentencia escolástica presente a lo largo de la historia la encontramos en boca de San Agustín, cuyo texto completo es el siguiente: *umanum fuit errare, diabolicum per animositatem in errore perseverare* («Errar es humano, perseverar voluntariamente en el error es diabólico»).

También en Séneca («Todos los hombres pueden equivocarse; nadie, a no ser que sea idiota, persevera en el error»), en Fernando de Rojas («De los hombres es errar, y bestial es porfiar») y Schiller («Sólo el errar es vida; el saber es muerte») entre otros.

1456. **¡Que hablen todos los que te amaron, oh, mundo inmundo! ¡Que digan si tuvieron en su vida gozo sin dolor, paz sin discordia, descanso sin miedo, salud sin enfermedad, luz sin sombras, risa sin lágrimas!**

SAN AGUSTÍN *(354-430), teólogo y Padre de la Iglesia cristiana.*

1457. **Los que no quieren ser vencidos por la verdad, son vencidos por el error.**

SAN AGUSTÍN *(354-430), teólogo y Padre de la Iglesia cristiana.*

1458. **¿Qué otra cosa es la vida, sino un largo tormento?**
San Agustín *(354-430), teólogo y Padre de la Iglesia cristiana.*

1459. **No salgas fuera de ti; quédate en ti mismo;
en el interior del hombre habita la verdad.**
San Agustín *(354-430), teólogo y Padre de la Iglesia cristiana.*

1460. **No digas que el tiempo pasado fue mejor que el presente;
las virtudes son las que hacen los buenos tiempos,
y los vicios los que los vuelven malos.**
San Agustín *(354-430), teólogo y Padre de la Iglesia cristiana.*

1461. **La virtud es el arte de vivir bien y con rectitud.**
San Agustín *(354-430), teólogo y Padre de la Iglesia cristiana.*

1462. **No hay un vicio que sea tan contrario a la naturaleza
que oscurezca toda huella de ésta.**
San Agustín *(354-430), teólogo y Padre de la Iglesia cristiana.*

1463. **El malo es un malhechor de sí mismo.**
San Agustín *(354-430), teólogo y Padre de la Iglesia cristiana.*

1464. **La soberbia no es grandeza, sino hinchazón;
y lo que está hinchado parece grande, pero no está sano.**
San Agustín *(354-430), teólogo y Padre de la Iglesia cristiana.*

1465. **Nuestros propios vicios, si los pisoteamos, nos sirven para hacernos una escala con que remontarnos a las alturas.**
San Agustín *(354-430), teólogo y Padre de la Iglesia cristiana.*

1466. **La vida feliz no puede ser otra que la eterna,
donde no hay muchos días felices, sino uno solo.**
San Agustín *(354-430), teólogo y Padre de la Iglesia cristiana.*

1467. **A un hombre que es humano deberá parecer poco el no excitar ni aumentar las enemistades de los hombres hablando mal, si antes no procura extinguirlas hablando bien.**
San Agustín *(354-430), teólogo y Padre de la Iglesia cristiana.*

1468. **Si la cosa creída es increíble, también es increíble que lo increíble pueda ser creído.**
San Agustín *(354-430), teólogo y Padre de la Iglesia cristiana.*

Mundo interior

1469. **¿Por qué buscáis la felicidad, oh mortales, fuera de vosotros, cuando la tenéis dentro de vosotros mismos?**

SEVERINO ANICIO MANLIO BOECIO *(h. 480-524), filósofo y político romano.*

1470. **¿Quién posee una felicidad tan completa que no tenga algún motivo para estar descontento de su estado?**

SEVERINO ANICIO MANLIO BOECIO *(h. 480-524), filósofo y político romano.*

1471. **En cualquier adversidad de la fortuna, la mayor infelicidad es haber sido feliz alguna vez.**

SEVERINO ANICIO MANLIO BOECIO *(h. 480-524), filósofo y político romano.*

1472. **La vida es un viaje durante la noche.**

PANCHATANTRA *(siglo V), recopilación de fábulas hindúes.*

1473. **Entiende que en el dolor se te prueba, para que no te abatas; entiende que se te prueba en la prosperidad, para que no te exaltes.**

SAN ISIDORO DE SEVILLA *(560-636), escritor hispano-romano.*

1474. **La filosofía es el conocimiento de las cosas divinas y humanas mediante el estudio, junto a una vida recta.**

SAN ISIDORO DE SEVILLA *(560-636), escritor hispano-romano.*

1475. **El que hace reír a sus compañeros merece el Paraíso.**

MAHOMA *(570-632), profeta del Islam.*

1476. **La misericordia es el caudal de los creyentes.**

CORÁN *(siglo VII).*

1477. **Las flores que adornan el camino de la vida son una prueba.**

CORÁN *(siglo VII).*

1478. **Aquel a quien Dios extravía, nunca encontrará el camino.**

CORÁN *(siglo VII).*

1479. **¡Malditos los que miden mal y pesan mal!
¡Malditos los hombres que, cuando otros los miden, exigen la medida llena, pero cuando ellos miden o pesan a otros, les disminuyen la medida y el peso!**

CORÁN *(siglo VII).*

1480. **¡La vida pasa, rápida caravana! Detén tu montura y procura ser feliz.**

OMAR KHAYYAM *(1022-1123), poeta y astrónomo persa.*

1481. El que piensa continuamente en la muerte, se muere de repente.
SAN ANSELMO *(1033-1109), religioso italiano.*

1482. A los viejos la muerte los espera en la puerta;
a los jóvenes los sorprende emboscada.
SAN BERNARDO *(1090-1153), Doctor francés de la Iglesia ctistiana.*

1483. Nacer es una desgracia; vivir, una expiación; morir, un terror.
SAN BERNARDO *(1090-1153), Doctor francés de la Iglesia ctistiana.*

1484. Todas las demás cosas (fuera de Dios) pueden ocupar el alma y el corazón del hombre, pero no le pueden hartar.
SAN BERNARDO *(1090-1153), Doctor francés de la Iglesia ctistiana.*

1485. No está la culpa en el sentimiento, sino en el consentimiento.
SAN BERNARDO *(1090-1153), Doctor francés de la Iglesia ctistiana.*

1486. La carne tienta con dulzuras, el mundo con vanidades, el demonio con amarguras.
SAN BERNARDO *(1090-1153), Doctor francés de la Iglesia ctistiana.*

1487. ¿Qué es la avaricia? El temor de la pobreza que siempre vive en la pobreza.
SAN BERNARDO *(1090-1153), Doctor francés de la Iglesia ctistiana.*

1488. Muera mi alma la muerte de los filósofos.
AVERROES *(1126-1198), filósofo, astrónomo y jurisconsulto árabe.*

1489. La fe se refiere a cosas que no se ven, y la esperanza, a cosas que no están al alcance de la mano.
SANTO TOMÁS DE AQUINO *(1225-1274), teólogo y filósofo italiano.*

1490. Dios me dé sabios compañeros,
devotos, humildes, fieles, cuerdos,
en procurar sus honramientos.
RAMÓN LLULL *(1233-1315), poeta y teólogo español.*

1491. Quien pierde a Dios no puede tener virtud.
RAMÓN LLULL *(1233-1315), poeta y teólogo español.*

1492. La paciencia comienza llorando y ríe al final.
RAMÓN LLULL *(1233-1315), poeta y teólogo español.*

1493. Quien es compasivo no se ríe.
RAMÓN LLULL *(1233-1315), poeta y teólogo español.*

Mundo interior

1494. **Por la prudencia te conocerás a ti mismo.**
RAMÓN LLULL *(1233-1315), poeta y teólogo español.*

1495. **No te creas salvado sólo por tu bondad.**
RAMÓN LLULL *(1233-1315), poeta y teólogo español.*

1496. **El hombre perezoso hace poco y pide mucho.**
RAMÓN LLULL *(1233-1315), poeta y teólogo español.*

1497. **Ten miedo cada vez que no digas la verdad.**
RAMÓN LLULL *(1233-1315), poeta y teólogo español.*

1498. **El soberbio no se conoce ni a sí mismo ni a los demás.**
RAMÓN LLULL *(1233-1315), poeta y teólogo español.*

1499. **Al envidioso, su envidia lo mata todo el día.**
RAMÓN LLULL *(1233-1315), poeta y teólogo español.*

1500. **Como lo que sabes no es tanto como lo que no sabes, no hables mucho.**
RAMÓN LLULL *(1233-1315), poeta y teólogo español.*

1501. **Vuestra fama es como la flor, que brota y muere; y la marchita el mismo sol que la hizo nacer de la acerba tierra.**
DANTE ALIGHIERI *(1265-1321), poeta italiano.*

1502. **No fuisteis criados para vivir como bestias, sino para seguir en pos de la virtud y de la sabiduría.**
DANTE ALIGHIERI *(1265-1321), poeta italiano.*

1503. **Y bien creed que cuanto los mozos son más sutiles de entendimiento, tanto son más aparejados para hacer grandes yerros para sus haciendas, que han entendimiento para comenzar la cosa, mas no saben la manera como se puede acabar.**
INFANTE DON JUAN MANUEL *(1282-1348), escritor y político español.*

1504. **Todo hombre es bueno, más no para todas las cosas.**
INFANTE DON JUAN MANUEL *(1282-1348), escritor y político español.*

1505. **Quien te mal face mostrando grand pesar, guisa cómo te puedes dél mucho guardar.**
INFANTE DON JUAN MANUEL *(1282-1348), escritor y político español.*

1506. Nadie muestre cara doliente en la pobreza:
sino que siempre mantenga la esperanza de ser socorrido,
pues después de gran desventura
llegará la suerte que provoca alegría.

CANTO GOLIÁRDICO *(siglo XIII).*

1507. Mi sufrimiento conforta mi dolor.

FRANCESCO PETRARCA *(1304-1374), poeta italiano.*

Algunos autores señalan que Petrarca es el «punto de partida» de la poesía que se va a difundir en Europa a partir del siglo XVI. Es indudable: la simbología, la imaginería, la estructura y la forma de la poesía del *Canzoniere* petrarquista representa un faro en la labor creadora de los grandes poetas del continente durante el Renacimiento y el Barroco; es frecuente, en este caso, señalar a Garcilaso, a Wyatt o a Ronsard, por más que ni éstos fueran los únicos ni en ellos se detuviera la influencia del poeta de la ciudad de Arezzo.

Saber quién fuera la Laura a la que remite constantemente Petrarca no es, desde luego, la principal cuestión que debiera interesar a los lectores, aunque, forzoso es decirlo, ha sido uno de los elementos esenciales de la perpetuación legendaria de un amor imposible. Por otro lado, cabe decir que el nombre de Laura se confundía a veces con *l'aura* (la gloria) o el *lauro* (laurel), que simboliza la fama y es uno de los mitos más conocidos de la Antigüedad (Apolo persigue a Dafne y ésta se convierte en laurel). Lo que interesa aquí es el profundo dolor del poeta ante la muerte de su amada y, sobre todo, ocupa desentrañar la aparente contradicción de la cita: «Mi sufrimiento conforta mi dolor». Para leer a Petrarca (y a otros tantos autores de la época) es necesario comprender el juego intelectual al que se entregan: es el juego del dolor, y resulta casi imposible discernir cuándo se trata de verdadero sufrimiento y cuándo resulta de una pose literaria. El dolor, en sí mismo, puede resultar hermoso, o dulce, o melancólico; y esta función artística del dolor es la que utilizan los poetas para crear sus particulares obras de arte.

El poeta se recrea en el dolor y, especialmente, influye en el lector, pero no siempre está remitiéndose a sí mismo, sino a una experiencia intelectual. Del mismo modo, en los cancioneros castellanos, por ejemplo, podemos encontrar el «dulce sufrir» del poeta, más como un tema literario que como una verdad real.

Mundo interior

En uno de los sonetos más conocidos de Petrarca (CCCIV), el autor lamenta haber escrito sobre el amor en términos poco dulces y suaves; una vez que la amada ha muerto, una vez que el fuego ha dejado de arder, el poeta ha de renunciar a la poesía: hubiera logrado la cima de la perfección si el amor hubiera seguido vivo.

Ahora el fuego ha muerto y lo cubre un pequeño mármol:
si con el tiempo hubiese ido avanzando
como en otros, hasta la vejez,
armado de rimas de las que hoy me desarmo,
con el estilo canoso habría conseguido, hablando,
romper las piedras y llorar de dulzura.

Como puede verse, Petrarca no renunció a la poesía, sino que utilizó su dolor para proseguir su camino «armado de rimas» y, en buena parte, logró romper las piedras y las hizo llorar con sus dulces palabras, consiguiendo conmover en lo más profundo, a todo aquel que lo ha escuchado.

1508. **¿Cuántos hay que no se dejen apartar de buena senda por el miedo a las penalidades o por el deseo de comodidades? Si existe alguno, ¡qué felicidad más grande gozará!**
FRANCESCO PETRARCA *(1304-1374), poeta italiano.*

1509. **Felices vosotros, mortales, si entre tantos escarnios como puede inferir la fortuna, únicamente soportáis los moderados y no los extremos.**
FRANCESCO PETRARCA *(1304-1374), poeta italiano.*

1510. **Quien ama la dorada medianía**
carece, sin temor, de las miserias
de un techo ruin y sórdido
y carece a la vez, en su mesura,
de un palacio envidiable.
FRANCESCO PETRARCA *(1304-1374), poeta italiano (recoge los versos horacianos).*

1511. **Indígnate mejor de no ser sabio, pues es lo único que hubiera podido procurarte libertad y auténticas riquezas.**
FRANCESCO PETRARCA *(1304-1374), poeta italiano.*

1512. **¿Qué ocurriría si te estuvieses lamentando injustamente?**
FRANCESCO PETRARCA *(1304-1374), poeta italiano.*

1513. **Las cosas hermosas y mortales pasan y no son duraderas.**
FRANCESCO PETRARCA *(1304-1374), poeta italiano.*

1514. Una bella muerte honra toda vida.
FRANCESCO PETRARCA *(1304-1374), poeta italiano.*

1515. Es hermoso morir cuando se ha tenido una vida feliz.
FRANCESCO PETRARCA *(1304-1374), poeta italiano.*

1516. Puesto que he vivido en guerra y en medio de tempestades, que muera en paz y en puerto; y si mi estancia en el mundo fue vana, que al menos mi partida sea honrosa.
FRANCESCO PETRARCA *(1304-1374), poeta italiano.*

1517. El que habla mal de otros a sí mismo se condena.
FRANCESCO PETRARCA *(1304-1374), poeta italiano.*

1518. Se necesita ser misérrimo para envidiar a un mísero.
FRANCESCO PETRARCA *(1304-1374), poeta italiano.*

1519. Es bien cierto que se dan los tesoros, se olvidan las enemistades y se expone la vida propia, el honor e incluso la fama, que son mucho más, a mil peligros con tal de obtener cosa amada.
GIOVANNI BOCCACCIO *(1313-1375), escritor italiano.*

1520. Que la suerte te acompañe.
GIOVANNI BOCCACCIO *(1313-1375), escritor italiano.*

1521. Como dize Salamón, e dize la verdat,
que las cosas del mundo todas son vanidat.
JUAN RUIZ, ARCIPRESTE DE HITA *(† h. 1350), poeta castellano.*

1522. Si todos los años arrancáramos un vicio, pronto seríamos perfectos.
THOMAS A. KEMPIS *(1379?-1471), teólogo flamenco.*

1523. No confíes en tus sentimientos, porque, sean cuales sean ahora, muy pronto habrán cambiado.
THOMAS A. KEMPIS *(1379?-1471), teólogo flamenco.*

1524. Más me valiera evitar el pecado que huir de la muerte.
THOMAS A. KEMPIS *(1379?-1471), teólogo flamenco.*

1525. Un hombre dispuesto y diligente está preparado para todo.
THOMAS A. KEMPIS *(1379?-1471), teólogo flamenco.*

1526. ¿Quién sostiene una batalla tan fuerte como la que uno libra consigo mismo?
THOMAS A. KEMPIS *(1379?-1471), teólogo flamenco.*

Mundo interior

1527. **Partimos cuando nacemos,**
andamos mientras vivimos,
y llegamos
al tiempo que fenecemos;
así que cuando morimos
descansamos.

JORGE MANRIQUE *(1440-1479), poeta español.*

Pertenecen estos versos a las *Coplas* (1476) que Jorge Manrique hizo con motivo de la muerte de su padre, don Rodrigo Manrique. En esta obra inmortal, Manrique aborda la muerte desde distintas perspectivas: examina, en primer lugar, la brevedad de la vida; después pregunta dónde están los hombres famosos de la Historia; y concluye con una reflexión sobre la inmortalidad. El poeta sugiere que no hay mejor fama que la que los hombres dejan en los corazones de otros hombres, ni más inmortalidad que la que el cristianismo propone.

En la Edad Media eran muy populares las creaciones en torno al tema de la muerte. Esta obsesión se debía a las grandes calamidades que asolaron Europa: guerras, pestes, hambrunas, etc. En general, la poesía enseñaba la igualdad de los hombres en este apartado, independientemente de su clase social, de su riqueza o de su oficio. En castellano, la más popular es la *Danza de la Muerte*, del siglo XV, en la cual la Parca va llamando a reyes, cardenales, caballeros y labradores, sin hacer distinción alguna. En el siglo XVI se escribieron otras obras con el mismo contenido: *La trilogía de las Barcas*, de Gil Vicente, *Las cortes de la Muerte* o *Coloquio de la muerte con todas las edades y estados*, de Sebastián de Horozco, entre otras.

1528. **Recuerde el alma dormida,**
avive el seso y despierte,
contemplando
cómo se pasa la vida,
cómo se viene la muerte
tan callando;
cuán presto se va el placer,
cómo después de acordado
da dolor;
cómo, a nuestro parecer,
cualquiera tiempo pasado
fue mejor.

JORGE MANRIQUE *(1440-1479), poeta español.*

1529. **Nuestras vidas son los ríos**
que van a dar a la mar,
que es el morir.
JORGE MANRIQUE *(1440-1479), poeta español.*

1530. **En cuanto nace la virtud, nace contra ella la envidia,**
y antes perderá el cuerpo su sombra que la virtud su envidia.
LEONARDO DA VINCI *(1452-1519), humanista italiano.*

1531. **Así como una jornada bien empleada produce un dulce sueño,**
así una vida bien usada causa una dulce muerte.
LEONARDO DA VINCI *(1452-1519), humanista italiano.*

1532. **El que no valora la vida no se la merece.**
LEONARDO DA VINCI *(1452-1519), humanista italiano.*

1533. **Si es posible, debe hacerse reír hasta a los muertos.**
LEONARDO DA VINCI *(1452-1519), humanista italiano.*

1534. **Todo nuestro conocimiento tiene su principio en los sentimientos.**
LEONARDO DA VINCI *(1452-1519), humanista italiano.*

1535. **Quien piensa poco, se equivoca mucho.**
LEONARDO DA VINCI *(1452-1519), humanista italiano.*

1536. **Cuando el cocodrilo sorprende a un hombre, lo mata enseguida. Después de matarlo se compadece de él con voz lastimera y lo llora con muchas lágrimas. Cuando ha terminado su lamentación, lo devora cruelmente. Tal hace el hipócrita, que disimula, con el rostro bañado en lágrimas, su corazón de tigre y, mostrando apiadarse, en el fondo de su corazón se regocija de los males ajenos.**
LEONARDO DA VINCI *(1452-1519), humanista italiano.*

1537. **Reírse de todo es propio de tontos,**
pero no reírse de nada lo es de estúpidos.
ERASMO DE ROTTERDAM *(1466-1536), humanista holandés.*

1538. **Una infancia angelical se convierte en una ancianidad satánica.**
ERASMO DE ROTTERDAM *(1466-1536), teólogo holandés.*

1539. **Más fácil es llamar al demonio que librarse de él.**
ERASMO DE ROTTERDAM *(1466-1536), teólogo holandés.*

Mundo interior

1540. Una buena parte de la prudencia consiste en conocer las estúpidas faltas del vulgo y sus absurdas opiniones.
ERASMO DE ROTTERDAM *(1466-1536), teólogo holandés.*

1541. El colmo de la estupidez es aprender lo que se ha de olvidar.
ERASMO DE ROTTERDAM *(1466-1536), teólogo holandés.*

1542. El odio produce temor, del temor se pasa a la ofensa.
NICOLÁS MAQUIAVELO *(1469-1527), escritor y político italiano.*

1543. Me alegro de estas nuevas como los cirujanos de los descalabros.
FERNANDO DE ROJAS *(h. 1470-1541), escritor español.*

1544. Ninguna cosa hace pobre al avariento sino la riqueza.
FERNANDO DE ROJAS *(h. 1470-1541), escritor español.*

1545. Miserable cosa es pensar ser maestro el que nunca fue discípulo.
FERNANDO DE ROJAS *(h. 1470-1541), escritor español.*

1546. No es vencido sino el que cree serlo.
FERNANDO DE ROJAS *(h. 1470-1541), escritor español.*

1547. ¿No ves que es necedad o simpleza llorar por lo que con llorar no se puede remediar?
FERNANDO DE ROJAS *(h. 1470-1541), escritor español.*

1548. Dejemos llorar al que dolor tiene, que las lágrimas y los suspiros desenconan el corazón dolorido.
FERNANDO DE ROJAS *(h. 1470-1541), escritor español.*

1549. Del pecado, lo peor es la perseverancia.
FERNANDO DE ROJAS *(h. 1470-1541), escritor español.*

1550. Un solo maestro de vicios dicen que basta para corromper un gran pueblo.
FERNANDO DE ROJAS *(h. 1470-1541), escritor español.*

1551. Saludable es al enfermo la alegre cara del que le visita.
FERNANDO DE ROJAS *(h. 1470-1541), escritor español.*

**1552. Gran suerte es para mí no ver ni oír:
así, no me despiertes, habla bajo.**
MICHELANGELO BUONARROTI, *MIGUEL ÁNGEL (1475-1564), pintor, escultor y arquitecto italiano.*
(Habla la estatua de la Noche, en la capilla Medici, Florencia.)

1553. En los jóvenes mucha prudencia es mala señal.

BALTASAR DE CASTIGLIONE *(1478-1529), escritor y político italiano.*

1554. No hay maldad tan mala como la que nace de la semilla del bien.

BALTASAR DE CASTIGLIONE *(1478-1529), escritor y político italiano.*

1555. Todos los famosos escándalos siempre han habido comienzo de buenos respetos.

FRAY ANTONIO DE GUEVARA *(1480-1545), político y moralista español.*

1556. No hay mayor tentación que no ser tentado.

FRAY ANTONIO DE GUEVARA *(1480-1545), político y moralista español.*

1557. Decir a uno que es presuntuoso es llamarle loco con muy buen estilo.

FRAY ANTONIO DE GUEVARA *(1480-1545), político y moralista español.*

1558. Por muy enterrado y guardado que tenga el avaro su dinero, de nadie lo guarda tanto como lo guarda de sí mismo; porque si echa dos llaves al cofre para guardar, echa doscientas a su corazón para no lo gastar.

FRAY ANTONIO DE GUEVARA *(1480-1545), político y moralista español.*

1559. La suma gloria del hombre avaro es poder ganar, tener que ahuchar, nada de pedir y nunca gastar.

FRAY ANTONIO DE GUEVARA *(1480-1545), político y moralista español.*

1560. Al hombre que hace todo lo que puede no podemos decirle que no hace todo lo que debe.

FRAY ANTONIO DE GUEVARA *(1480-1545), político y moralista español.*

1561. No fueron mártires los mártires por los trabajos que padecieron, sino por la paciencia que en ellos tuvieron.

FRAY ANTONIO DE GUEVARA *(1480-1545), político y moralista español.*

1562. La mayor merced que Dios hace a un viejo es darle a conocer que ya es viejo.

FRAY ANTONIO DE GUEVARA *(1480-1545), político y moralista español.*

1563. Tengo tres perros peligrosos: la ingratitud, la soberbia y la envidia. Cuando muerden dejan una herida muy profunda.

MARTIN LUTERO *(1483-1546), teólogo alemán.*

Mundo interior

1564. **Tiene particular fuerza la noche, como para adormecer los cuerpos, ansí también para despertar las almas y llevarlas a que conversen con Dios.**
Fray Luis de Granada *(1504-1588), poeta español.*

1565. **En la vida, sólo hay dos partidos entre los que es preciso escoger: venderse o entregarse.**
Antoine François Rondelet *(1507-1566), filósofo y economista francés.*

1566. **Las cosas de este mundo son tan vanas que parecen juegos de niños.**
Santa Teresa de Jesús *(1515-1582), escritora mística española.*

1567. **En cada cosita que Dios crió hay más de lo que se entiende, aunque sea una hormiguita.**
Santa Teresa de Jesús *(1515-1582), escritora mística española.*

1568. **Es gran virtud tener a todos por mejores que nosotros.**
Santa Teresa de Jesús *(1515-1582), escritora mística española.*

1569. **No piense, aunque parezca que sí, que está ya ganada una virtud, si no la experimenta con su contrario.**
Santa Teresa de Jesús *(1515-1582), escritora mística española.*

1570. **Morir joven... ¡lo más tarde posible!**
Pernette de Guillet *(1520-1545), poetisa francesa.*

1571. **No hay hombre más engañado que el que a otros engaña.**
Alonso de Barros *(1522-1604), escritor español.*

1572. **¡Qué descansada vida**
la del que huye el mundanal ruido,
y sigue la escondida
senda por donde han ido
los pocos sabios que en el mundo han sido!
Fray Luis de León *(1527-1591), teólogo y poeta español.*

1573. **Virtud, hija del cielo, la más ilustre empresa de la vida.**
Fray Luis de León *(1527-1591), teólogo y poeta español.*

1574. **A cada virtud la sigue e imita otra que no es ella, ni es virtud. Como la osadía parece fortaleza y no lo es, y el malgastador no es liberal, aunque lo parece.**
Fray Luis de León *(1527-1591), teólogo y poeta español.*

1575. **La virtud no teme la luz, antes desea venir siempre a ella; porque es hija de ella, y criada para resplandecer y ser vista.**
FRAY LUIS DE LEÓN *(1527-1591), teólogo y poeta español.*

1576. **Muchas cosas están escritas por muchos en loor del trabajo, y todo es poco para el bien que hay en él; porque es la sal que preserva de corrupción a nuestra vida y a nuestra alma.**
FRAY LUIS DE LEÓN *(1527-1591), teólogo y poeta español.*

1577. **¡Oh desmayo dichoso!**
¡Oh muerte que das vida! ¡Oh dulce olvido!
¡Durase en tu reposo
sin ser restituido
jamás a aqueste bajo y vil sentido!
FRAY LUIS DE LEÓN *(1527-1591), teólogo y poeta español.*

1578. **No hay otra fortuna sino Dios y la buena diligencia del hombre.**
JUAN HUARTE DE SAN JUAN *(1529-1589), filósofo y científico español.*

1579. **Siempre he entendido que ninguno podía saber dos artes con perfección sin que en la una faltase.**
JUAN HUARTE DE SAN JUAN *(1529-1589), filósofo y científico español.*

1580. **Las letras y la sabiduría, tanto cuanto facilitan al hombre ingenioso para discurrir y filosofar, tanto y mucho más entorpecen al necio.**
JUAN HUARTE DE SAN JUAN *(1529-1589), filósofo y científico español.*

1581. **Platón pensaba que había algo de impiedad viciosa en la excesiva curiosidad sobre Dios y el mundo.**
MICHEL D'EYCHEM, SEÑOR DE MONTAIGNE *(1533-1592), ensayista francés.*

En 1576 Michel d'Eychem, *sieur* de Montaigne, hizo grabar en una medalla el lema «Me abstengo», lo cual significaba, en parte, una declaración de su programa intelectual: no es posible afirmar, sentenciar nada. Esta conciencia dubitativa, tan incapaz de odiar como de castigar, se expresa muy bien en una cita tomada de Tito Livio: «Mejor sería que nadie delinquiese, porque me falta valor para castigar al que delinque». A este estado de escepticismo y de subjetividad llega Montaigne después de una azarosa vida y tras haber presenciado la terrible masacre de hugonotes de 1572. Retirado a sus posesiones, alejado del tumulto ciudadano y de la Corte, embebido únicamente en su biblioteca familiar, el autor se vuelve hacia sí mismo y comienza la redacción de los *Essays* (*Ensayos*, investigaciones, sondeos) hacia 1574. En realidad, no son ensayos propiamente dichos, pues no trata de probar nada, sino más bien su intención era dialogar consigo mismo, escribirse para pensarse, ofrecerse en parte, como se ofrecía intelectualmente a su amigo perdido La Boétie. En las primeras páginas Montaigne explica la necesidad o el objetivo de sus escritos:

«...sólo me pinto a mí mismo. Aquí se leerán a lo vivo mis defectos e imperfecciones y mi modo de ser, todo ello descrito con tanta sinceridad como el decoro público me lo ha permitido. Y si yo hubiese estado en esas naciones de las que se dice que viven aún bajo la dulce libertad de las primitivas leyes de la naturaleza, aseguro que de buen grado me hubiese pintado, por entero y totalmente, al desnudo. Así, yo mismo soy el tema de mi libro...».

Entre las dudas, una honorable y sabia humildad, una conciencia subjetiva del mundo y un deseo de mostrarse cual era, Montaigne no pontificará sobre nada ni sobre nadie: basta que él piense de tal o cual modo, pero eso no se trasladará a categoría absoluta. Esta sensata opción resulta hoy, más que nunca, relevante: en los días en que todos aseguramos, demostramos y opinamos sobre cualquier asunto, como si nuestra opinión fuese decisiva o interesara a alguien, vale la pena recordar que este *sieur* de Montaigne, sabiendo más, más se guardaba de imponer sus ideas.

«No garantizo certeza en nada». Y más adelante: «El reconocimiento de la ignorancia me parece uno de los mejores y más seguros testimonios de buen juicio». Y finalmente: «Quisiera tener más perfecta inteligencia de las cosas, pero no quiero comprarla a precio demasiado alto. Mi designio es pasar tranquila y no trabajosamente lo que me quede de vida, y no deseo romperme la cabeza por nada, ni aun por la ciencia, por mucho que valga. En los libros sólo busco el placer de una distracción honesta, y si estudio, únicamente persigo la ciencia que trata del conocimiento de mí mismo, instruyéndome a vivir y morir bien».

1582. De todos los beneficios que nos reporta la virtud, uno de los más grandes es el desprecio a la muerte.

MICHEL D'EYCHEM, SEÑOR DE MONTAIGNE *(1533-1592), ensayista francés.*

1583. La mejor virtud que yo poseo contiene cierto sabor a vicio.

MICHEL D'EYCHEM, SEÑOR DE MONTAIGNE *(1533-1592), ensayista francés.*

1584. **A nadie le va mal durante mucho tiempo sin que él mismo tenga la culpa.**

MICHEL D'EYCHEM, SEÑOR DE MONTAIGNE *(1533-1592), ensayista francés.*

1585. **Quien quisiera que el hombre no conociera el dolor, evitaría al mismo tiempo el conocimiento del placer y reduciría al mismo hombre a la nada.**

MICHEL D'EYCHEM, SEÑOR DE MONTAIGNE *(1533-1592), ensayista francés.*

1586. **A quien le cae el granizo sobre la cabeza le parece que todo el mundo está bajo la tempestad y la tormenta.**

MICHEL D'EYCHEM, SEÑOR DE MONTAIGNE *(1533-1592), ensayista francés.*

1587. **La vejez deja más arrugas en el alma que en la cara.**

MICHEL D'EYCHEM, SEÑOR DE MONTAIGNE *(1533-1592), ensayista francés.*

1588. **No existe el presente, y aquello que nosotros llamamos presente no es más que el punto de unión y ensamblaje del futuro y del pasado.**

MICHEL D'EYCHEM, SEÑOR DE MONTAIGNE *(1533-1592), ensayista francés.*

1589. **La virtud no quiere que se la siga más que por ella misma.**

MICHEL D'EYCHEM, SEÑOR DE MONTAIGNE *(1533-1592), ensayista francés.*

1590. **El mérito del alma no consiste en remontarse muy alto, sino en la categoría de sus actos; su grandeza no se ejercita en la grandeza, sino en la mediocridad.**

MICHEL D'EYCHEM, SEÑOR DE MONTAIGNE *(1533-1592), ensayista francés.*

1591. **Quien no vive de algún modo para los demás, tampoco vive para sí mismo.**

MICHEL D'EYCHEM, SEÑOR DE MONTAIGNE *(1533-1592), ensayista francés.*

1592. **Nos ocupamos mucho de ser gentes de bien según la ley de Dios; no sabríamos serlo según nosotros mismos.**

MICHEL D'EYCHEM, SEÑOR DE MONTAIGNE *(1533-1592), ensayista francés.*

1593. **La cobardía es madre de la crueldad.**

MICHEL D'EYCHEM, SEÑOR DE MONTAIGNE *(1533-1592), ensayista francés.*

1594. **La curiosidad de conocer las cosas ha sido entregada a los hombres como un castigo.**

MICHEL D'EYCHEM, SEÑOR DE MONTAIGNE *(1533-1592), ensayista francés.*

Mundo interior

1595. Dichoso quien por mí pena y suspira,
si cabe tanto bien en pecho humano.

FERNANDO DE HERRERA *(1534-1597), poeta español.*

1596. Cuanto en mí hallo es maldición que alcanza,
muerte que tarda, llanto inconsolable,
desdén del cielo, error de la ventura.

FRANCISCO DE ALDANA *(1537-1578), militar y poeta español.*

1597. No hay virtud más bella ni mayor victoria que saber gobernarse y vencerse a sí mismo.

PIERRE DE BOURDEILLES, *BRANTOME (1540-1614), escritor francés.*

1598. Los apetitos son como unos hijuelos inquietos y de mal contento, que siempre andan pidiendo a su madre uno y otro y nunca se contentan. Y como el enfermo de calentura, que no se halla bien hasta que se le quita la fiebre, y cada rato le crece la sed.

SAN JUAN DE LA CRUZ *(1542-1591), poeta místico español.*

1599. Los apetitos son como los renuevos que nacen en derredor del árbol y le quitan la virtud para que no lleven tanto fruto.

SAN JUAN DE LA CRUZ *(1542-1591), poeta místico español.*

1600. ¿Por qué, pues has llagado
este corazón, no le sanaste?
Y pues me le has robado,
¿por qué así le dejaste,
y no tomas el robo que robaste?

SAN JUAN DE LA CRUZ *(1542-1591), poeta místico español.*

1601. Dios nos envía los manjares y el demonio los cocineros.

THOMAS DELONEY *(1543-1607), compositor inglés.*

1602. Ni se condena al rico ni se salva el pobre por ser el uno pobre y el otro rico, sino por el uso de ello; que si el rico atesora y el pobre codicia, ni el rico es rico, ni el pobre pobre, y se condenan ambos.

MATEO ALEMÁN *(1547-1614), escritor español.*

La novela picaresca, de la cual es representante fundamental el sevillano Mateo Alemán, se inicia en España con la publicación anónima de *El Lazarillo de Tormes* (1554), en la que un pregonero de vinos de Toledo, llamado Lázaro, cuenta su vida y cómo llegó a la cumbre de toda fortuna tomando este oficio. Cierto es que las gentes aseguraban que Lázaro mantenía su puesto por consentir que cierto clérigo gozara los favores de su hermosa mujer, pero eso son habladurías que no vienen al caso.

Lo importante es que la novela picaresca tenía sus antecedentes en la literatura clásica, y en la española se comenzaron a manifestar desde muy pronto, tal vez en algunos pasajes del *Poema del Mio Cid* y, con toda seguridad, en las obras del Arcipreste de Hita y de Fernando de Rojas. Los elementos clásicos de la literatura picaresca son: un relato autobiográfico, un peregrinaje de hambre y miserias, y un deseo de hallar cierto acomodo (más que felicidad). La fortuna del *Lazarillo* propició otros relatos que utilizaban la base esencial de la novela picaresca, aunque los distintos autores enfocaron sus obras en otros sentidos. El *Guzmán de Alfarache* (1599 y 1604) ofrece un tono claramente moralista, a medias entre la jocosidad de los maleantes y la reflexión didáctica del autor que recuerda su vida viciosa y corrupta. En 1626 se publicó la *Historia de la vida del buscón llamado don Pablos, ejemplo de vagamundos y espejo de tacaños*, de Francisco de Quevedo. El fabuloso poeta había escrito este prodigio de verbalidad algunos años antes y todo su interés radicaba no en la crítica social o moral, como sus predecesores, sino en el puro artificio literario y, por supuesto, en el puro divertimento.

Otras obras que podrían encuadrarse en este género novelesco son: *La pícara Justina* (1605), de Francisco López de Úbeda; *Vida del escudero Marcos de Obregón* (1618), de Vicente Espinel; *El donado hablador Alonso, mozo de muchos amos* (1624-1626), de Jerónimo de Alcalá, y las secuelas de las novelas fundadoras: *La hija de la Celestina* (1612), de Jerónimo Salas Barbadillo, o *Lazarillo de Manzanares* (1620), debida a la pluma de Juan Cortés de Tolosa, entre otras.

La novela picaresca ha propiciado análisis diversos y, en ocasiones, encontrados. Se sugiere, por un lado, la posibilidad de entender la vida de los pícaros como una necesidad de libertad y como una consecuencia lógica de la evolución de las relaciones económicas y sociales, entre amos y criados, o entre poderosos y mendigos. La diversión que produce la lectura de estas obras no ha ocultado a otros especialistas lo que consideran el verdadero motivo subyacente: que el hombre (el español) ha tendido siempre a procurarse la felicidad del modo más cómodo, aunque fuera a costa de su dignidad o del daño ajeno. La buena estimación que tiene el pícaro en la sociedad le resultaba repugnante, por ejemplo, al erudito Américo Castro. Pero, si es cierto que los pícaros son indignos y maleantes, no es menos verdad que tal vez no pudieran ser otra cosa, especialmente en los siglos XVI y XVII.

1603. **La contraria fortuna hace a los hombres prudentes.**
MATEO ALEMÁN *(1547-1614), escritor español.*

1604. **Terrible animal son veinte años; no hay batalla tan sangrienta ni tan trabada escaramuza como la que trae la mocedad consigo.**
MATEO ALEMÁN *(1547-1614), escritor español.*

1605. **El socorro en la necesidad, aunque sea poco, ayuda mucho.**
MATEO ALEMÁN *(1547-1614), escritor español.*

1606. **La sangre se hereda, el vicio se apega.**
MATEO ALEMÁN *(1547-1614), escritor español.*

1607. **Tengo a mayor delito, y sin duda lo es, preciarse del mal que de haberlo hecho.**
MATEO ALEMÁN *(1547-1614), escritor español.*

1608. **Es de mayor estimación lo poco que el sabio sabe, que lo mucho que el rico tiene.**
MATEO ALEMÁN *(1547-1614), escritor español.*

1609. **Tiempos hay en que un real vale ciento y hace provecho por mil.**
MATEO ALEMÁN *(1547-1614), escritor español.*

1610. **Aun a los asnos cansan los trabajos.**
MATEO ALEMÁN *(1547-1614), escritor español.*

1611. **Aparta la imaginación de los sucesos adversos que te podrían venir; que el peor de todos es la muerte, y como ésta sea buena, el mejor de todos es morir.**
MIGUEL DE CERVANTES SAAVEDRA *(1547-1616), escritor español.*

1612. **La senda de la virtud es muy estrecha, y el camino del vicio, ancho y espacioso.**
MIGUEL DE CERVANTES SAAVEDRA *(1547-1616), escritor español.*

1613. **Donde reina la envidia no puede vivir la virtud.**
MIGUEL DE CERVANTES SAAVEDRA *(1547-1616), escritor español.*

1614. **De altos espíritus es aspirar a cosas altas.**
MIGUEL DE CERVANTES SAAVEDRA *(1547-1616), escritor español.*

1615. **Bien predica quien bien vive.**
MIGUEL DE CERVANTES SAAVEDRA *(1547-1616), escritor español.*

1616. **Dejad el cuidado al tiempo, que es gran maestro de dar y hallar remedio a los casos desesperados.**
MIGUEL DE CERVANTES SAAVEDRA *(1547-1616), escritor español.*

1617. **El que no sabe gozar de la ventura cuando le viene, no se debe quejar si se pasa.**
MIGUEL DE CERVANTES SAAVEDRA *(1547-1616), escritor español.*

1618. **No hay cosa más excusada y aun perdida que el contar el miserable sus desdichas a quien tiene el pecho colmado de contentos.**
MIGUEL DE CERVANTES SAAVEDRA *(1547-1616), escritor español.*

1619. **El vivir es caballo desbocado que corre por fuera del camino, y el morir, reventar el caballo descansado y despeñarse de furioso.**
JUAN RUFO *(1547-1620), poeta español.*

1620. **La vida no es otra cosa sino un estudio del bien o mal morir.**
JUAN RUFO *(1547-1620), poeta español.*

1621. **Todo el tiempo que vivimos**
hacia el mar caminamos;
rodeando si velamos;
y atajando si dormimos.
JUAN RUFO *(1547-1620), poeta español.*

1622. **Todo el placer de los días está en sus amaneceres.**
FRANÇOIS DE MALHERBE *(1555-1628), escritor francés.*

1623. **Aunque aborrecer se debe**
vida tan triste y amarga,
si para sufrir es larga
para merecer es breve.
LUPERCIO LEONARDO DE ARGENSOLA *(1559-1613), político y poeta español.*

1624. **Los baños, el vino y Venus corrompen nuestro cuerpo; pero la vida la hacen los baños, el vino y Venus.**
JAN GRUTER *(1560-1627), escritor alemán.*

Mundo interior

1625. La virtud es como los perfumes preciosos, que exhalan sus mejores aromas cuando son quemados y machacados.
FRANCIS BACON *(1561-1626), filósofo inglés.*

1626. Las personas deformes y los eunucos, los viejos y los bastardos suelen ser envidiosos porque el que no puede remediar su propio estado hará lo posible por dañar el de los demás.
FRANCIS BACON *(1561-1626), filósofo inglés.*

1627. Un hombre no es sino lo que sabe.
FRANCIS BACON *(1561-1626), filósofo inglés.*

1628. Si no se eleva sobre sí mismo, el hombre es una poca cosa.
SAMUEL DANIEL *(1562-1619), historiador inglés.*

1629. Quien mira lo pasado, lo porvenir advierte.
FÉLIX LOPE DE VEGA Y CARPIO *(1562-1635), escritor español.*

1630. Viviendo todo falta, muriendo todo sobra.
FÉLIX LOPE DE VEGA Y CARPIO *(1562-1635), escritor español.*

1631. Ninguno imaginó tan breve la vida, que pensase morir el día que lo estaba imaginando.
FÉLIX LOPE DE VEGA Y CARPIO *(1562-1635), escritor español.*

1632. Ten la apariencia de una flor inocente; pero sé como la serpiente debajo de ella.
WILLIAM SHAKESPEARE *(1564-1616), escritor inglés.*

1633. Hay puñales en las sonrisas de los hombres; cuanto más cercanos son, más sangrientos.
WILLIAM SHAKESPEARE *(1564-1616), escritor inglés.*

1634. La vida es como un cuento relatado por un idiota; un cuento lleno de palabrería y frenesí, sin sentido alguno.
WILLIAM SHAKESPEARE *(1564-1616), escritor inglés.*

1635. La vida puede prolongarse con la medicina; pero la muerte se adueñará también del médico.
WILLIAM SHAKESPEARE *(1564-1616), escritor inglés.*

1636. La virtud es intrépida y la bondad nunca es medrosa.
WILLIAM SHAKESPEARE *(1564-1616), escritor inglés.*

1637. **Hasta la propia virtud se convierte en vicio cuando es mal aplicada.**
WILLIAM SHAKESPEARE *(1564-1616), escritor inglés.*

1638. **Los dioses son justos y emplean nuestros vicios deleitosos como instrumentos para castigarnos.**
WILLIAM SHAKESPEARE *(1564-1616), escritor inglés.*

1639. **Cuando llega la desgracia, nunca viene sola, sino a batallones.**
WILLIAM SHAKESPEARE *(1564-1616), escritor inglés.*

1640. **La lluvia ligera suele tener duración larga, pero las grandes tempestades son repentinas.**
WILLIAM SHAKESPEARE *(1564-1616), escritor inglés.*

1641. **Sería muy poco feliz si pudiera decir hasta qué punto lo soy.**
WILLIAM SHAKESPEARE *(1564-1616), escritor inglés.*

1642. **Las almas sinceras descansan en los rostros.**
JOHN DONNE *(1572-1631), poeta inglés.*

La personalidad de William Shakespeare ha oscurecido la estrella de otros muchos poetas y dramaturgos ingleses que acaso merecerían alguna consideración. En España, por ejemplo, son apenas conocidas las obras de poetas como Herbert, Vaughan o Crashaw, los cuales sólo por casualidad aparecen en enciclopedias generales o en colecciones de citas. Sin embargo, los años que siguieron a los grandes dramas de Shakespeare ofrecieron también una variada y nutrida selección de ingenios y, de este modo, la primera mitad del siglo XVII se considera la edad de oro de la poesía inglesa, la cual sólo cede ante la explosión creativa romántica, con Wordsworth, Coleridge, Shelley, Keats o Byron.

Uno de los autores más relevantes es sin duda John Donne. José María Valverde lo ha definido así: «Vierte en confesión sus sentimientos y experiencias: desde sus agitados amores y su inquietud entre la vida cortesana, cantor de grandes damas, pero secretamente casado y pobre padre de familia numerosa, hasta su gloriosa madurez, como deán de la catedral londinense de San Pablo, predicador célebre y exaltado penitente por sus pecados juveniles». A la poesía de Donne se le ha aplicado el calificativo de «metafísica», y lo es en tanto procura indagar en la misteriosa experiencia humana, en los terrores que nos circundan y en la religión. Uno de los textos más estimados por la crítica (*El funeral*) es también uno de los más representativos de su poesía y un ejemplo de lo que pueden ofrecer el miedo, la muerte y la fe en manos de un gran poeta:

Quien venga a amortajarme no destruya
ni interrogue en exceso la guirnalda
sutil de pelo que me ciñe el brazo:
el misterio y el signo que no debéis tocar,
pues es mi alma, mi espíritu exterior,
virrey del que, ya entonces ido al cielo,
esto dejará a cargo, previniendo
que puedan deshacerse mis miembros, sus provincias.

1643. **Ningún hombre es una isla, entera en sí misma; cada humano es una parte del continente, una parte del todo.**
JOHN DONNE *(1572-1631), poeta inglés.*

1644. **El mar es tan profundo en la calma como en la tempestad.**
JOHN DONNE *(1572-1631), poeta inglés.*

1645. **A muchos les place caminar hacia delante; yo preferiría caminar hacia atrás.**
JOHN DONNE *(1572-1631), poeta inglés.*

1646. **La pulga, aunque no mata a nadie, hace todo el daño que puede.**
JOHN DONNE *(1572-1631), poeta inglés.*

1647. **¿Qué puedo hacer sino dar rienda suelta a mi ingenio, y vivir abierto a todas las delicias que mi buena fortuna me depara?**
BENJAMIN JONSON *(1572-1637), poeta y dramaturgo inglés.*

1648. **El que vive retirado dentro de su mente y de su espíritu, está todavía en el paraíso.**
JOHN PHINEAS FLETCHER *(1579-1625), dramaturgo inglés.*

1649. **Siempre hay quien ponga malos nombres a la virtud, mas siempre son los que no merecen conocerla.**
FRANCISCO DE QUEVEDO Y VILLEGAS *(1580-1645), escritor español.*

1650. **¿Cómo puede morir de repente quien desde que nace ve que va corriendo por la vida y lleva consigo la muerte?**
FRANCISCO DE QUEVEDO Y VILLEGAS *(1580-1645), escritor español.*

1651. **Cuando dos hombres desean la misma cosa que no pueden gozar juntos se convierten en enemigos.**

THOMAS HOBBES *(1588-1679), filósofo inglés.*

1652. **La vida es un perpetuo movimiento que, si no puede progresar en línea recta, lo hace circularmente.**

THOMAS HOBBES *(1588-1679), filósofo inglés.*

1653. **Un hoy vale por dos mañanas.**

FRANCIS QUARLES *(1592-1644), filósofo inglés.*

1654. **Nací sin saber por qué. He vivido sin saber cómo.**
Y muero sin saber cómo ni por qué.

PIERRE GASSENDI *(1592-1655), filósofo francés.*

1655. **Nadie es necio siempre; todo el mundo lo es a veces.**

GEORGE HEBERT *(1593-1633), poeta galés.*

1656. **Pues que la vida es tan corta,**
soñemos, alma, soñemos
otra vez; pero ha de ser
con atención y consejo
de que hemos de despertar
deste gusto al mejor tiempo;
que llevándolo sabido,
será el desengaño menos,
que es hacer burla del daño
adelantarle el consejo.

PEDRO CALDERÓN DE LA BARCA *(1600-1681), dramaturgo español.*

Pertenecen estos versos a *La vida es sueño*, jornada III, esc. III. Segismundo, de nuevo en su prisión, recibe la visita de los soldados que vienen a liberarlo y a coronarlo como rey. Segismundo ha aprendido ya que la vida no es más que un sueño, y que la gloria y la desgracia se suceden casi sin interrupción; ahora bien, también sabe que más vale actuar con bondad y seso, incluso en los sueños, esto es: en la vida.

La tradición de vida = sueño era en el siglo XVII tan popular como la equivalencia vida = teatro; y es típico del barroco europeo igualar la existencia verdadera a la ilusión. Estas ideas eran muy propias de un tiempo en el que la desconfianza invadía todas las relaciones humanas y en el que sólo se tenía por verdadera la vida tras la muerte. Los barrocos, tan dados al brillo y el oropel, no creían en la vida, ni la estimaban en nada. Todo es sueño, y vanidad, y corrupción: la muerte acecha tras cada esquina, todo es tiempo, o, como dice Quevedo, cenizas y polvo.

Volvamos al sueño calderoniano: en la escena XIX de la jornada II, el autor muestra a las claras cómo este mundo incomprensible se resuelve en humo:

Sueña el rey que es rey, y vive
con este engaño mandado [...]
Sueña el rico en su riqueza,
que más cuidados le ofrece;
sueña el pobre que padece
su miseria y su pobreza;
sueña el que a medrar empieza,
sueña el que afana y pretende,
sueña el que agravia y ofende,
y en el mundo, en conclusión,
todos sueñan lo que son,
aunque ninguno lo entiende [...]
¿Qué es la vida? Un frenesí.
¿Qué es la vida? Una ilusión,
una sombra, una ficción,
y el mayor bien es pequeño;
que toda la vida es sueño,
y los sueños, sueños son.

1657. **Quien tiene de qué quejarse**
¡qué mal hace si se queja!
porque el delito del llanto
quita el mérito a la pena.

PEDRO CALDERÓN DE LA BARCA *(1600-1681), dramaturgo español.*

1658. **El caer no ha de quitar**
la gloria de haber subido.

PEDRO CALDERÓN DE LA BARCA *(1600-1681), dramaturgo español.*

1659. **Una pena imaginada**
es más que acontecida.

PEDRO CALDERÓN DE LA BARCA *(1600-1681), dramaturgo español.*

1660. Pues el delito mayor
del hombre es haber nacido.
PEDRO CALDERÓN DE LA BARCA *(1600-1681), dramaturgo español.*

1661. Porque dichas que se pierden
son las desdichas más grandes.
PEDRO CALDERÓN DE LA BARCA *(1600-1681), dramaturgo español.*

1662. Quejoso de la fortuna
yo en este mundo vivía,
y cuando entre mí decía:
«¿Habrá otra persona alguna
de suerte más infortuna?».
Piadoso me has respondido,
pues volviendo en mi sentido,
hallo que las penas mías
para hacerlas tú alegrías
las hubieras recogido.
PEDRO CALDERÓN DE LA BARCA *(1600-1681), dramaturgo español.*

1663. Artífice cada uno de su suerte,
la flor lozana en su pasión convierte.
PEDRO CALDERÓN DE LA BARCA *(1600-1681), dramaturgo español.*

1664. Éstas que fueron pompa y alegría,
despertando al albor de la mañana,
a la tarde serán lástima vana,
durmiendo en brazos de la noche fría.
PEDRO CALDERÓN DE LA BARCA *(1600-1681), dramaturgo español.*

1665. Aunque suele la memoria
morir a manos del tiempo,
también suele revivir
a vista de los objetos,
mayormente cuando son
para dolor sus acuerdos.
PEDRO CALDERÓN DE LA BARCA *(1600-1681), dramaturgo español.*

1666. Engañando el día de hoy
y esperando el de mañana.
PEDRO CALDERÓN DE LA BARCA *(1600-1681), dramaturgo español.*

Mundo interior

1667. **En la vida un camino**
que al nacer empezamos
y al vivir proseguimos
y aún no tiene su fin cuando morimos.

Pedro Calderón de la Barca *(1600-1681), dramaturgo español.*

1668. **Hacer bien**
es tesoro que se guarda
para cuando es menester.

Pedro Calderón de la Barca *(1600-1681), dramaturgo español.*

1669. **En los extremos del hado**
no hay hombre tan desdichado
que no tenga un envidioso;
ni hay hombre tan venturoso
que no tenga un envidiado.

Pedro Calderón de la Barca *(1600-1681), dramaturgo español.*

1670. **El que no reconoce al necio nada más verlo, es un necio también.**

Baltasar Gracián *(1601-1658), escritor español.*

1671. **El oído es la segunda puerta de la verdad y la puerta principal de la mentira.**

Baltasar Gracián *(1601-1658), escritor español.*

1672. **Un hombre es juzgado según sus amigos, pues el sabio y el necio nunca han coincidido.**

Baltasar Gracián *(1601-1658), escritor español.*

1673. **El hombre sensato obtiene más de sus enemigos**
que el necio de sus amigos.

Baltasar Gracián *(1601-1658), escritor español.*

1674. **Nunca por la compasión del infeliz se ha de incurrir**
en la desgracia del afortunado.

Baltasar Gracián *(1601-1658), escritor español.*

1675. **El mentiroso tiene dos males: que ni cree ni es creído.**

Baltasar Gracián *(1601-1658), escritor español.*

1676. **Es cosa de cuento todo lo que no es de cuenta.**

Baltasar Gracián *(1601-1658), escritor español.*

1677. **En cuanto al mundo, yo lo considero no como una posada, sino como un hospital; un lugar no para vivir, sino para morir en él.**
SIR THOMAS BROWNE *(1605-1682), médico y filósofo inglés.*

1678. **Dentro de mí hay otro hombre que está contra mí.**
SIR THOMAS BROWNE *(1605-1682), médico y filósofo inglés.*

1679. **El hombre nunca está solo porque, además de que está consigo mismo y con sus propios pensamientos, está con el diablo, que siempre hace compañía a nuestra soledad.**
SIR THOMAS BROWNE *(1605-1682), médico y filósofo inglés.*

1680. **Hablando de nuestras desgracias las aliviamos.**
PIERRE CORNEILLE *(1606-1684), dramaturgo francés.*

1681. **Locura es pagar la amistad con el odio.**
FRANCISCO DE ROJAS ZORRILLA *(1607-1648), dramaturgo español.*

1682. **No es bueno ser desgraciado, pero bueno es haberlo sido.**
CABALLERO DE MÉRÉ, *ANTOINE GOMBAUD (1607-1685), cortesano y escritor francés.*

1683. **Los vicios se aprenden sin maestro.**
THOMAS FULLER *(1609-1661), escritor inglés.*

1684. **Si no tienes enemigos es señal de que la fortuna te ha olvidado.**
THOMAS FULLER *(1609-1661), escritor inglés.*

1685. **El necio es más feliz pensando bien de sí mismo que el hombre sabio al saber que los demás piensan bien de él.**
THOMAS FULLER *(1609-1661), escritor inglés.*

1686. **El que tiene una nariz muy larga cree que todo el mundo habla de ella.**
THOMAS FULLER *(1609-1661), escritor inglés.*

1687. **La felicidad o la desgracia de los hombres depende no menos de sus cualidades que de su fortuna.**
FRANÇOIS DE LA ROCHEFOUCAULD *(1613-1680), escritor moralista francés.*

1688. **Nunca somos tan felices ni tan desdichados como nosotros creemos.**
FRANÇOIS DE LA ROCHEFOUCAULD *(1613-1680), escritor moralista francés.*

1689. **Ponemos más interés en hacer creer a los demás que somos felices que en tratar de serlo.**
FRANÇOIS DE LA ROCHEFOUCAULD *(1613-1680), escritor moralista francés.*

Mundo interior

1690. **La verdadera prueba de que se ha nacido con grandes cualidades estriba en haber nacido sin envidia.**

François de La Rochefoucauld *(1613-1680), escritor moralista francés.*

1691. **La virtud no iría muy lejos si la vanidad no la hiciese compañía.**

François de La Rochefoucauld *(1613-1680), escritor moralista francés.*

1692. **Los vicios entran en la composición de las virtudes como los venenos en la de las medicinas. La prudencia los reúne y los combina para utilizarlos beneficiosamente contra los males de la vida.**

François de La Rochefoucauld *(1613-1680), escritor moralista francés.*

1693. **Si en algunos hombres no aparece el lado ridículo, es que no lo hemos buscado bien.**

François de La Rochefoucauld *(1613-1680), escritor moralista francés.*

1694. **Todos poseemos suficiente fortaleza para soportar la desdicha ajena.**

François de La Rochefoucauld *(1613-1680), escritor moralista francés.*

1695. **A veces es necesario hacerse el tonto para evitar ser engañado por los sujetos demasiado listos.**

François de La Rochefoucauld *(1613-1680), escritor moralista francés.*

1696. **Pocas cosas bastan para hacer feliz a un hombre sensato; pero nada puede satisfacer a un necio: por eso son desdichados casi todos los hombres.**

François de La Rochefoucauld *(1613-1680), escritor moralista francés.*

1697. **El que vive sin alguna locura no es tan sabio como se imagina.**

François de La Rochefoucauld *(1613-1680), escritor moralista francés.*

1698. **Cuando nuestro odio es demasiado profundo, nos coloca por debajo de aquellos a quienes odiamos.**

François de La Rochefoucauld *(1613-1680), escritor moralista francés.*

1699. **Hemos hecho una virtud de la moderación para atajar la ambición de los poderosos y para consolar a los mediocres de su poca fortuna y de su poco mérito.**

François de La Rochefoucauld *(1613-1680), escritor moralista francés.*

1700. **La felicidad ininterrumpida aburre: debe tener alternativas.**

JEAN-BAPTISTE POQUELIN, *MOLIÈRE (1622-1673), escritor francés.*

Molière es uno de los autores más representativos del teatro francés en el siglo XVII, junto a Pierre Corneille (1606-1684) y Jean Racine (1639-1699); pero mientras éstos dedicaban sus esfuerzos dramáticos a la gran tragedia, de asuntos elevados y lenguaje pomposo, Molière ejercitaba su pluma con agrias sátiras y denuncias morales. Tras un duro trabajo en los teatros de los pueblos y ciudades de Francia, Molière accedió a la fama, pero sus ácidas comedias le privaron finalmente del favor de la corte y murió enfermo y miserable cuando representaba su última pieza: *El enfermo imaginario*. Otras obras suyas son *El médico a palos*, *El burgués gentilhombre*, *El misántropo* o *El Tartufo*. La cita que encabeza este breve comentario ha sido confundida, en ocasiones, con otra sentencia similar: «En la variedad está el gusto», también atribuida a Molière. En realidad, esta sentencia se debe al preceptor romano Quintiliano (35-95), quien dijo: «*In varietate, voluptas*», o lo que es lo mismo: «En la variedad se halla el placer». Pero como los errores en la aplicación de las citas son muy frecuentes, se ha pensado que Quintiliano quería referirse a la variedad en las comidas, en los vestidos, en los paisajes o en las mujeres y los hombres. En realidad, Quintiliano, como retórico practicante y estudioso de la literatura, sólo hablaba de la variedad y mezcla de los distintos estilos literarios; en ningún momento habla de las bondades de frivolidad en asuntos morales o sociales.

1701. **Prefiero un vicio tolerante que una virtud obstinada.**

JEAN-BAPTISTE POQUELIN, *MOLIÈRE (1622-1673), escritor francés.*

1702. **El envidioso puede morir, pero la envidia, nunca.**

JEAN-BAPTISTE POQUELIN, *MOLIÈRE (1622-1673), escritor francés.*

1703. **El papel de hombre de bien es el más fácil de representar.**

JEAN-BAPTISTE POQUELIN, *MOLIÈRE (1622-1673), escritor francés.*

1704. **Un necio instruido es más necio que un ignorante.**

JEAN-BAPTISTE POQUELIN, *MOLIÈRE (1622-1673), escritor francés.*

1705. **La muerte es el remedio de todos los males; pero no debemos echar mano de este remedio hasta última hora.**

JEAN-BAPTISTE POQUELIN, *MOLIÈRE (1622-1673), escritor francés.*

Mundo interior

1706. El hombre, por naturaleza, es crédulo, incrédulo, tímido y temerario.
BLAISE PASCAL *(1623-1662), escritor, matemático, físico y filósofo francés.*

1707. No nos mantenemos en la virtud por nuestra propia fuerza, sino por el contrapeso de dos vicios opuestos, al igual que permanecemos de pie entre dos vientos contrarios: suprimid uno de los vicios y caeremos en el otro.
BLAISE PASCAL *(1623-1662), escritor, matemático, físico y filósofo francés.*

1708. La virtud de un hombre no debe medirse por sus esfuerzos, sino por sus obras cotidianas.
BLAISE PASCAL *(1623-1662), escritor, matemático, físico y filósofo francés.*

1709. El pasado y el presente solamente son medio para nosotros: el futuro es siempre nuestro fin. Por eso nunca vivimos realmente, sino que esperamos vivir. Alucinados siempre, por esta esperanza de ser felices algún día, es inevitable que no lo seamos nunca.
BLAISE PASCAL *(1623-1662), escritor, matemático, físico y filósofo francés.*

1710. Todos los hombres consideran la felicidad como su objetivo: no hay ninguna excepción. Por diferentes que sean los medios que empleen, todos tienden al mismo fin.
BLAISE PASCAL *(1623-1662), escritor, matemático, físico y filósofo francés.*

1711. Los hombres son tan necesariamente necios que sería una necedad mayor no ser un necio.
BLAISE PASCAL *(1623-1662), escritor, matemático, físico y filósofo francés.*

1712. Poco basta para consolarnos, porque poco basta para afligirnos.
BLAISE PASCAL *(1623-1662), escritor, matemático, físico y filósofo francés.*

1713. Nunca disfrutamos de una felicidad perfecta. Los acontecimientos más afortunados se nos aparecen mezclados de tristeza. Siempre existen inquietudes que turban la realidad de nuestra satisfacción.
THOMAS CORNEILLE *(1625-1709), dramaturgo francés.*

1714. El fuego que parece extinguirse está, muchas veces, dormido bajo las cenizas.
PIERRE CORNEILLE *(1625-1709), dramaturgo francés.*

1715. Si el hombre procurase ser tan bueno como procura parecerlo, conseguiría su objetivo.
CRISTINA DE SUECIA *(1626-1689), reina de Suecia.*

1716. **La desgracia raramente viene sola.**
JOHN DRYDEN *(1631-1700), poeta y dramaturgo inglés.*

1717. **Toda la felicidad que el hombre puede alcanzar no está en el placer, sino en el descanso del dolor.**
JOHN DRYDEN *(1631-1700), poeta y dramaturgo inglés.*

1718. **El necio encuentra siempre otro mucho mayor que le admire.**
NICHOLAS BOILEAU DESPRÉAUX *(1636-1711), poeta, gramático y crítico francés.*

1719. **Los más desgraciados se quejan menos que los otros.**
JEAN RACINE *(1639-1699), dramaturgo francés.*

1720. **Ningún hombre es feliz sino por comparación.**
THOMAS SHADWELL *(1642-1692), poeta inglés.*

1721. **Si el orador se limita a fustigar los vicios, la iglesia será siempre el cuartel de las viejas.**
ABRAHAM DE SANTA CLARA *(1644-1709), predicador alemán.*

1722. **La envidia y el odio siempre unidos. Se fortalecen recíprocamente por el hecho de perseguir el mismo objeto.**
JEAN DE LA BRUYÈRE *(1645-1696), escritor francés.*

1723. **La virtud, no por estar de moda, deja de ser virtud.**
JEAN DE LA BRUYÈRE *(1645-1696), escritor francés.*

1724. **Los mismos vicios que nos parecen enormes e intolerables en los demás no los advertimos en nosotros.**
JEAN DE LA BRUYÈRE *(1645-1696), escritor francés.*

1725. **El necio no entra en una habitación, ni sale de ella, ni se sienta, ni se levanta, ni está callado, ni permanece de pie, como un hombre de buen sentido.**
JEAN DE LA BRUYÈRE *(1645-1696), escritor francés.*

1726. **El necio es un autómata. Es una máquina movida por un resorte. Fuerzas naturales irresistibles le hacen moverse y dar vueltas, siempre al mismo paso y sin detenerse nunca. Jamás está en contradicción consigo mismo. Quien le ha visto una vez le ha visto siempre.**
JEAN DE LA BRUYÈRE *(1645-1696), escritor francés.*

Mundo interior

1727. **Hay una especie de vergüenza en ser feliz a la vista de ciertas miserias.**
JEAN DE LA BRUYÈRE *(1645-1696), escritor francés.*

1728. **Si la vida es miserable, resulta penoso soportarla; si es dichosa, horroriza perderla: ambas cosas vienen a ser lo mismo.**
JEAN DE LA BRUYÈRE *(1645-1696), escritor francés.*

1729. **El hombre revela su carácter hasta en las cosas más simples.**
JEAN DE LA BRUYÈRE *(1645-1696), escritor francés.*

1730. **No debemos quejarnos de los hombres por su rudeza, su ingratitud, su injusticia, su arrogancia, su amor a sí mismos o su olvido de los demás: están hechos así. Tal es su naturaleza. Irritarse contra ellos es como censurar a la piedra porque cae o al fuego porque quema.**
JEAN DE LA BRUYÈRE *(1645-1696), escritor francés.*

1731. **La muerte no llega nada más que una vez, pero se hace sentir en todos los momentos de la vida.**
JEAN DE LA BRUYÈRE *(1645-1696), escritor francés.*

1732. **La experiencia del mundo no consiste en el número de cosas que se han visto, sino en el número de cosas sobre las que se ha reflexionado con provecho.**
GOTTFRIED WILHELM VON LEIBNIZ *(1646-1716), filósofo alemán.*

1733. **El más desgraciado de todos los hombres es el que cree serlo.**
FRANÇOIS DE SALIGNAC DE LA MOTHE, *FÉNELON (1651-1715), escritor francés.*

1734. **La desgracia depende menos de los males que sufrimos que de la imaginación con que los soportamos.**
FRANÇOIS DE SALIGNAC DE LA MOTHE, *FÉNELON (1651-1715), escritor francés.*

1735. **Las locuras de los padres no sirven de lección a sus hijos.**
BERNARD LE BOUVIER DE FONTENELLE *(1657-1757), escritor francés.*

1736. **No conozco nada en el mundo que no sea un monumento a la necedad del género humano.**
BERNARD LE BOUVIER DE FONTENELLE *(1657-1757), escritor francés.*

1737. **Un gran obstáculo para lograr la felicidad es desear una felicidad demasiado grande.**
BERNARD LE BOUVIER DE FONTENELLE *(1657-1757), escritor francés.*

1738. **Si procedemos a un examen de lo que se entiende generalmente por felicidad, tanto en lo relativo al entendimiento como a los sentidos, veremos que todas sus propiedades y cualidades accesorias quedan comprendidas bajo esta breve definición: es el privilegio de ser bien engañado.**
JONATHAN SWIFT *(1667-1745), escritor irlandés.*

1739. **Cuando los hombres se tornan virtuosos en la vejez, no hacen sino sacrificar a Dios las obras de lo sacrificado al diablo.**
JONATHAN SWIFT *(1667-1745), escritor irlandés.*

1740. **Un solo enemigo puede hacer más daño que el bien que se pueden hacer diez amigos juntos.**
JONATHAN SWIFT *(1667-1745), escrïtor irlandés.*

1741. **Algunas virtudes sólo aparecen en medio de la aflicción, y otras en medio de la prosperidad.**
JOSEPH ADDISON *(1672-1719), periodista y escritor inglés.*

1742. **En verdad que el hombre no es más que una sombra, y la vida, un sueño.**
JOSEPH ADDISON *(1672-1719), periodista y escritor inglés.*

1743. **El hombre que hace todo lo que puede en un mundo humilde, puede considerarse más héroe que aquel que, estando en mejor posición, no hizo nada cuando le fue posible.**
RICHARD STEELE *(1672-1729), escritor y periodista irlandés.*

1744. **En sacando**
el acero, el más cobarde
se iguala con el más guapo,
y no siempre la fortuna
está del valor al lado.
JOSÉ DE CAÑIZARES *(1676-1750), escritor español.*

1745. **Nuestra vida no es sino una cadena de muchas muertes.**
EDWARD YOUNG *(1683-1765), poeta inglés.*

Esta cita corresponde a uno de los libros más influyentes en los comienzos del romanticismo europeo. El libro es conocido como *Night Thoughts* (*Pensamientos nocturnos*), 1742-1744, aunque su título completo podría traducirse como *Lamentaciones y pensamientos nocturnos sobre la vida, la muerte y la inmortalidad.* En su viaje por Europa, el doctor Young sufrió un desgraciado revés: su esposa murió, y al poco también falleció su hija. La popularidad de las *Noches* de Young, y su lúgubre argumento, fomentaron terribles leyendas, en las que se hablaba de desenterramientos, profanaciones y otras mil peripecias tétricas. En España fueron traducidas y comentadas en varias ocasiones y se debe a José Cadalso (1741-1782) una de las piezas literarias más extravagantes del siglo XVIII, *Noches lúgubres*, en la cual aborda el mismo tema que Young. A Cadalso se le aplicaron las mismas leyendas y se decía que había pretendido desenterrar a su amada, llevársela a su domicilio y pegar fuego a la vivienda. Algunos eruditos consideran a este autor el primer romántico español.

1746. **Todos los hombres piensan que todos los hombres van a morir, excepto ellos mismos.**
EDWARD YOUNG *(1683-1765), poeta inglés.*

1747. **Cada noche morimos; cada mañana nacemos de nuevo; cada día es una vida.**
EDWARD YOUNG *(1683-1765), poeta inglés.*

1748. **La vida es el desierto, la vida es la soledad; la muerte nos reúne con la mayoría.**
EDWARD YOUNG *(1683-1765), poeta inglés.*

1749. **El mañana es una sátira del hoy, y muestra su futilidad.**
EDWARD YOUNG *(1683-1765), poeta inglés.*

1750. **En un hombre bueno, estar triste es una impiedad.**
EDWARD YOUNG *(1683-1765), poeta inglés.*

1751. **¿No están cubiertos los campos de un verdor delicioso? ¿No hay en los bosques y en las arboledas, en los ríos y en las fuentes claras, algo que deleita, alivia y transporta el alma? A la vista del ancho y profundo océano, o de una enorme montaña cuya cumbre se pierde en las nubes, o de una añosa floresta umbría, ¿no se llena nuestro espíritu de un terror que nos produce placer? Incluso entre las rocas y en los desiertos, ¿no encontramos un mundo salvaje que nos agrada? ¡Qué sincero placer es contemplar las bellezas naturales de la tierra!**
GEORGE BERKELEY *(1685-1753), filósofo irlandés.*

1752. **El bobo está contento de no saber nada.**
Alexander Pope *(1688-1744), poeta inglés.*

1753. **No creas que puedes conocer a Dios.**
Alexander Pope *(1688-1744), poeta inglés.*

1754. **El estudio propio del hombre es el hombre.**
Alexander Pope *(1688-1744), poeta inglés.*

1755. **Dime, si puedes, ¿qué es ser sabio? No es otra cosa que saber qué poco puede saberse; ver los defectos de los demás y conocer los propios; condenarse en los negocios o en las artes, sin defensor y sin juez.**
Alexander Pope *(1688-1744), poeta inglés.*

1756. **Bienaventurado quien nada espera, porque él nunca sufrirá desengaños.**
Alexander Pope *(1688-1744), poeta inglés.*

1757. **Jamás he conocido en mi vida a un hombre que no pudiera soportar como un perfecto cristiano las desgracias ajenas.**
Alexander Pope *(1688-1744), poeta inglés.*

1758. **El tiempo lo puede todo, y nosotros debemos también sucumbir a él.**
Alexander Pope *(1688-1744), poeta inglés.*

1759. **Las diversiones son la felicidad de aquellos que no saben pensar.**
Alexander Pope *(1688-1744), poeta inglés.*

1760. **Todos reconocen que sería una locura esperar la perfección en cualquier obra humana.**
Alexander Pope *(1688-1744), poeta inglés.*

1761. **El vicio es un monstruo horrendo; para odiarlo basta con mirarlo; y una vez que lo hemos visto, a menudo, nos familiarizamos con su cara. Primero lo toleramos, después tenemos compasión de él y, finalmente, lo abrazamos.**
Alexander Pope *(1688-1744), poeta inglés.*

1762. **Errar es humano; perdonar es divino.**
Alexander Pope *(1688-1744), poeta inglés.*

1763. **Me gustaría que la gente creyera algo que estoy seguro que no creerán: que me ha importado la fama mucho menos de lo que me he atrevido a declarar.**
Alexander Pope *(1688-1744), poeta inglés.*

Mundo interior

1764. **¿Queréis hacerme un favor? Marchaos de aquí: no puedo soportaros; dejad que me aflija en paz.**
PIERRE-CARLET DE CHAMBLAIN DE MARIVAUX *(1688-1763), escritor francés.*

1765. **Si queréis que me vuelva loca no tenéis más que pedirme que sea razonable.**
PIERRE-CARLET DE CHAMBLAIN DE MARIVAUX *(1688-1763), escritor francés.*

1766. **Las desgracias, más que un castigo, son una amenaza.**
CHARLES LOUIS DE SECONDAT, BARÓN DE MONTESQUIEU *(1689-1755), escritor y filósofo francés.*

1767. **Hay dos clases de hombres: los que piensan y los que se divierten.**
CHARLES LOUIS DE SECONDAT, BARÓN DE MONTESQUIEU *(1689-1755), escritor y filósofo francés.*

1768. **La virtud debe tener límites.**
CHARLES LOUIS DE SECONDAT, BARÓN DE MONTESQUIEU *(1689-1755), escritor y filósofo francés.*

1769. **Ante un hombre envidioso, alabo siempre a los que le hacen palidecer.**
CHARLES LOUIS DE SECONDAT, BARÓN DE MONTESQUIEU *(1689-1755), escritor y filósofo francés.*

1770. **Es necesario haber estudiado mucho para saber poco.**
CHARLES LOUIS DE SECONDAT, BARÓN DE MONTESQUIEU *(1689-1755), escritor y filósofo francés.*

1771. **¡Gran Dios! ¡Cuántas cosas hacen falta para hacer feliz a un solo hombre!**
CHARLES LOUIS DE SECONDAT, BARÓN DE MONTESQUIEU *(1689-1755), escritor y filósofo francés.*

1772. **¡Qué tranquilidad para nosotros saber que hay en el corazón de todos los hombres [más fuertes que nosotros] un principio interior que combate en nuestro favor y nos pone a cubierto de todas las violencias de los poderosos!**
CHARLES LOUIS DE SECONDAT, BARÓN DE MONTESQUIEU *(1689-1755), escritor y filósofo francés.*

1773. **Hombres modestos, vosotros ofrecéis la dulzura y el encanto de la vida.**
CHARLES LOUIS DE SECONDAT, BARÓN DE MONTESQUIEU *(1689-1755), escritor y filósofo francés.*

1774. **Es imposible elevarse en este mundo sobre los demás sin dignidad de carácter.**

PHILIP DORMER STANHOPE, LORD CHESTERFIELD *(1694-1773), político inglés.*

1775. **Habla de los modernos sin desprecio, y de los antiguos sin idolatría; júzgalos a todos por sus méritos y no por su edad.**

PHILIP DORMER STANHOPE, LORD CHESTERFIELD *(1694-1773), político inglés.*

1776. **Te aconsejo que cuides los minutos, porque las horas ya se cuidan ellas solas.**

PHILIP DORMER STANHOPE, LORD CHESTERFIELD *(1694-1773), político inglés.*

1777. **Aparenta ignorancia de todo aquello que se relacione con escándalos privados y difamaciones, aunque hayan llegado a tus oídos mil veces; porque los afectados por el escándalo siempre miran tan mal al depositario de él como al que lo difunde.**

PHILIP DORMER STANHOPE, LORD CHESTERFIELD *(1694-1773), político inglés.*

1778. **Si no plantamos el árbol de la sabiduría cuando somos jóvenes, él no nos dará sombra cuando seamos viejos.**

PHILIP DORMER STANHOPE, LORD CHESTERFIELD *(1694-1773), político inglés.*

1779. **Mentir es el arte de los mediocres y el único refugio de los espíritus mezquinos.**

PHILIP DORMER STANHOPE, LORD CHESTERFIELD *(1694-1773), político inglés.*

1780. **Se pretende que se es menos desgraciado cuando no se es el único en sufrir.**

FRANÇOIS MARIE AROUET, *VOLTAIRE (1694-1778), escritor francés.*

El ingenio y la ironía llevaron al joven Arouet al exilio cuando sólo contaba veinte años. Unos epigramas contra el Duque de Orleans le condujeron finalmente a la cárcel. Crítico impenitente, Voltaire empeñó su vida en combatir la ignorancia, en fomentar modelos de estado burgueses y en una reflexión sólida sobre la existencia humana. Aunque escribió poesía y teatro, su fama la debe a los ensayos políticos e ideológicos, y a las narraciones breves de carácter filosófico. Entre los primeros cabe destacar *Las cartas filosóficas* o *Cartas inglesa*s, aparecidas en 1734, donde proclama la necesidad de la libertad y ejerce una durísima crítica a la sociedad francesa. La relación de sus cuentos debe encabezarla, sin duda, *Cándido* o *El optimismo* (1759), un ataque irónico contra una corriente filosófica representada por Leibniz, la cual sugería (en términos simples) que todo cuanto sucede en el mundo es bueno, y sucede porque debe suceder. Voltaire se burla de estas ideas y pone de relieve la intrínseca ferocidad e incoherencia del ser humano, el caos de la naturaleza y lo absurdo de intentar comprenderla. Otros cuentos suyos son *Zedig* (1747) o *Micromegas* (1752). No se debe olvidar que Voltaire participó en uno de los proyectos más ambiciosos y determinantes de su siglo: la Enciclopedia, promovida por Diderot, D'Alembert y Jaucourt.

Las recopilaciones de frases célebres suelen incluir a Voltaire por su concisión y agudeza, pero no siempre pueden comprenderse sus palabras fuera del contexto en el que se produjeron. Por ejemplo, en las últimas páginas del *Cándido*, se lee: «El trabajo ahuyenta de nosotros tres grandes males: el tedio, el vicio y la necesidad». Y también: «Trabajar sin razonar es la única manera de hacer la vida soportable». En realidad Voltaire no propone esto tal y como puede leerse, sino que uno de los personajes adopta este comportamiento ante su incapacidad para comprender el mal, el dolor y el caos.

1781. **La virtud, el estudio y la alegría son tres hermanos que no deben vivir separados.**
François Marie Arouet, *Voltaire (1694-1778), escritor francés.*

1782. **La virtud se envilece si se justifica.**
François Marie Arouet, *Voltaire (1694-1778), escritor francés.*

1783. **El tiempo hace justicia y pone todas las cosas en su lugar.**
François Marie Arouet, *Voltaire (1694-1778), escritor francés.*

1784. **El cielo prohíbe ciertos deleites. Pero siempre se puede llegar a un arreglo con él.**
François Marie Arouet, *Voltaire (1694-1778), escritor francés.*

1785. **Un instante de felicidad vale más que mil años en la historia.**
François Marie Arouet, *Voltaire (1694-1778), escritor francés.*

1786. **La más feliz de todas las vidas es una soledad atareada.**
François Marie Arouet, *Voltaire (1694-1778), escritor francés.*

1787. **Siempre la felicidad nos espera en algún sitio, pero a condición de que no vayamos a buscarla.**
François Marie Arouet, *Voltaire (1694-1778), escritor francés.*

1788. **Todos los males llegan volando y se alejan renqueando.**
François Marie Arouet, *Voltaire (1694-1778), escritor francés.*

1789. **Todos sufrimos, pero hablar de ello nos consuela.**
François Marie Arouet, *Voltaire (1694-1778), escritor francés.*

1790. **El orgullo de los humildes consiste en hablar siempre de sí mismos; el orgullo de los grandes consiste en no hablar nunca.**
François Marie Arouet, *Voltaire (1694-1778), escritor francés.*

1791. **Un espíritu corrompido jamás fue sublime.**
François Marie Arouet, *Voltaire (1694-1778), escritor francés.*

1792. **Está muy claro, se diga lo que se diga, un malvado no es más que un imbécil.**
François Marie Arouet, *Voltaire (1694-1778), escritor francés.*

1793. **Se repite una tontería; y a fuerza de repetirla, la creemos.**
François Marie Arouet, *Voltaire (1694-1778), escritor francés.*

1794. **Una ciencia falsa crea ateos; una verdadera ciencia humilla al hombre ante la divinidad.**
François Marie Arouet, *Voltaire (1694-1778), escritor francés.*

1795. **Un hombre ingenioso y de buen juicio decía en cierta ocasión, a propósito de un grave doctor: «Éste no puede ser más que un grandísimo ignorante, porque contesta a todo lo que se le pregunta».**
François Marie Arouet, *Voltaire (1694-1778), escritor francés.*

1796. **Los bienes que merecemos menos son los que menos nos atrevemos a esperar. Pero no es fácil convencer a los deseos con razones.**
François Marie Arouet, *Voltaire (1694-1778), escritor francés.*

1797. **Por consiguiente: los que han dicho que todo va bien han dicho una necedad; hubieran debido decir que todo va del mejor modo posible.**
François Marie Arouet, *Voltaire (1694-1778), escritor francés.*

1798. **El lujo me seduce, e incluso la molicie, y todos los placeres, y las artes diversas; el aseo, el buen gusto, los bellos ornamentos: todo hombre bien nacido tiene esas aficiones.**
François Marie Arouet, *Voltaire (1694-1778), escritor francés.*

1799. El primer grado de locura consiste en creerse uno sabio; el segundo, en proclamarlo; el tercero, en desdeñar el consejo.
BENJAMIN FRANKLIN *(1706-1790), científico y político estadounidense.*

1800. Un vicio cuesta más que dos hijos.
BENJAMIN FRANKLIN *(1706-1790), científico y político estadounidense.*

1801. Es contrario a las buenas costumbres hacer callar a un necio, pero es una crueldad dejarle seguir hablando.
BENJAMIN FRANKLIN *(1706-1790), científico y político estadounidense.*

1802. La felicidad doméstica es el fin de todos nuestros anhelos, y la recompensa general de todos nuestros trabajos.
HENRY FIELDING *(1707-1754), escritor inglés.*

1803. Cada período de la vida está obligado a tomar prestada la felicidad de un tiempo futuro. En la juventud no contamos con un pasado que pueda divertirnos, y en la vejez, la contemplación del pasado nos ofrece poco más que una pesadumbre irremediable.
SAMUEL JOHNSON *(1709-1784), escritor inglés.*

1804. En la mayoría de los hombres las dificultades son hijas de la pereza.
SAMUEL JOHNSON *(1709-1784), escritor inglés.*

1805. Toda cualidad del espíritu que es útil o agradable a la propia persona o a otras, proporciona un placer al espectador, suscita su estimación y es admitida bajo la honrosa denominación de virtud o mérito.
DAVID HUME *(1711-1776), filósofo e historiador escocés.*

1806. La clase de felicidad que necesito es menos hacer lo que quiero que no hacer lo que no quiero.
JEAN-JACQUES ROUSSEAU *(1712-1778), filósofo ginebrino.*

1807. Nadie puede ser feliz si no se aprecia a sí mismo.
JEAN-JACQUES ROUSSEAU *(1712-1778), filósofo ginebrino.*

1808. No es nada fácil abandonar la virtud; ella atormenta durante mucho tiempo a los que la abandonan.
JEAN-JACQUES ROUSSEAU *(1712-1778), filósofo ginebrino.*

1809. Los grandes hombres no son grandes a todas horas ni en todas las cosas.
FEDERICO II EL GRANDE *(1712-1786), emperador de Prusia.*

1810. **El hombre más feliz es el que hace el mayor número de hombres felices.**
DENIS DIDEROT *(1713-1784), escritor francés.*

1811. **De todos los sentidos, la vista es la más superficial; el oído, el más orgulloso; el olfato el más voluptuoso; el gusto, el más supersticioso e inconstante; el tacto, el más profundo.**
DENIS DIDEROT *(1713-1784), filósofo y escritor francés.*

1812. **El odio es pasión más viva que la amistad.**
LUC DE CLAPIERS, MARQUÉS DE VAN VENARGUES, *(1715-1747), moralista francés.*

1813. **La única virtud verdaderamente sublime es la humanidad, ya que encierra en sí todas las demás.**
CLAUDE ADRIEN HELVETIUS *(1715-1771), poeta alemán.*

1814. **El porvenir es la renta más rica de la imaginación.**
FRANÇOIS LOUIS CLAUDE MARINI *(1721-1809), escritor francés.*

1815. **La ciencia es el gran antídoto contra el veneno del entusiasmo y de la superstición.**
ADAM SMITH *(1723-1790), filósofo y economista inglés.*

1816. **El hombre no es más que lo que la educación hace de él.**
IMMANUEL KANT *(1724-1804), filósofo alemán.*

1817. **No hay virtud tan fuerte que pueda estar segura contra la tentación.**
IMMANUEL KANT *(1724-1804), filósofo alemán.*

1818. **Dormía y soñé que la vida era bella; despertéy advertí entonces que la vida es deber.**
IMMANUEL KANT *(1724-1804), filósofo alemán.*

1819. **La virtud que necesita ser vigilada apenas merece que se la vigile.**
OLIVER GOLDSMITH *(1728-1774), escritor inglés.*

1820. **Rara vez hablamos de la virtud que poseemos; pero en cambio lo hacemos mucho más a menudo de las que nos faltan.**
GOTTHOLD EPHRAIM LESSING *(1729-1781), escritor alemán.*

1821. **La risa nos mantiene más razonables que la aflicción.**
GOTTHOLD EPHRAIM LESSING *(1729-1781), escritor alemán.*

1822. **No se puede planear el futuro según el pasado.**
EDMUND BURKE *(1729-1797), escritor y político irlandés.*

Mundo interior

1823. **Siempre estoy dispuesto a reírme de todo, por miedo a verme obligado a llorar.**
PIERRE-AUGUSTIN CARON, BARÓN DE BEAUMARCHAIS *(1732-1799), dramaturgo francés.*

1824. **Pocos hombres tienen virtud para no venderse al mejor postor.**
GEORGE WASHINGTON *(1732-1799), militar y político estadounidense.*

1825. **Los necios más grandes, más peligrosos y más insoportables son los que razonan.**
CHRISTOPH MARTIN WIELAND *(1733-1813), escritor alemán.*

1826. **No conozco otro medio de juzgar el porvenir que a partir del pasado.**
PATRICK HENRY *(1736-1799), político estadounidense.*

1827. **Siento, luego existo.**
JACQUES-HENRI BERNARDIN DE SAINT-PIERRE *(1737-1814), escritor francés, aludiendo y refutando la máxima de Descartes: «Pienso, luego existo».*

1828. **El hombre grande nunca es mayor que cuando se baja al nivel de los demás hombres, sin que eso le quite el remontarse después donde lo encumbre el rayo de la suprema esencia que nos anima.**
JOSÉ CADALSO *(1741-1782), escritor español.*

1829. **El día que el género humano conozca que su verdadera gloria y ciencia consiste en la virtud, mirarán los hombres con tedio a los que tanto les pasman ahora.**
JOSÉ CADALSO *(1741-1782), escritor español.*

1830. **Hay necedades bien adobadas, como hay necios bien vestidos.**
NICOLAS-SÉBASTIEN ROCH, *NICOLAS DE CHAMFORT (1741-1794), escritor francés.*

1831. **Pasa con la felicidad como con los relojes, que los menos complicados son los que menos se estropean.**
NICOLAS-SÉBASTIEN ROCH, *NICOLAS DE CHAMFORT (1741-1794), escritor francés.*

1832. **El placer puede estribar en la ilusión, pero la felicidad descansa en la verdad.**
NICOLAS-SÉBASTIEN ROCH, *NICOLAS DE CHAMFORT (1741-1794), escritor francés.*

1833. **Todas las pasiones exageran algo, y son pasiones precisamente porque exageran.**
NICOLAS-SÉBASTIEN ROCH, *NICOLAS DE CHAMFORT (1741-1794), escritor francés.*

1834. **El día más desaprovechado de todos los días es aquel en que no nos hemos reído.**
NICOLAS-SÉBASTIEN ROCH, *NICOLAS DE CHAMFORT (1741-1794), escritor francés.*

1835. **Vivir es una enfermedad en la que el sueño nos alivia cada dieciséis horas: es un paliativo; el remedio completo es la muerte.**
NICOLAS-SÉBASTIEN ROCH, *NICOLAS DE CHAMFORT (1741-1794), escritor francés.*

1836. **Muchos hombres ven la virtud más en el arrepentimiento de los pecados que en el hecho de evitarlos.**
GEORG CHRISTOPH LICHTENBERG *(1742-1799), escritor y científico alemán.*

1837. **Hay algo en el carácter de cada hombre que no puede ser modificado: es el esqueleto de su carácter. Tratar de modificarlo es como tratar de enseñar a una oveja a tirar de un carro.**
GEORG CHRISTOPH LICHTENBERG *(1742-1799), escritor y científico alemán.*

1838. **Nada revela mejor el carácter de un hombre que una burla tomada a mal.**
GEORG CHRISTOPH LICHTENBERG *(1742-1799), escritor y científico alemán.*

1839. **Por lo menos una vez al año todo el mundo es un genio.**
GEORG CHRISTOPH LICHTENBERG *(1742-1799), escritor y científico alemán.*

1840. **La virtud no es hereditaria.**
THOMAS JEFFERSON *(1743-1826), político estadounidense.*

1841. **Si la felicidad de la masa del género humano puede asegurarse a costa de una pequeña tempestad de vez en cuando, o incluso de un poco de sangre, sería una adquisición preciosa.**
THOMAS JEFFERSON *(1743-1826), político estadounidense.*

1842. **No son la riqueza ni el esplendor, sino la tranquilidad y el trabajo los que proporcionan la felicidad.**
THOMAS JEFFERSON *(1743-1826), político estadounidense.*

1843. **Un amigo ofendido es el más encarnizado enemigo.**
THOMAS JEFFERSON *(1743-1826), político estadounidense.*

1844. **Para el hombre laborioso, el tiempo es elástico y da para todo. Sólo falta tiempo a quien no sabe aprovecharlo.**
GASPAR MELCHOR DE JOVELLANOS *(1744-1811), escritor y ensayista español.*

1845. **Puesto que era tan desgraciado, debía ser un hombre muy sensible.**
LOUIS J. B. MAISONNEUVE *(1745-1819), dramaturgo francés.*

Mundo interior

1846. **¡Oh, raro y celestial don, en verdad, el de quien sepa razonar y sentir a un mismo tiempo!**
VITTORIO ALFIERI *(1749-1803), poeta italiano.*

1847. **Todos vivimos del pasado y nos vamos a pique con él.**
JOHANN WOLFANG VON GOETHE *(1749-1832), escritor alemán.*

1848. **Afortunadamente, el hombre sólo puede comprender un cierto grado de desgracia; más allá de este grado, la desgracia le aniquila o le deja indiferente.**
JOHANN WOLFANG VON GOETHE *(1749-1832), escritor alemán.*

1849. **Los necios y las personas modestas son igualmente inofensivos. Los verdaderamente peligrosos son los medio necios y medio sabios.**
JOHANN WOLFANG VON GOETHE *(1749-1832), escritor alemán.*

1850. **Todo nace y pasa según la ley; mas sobre la vida del hombre, este precioso tesoro, impera una suerte inestable.**
JOHANN WOLFANG VON GOETHE *(1749-1832), escritor alemán.*

1851. **Una vida inútil equivale a una muerte prematura.**
JOHANN WOLFANG VON GOETHE *(1749-1832), escritor alemán.*

1852. **Cuando he estado trabajando durante todo el día, un precioso atardecer me sale al encuentro.**
JOHANN WOLFANG VON GOETHE *(1749-1832), escritor alemán.*

1853. **Las personas felices no creen en los milagros.**
JOHANN WOLFANG VON GOETHE *(1749-1832), escritor alemán.*

1854. **El hombre se cree siempre ser más de lo que es y se estima en menos de lo que vale.**
ANTOINE DE RIVAROLI, *RIVAROL (1753-1821), escritor francés.*

1855. **Desgraciadamente hay virtudes que no se pueden ejercitar mas que cuando se es rico.**
ANTOINE RIVAROLI, *RIVAROL (1753-1821), escritor francés.*

1856. **[La moral] no se funda en la estimación pública, que puede ser engañada, sino en nuestra propia estima, que no nos miente jamás.**
ANTOINE RIVAROLI, *RIVAROL (1753-1821), escritor francés.*

1857. **Los placeres son como los alimentos: los más simples son aquellos que menos cansan.**
JOSEPH SANIAL-DUBAY *(1754-1817), escritor francés.*

1858. Todo se aprende, hasta la virtud.

JOSEPH JOUBERT *(1754-1824), moralista francés.*

1859. La virtud por cálculo es la virtud del vicio.

JOSEPH JOUBERT *(1754-1824), moralista francés.*

1860. Los hombres son pervertidos no tanto por la riqueza como por el afán de riqueza.

LOUIS GABRIEL AMBROISE DE BONALD *(1754-1840), filósofo francés.*

1861. Podría hacerse a mucha gente feliz, con toda la felicidad que se pierde en este mundo.

PIERRE MARC GASTON, DUQUE DE LEVIS *(1755-1830), escritor francés.*

1862. Tiene uno que indignarse con vosotros, diletantes, porque siempre os ocurre una de estas cosas: o no tenéis pensamientos propios y cogéis los ajenos; o tenéis pensamientos propios y no sabéis qué hacer con ellos.

WOLFGANG AMADEUS MOZART *(1756-1791), compositor austríaco.*

1863. En todos los llantos de los hombres, en todos los gritos de miedo de los niños, en cada voz, en cada prohibición, puedo oír las cadenas inventadas por la mente...

WILLIAM BLAKE *(1757-1827), poeta inglés.*

Las palabras de Blake sugieren ecos revolucionarios... El lector está en lo cierto: William Blake tenía un corazón revolucionario; su historia personal y la historia de Europa que le tocó vivir marcaron de forma decisiva su pensamiento poético y político. No en vano William Blake estuvo implicado en las revueltas republicanas de Inglaterra y, en algún modo, admiró la revolución de 1789.

Pero lo que en este capítulo interesa es la apreciación del dolor, del sufrimiento y de la pena.

William Blake reunió en 1794 un grupo de poesías que ya había dado a la prensa en los años anteriores, y las publicó en su famoso libro titulado *Songs of Innocence and of Experience* (traducido al castellano habitualmente como *Cantos de Inocencia y Experiencia*). Aquí, y quizá por vez primera, el poeta se pregunta por la maldición divina y por la necesidad del hombre de sobrellevar la pesadumbre y el sufrimiento. Sobre todo en la segunda parte, dedicada a la *Experience*, Blake trata de comprender la miseria, la pobreza, el vacío espiritual, la culpa y, en fin, las ruinas morales y sociales del universo humano.

La cita pertenece a uno de estos poemas que transcribimos:

«Londres»

Camino por las calles
junto a los privilegiados del Támesis,
y veo en todas las caras que observo
señales de debilidad, señales de dolor.

En cada grito de cada hombre,
en cada grito de los niños con miedo,
en cada voz, en cada prohibición,
oigo las cadenas del pensamiento.

Cómo se derrumban las iglesias oscuras
en cada lamento de un deshollinador,
y el suspiro del soldado amargado
corre como cae la sangre en los muros del palacio.

Pero lo que más se puede escuchar en las calles a medianoche
es cómo la maldición de la joven puta
adormece las lágrimas del recién nacido
y amenaza con mil plagas a la carroza fúnebre del matrimonio.

Estos durísimos versos nacen, desde luego, de una conciencia social y política, pero también de una rebeldía ante el dolor que necesariamente ha de sufrir el hombre. El dolor al menos tendría sentido si fuera un castigo divino; lo que ya no es soportable es el dolor que unos hombres infligen a otros en virtud de ideas sociales, políticas, morales, culturales o de cualquier otro tipo. Eso es algo que ningún individuo debería tolerar.

1864. Nunca el águila perdió más el tiempo que cuando se sometió a aprender del cuervo.
WILLIAM BLAKE *(1757-1827), poeta inglés.*

1865. El tonto no ve el mismo árbol que el sabio.
WILLIAM BLAKE *(1757-1827), poeta inglés.*

1866. El que se encadena a una alegría, destruye una vida libre; pero el que besa la alegría en su vuelo, vive el amanecer de la eternidad.
WILLIAM BLAKE *(1757-1827), poeta inglés.*

1867. **El chiste pierde toda su gracia cuando el chistoso se ríe de su propio chiste.**
JOHANN CHRISTOPH FRIEDRICH VON SCHILLER *(1759-1805), escritor alemán.*

1868. **Lo viejo se derrumba, los tiempos cambian y sobre las ruinas florece nueva vida.**
JOHANN CHRISTOPH FRIEDRICH VON SCHILLER *(1759-1805), escritor alemán.*

1869. **En un juego infantil se oculta a veces un sentido muy profundo.**
JOHANN CHRISTOPH FRIEDRICH VON SCHILLER *(1759-1805), escritor alemán.*

1870. **El reloj nunca da las horas para aquellos que son felices.**
JOHANN CHRISTOPH FRIEDRICH VON SCHILLER *(1759-1805), escritor alemán.*

1871. **Quien no teme a la muerte, ¿qué puede temer?**
JOHANN CHRISTOPH FRIEDRICH VON SCHILLER *(1759-1805), escritor alemán.*

1872. **Contra la estupidez, hasta los mismos dioses luchan en vano.**
JOHANN CHRISTOPH FRIEDRICH VON SCHILLER *(1759-1805), escritor alemán.*

1873. **El que socorre la pobreza, evitando a un infeliz la desesperación y los delitos, cumple con su obligación; no hace nada más.**
LEANDRO FERNÁNDEZ DE MORATÍN *(1760-1828), dramaturgo español.*

1874. **Cierto que es un dolor el ver rodeados de hijos a muchos que carecen de talento, de la experiencia y de la virtud que son necesarias para dirigir su educación.**
LEANDRO FERNÁNDEZ DE MORATÍN *(1760-1828), dramaturgo español.*

1875. **La banca y el faraón no necesitan estudio.**
LEANDRO FERNÁNDEZ DE MORATÍN *(1760-1828), dramaturgo español.*

1876. **Pensad que hasta para ser dichoso hay que acostumbrarse.**
ANDRÉ CHENIER *(1762-1794), militar y poeta francés.*

1877. **¿Qué es la felicidad sino el desarrollo de nuestras facultades?**
GERMAINE NECKER, MADAME DE STAËL *(1766-1817), escritora francesa.*

1878. **El vicio no es más que el sacrificio del porvenir al presente.**
JEAN BAPTISTE SAY *(1767-1832), economista francés.*

1879. **La verdadera felicidad cuesta poco; si es cara, no es de buena especie.**
RENÉ DE CHATEAUBRIAND *(1768-1848), escritor francés.*

Mundo interior

1880. Quien practica alguna virtud sólo con la esperanza de alcanzar así un gran nombre, está muy próximo al vicio.
NAPOLEÓN BONAPARTE *(1769-1821), emperador francés.*

1881. El infortunio es la comadrona del genio.
NAPOLEÓN BONAPARTE *(1769-1821), emperador francés.*

1882. Todos los hombres tienen la misma parte de felicidad.
NAPOLEÓN BONAPARTE *(1769-1821), emperador francés.*

1883. El hombre no se destaca en la vida
sino dominando un carácter o creándose uno.
NAPOLEÓN BONAPARTE *(1769-1821), emperador francés.*

1884. Es bueno abrir alguna vez las tumbas para conversar con los muertos.
NAPOLEÓN BONAPARTE *(1769-1821), emperador francés.*

1885. Es la misma lluvia la que en la tierra inculta hace crecer zarzas y espinas, y en los jardines, flores.
LUDWIG VAN BEETHOVEN *(1770-1827), compositor alemán.*

1886. Todo el que obra recta y noblemente puede, por ello mismo, sobrellevar el infortunio.
LUDWIG VAN BEETHOVEN *(1770-1827), compositor alemán.*

1887. ¡Oh, alegría! ¡Pensar que en nuestras cenizas hay algo que perdura!
WILLIAM WORDSWORTH *(1770-1850), poeta inglés.*

William Wordsworth nació en Cumberland, en el norte de Inglaterra, en la región denominada *Lake District* (Distrito de los Lagos). A estos lugares cercados de montañas y lagos volvería definitivamente años más tarde y a estos lugares debería su nombre una escuela poética: los *lakistas*. La naturaleza, o más bien el sentimiento de la naturaleza, impulsará primero a Wordsworth y Coleridge, y más tarde sus poemas serán referencia fundamental de los románticos ingleses (Byron o Keats, por ejemplo).

El reconocimiento público le llegó a Wordsworth con las *Baladas líricas*, publicadas en principio de forma anónima en Londres, en 1798. Fue un trabajo planificado y diseñado junto a Samuel Taylor Coleridge. Éste tenía previsto dedicar su esfuerzo a expresar poéticamente experiencias intelectuales, vinculadas en ocasiones a lo sobrenatural, o a ver en el mundo común las formas de sobrenaturalidad. Por su parte, Wordsworth intentaría un verso más cercano y más humano, centrado en los elementos cotidianos que inspiran sentimientos y emociones más tiernas, pero no menos intensas. En Wordsworth es esencial el sentimiento de la naturaleza, como se ha dicho, pero no tanto la naturaleza temible y gloriosa que inspiró con posterioridad a los románticos más acendrados, como una visión concreta y delicada de las flores, los campos, los árboles o la infancia. Uno de sus poemas más celebrados es «*The Thorn*» («El espino»), compuesto especialmente para las *Lyrical Ballads*. En él Wordsworth aprovecha la figura de esta planta para contar la desgraciada historia de Martha Ray. El poema comienza así:

Ahí está el espino; parece tan viejo
que en verdad sería difícil decir
cuándo podría haber sido joven;
tan viejo y gris parece.
No es más alto que un niño de dos años
y se levanta como un espino anciano;
no tiene hojas, ni yemas espinosas;
es una masa de nudos retorcidos,
una cosa triste y olvidada.
Se mantiene erguido, y como una piedra
está cubierto de líquenes.

La visión de una planta tan triste (y con tantas reminiscencias bíblicas) le sirve al poeta para encadenar la desesperada historia de una muchacha abandonada con una criatura en su seno. El dominio de la palabra y los símbolos contribuyen a crear una atmósfera melancólica y trágica, plena de misterio y de emociones intensas.

1888. El estudiante, vagando por el bosque para coger las alegres prímulas, se sobresalta al oír la voz nueva de la primavera e imita tu canción.

WILLIAM WORDSWORTH *(1770-1850), poeta inglés.*

1889. Sólo juzga bien quien sopesa y compara, y cuando pronuncia su sentencia más dura nunca abandona la caridad.

WILLIAM WORDSWORTH *(1770-1850), poeta inglés.*

1890. El mundo es demasiado para nosotros.

WILLIAM WORDSWORTH *(1770-1850), poeta inglés.*

Mundo interior

1891. **Se le han dado a los hombres algunos sentimientos que tienen menos de la tierra que del cielo.**
WALTER SCOTT *(1771-1832), escritor escocés.*

1892. **Al tímido y al indeciso todo le resulta imposible, porque así se lo parece.**
WALTER SCOTT *(1771-1832), escritor escocés.*

1893. **El hombre que dedica su vida al conocimiento se acostumbra a una clase de placeres que no pueden reprenderse.**
SYDNEY SMITH *(1771-1845), escritor y ensayista inglés.*

1894. **La debilidad del hombre consiste en estar siempre rodeado de apetitos.**
DANIEL ZSCHOKKE *(1771-1848), escritor alemán.*

1895. **La vida no debe ser una novela que se nos impone, sino una novela que inventamos.**
FRIEDRICH VON HARDENBERG, *NOVALIS (1772-1801), poeta alemán.*

1896. **La felicidad suprema consiste en saber que aquellos a quienes amamos son buenos y virtuosos.**
FRIEDRICH VON HARDENBERG, *NOVALIS (1772-1801), poeta alemán.*

1897. **En verdad, la filosofía no es sino nostalgia; el deseo de volver a casa.**
FRIEDRICH VON HARDENBERG, *NOVALIS (1772-1801), poeta alemán.*

1898. **Hay dos clases de paciencia: soportar serenamente los defectos y soportar serenamente los excesos.**
FRIEDRICH VON HARDENBERG, *NOVALIS (1772-1801), poeta alemán.*

1899. **No hay espíritu perfectamente conformado si le falta el sentido del humor.**
SAMUEL TAYLOR COLERIDGE *(1772-1834), poeta inglés.*

1900. **Aflicción sin dolor, vacía, oscura y lúgubre, aflicción adormecida, sofocada, sin pasión, que no encuentra desahogo natural ni alivio en las palabras, en el quejido ni en el llanto.**
SAMUEL TAYLOR COLERIDGE *(1772-1834), poeta inglés.*

1901. ¡Oh, somos criaturas caprichosas! Poco menos que todo puede hacernos felices; y poco más que nada es suficiente para estar descontentos.
SAMUEL TAYLOR COLERIDGE *(1772-1834), poeta inglés.*

1902. He aquí un buen criterio para medir al genio: observad si progresa o sólo da vueltas en torno a sí mismo.
SAMUEL TAYLOR COLERIDGE *(1772-1834), poeta inglés.*

1903. Para la mayoría de los hombres la experiencia es como las luces de popa de un barco, que iluminan sólo el camino que queda atrás.
SAMUEL TAYLOR COLERIDGE *(1772-1834), poeta inglés.*

1904. Tengo la firme convicción de que la causa última de todos los males en el mundo moral y natural es la agitación de la actividad intelectual.
SAMUEL TAYLOR COLERIDGE *(1772-1834), poeta inglés.*

1905. Hablamos poco, excepto cuando hablamos de nosotros mismos.
WILLIAM HAZLITT *(1773-1830), ensayista inglés.*

1906. El más pequeño dolor en nuestro meñique nos causa más preocupación e inquietud que la destrucción de millones de seres humanos.
WILLIAM HAZLITT *(1773-1830), ensayista inglés.*

1907. La gente sin educación es hipócrita.
WILLIAM HAZLITT *(1773-1830), ensayista inglés.*

1908. Los hombres inteligentes son las herramientas con las cuales trabajan los hombres malvados.
WILLIAM HAZLITT *(1773-1830), ensayista inglés.*

1909. Ningún lazo une tan fuertemente dos corazones como la compañía en el dolor.
ROBERT SOUTHEY *(1774-1843), escritor inglés.*

1910. Oscuro es el abismo del Tiempo pero se nos ha dado luz suficiente para guiar nuestros pasos.
ROBERT SOUTHEY *(1774-1843), escritor inglés.*

1911. Los vendidos no tienen amigos.
ROBERT SOUTHEY *(1774-1843), escritor inglés.*

Mundo interior

1912. **Cuando los sentimientos no están equivocados, aunque la conducta lo esté, quizá eso no sea muy importante.**
Jane Austen *(1775-1817), escritora inglesa.*

1913. **La mitad del mundo no puede comprender los placeres de la otra mitad.**
Jane Austen *(1775-1817), escritora inglesa.*

1914. **La juventud y la alegría de la mañana parecían corresponder a las de su espíritu...**
Jane Austen *(1775-1817), escritora inglesa.*

1915. **Pasó el delirio de la edad primera,**
y ya temo el placer, y cauto pido,
no la felicidad, sino el reposo.
Alberto Lista y Aragón *(1775-1848), escritor y ensayista español.*

1916. **Cuanto más felices somos, más pasivos somos respecto al mundo real.**
Friedrich Wilhelm von Schelling *(1775-1854), filósofo alemán.*

1917. **La filosofía debería buscar la verdad simplemente para lograr adquirir y difundir la felicidad.**
Walter Savage Landor *(1775-1864), escritor inglés.*

1918. **El presente, como una nota musical, nada significa sino en cuanto está ligado a lo pasado y a lo que ha de venir.**
Walter Savage Landor *(1775-1864), escritor inglés.*

1919. **La soledad es la sala de audiencias de Dios.**
Walter Savage Landor *(1775-1864), escritor inglés.*

1920. **Aquel a quien Dios aflige tiene a Dios consigo.**
Walter Savage Landor *(1775-1864), escritor inglés.*

1921. **El cómputo del tiempo, pasado y futuro, nunca interesa, nunca ocupa a los salvajes.**
Walter Savage Landor *(1775-1864), escritor inglés.*

1922. **Vivir en los corazones que dejamos atrás no es morir.**
Thomas Campbell *(1777-1844), poeta, biógrafo e historiador escocés.*

1923. **Soportar nuestro sino es vencerlo.**
Thomas Campbell *(1777-1844), poeta, biógrafo e historiador escocés.*

1924. Nosotros, para hacernos honorables en el mundo y para tranquilizar nuestra propia conciencia, confiamos más en los vicios ajenos que en nuestra propia virtud.

UGO FOSCOLO *(1778-1827), poeta italiano.*

El autor de las *Últimas cartas de Jacopo Ortis* (1799) ha sido considerado el primer romántico italiano. El romanticismo italiano tiene ciertas características que lo distinguen del movimiento en otros países: en primer lugar, su tono clasicista, especialmente en la poesía; y en segundo lugar, una dedicación especial al sentimiento patriótico (Garibaldi murió junto a un libro de Foscolo, *De los sepulcros*). La novela citada de Ugo Foscolo (léase «Fóscolo») hunde sus raíces en el *Werther* de Goethe, pero asume también las necesidades políticas del autor, aunque el desgraciado final es el mismo en el relato italiano y en el alemán. Los resultados del romanticismo también son idénticos, dado que la corriente ideológica se extendió por toda Europa tan deprisa como los ejércitos bonapartistas. Para los que entienden superficialmente el romanticismo, tanto los ingleses, como los alemanes, los españoles, los franceses y los italianos pecan de efectismo, de morbosidad, de idealismo infantil o de masoquismo; para quien comprende el movimiento romántico como una filosofía crítica y renovadora, los autores representan una individualidad sumida en el desconsuelo de verse en un universo que no son capaces de soportar. El romántico ama al hombre y sabe que el hombre puede llegar a ser casi un dios; pero su mundo social es tan despreciable que ahoga todas las posibilidades.

Ugo Foscolo expresaba así esta idea:

«No, yo no tengo el alma negra; tú lo sabes: cuando era joven habría derramado flores sobre todos los seres vivientes. ¿Quién? ¿Quién me ha hecho tan duro contra la mayor parte de los hombres, sino ellos mismos con su crueldad hipócrita?».

1925. Yo encuentro un no sé qué de malvado en el hombre feliz.

UGO FOSCOLO *(1778-1827), poeta italiano.*

1926. Los que nunca fueron desgraciados no son dignos de su felicidad.

UGO FOSCOLO *(1778-1827), poeta italiano.*

1927. El hombre no se da cuenta de lo que es capaz hasta que lo intenta, lo medita y lo desea.

UGO FOSCOLO *(1778-1827), poeta italiano.*

Mundo interior

1928. **Yo, señor juez, condenaría a todos los delincuentes; pero yo, hombre, ¡ah!, pienso en el horror en el que nace la primera idea del delito, en el hambre y en las pasiones que conducen a cometerlo, en las continuas angustias, en el remordimiento con que el hombre se sacia del fruto ensangrentado de la culpa, en la cárcel que el reo siempre tiene abierta para sepultarlo; y después, escapando de la justicia, paga su deuda con el deshonor y con la indigencia... ¿Debo abandonarlo entonces a la desesperación y a nuevos delitos?**
UGO FOSCOLO *(1778-1827), poeta italiano.*

1929. **El uso de las facultades que me concedió la naturaleza es el único placer que no depende de la ayuda o de la opinión ajena.**
UGO FOSCOLO *(1778-1827), poeta italiano.*

1930. **No hay principio de filosofía o de religión que no pueda ser aplicado santamente o inicuamente: todo depende del corazón, de la índole de nuestro corazón.**
UGO FOSCOLO *(1778-1827), poeta italiano.*

1931. **Tal vez la decrepitud la da el Cielo a aquellos que deseaban vivir mucho.**
UGO FOSCOLO *(1778-1827), poeta italiano.*

1932. **Tres fundamentos de la sabiduría: ver mucho, estudiar mucho, sufrir mucho.**
UGO FOSCOLO *(1778-1827), poeta italiano.*

1933. **Los hipócritas, como los letreros de los caminos, indican el camino que ellos mismos no siguen.**
THOMAS MOORE *(1779-1852), poeta irlandés.*

1934. **La felicidad se halla repartida mucho más equitativamente de lo que nos figuramos.**
CHARLES CALEB COLTON *(1780-1832), poeta inglés.*

1935. **El vicio nos atormenta aun en medio de nuestros placeres; la virtud, empero, nos conforta aun en medio de nuestras aflicciones.**
CHARLES CALEB COLTON *(1780-1832), poeta inglés.*

1936. **La dicha de la vida consiste en tener siempre algo que hacer, alguien a quien amar y alguna cosa que esperar.**
THOMAS CHALMERS *(1780-1842), teólogo inglés.*

1937. **El pasado es como una lámpara colocada a la entrada del porvenir.**
FÉLICITÉ ROBERT DE LAMENNAIS *(1782-1854), escritor francés.*

1938. **Esperamos que pueda suceder cualquier cosa,
y nunca estamos prevenidos para nada.**
SOPHIE SOYNONOV, MADAME DE SWETCHINE, *(1782-1857), escritora francesa.*

1939. **Siendo más desgraciados es como aprendemos a veces a serlo menos.**
SOPHIE SOYNONOV, MADAME DE SWETCHINE, *(1782-1857), escritora francesa.*

1940. **En el fondo, en la vida no hay más que lo que en ella metemos.**
SOPHIE SOYNONOV, MADAME DE SWETCHINE, *(1782-1857), escritora francesa.*

1941. **Hay algo que jamás alabamos en los muertos, y es la causa de todas las demás alabanzas que hacemos de ellos; el que estén muertos.**
HENRY BEYLE, *STENDHAL (1783-1842), escritor francés.*

1942. **Honro con el nombre de virtud el hábito de realizar acciones penosas y útiles a los demás.**
HENRY BEYLE, *STENDHAL (1783-1842), escritor francés.*

1943. **No existe nada que odien más los mediocres que la superioridad del talento.**
HENRY BEYLE, *STENDHAL (1783-1842), escritor francés.*

1944. **La soledad, si bien puede ser silenciosa como la luz, es, al igual que la luz, uno de los más poderosos agentes, pues la soledad es esencial al hombre. Todos los hombres vienen a este mundo solos y solos le abandonan.**
THOMAS DE QUINCEY *(1785-1859), escritor inglés.*

1945. **Hay personas que son desgraciadas por carecer de lo superfluo más que por faltarles lo necesario.**
P. G. PELET DE LA LOZERE *(1785-1871), político y escritor francés.*

1946. **El humorismo no es una facultad del espíritu sino del corazón.**
LÖB BARUCH, *LUDWIG BÖRNE (1786-1837), escritor y político alemán.*

1947. **Es dulce oír cómo ladra el perro fiel que está de guardia y nos da la bienvenida al acercarnos a nuestro hogar; es dulce saber que hay un ojo que nos verá y brillará más a nuestra llegada.**
GEORGE GORDON, *LORD BYRON (1788-1824), poeta inglés.*

1948. **El hombre, aunque sea razonable, debe emborracharse;
lo mejor de la vida es la embriaguez.**
GEORGE GORDON, *LORD BYRON (1788-1824), poeta inglés.*

Mundo interior

1949. El polvo que pisamos estuvo, una vez, vivo.

GEORGE GORDON, *LORD BYRON (1788-1824), poeta inglés.*

1950. La envidia hace muecas, no se ríe.

GEORGE GORDON, *LORD BYRON (1788-1824), poeta inglés.*

1951. Siempre se interpone algo entre nosotros y lo que creemos que es nuestra felicidad.

GEORGE GORDON, *LORD BYRON (1788-1824), poeta inglés.*

1952. El mejor profeta del futuro es el pasado.

GEORGE GORDON, *LORD BYRON (1788-1824), poeta inglés.*

1953. No hay pasión más ilusa y fanática que el odio.

GEORGE GORDON, *LORD BYRON (1788-1824), poeta inglés.*

1954. Nada es tan grande en la vida como el hombre, si éste es tan grande como su mente.

WILLIAM HAMILTON *(1788-1856), filósofo escocés.*

1955. El hombre no es nunca feliz, pero se pasa toda la vida corriendo en pos de algo que cree ha de hacerle feliz. Rara vez alcanza su objetivo, y cuando lo logra solamente consigue verse desilusionado.

ARTHUR SCHOPENHAUER *(1788-1860), filósofo alemán.*

Schopenhauer, filósofo y profesor en la universidad de Berlín (1820) que abandonó la enseñanza para vivir su retiro en Frankfurt (1931), es una de las figuras centrales de la filosofía moderna y su influencia llega hasta nuestros días. Se le considera el fundador del Nihilismo, corriente filosófica según la cual la existencia humana no tiene razón de ser: todo es para la nada. El recorrido del hombre en la vida es, para este filósofo, el siguiente: «Necesidad, miserias, quejas, dolor y muerte». Algunos historiadores de la filosofía consideran a Schopenhauer un pesimista. Otros se acercan más a la verdad cuando dicen que el filósofo alemán tenía una idea dolorosa y desesperada del universo: para él, el mundo era un pozo oscuro y negro, lleno de dolor y miseria, donde lo más que puede hacer el hombre es intentar mitigar o aplacar el dolor. Su obra más importante es *El mundo como voluntad y como representación*, de 1818. La tesis central de su pensamiento, que se refleja en la cita seleccionada, sugiere que la voluntad, los deseos del hombre, no sirven para mucho: una fuerza cósmica nos arrastra hacia la nada.

1956. **La estrechez de espíritu, la necedad y la locura de la mayor parte de los hombres, serían completamente inexplicables si la inteligencia, en vez de ser mero instrumento secundario y accesorio, fuese lo que supusieron los filósofos, es decir, la esencia íntima y primitiva de lo que llamamos alma, del hombre interior.**
ARTHUR SCHOPENHAUER *(1788-1860), filósofo alemán.*

1957. **La soledad es patrimonio de todas las almas extraordinarias.**
ARTHUR SCHOPENHAUER *(1788-1860), filósofo alemán.*

1958. **Una vez sorprendieron a Myson el misántropo riendo a solas. «¿Por qué te ríes –le preguntaron– si no hay nadie contigo?». «Justamente por eso», repuso.**
ARTHUR SCHOPENHAUER *(1788-1860), filósofo alemán.*

1959. **La vida es una guerra sin tregua y morimos con las armas en la mano.**
ARTHUR SCHOPENHAUER *(1788-1860), filósofo alemán.*

1960. **La modestia, en el hombre de talento, es cosa honesta; en los grandes genios no es más que hipocresía.**
ARTHUR SCHOPENHAUER *(1788-1860), filósofo alemán.*

1961. **No te aflijas si la vida no ha coronado todas tus esperanzas: piensa para consolarte que tampoco ha justificado tus temores.**
JOHANN RUCKERT *(1788-1866), escritor alemán.*

1962. **El secreto de la dicha reside más bien en darla que en esperarla.**
LOUSE M. NORMAND *(1789-1874), grabador francés.*

1963. **Después de su sangre, lo mejor que el hombre puede dar es una lágrima.**
ALPHONSE DE LAMARTINE *(1790-1869), historiador, político y poeta francés.*

1964. **La vida es un misterio y no un delirio.**
ALPHONSE DE LAMARTINE *(1790-1869), historiador, político y poeta francés.*

1965. **Lo que nosotros llamamos nuestros días más hermosos no son más que un relámpago brillante en una noche de tormenta.**
ALPHONSE DE LAMARTINE *(1790-1869), historiador, político y poeta francés.*

1966. **La dicha está donde la encuentras, muy rara vez donde la buscas.**
J. PETIT-SENN *(1790-1870), escritor suizo.*

Mundo interior

1967. Hay tres maneras de convertirse en un gran hombre: ser verdaderamente un hombre notable; ser un poco más que un hombre corriente y tener padrinos; ser un poco menos que un hombre corriente y tener audacia y suerte. De estas tres maneras se puede adquirir la celebridad, y no es seguro que la primera sea la más frecuente.

PAUL AUGUEZ *(1792-1864), moralista francés.*

1968. Los hombres de genio son fuerzas químicas etéreas que operan sobre la masa del intelecto neutral.

JOHN KEATS *(1795-1821), poeta inglés.*

1969. Vive con la Belleza –la Belleza que muere– y la Alegría, siempre con la mano en los labios para decir adiós.

JOHN KEATS *(1795-1821), poeta inglés.*

1970. La contemplación de uno mismo es infaliblemente el síntoma de una enfermedad.

THOMAS CARLYLE *(1795-1881), filósofo, crítico e historiador inglés.*

«Hemos olvidado absolutamente que el pago al contado no es la única relación entre los seres humanos», escribió Carlyle en su *Past and Present* (1843). Esta reivindicación del espíritu y de la moralidad humana resultaba entonces un tanto romántica y pasada de moda; pero Carlyle asumió desde sus primeras obras el deber filosófico de rebelarse contra un mundo que lo daba todo a las relaciones comerciales y a las necesidades de producción industrial. De otro lado, la segunda mitad del siglo XIX debilitaba el intelecto y el sentimiento: son los años de la explotación obrera, de las miserias de Dickens, de la contestación de Ruskin, de la respuesta anticomercial de Morris. Carlyle había aprendido de los filósofos alemanes la fuerza del espíritu humano y no podía aceptar la caída en la gris apatía intelectual a la que Europa se veía abocada. Carlyle exige entonces un esfuerzo para huir del hombre triste y miserable en el que parece convertirse: «Ponga el lector lo suyo de su parte, aplicando la máxima fuerza del intelecto especulativo que haya en él». Carlyle se convierte así en un agitador de conciencias. Así se configura en parte su poco valorado *Sartor resartus* (1833-1834), elaborado bajo una secuencia simbólica sobre las indumentarias y los vestidos humanos. En el pasaje seleccionado (III, 8) ataca una de las formas más radicales de inutilización espiritual: la costumbre.

«La costumbre nos convierte a todos en unos chochos. Piénsalo bien, y verás que la costumbre es la mayor de las tejedoras, y que teje indumentarias de aire para todos los espíritus del universo; así, ciertamente, éstos viven con nosotros visiblemente, como siervos ayudantes, en nuestras casas y talleres, pero su naturaleza espiritual permanece eternamente escondida para la mayoría. La filosofía se lamenta de que la costumbre nos haya tapado los ojos desde el principio; de que todo lo hagamos por costumbre, e incluso creemos arte por costumbre.»

También por costumbre se aceptan los vicios y las maldades, encubiertas en el traje de la hipocresía. Lo cotidiano, lo común, cuando es moralmente reprochable, no por ser habitual deja de ser despreciable. Pero, así como el hombre se acostumbra a todo, también acostumbra su vida al vicio y la estulticia, y considera estos defectos como parte de su existencia: primero los disculpa y luego los permite.

1971. **Mientras persista la hipocresía nada puede dar comienzo.**
THOMAS CARLYLE *(1795-1881), filósofo, crítico e historiador inglés.*

1972. **Una falsedad leve no es orden; es la suma total del desorden.**
THOMAS CARLYLE *(1795-1881), filósofo, crítico e historiador inglés.*

1973. **De ciento que pueden soportar la adversidad, apenas hay uno que pueda sobrellevar la prosperidad.**
THOMAS CARLYLE *(1795-1881), filósofo, crítico e historiador inglés.*

1974. **El día más pobre que pasa por nuestras vidas es la confluencia de dos eternidades; está formada por corrientes que fluyen desde el más remoto pasado y corren hacia el más remoto futuro.**
THOMAS CARLYLE *(1795-1881), filósofo, crítico e historiador inglés.*

1975. **La vida es un espectro que se mueve en un mundo de espectros.**
THOMAS CARLYLE *(1795-1881), filósofo, crítico e historiador inglés.*

1976. **La adversidad pesa a veces muy duramente; pero por un hombre que pueda resistir la prosperidad se encuentra un centenar que resistirá la desgracia.**
THOMAS CARLYLE *(1795-1881), filósofo, crítico e historiador inglés.*

1977. **La esencia del humorismo es la sensibilidad, una simpatía cálida y tierna hacia todas las formas de la existencia.**
THOMAS CARLYLE *(1795-1881), filósofo, crítico e historiador inglés.*

Mundo interior

1978. **La fe estriba en la lealtad a algún maestro inspirado, a algún héroe espiritual.**
THOMAS CARLYLE *(1795-1881), filósofo, crítico e historiador inglés.*

1979. **El primero de los dones de la Naturaleza es esa fuerza de la razón que nos eleva por encima de nuestras propias pasiones y flaquezas, y que nos permite gobernar nuestros deseos, nuestros talentos y nuestras virtudes.**
THOMAS CARLYLE *(1795-1881), filósofo, crítico e historiador inglés.*

1980. **La vanidad es la necedad del egoísmo y el orgullo la insolencia de la vanidad.**
CECILIA BÖHL DE FABER, *FERNÁN CABALLERO (1796-1877), escritora española.*

1981. **Si la fe no fuera la primera de las virtudes, sería siempre el mayor de los consuelos. Es ambas cosas.**
CECILIA BÖHL DE FABER, *FERNÁN CABALLERO (1796-1877), escritora española.*

1982. **El saber es algo; el genio es más; pero hacer el bien es más que ambos, y es la única superioridad que no crea envidiosos.**
CECILIA BÖHL DE FABER, *FERNÁN CABALLERO (1796-1877), escritora española.*

1983. **La superioridad es una carga, como lo es para el gigante su estatura; gozar de ella y disimularla con benevolencia y no con desdén, es la gran sabiduría.**
CECILIA BÖHL DE FABER, *FERNÁN CABALLERO (1796-1877), escritora española.*

1984. **Los necios son hombres sensatos en cuestión de mujeres.**
HENRY GEORGE BOHN *(1796-1884), editor inglés.*

1985. **El hombre sobrelleva el infortunio sin quejarse, y por eso le hace sufrir más.**
FRANZ SCHUBERT *(1797-1828), compositor austríaco.*

1986. **La única cosa esencial para los hombres es matar el tiempo. En esta vida donde cantamos la brevedad en todos los tonos, nuestro mayor enemigo es el tiempo, del que tenemos demasiado.**
ALFRED DE VIGNY *(1797-1863), escritor francés.*

1987. **Para la felicidad son menos nefastos los males que el aburrimiento.**
GIACOMO LEOPARDI *(1798-1837), poeta italiano.*

1988. **La felicidad está en la ignorancia de la verdad.**
GIACOMO LEOPARDI *(1798-1837), poeta italiano.*

1989. Todos los movimientos de nuestro espíritu tienen siempre su verdadero e inevitable origen en el egoísmo.

GIACOMO LEOPARDI *(1798-1837), poeta italiano.*

1990. El odio a nuestros semejantes es mayor con los más allegados.

GIACOMO LEOPARDI *(1798-1837), poeta italiano.*

1991. Ninguna señal más clara de ser poco filósofo o de ser poco sabio que vivir toda la vida sabia y filosóficamente.

GIACOMO LEOPARDI *(1798-1837), poeta italiano.*

1992. No hay cosa tan enemiga de la compasión como ver a un desventurado que no ha mejorado nada en la adversidad y que no ha aprendido nada de las lecciones de la desventura, maestra suprema de la vida.

GIACOMO LEOPARDI *(1798-1837), poeta italiano.*

1993. Los hombres se avergüenzan no de las injurias que hacen, sino de las que reciben.

GIACOMO LEOPARDI *(1798-1837), poeta italiano.*

1994. Arcano es todo, salvo nuestro dolor.

GIACOMO LEOPARDI *(1798-1837), poeta italiano.*

1995. La muerte no es un mal, porque libra al hombre de todos los males y, junto a los bienes, quita también los deseos. La vejez es el mal supremo: porque priva al hombre de todos los placeres dejándole los apetitos, y trae además todos los dolores.

GIACOMO LEOPARDI *(1798-1837), poeta italiano.*

1996. La Humanidad está compuesta por muchos más muertos que vivos.

AUGUSTE COMTE *(1798-1857), pensador francés.*

1997. Los muertos gobiernan a los vivos.

AUGUSTE COMTE *(1798-1857), pensador francés.*

1998. Lo esencial para ser feliz es mantener bien colmado el corazón, incluso de dolor. Sí; incluso de dolor, y aun del dolor más amargo.

AUGUSTE COMTE *(1798-1857), pensador francés.*

1999. Vivir para los demás no es solamente la ley del deber, es también la ley de la felicidad.

AUGUSTE COMTE *(1798-1857), escritor y filósofo francés.*

Mundo interior

2000. **Sin un corazón contento no hay bien que valga, así como con el corazón alegre no hay mal que pueda dañarnos en este mundo.**
MASSIMO D'AZEGLIO *(1798-1866), político y escritor italiano.*

2001. **Envejecer es quedarse solo.**
JEAN-BAPTISTE MARBEAU *(1798-1875), jurista francés.*

2002. **La virtud, en las mujeres, puede ser una cuestión de temperamento.**
HONORÉ DE BALZAC *(1799-1850), escritor francés.*

Balzac es considerado uno de los novelistas más importantes, junto a Stendhal, Flauvert y Zola, del siglo XIX en Francia. Empeñado en ser escritor y viviendo en la miseria, inició su carrera con lo que los eruditos llaman «pésimos novelones históricos». Gastaba lo que no tenía y se arruinaba en sus proyectos editoriales. Cambia de estilo literario, pero su vida continúa entre el despilfarro y los excesos: amantes, hijos perdidos y casamiento por dinero. «Quiero vivir con exceso», decía uno de sus personajes. Su hallazgo literario consistió en su nuevo modo de observar la sociedad en la que vivía. La obra de Balzac se muestra como un cuadro general de la vida francesa y de la vida parisina, en particular. Sus novelas, recogidas con el título general de *La comedia humana* (1842), son un reflejo crítico de una sociedad de la que él había gozado, pero de la que se distanciaba con el tiempo. En *Eugenia Grandet* o en *Papá Goriot*, Balzac ensaya de manera magistral lo que será el movimiento literario más productivo del siglo: el realismo.

2003. **Una mujer virtuosa tiene en su corazón una fibra más o una fibra menos que las demás mujeres, o es estúpida o sublime.**
HONORÉ DE BALZAC *(1799-1850), escritor francés.*

2004. **En todas las situaciones, las mujeres tienen más causas de dolor que cualquier hombre, y sufren más que ellos.**
HONORÉ DE BALZAC *(1799-1850), escritor francés.*

2005. **Las almas grandes siempre están dispuestas a hacer una virtud de una desgracia.**
HONORÉ DE BALZAC *(1799-1850), escritor francés.*

2006. **La desgracia crea en ciertas almas un vasto desierto, en que resuena la voz de Dios.**
HONORÉ DE BALZAC *(1799-1850), escritor francés.*

2007. **Un hombre superior acepta siempre los acontecimientos para conducirlos.**
HONORÉ DE BALZAC *(1799-1850), escritor francés.*

2008. **La virtud tal vez no sea más que la delicadeza del alma.**
HONORÉ DE BALZAC *(1799-1850), escritor francés.*

2009. **La gloria es un veneno que hay que tomar en pequeñas dosis.**
HONORÉ DE BALZAC *(1799-1850), escritor francés.*

2010. **El viejo es un hombre que ha cenado y mira a los demás cenar.**
HONORÉ DE BALZAC *(1799-1850), escritor francés.*

2011. **No te apures por tu desaparición, porque tú nunca has sido tú, que yo sepa. ¿Crees que será un gran cambio para ti morir de una vez?**
HONORÉ DE BALZAC *(1799-1850), escritor francés.*

2012. **Muchos buscan la felicidad como otros buscan el sombrero: lo llevan encima y no se dan cuenta.**
NIKOLAUS LENAU *(1802-1850), poeta austríaco.*

2013. **La desgracia ofrece al alma luces que la prosperidad no muestra.**
JEAN BAPTISTE HENRI LACORDAIRE *(1802-1861), escritor francés.*

2014. **Quien dice pasión, dice debilidad; quien dice virtud, dice fortaleza.**
JEAN BAPTISTE HENRI LACORDAIRE *(1802-1861), escritor francés.*

2015. **A medida que envejecemos, la naturaleza desciende y el espíritu se eleva.**
JEAN BAPTISTE HENRI LACORDAIRE *(1802-1861), escritor francés.*

2016. **Es inaudito lo que puede conseguirse con el tiempo, cuando se tiene la paciencia para esperar y no apresurarse.**
JEAN BAPTISTE HENRI LACORDAIRE *(1802-1861), escritor francés.*

2017. **El carácter es la energía sorda y constante de la voluntad.**
JEAN BAPTISTE HENRI LACORDAIRE *(1802-1861), escritor francés.*

2018. **La fe no sólo es una virtud: es el pórtico sagrado por donde pasan todas las virtudes.**
JEAN BAPTISTE HENRI LACORDAIRE *(1802-1861), escritor francés.*

2019. **El hombre al que el dolor no ha educado será siempre un niño.**
NICCOLÒ TOMMASEO *(1802-1874), político y pintor italiano.*

Mundo interior

2020. De todos los dientes del tiempo el que más trabaja es la pala del hombre.
VICTOR HUGO *(1802-1885), escritor francés.*

2021. La desgracia educa la inteligencia.
VICTOR HUGO *(1802-1885), escritor francés.*

2022. No hay malas hierbas ni hombres malos, tan sólo hay malos cultivadores.
VICTOR HUGO *(1802-1885), poeta y novelista francés.*

2023. Cuanto más pequeño es el corazón, más odio alberga.
VICTOR HUGO *(1802-1885), escritor francés.*

2024. ¡Es una cosa terrible la felicidad! ¡La encontramos y creemos que nos es suficiente! ¡Y una vez que creemos estar en posesión de este falso fin de nuestras vidas, la felicidad, olvidamos el verdadero fin: el deber!
VICTOR HUGO *(1802-1885), escritor francés.*

2025. La suerte es una cosa bien mezquina. Su falso parecido con el mérito engaña a los hombres.
VICTOR HUGO *(1802-1885), escritor francés.*

2026. La vida es un viaje, la idea es el itinerario.
VICTOR HUGO *(1802-1885), escritor francés.*

2027. La melancolía es la dicha de estar triste.
VICTOR HUGO *(1802-1885), escritor francés.*

2028. Para el héroe, para el soldado, para el hombre materialista, todo acaba bajo seis pies de tierra. Para el idealista ahí comienza todo.
VICTOR HUGO *(1802-1885), escritor francés.*

2029. Para toda clase de males hay dos remedios: el tiempo y el silencio.
ALEXANDRE DUMAS (PADRE) *(1803-1870), escritor francés.*

2030. Hablar de los propios males es ya un consuelo.
ALEXANDRE DUMAS (PADRE) *(1803-1870), escritor francés.*

2031. La vida es fascinante: sólo hay que mirarla a través de las gafas correctas.
ALEXANDRE DUMAS (PADRE) *(1803-1870), escritor francés.*

2032. ¡Aquel tiempo tan feliz en que éramos tan desgraciados!
ALEXANDRE DUMAS (PADRE) *(1803-1870), escritor francés.*

2033. El pensamiento tiene valor en proporción a lo que sea capaz de producir.
EDWARD GEORGE BULWER LYTTON *(1803-1873), escritor inglés.*

2034. Lo pasado, pasado. Hay un futuro para todos los hombres que se arrepienten y que tienen energía.
EDWARD GEORGE BULWER LYTTON *(1803-1873), escritor inglés.*

2035. Nunca yerra quien se sacrifica.
EDWARD GEORGE BULWER LYTTON *(1803-1873), escritor inglés.*

2036. Llenar nuestras horas: eso es la felicidad; llenar nuestras horas, y no dejar ni un resquicio por el que pueda entrar el arrepentimiento o la aprobación.
RALPH WALDO EMERSON *(1803-1882), escritor y político estadounidense.*

Los nombres de Lowell, Dickinson, Longfellow, Melville o Whitman están unidos al de Emerson, del cual se han recogido en este libro algunas de sus citas. Todos ellos eran escritores pertenecientes al *Club de los sábados* y colaboradores de la revista *The dial*, aunque unos y otros tomaron después caminos variopintos en géneros e intenciones.

Por lo que toca a Emerson, su poesía se ha definido frecuentemente como «trascendentalista»; ello se debe a una feliz confluencia de varias ideas y tendencias filosóficas, entre las cuales cabe destacar el idealismo de raigambre alemana, algunas tendencias y tópicos de la filosofía oriental, la ideología de la Iglesia unitaria estadounidense (fue hijo de un pastor unitario, y él mismo fue ordenado ministro unitario (1829) aunque terminó separándose de esta Iglesia (1832), e incluso el romanticismo de los *lakistas* ingleses. La consecuencia de esta mezcla es un optimismo individual, que se refleja fielmente en las citas seleccionadas, tanto como una exaltación del espíritu humano. «La mejor parte de cada hombre siente: ésta es mi música, esto soy yo mismo»; esta famosísima cita representa bien el optimismo de Emerson, su deseo de conocimiento interior y la necesidad de fundirse en una especie de misticismo panteísta.

De la primera parte de sus *Ensayos* (1841) interesa destacar aquí su estudio sobre la famosa *Self-Reliance*, o confianza en uno mismo, asunto en el que Emerson centró su filosofía: el hombre debe ser él mismo, para bien o para mal (B. Cellini), y debe tratar de evitar el conformismo. Y en este punto deben tenerse en cuenta los postulados de Carlyle, con el cual Emerson tuvo una fructífera relación –de hecho fue Emerson el único que tomó en serio la obra primera de Thomas Carlyle–. «El hombre es su propia estrella», dirá imperiosamente Emerson. De *Self-Reliance* extraemos también estas significativas palabras:

«Leí el otro día algunos versos escritos por un eminente pintor; resultaban originales y en absoluto convencionales. El alma siempre oye un consejo en cada verso y permite que cada objeto sea lo que debe ser. Los sentimientos que revelan tienen más valor que cualquier pensamiento que pudieran contener. Creer en el propio pensamiento, creer que lo que es verdad para uno en lo íntimo del corazón lo es también para el resto de los hombres, eso es el genio. Que hable tu convicción íntima, y ello se convertirá en sentimiento universal.»

Otros ensayos suyos versan sobre la amistad, el amor o el heroísmo, pero la crítica ha destacado, sobre todo, su trabajo *Oversoul*, traducido a veces como *El alma superior* y otras, más literalmente, como *Sobre-alma.* Aquí remite Emerson a la unidad superior de la que todos los hombres formamos parte, o más exactamente, la parte del hombre que, siendo de un carácter superior, forma parte de todos los hombres. Este espíritu divino, muy romántico, sólo puede ser concebido intuitivamente, pero es el que nos proporciona los sentimientos derivados de la virtud: amor, amistad, caridad, sabiduría, poder o belleza. Esa fuerza interior (*oversoul*) «es la fuente de todo nuestro desarrollo moral e intelectual».

2037. **La única recompensa de la virtud es la virtud.**
RALPH WALDO EMERSON *(1803-1882), escritor y político estadounidense.*

2038. **Los que viven para el futuro, siempre aparecerán como egoístas a los que viven para el momento.**
RALPH WALDO EMERSON *(1803-1882), escritor y político estadounidense.*

2039. **Carácter firme es aquel que puede pasar sin éxitos.**
RALPH WALDO EMERSON *(1803-1882), escritor y político estadounidense.*

2040. **Lo que llamamos carácter es una fuerza reservada que actúa directamente por presencia y sin medios. Puede concebirse como una fuerza indemostrable cuyos impulsos guían al hombre, pero cuyos consejos no se pueden comunicar a otro.**
RALPH WALDO EMERSON *(1803-1882), escritor y político estadounidense.*

2041. **El hombre ha de valer tanto que todas las circunstancias han de serle indiferentes.**
RALPH WALDO EMERSON *(1803-1882), escritor y político estadounidense.*

2042. **En este mundo, la felicidad, cuando llega, llega incidentalmente. Si la perseguimos, nunca la alcanzamos. En cambio, al perseguir otros objetos, puede ocurrir que nos encontremos con ella cuando menos lo esperábamos.**

NATHANIEL HAWTHORNE *(1804-1864), novelista estadounidense.*

2043. **La felicidad o la desgracia de la vejez no nacen más que de nuestra vida pasada.**

CHARLES A. SAINTE-BEUVE *(1804-1869), crítico y escritor francés.*

2044. **Cambio cada día; los años se suceden, mis gustos de antaño ya no son mis gustos de hoy; mis amistades cambian y se renuevan. Antes de la muerte final de este ser móvil que se llama con mi nombre, ¡cuántos hombres han muerto ya en mí!**

CHARLES A. SAINTE-BEUVE *(1804-1869), crítico y escritor francés.*

2045. **Cuando veáis a un hombre atacado ferozmente, con furia, por toda clase de gentes y por todos los medios, tened bien claro que ese hombre tiene algún valor.**

CHARLES A. SAINTE-BEUVE *(1804-1869), crítico y escritor francés.*

2046. **Tu primer deber es procurar tu propia felicidad. Siendo dichoso, harás también dichosos a los demás. El hombre dichoso no puede ver más que gente dichosa en torno suyo.**

LUDWIG FEUERBACH *(1804-1872), filósofo alemán.*

2047. **El que está alegre jamás ha consolado a nadie.**

EDUARD MÖRIKE *(1804-1875), poeta alemán.*

2048. **El espíritu busca, pero es el corazón el que encuentra.**

AURORE DUPIN, *GEORGE SAND (1804-1876), escritora francesa.*

2049. **El recuerdo de una amistad de colegio tiene cierta fuerza mágica: ablanda el corazón y hasta conmueve el sistema nervioso de los que no tienen corazón.**

BENJAMIN DISRAELI *(1804-1881), político y escritor inglés.*

2050. **Los desengaños de la edad madura suceden a las ilusiones de la juventud; esperemos que la herencia de la vejez no sea la desesperación.**

BENJAMIN DISRAELI *(1804-1881), político y escritor inglés.*

Mundo interior

2051. Todo llega si se sabe esperar.
BENJAMIN DISRAELI *(1804-1881), político y escritor inglés.*

2052. Ser consciente de que eres ignorante es un gran paso hacia el conocimiento.
BENJAMIN DISRAELI *(1804-1881), político y escritor inglés.*

2053. El pan más sabroso y la comodidad más agradable son los que se ganan con el propio sudor.
CESARE CANTÚ *(1804-1895), historiador italiano.*

2054. Cumplir con el deber vale más que el heroísmo.
CESARE CANTÚ *(1804-1895), historiador italiano.*

2055. Aquellos que creen en lo imposible son los más felices.
EUGÉNIE DE GUÉRIN *(1805-1848), escritora francesa.*

2056. Silencio, nada más, y no gemido,
lágrimas o suspiros yo demando,
en el instante lastimero cuando
descienda helado a la mansión de olvido.
ESTEBAN ECHEVARRÍA *(1805-1851), poeta argentino.*

2057. La vida de cada hombre es un cuento de hadas escrito por la mano del señor.
HANS CHRISTIAN ANDERSEN *(1805-1875), escritor danés.*

2058. La felicidad consiste las más de las veces en saberse engañar.
CARLO BINI *(1806-1842), escritor italiano.*

2059. Admiro aquella cabeza que lleva orgullosamente su desgracia, como un rey su corona.
CARLO BINI *(1806-1842), escritor italiano.*

2060. Sólo el dolor es el rey eterno de la tierra, y la suerte da con la diestra y arrebata con la siniestra.
CARLO BINI *(1806-1842), escritor italiano.*

2061. La duda, que de una parte es la tortura del intelecto, es, por otro lado, la madre de la ciencia y del derecho.
CARLO BINI *(1806-1842), escritor italiano.*

2062. Alumbra el día de mañana con el de hoy.
ELIZABETH BARRET BROWNING *(1806-1861), poetisa inglesa.*

2063. **Nunca, en verdad, vacilé en la convicción de que la felicidad es la prueba de toda regla de conducta y el fin de la vida.**
JOHN STUART MILL *(1806-1873), filósofo inglés.*

2064. **Sólo son felices –pienso– los que tienen su espíritu fijo sobre cualquier objeto que no sea el de su propia felicidad: en la felicidad de los otros, en el perfeccionamiento de la humanidad, o en cualquier arte o empresa...**
JOHN STUART MILL *(1806-1873), filósofo inglés.*

2065. **Los goces de la vida son suficientes para hacer de ella una cosa agradable cuando se toman un tanto a la ligera, sin hacer de ellos un fin principal.**
JOHN STUART MILL *(1806-1873), filósofo inglés.*

2066. **Preguntaos si sois felices y dejaréis de serlo.**
JOHN STUART MILL *(1806-1873), filósofo inglés.*

2067. **No cabe duda de que es posible pasarse sin la felicidad: así lo hacen involuntariamente las nueve décimas partes del género humano.**
JOHN STUART MILL *(1806-1873), filósofo inglés.*

2068. **Siempre verás que el vicio se labra por sus manos el suplicio.**
JUAN EUGENIO DE HARTZENBUSCH *(1806-1880), dramaturgo español.*

2069. **La desventura quiebra los vínculos del hombre con el hombre y con la vida y la virtud.**
JUAN EUGENIO HARTZENBUSCH *(1806-1880), escritor español.*

2070. **¡Seamos pacientes! Esas severas aflicciones no nacen de la tierra, sino que a menudo son bendiciones celestiales que toman esa oscura apariencia.**
HENRY WADSWORTH LONGFELLOW *(1807-1882), poeta estadounidense.*

2071. **Recuerdo los brillos y destellos que cruzaban el pensamiento de aquel colegial; la canción y el silencio en el corazón, que en parte son profecías y en parte son deseos salvajes y vanos.**
HENRY WADSWORTH LONGFELLOW *(1807-1882), poeta estadounidense.*

2072. **Las alturas alcanzadas y logradas por los grandes hombres no se consiguieron por un repentino vuelo; al contrario, mientras sus compañeros dormían, fueron elevándose lentamente durante la noche.**
HENRY WADSWORTH LONGFELLOW *(1807-1882), poeta estadounidense.*

Mundo interior

2073. ¡Qué extraño resulta, cuando ha pasado toda la vida y todo el amor, seguir viviendo!

JOHN GREENLEAF WHITTIER *(1807-1892), poeta estadounidense.*

2074. Que haya un cadáver más, ¿qué importa al mundo?

JOSÉ DE ESPRONCEDA *(1808-1842), poeta español.*

La muerte de Teresa Mancha, amante del poeta, acaecida en 1839, inspiró este verso final del «Canto a Teresa», el cual formaba parte de un extenso plan poético que Espronceda llamó *El diablo mundo* y que quedó finalmente inconcluso. El canto segundo de este gran proyecto es la elegía por la muerte de su amada y constituye más un «desahogo del corazón» que una continuación del peregrinaje espiritual que se había propuesto el vate revolucionario. Acaso por apartarse de sus intenciones iniciales o tal vez porque constituya lo mejor de la última etapa de Espronceda, el «Canto a Teresa» suele reproducirse aisladamente. El poema al que nos referimos comienza así:

¿Por qué volvéis a la memoria mía,
tristes recuerdos del placer perdido,
a aumentar la ansiedad y la agonía
de este desierto corazón herido?

El recuerdo de los bienes pasados da principio a la elegía: sobre todo es interesante cómo el clásico espíritu romántico («Yo amaba todo: un noble sentimiento / exaltaba mi ánimo...») va girando progresivamente al cinismo y la desesperación. La muerte, asoladora y destructora, provoca en el espíritu del poeta un sentimiento de repugnancia que apenas se puede contener: ¿cómo podría entenderse que una mujer hermosa, pura, limpia, se transforme en un amasijo inerte de huesos, nervios y carne putrefacta? Espronceda lo expresa mediante la metáfora del arroyo claro convertido en sucia ciénaga:

Tú fuiste un tiempo un cristalino río,
manantial de purísima limpieza;
después torrente de color sombrío,
rompiendo entre peñascos y maleza,
y estanque en fin de aguas corrompidas,
entre fétido fango detenidas.

Poco habrá que añadir para quien pueda entender el sentir romántico: así el mundo muestra cómo todo es vanidad, cómo todas las bellezas se marchitan, cómo el tiempo pasa inexorable dejando una huella de desesperación. Más vale reír con el mundo: tal será una buena muestra de desprecio. Espronceda concluye así:

Brilla radiante el sol, la primavera
los campos pinta en la estación florida:
truéquese en risa mi dolor profundo...
Que haya un cadáver más, ¡qué importa al mundo!

2075. **¿Por qué volvéis a la memoria mía,**
tristes recuerdos del placer perdido...?
José de Espronceda *(1808-1842), poeta español.*

2076. **La felicidad se compone de infortunios evitados.**
Alphonse Karr *(1808-1890), novelista francés.*

2077. **Muchos creen que la virtud consiste en ser severo con los demás.**
Alphonse Karr *(1808-1890), escritor francés.*

2078. **¿Qué recuerdo queda de los hombres?**
Una hora de trabajo del marmolista.
Alphonse Karr *(1808-1890), escritor francés.*

2079. **Muchas cosas me admiran en este mundo: esto prueba que mi alma debe pertenecer a la clase vulgar, al justo medio de las almas; sólo a las muy superiores, o a las muy estúpidas, les es dado no admirarse de nada.**
Mariano José de Larra *(1809-1837), escritor y periodista español.*

2080. **La felicidad no está en la ciencia, sino en la adquisición de la ciencia.**
Edgar Allan Poe *(1809-1849), escritor estadounidense.*

2081. **La vida real del hombre es feliz principalmente**
porque siempre está esperando que ha de serlo pronto.
Edgar Allan Poe *(1809-1849), escritor estadounidense.*

2082. **Después de leer todo lo que se ha escrito y después de pensar todo cuanto puede pensarse sobre Dios y el alma, el hombre que pueda decir que piensa se encontrará frente a la conclusión de que, en estas cuestiones, el pensamiento más profundo es el que menos fácilmente puede distinguirse del sentimiento más superficial.**
Edgar Allan Poe *(1809-1849), escritor estadounidense.*

Mundo interior

2083. **En el mundo hay algunos tales que, incapaces de elevarse un poquito, tratan de ensalzarse sobre las ruinas de los demás.**
GIUSEPPE GIUSTI *(1809-1850), poeta satírico italiano.*

2084. **Si yo no puedo ser feliz, quiero consagrar toda mi vida a la felicidad de mis semejantes.**
NICOLAI VASILIEVICH GOGOL *(1809-1852), novelista ruso.*

2085. **A menudo, el orgullo fiero de un hombre se parece a los cascabeles del bufón.**
ALFRED TENNYSON *(1809-1892), poeta inglés.*

2086. **El conocimiento viene, pero la sabiduría se demora.**
ALFRED TENNYSON *(1809-1892), poeta inglés.*

2087. **Hay más fe en una honrada duda, creedme, que en la mitad de las creencias.**
ALFRED TENNYSON *(1809-1892), poeta inglés.*

2088. **Tener setenta años jóvenes es a veces más agradable y esperanzador que ser un viejo de cuarenta años.**
OLIVER WENDELL HOLMES *(1809-1894), escritor estadounidense.*

2089. **Es propio del conocimiento el hablar, y es privilegio de la sabiduría el atender.**
OLIVER WENDELL HOLMES *(1809-1894), escritor estadounidense.*

2090. **Me convencí de que dudar de todo es carecer de lo más preciso de la razón humana: el sentido común.**
JAIME BALMES *(1810-1848), filósofo español.*

2091. **La generalidad de los hombres desciende al sepulcro sin haberse conocido a sí mismos, sino también sin haberlo intentado.**
JAIME BALMES *(1810-1848), filósofo español.*

2092. **El pensar bien no interesa solamente a los filósofos, sino a las personas más sencillas.**
JAIME BALMES *(1810-1848), filósofo español.*

2093. **El pensamiento bien consiste o en conocer la verdad o en dirigir al entendimiento por el camino que conduce hacia ella.**
JAIME BALMES *(1810-1848), filósofo español.*

2094. **En el vestíbulo mismo del templo de la filosofía encontrarás la duda y el escepticismo.**
JAIME BALMES *(1810-1848), filósofo español.*

2095. **La virtud nos enseña el camino que debemos seguir, mas no se encarga de descubrirnos todos los lazos que en él podemos encontrar.**
JAIME BALMES *(1810-1848), filósofo español.*

2096. **En el ejercicio de la virtud están armonizadas todas las facultades del hombre.**
JAIME BALMES *(1810-1848), filósofo español.*

2097. **La pereza, es decir, la pasión de la inacción, tiene, para triunfar, una ventaja sobre las demás pasiones, y es que no exige nada.**
JAIME BALMES *(1810-1848), filósofo español.*

2098. **La tierra que despierta un corazón humano al sentimiento podría ser el centro de ambos mundos: cielo e infierno.**
EMILY BRONTË *(1810-1848), escritora inglesa.*

Para los lectores de *Wuthering Heigts* el apellido Brontë está unido a una de las historias más famosas y románticas jamás escritas, pero también a una novela que sin duda merece algo más que hallarse inscrita en el catálogo de «literatura femenina». En efecto, *Cumbres borrascosas* (así se ha traducido en castellano desde su publicación en España, en 1921) es un relato sorprendente y apasionante en todos sus extremos. Aún no contaba Emily Brontë los treinta años de edad cuando redactó esta soberbia novela, pero la soledad, los parajes sórdidos de Haworth, una compleja existencia interior y una trágica historia familiar representan una experiencia suficiente para dejar en sus párrafos la historia más feroz y delicada contada hasta entonces. No entorpecemos la lectura de esta obra si reproducimos su última frase, tan reveladora y sugerente: «Me admiró que alguien pudiera atribuir inquietos sueños a los que duermen en tumbas tan apacibles». Acaso la prodigiosa autora de *Cumbres borrascosas* no se revelara sino como una tumba apacible en la cual se agita, inquieto, un espíritu tan hermoso y apasionado que apenas puede contenerse en el reducido espacio de un ataúd: un cuerpo.

El romanticismo literario surgido en Inglaterra llega a la cumbre, desde luego, con Scott, Byron o Keats, entre otros; pero cuán injusta ha sido la historia literaria desdeñando a Emily Brontë, a Mary Shelley o a Jane

Austen. El público, sin embargo, ha reconocido su mérito: las versiones cinematográficas de *Cumbres borrascosas* se cuentan por decenas, y el nombre de Heatcliff aún sugiere terror y compasión. De Mary Shelley, la horrorosa historia de Victor Frankenstein es, sin duda, una de las grandes novelas de la literatura universal: moderna, filosófica y apasionadamente romántica. De Jane Austen puede leerse todo sin temor a la desilusión, aunque los lectores siempre han preferido *Emma* y *Mansfield Park*. Más que cualquiera de sus colegas varones, estas escritoras ponen en escena un gran abanico de sentimientos, elaborados en todos sus distintos matices, vueltas y revueltas. De la violencia de Brontë a la insoportable tensión de Austen, pasando por las amarguras interiores de Mary Shelley, las obras de estas mujeres han dejado un recuerdo imborrable en millones de lectores que se han dejado arrastrar por la pasión; tal vez su huella ha representado mucho más que la que han dejado algunos nombres que apenas han sido leídos pero que aparecen más frecuentemente en los sesudos compendios literarios, quizás únicamente por una cierta inercia histórica en la selección.

2099. Es inútil volver sobre lo que ha sido y no es ya.
FRÉDÉRIC CHOPIN *(1810-1849), compositor polaco.*

2100. El humorismo permite ver, a quien lo tiene, cosas que los demás no perciben.
MAX HAUSHOFER *(1811-1866), pintor y escritor inglés.*

2101. El día más triste de todos es el de hoy.
PIERRE JULES THÉOPHILE GAUTIER *(1811-1872), poeta y novelista francés.*

2102. Nacer no es sólo comenzar a morir.
PIERRE JULES THÉOPHILE GAUTIER *(1811-1872), poeta y novelista francés.*

2103. Las herramientas melladas se pueden usar allí donde las herramientas no sirven.
CHARLES DICKENS *(1812-1870), escritor inglés.*

2104. Lo que ennoblece al hombre no es un acto, sino un deseo.
ROBERT BROWNING *(1812-1889), poeta inglés.*

2105. Cuando la lucha del hombre empieza dentro de sí, ese hombre vale algo.
ROBERT BROWNING *(1812-1889), poeta inglés.*

2106. **Las gentes virtuosas desacreditan a la virtud.**
CHRISTIAN FRIEDRICH HEBBEL *(1813-1863), escritor alemán.*

2107. **Nuestras virtudes son a menudo hijas bastardas de nuestros vicios.**
CHRISTIAN FRIEDRICH HEBBEL *(1813-1863), escritor alemán.*

2108. **A más de uno que dice que la vida es breve**
le parece el día demasiado largo.
CHRISTIAN FRIEDRICH HEBBEL *(1813-1863), escritor alemán.*

2109. **Nunca he encontrado un compañero que hiciera tanta compañía como la soledad.**
HENRY DAVID THOREAU *(1817-1862), escritor estadounidense.*

2110. **Ya tanto tu virtud exteriorizas,**
que, a fuerza de pudor, escandalizas.
RAMÓN DE CAMPOAMOR *(1817-1901), poeta español.*

2111. **Quien nunca tuvo una almohada no la echa de menos.**
MARY ANN EVANS, *GEORGE ELIOT (1819-1880), escritora inglesa.*

2112. **Un asno puede rebuznar cuanto quiera, pero no hará temblar a las estrellas.**
MARY ANN EVANS, *GEORGE ELIOT (1819-1880), escritora inglesa.*

2113. **Aquel hombre era como un gallo, que creía que el sol**
se había levantado en el cielo para oírlo cantar.
MARY ANN EVANS, *GEORGE ELIOT (1819-1880), escritora inglesa.*

2114. **Nadie está graduado en el arte de la vida mientras no haya sido tentado.**
MARY ANN EVANS, *GEORGE ELIOT (1819-1880), escritora inglesa.*

2115. **La mano que mece la cuna es la mano que gobierna el mundo.**
WILLIAM ROSS WALLACE *(1819-1881), poeta estadounidense.*

2116. **Yo muero con los moribundos, y vengo al mundo con los niños recién nacidos; no estoy limitado entre mi sombrero y mis zapatos.**
WALT WHITMAN *(1819-1892), poeta estadounidense.*

2117. **El que tiene la verdad en su corazón nunca teme**
que su lengua carezca de persuasión.
JOHN RUSKIN *(1819-1900), sociólogo inglés.*

2118. **De la rivalidad no puede salir nada hermoso; y del orgullo, nada noble.**
JOHN RUSKIN *(1819-1900), sociólogo inglés.*

Mundo interior

2119. **El llanto es, a veces, el modo de expresar las cosas que no pueden decirse con palabras.**
CONCEPCIÓN ARENAL *(1820-1893), escritora española.*

2120. **El hombre que se levanta aún es más grande que el que no ha caído.**
CONCEPCIÓN ARENAL *(1820-1893), escritora española.*

2121. **Las virtudes son hermanas que se abrazan estrechamente; cuando una cae, todas vacilan; cuando una se levanta, todas cobran ánimo.**
CONCEPCIÓN ARENAL *(1820-1893), escritora española.*

2122. **Hay gran diferencia entre impresionarse con los males de nuestros hermanos y afligirse. Para lo primero basta imaginación, y se necesita corazón para lo segundo.**
CONCEPCIÓN ARENAL *(1820-1893), escritora española.*

2123. **Hacer bien a los que nos inspiran simpatía es un goce: la virtud consiste en favorecer a los que no nos la inspiran.**
CONCEPCIÓN ARENAL *(1820-1893), escritora española.*

2124. **La virtud purifica los lugares que visita, lejos de mancharse en ellos.**
CONCEPCIÓN ARENAL *(1820-1893), escritora española.*

2125. **Dando el reloj la media noche**
irónicamente nos incita
a recordar qué uso
hicimos del día que se fue.
CHARLES BAUDELAIRE *(1821-1867), poeta francés.*

2126. **La vida es un hospital en el que cada enfermo quiere cambiar de lecho.**
CHARLES BAUDELAIRE *(1821-1867), poeta francés.*

2127. **La vida debe ser una continua educación.**
GUSTAVE FLAUBERT *(1821-1880), escritor francés.*

2128. **La felicidad es una cosa monstruosa. Quienes la buscan encuentran su castigo.**
GUSTAVE FLAUVERT *(1821-1880), escritor francés.*

2129. **Tres condiciones se requieren para llegar a ser felices: ser imbécil, ser egoísta y gozar de buena salud; pero bien entendido que si os falta la primera condición todo está perdido.**
GUSTAVE FLAUVERT *(1821-1880), escritor francés.*

2130. **Nada importa el futuro cuando uno está en paz con su conciencia y tiene su espíritu reconciliado y en orden. Sé lo que debes; lo restante, sólo a Dios atañe.**
HENRI-FRÉDÉRIC AMIEL *(1821-1881), filósofo suizo.*

2131. **El hombre se eleva por la inteligencia, pero no es hombre más que por el corazón.**
HENRI-FRÉDÉRIC AMIEL *(1821-1881), filósofo suizo.*

2132. **El deber es ser útil; no como se quiera, sino como se pueda.**
HENRI-FRÉDÉRIC AMIEL *(1821-1881), filósofo suizo.*

2133. **¡Qué difícil es vivir, oh fatigado corazón mío!**
HENRI-FRÉDÉRIC AMIEL *(1821-1881), filósofo suizo.*

2134. **Cuando la vida deja de presentarse como una promesa, no por eso deja de ser todavía una tarea.**
HENRI-FRÉDÉRIC AMIEL *(1821-1881), filósofo suizo.*

2135. **La vida es un aprendizaje de renunciamiento progresivo, de continua limitación de nuestras pretensiones, de nuestras esperanzas, de nuestras fuerzas, de nuestra libertad.**
HENRI-FRÉDÉRIC AMIEL *(1821-1881), filósofo suizo.*

2136. **La vida es un tejido de costumbres. Pero no es un error invocar la costumbre como defensa de nuestra conducta, pues casi siempre la costumbre se apoya en alguna buena razón.**
HENRI-FRÉDÉRIC AMIEL *(1821-1881), filósofo suizo.*

2137. **El hombre debe pasar su felicidad mediante el sufrimiento: es la ley de la tierra.**
MIJAILOVICH FIODOR DOSTOIEVSKI *(1821-1881), escritor ruso.*

2138. **Los golpes de la adversidad son muy amargos, pero nunca estériles.**
JOSEPH ERNEST RENAN *(1823-1892), filósofo e historiador francés.*

2139. **Sólo hay una manera de encontrar la vida dichosa, y es buscando el bien y la verdad. Para estar contento de la vida hay que hacer buen uso de ella.**
JOSEPH ERNEST RENAN *(1823-1892), filósofo e historiador francés.*

Mundo interior

2140. **Todo termina para que todo vuelva a empezar, todo muere para que todo reviva.**
JEAN HENRI CASIMIR FABRE *(1823-1915), entomólogo y escritor francés.*

2141. **La vida es una escuela de probabilidades.**
WALTER BAGEHOT *(1826-1877), economista, periodista y crítico literario inglés.*

2142. **Los pesimistas achican y entristecen la vida, pero no la corrompen.**
ANTONIO CÁNOVAS DEL CASTILLO *(1828-1897), político español.*

2143. **El hombre más fuerte es el que más resiste la soledad.**
HENRIK IBSEN *(1828-1906), dramaturgo noruego.*

2144. **¿Cuál es el primer deber del hombre? La respuesta es muy breve: ser uno mismo.**
HENRIK IBSEN *(1828-1906), dramaturgo noruego.*

2145. **El secreto de la felicidad no está en hacer siempre lo que se quiere, sino en querer siempre lo que se hace.**
LEV NIKOLAEVICH TOLSTOI *(1828-1910), escritor ruso.*

Un poeta moderno cantaba, en términos parecidos: «Uno no siempre hace lo que quiere, pero tiene el derecho a no hacer lo que no quiere». El conde Liev Nikolaievich Tolstoi, de origen noble y acaudalado, concentró en su persona la terrible lucha entre su buena posición social y las primeras ideas liberadoras del pueblo oprimido. Este enfrentamiento entre dos ideas contrarias se resolvió a favor del hombre, en sentido abstracto: más importante que la regeneración social y política, lo imprescindible es una regeneración moral. A caballo entre sus preocupaciones como señor terrateniente y sus proyectos políticos, Tolstoi inicia la redacción de su opera magna: *Guerra y Paz*, publicada entre 1863 y 1869. *Guerra y Paz* es un monumental cuadro de la Rusia invadida por las tropas de Napoleón. Los amores, la política, la guerra, la necedad nobiliaria, el dolor, lo absurdo del enfrentamiento bélico... todo está en la novela, hombres y mujeres concretos arrastrados por la turbulencia y la locura de la guerra. Otras obras importantes de Tolstoi son *Ana Karenina* (1877) y un relato estremecedor: *La muerte de Ivan Illich* (1886).

Las citas seleccionadas de este autor muestran esa tendencia a comprender al individuo en su ámbito concreto, a saber que las pasiones individuales son únicas, y a entender que la vida es una cuestión de fe.

2146. **Todas las felicidades se parecen, pero cada desgracia tiene una fisonomía especial.**

LEV NIKOLAEVICH TOLSTOI *(1828-1910), escritor ruso.*

2147. **No hay más que una manera de ser feliz: vivir para los demás.**

LEV NIKOLAEVICH TOLSTOI *(1828-1910), escritor ruso.*

2148. **La ambición no se hermana bien con la bondad, sino con el orgullo, la astucia y la crueldad.**

LEV NIKOLAEVICH TOLSTOI *(1828-1910), escritor ruso.*

2149. **¿Qué edad hay mejor que aquella en que las dos mejores virtudes, la alegría inocente y la necesidad de amar, eran las dos ruedas de la vida?**

LEV NIKOLAEVICH TOLSTOI *(1828-1910), escritor ruso.*

2150. **Los malos parecen siempre muchos por el ruido que hacen.**

MANUEL TAMAYO Y BAUS *(1829-1898), poeta y dramaturgo español.*

2151. **Los malvados se burlan en público de los hombres de bien, y en secreto los respetan y envidian.**

MANUEL TAMAYO Y BAUS *(1829-1898), poeta y dramaturgo español.*

2152. **Te he llamado vil y cobarde; eres otra cosa peor todavía: ¡eres envidioso!**

MANUEL TAMAYO Y BAUS *(1829-1898), poeta y dramaturgo español.*

2153. **¡Ay del hombre que cause envidia y no logre al mismo tiempo causar temor!**

MANUEL TAMAYO Y BAUS *(1829-1898), poeta y dramaturgo español.*

2154. **El día en que las desgracias hayan aprendido el camino de tu casa, múdate.**

JUAN MANUEL PALACIO *(1831-1906), poeta español.*

2155. **El humorismo es un chaleco salvavidas en la corriente de la existencia.**

WILHELM RAABE, *JAKOB CORVINUS (1831-1910), escritor alemán.*

2156. **El mundo es para el hombre una tienda de campaña levantada un instante para albergarle un día.**

EMILIO CASTELAR *(1832-1899), político español.*

Mundo interior

2157. **Si la vejez no trajera consigo la placidez del vivir, ¿qué premio fuera suficiente a consolarnos de la juventud y de la vida gastada en luchas y desvelos? El mayor desconsuelo es contemplar cómo los años huyen sin que la tranquilidad llegue.**
José Echegaray *(1832-1916), escritor español.*

2158. **La memoria es el faro que nos guía**
por el humano mar embravecido,
desde la cuna hasta la tumba fría.
Gaspar Núñez de Arce *(1834-1903), político y poeta español.*

2159. **Desgraciada del alma que sin tino**
en alas del error su vuelo encumbra.
Gaspar Núñez de Arce *(1834-1903), político y poeta español.*

2160. **Nunca la ruin bajeza ha merecido**
censura eterna, sino eterno olvido.
Gaspar Núñez de Arce *(1834-1903), político y poeta español.*

2161. **Sepan que olvidar lo malo**
también es tener memoria.
José Hernández *(1834-1886), poeta argentino.*

2162. **Los jóvenes poseen el don de olvidar, de la misma manera que los viejos tienen el de recordar.**
Édouard Pailleron *(1834-1899), dramaturgo francés.*

2163. **La única felicidad que se tiene proviene de la felicidad que hemos procurado.**
Edouard Pailleron *(1834-1899), comediógrafo francés.*

2164. **Hay muchas buenas protecciones contra la tentación, pero la más segura es la cobardía.**
Samuel Langhorne Clemens, *Mark Twain (1835-1910), escritor estadounidense.*

2165. **La soledad es el imperio de la conciencia.**
Gustavo Adolfo Bécquer *(1836-1870), poeta español.*

2166. **¡Dios mío, qué solos**
se quedan los muertos!
Gustavo Adolfo Bécquer *(1836-1870), poeta español.*

2167. **Es más fuerte, si es vieja,**
la verde encina;
más bello el sol parece
cuando declina;
y esto se infiere porque ama uno la vida
cuando se muere.

ROSALÍA DE CASTRO *(1837-1885), poetisa española.*

2168. **Hasta cuando está justificada, la felicidad es un privilegio.**

EDMOND THIAUDIÈRE *(1837-1898), filósofo y escritor francés.*

2169. **Los más desgraciados no son nunca los más rebeldes.**

HUGHES-BERNARD MARET *(1837-1917), político y escritor francés.*

2170. **Nadie puede remontarse más allá de los límites de su propio carácter.**

JOHN MORLEY, VIZCONDE DE BLACKBURN *(1838-1923), político y crítico literario inglés.*

2171. **El joven busca la felicidad en lo imprevisto; el anciano, en el hábito.**

PIERRE COURTY *(1840-1892), poeta y periodista francés.*

2172. **El odio es la cólera de los débiles.**

ALPHONSE DAUDET *(1840-1897), escritor francés.*

2173. **El odio es santo. Es la indignación de los corazones fuertes y paternos, el desdén militante de aquellos a quienes la medianía y la necesidad enojan. Odiar es amar, es tener el alma ardiente y generosa, es vivir holgadamente, despreciando las cosas estúpidas y vergonzosas.**

ÉMILE ZOLA *(1840-1902), novelista francés.*

2174. **El humorismo revela el lado serio de las cosas tontas**
y el lado tonto de las cosas serias.

ALBERTO CANTONI *(1841-1904), novelista italiano.*

2175. **El hombre medio sólo desarrolla un diez por ciento de sus posibilidades mentales latentes.**

WILLIAM JAMES *(1842-1910), filósofo estadounidense.*

2176. **La vida consiste no en tener buenas cartas,**
sino en jugar bien las que uno tiene.

JOSH BILLINGS *(1842-1914), humorista estadounidense.*

Mundo interior

2177. **Cansado de vivir con miedo a la muerte,**
mi alma está dispuesta a todos los naufragios,
como un esquife, juguete de la mar.

PAUL VERLAINE *(1844-1896), poeta francés.*

2178. **Nadie agradece al hombre espiritual su urbanidad cuando se pone al nivel de una sociedad en que no es cortés mostrar ingenio.**

FRIEDRICH NIETZSCHE *(1844-1900), filósofo alemán.*

2179. **No se odia mientras se menosprecia.**
No se odia más que al igual o al superior.

FRIEDRICH NIETZSCHE *(1844-1900), filósofo alemán.*

2180. **No es la fuerza, sino la perseverancia de los sentimientos elevados la que hace a los hombres superiores.**

FRIEDRICH NIETZSCHE *(1844-1900), filósofo alemán.*

2181. **No es la experiencia de hoy lo que vuelve loco al hombre.**
Es el remordimiento de lo que sucedió ayer y el temor de
lo que el mañana nos puede deparar.

ROBERT JONES BURDETTE *(1844-1914) humorista estadounidense.*

2182. **Nunca un hombre hace feliz a otro. La felicidad es un manantial interior. Los hombres que se han ocupado de la felicidad de los otros han hecho desgraciados a los que han tenido al alcance. Lo mejor que podemos esperar de un apóstol o de un héroe es que no se dé cuenta de nosotros y nos pase por alto.**

FRANÇOIS-ANATOLE THIBAULT, *ANATOLE FRANCE (1844-1924), escritor francés.*

2183. **La vida nos enseña que no podemos ser felices**
sino al precio de cierta ignorancia.

FRANÇOIS-ANATOLE THIBAULT, *ANATOLE FRANCE (1844-1924), escritor francés.*

2184. **Es preciso matar el tiempo, y bien mirado**
ésta es la única ocupación de nuestra vida.

FRANÇOIS-ANATOLE THIBAULT, *ANATOLE FRANCE (1844-1924), escritor francés.*

2185. **La vida resulta deliciosa, horrible,**
encantadora, espantosa, dulce, amarga;
y para nosotros lo es todo.

FRANÇOIS-ANATOLE THIBAULT, *ANATOLE FRANCE (1844-1924), escritor francés.*

2186. **El porvenir es un lugar cómodo para colocar los sueños.**
François-Anatole Thibault, *Anatole France (1844-1924), escritor francés.*

2187. **Morir es tan sencillo y tan aceptable como nacer.**
François-Anatole Thibault, *Anatole France (1844-1924), escritor francés.*

2188. **La mitad de nuestros errores en la vida nacen de sentir cuando deberíamos pensar, y pensar cuando deberíamos sentir.**
John Churton Collins *(1848-1908), crítico inglés.*

2189. **Más instructivos son los errores de las grandes inteligencias que las verdades de los ingenios mediocres.**
Arturo Graf *(1848-1913), escritor italiano.*

2190. **Cuanto más posee el hombre,
menos se posee a sí mismo.**
Arturo Graf *(1848-1913), escritor italiano.*

2191. **En el viaje a través de la vida no existen los caminos llanos; todo son subidas o bajadas.**
Arturo Graf *(1848-1913), escritor italiano.*

2192. **La vida es un negocio en el que no se obtiene una ganancia que no vaya acompañada de una pérdida.**
Arturo Graf *(1848-1913), escritor italiano.*

2193. **Tiene más experiencia en el mundo, no quien más ha visto, sino quien más ha observado.**
Arturo Graf *(1848-1913), escritor italiano.*

2194. **¿Qué es el hombre que envidia a otro hombre,
sino una miseria que envidia otra miseria?**
Arturo Graf *(1848-1913), escritor italiano.*

2195. **Las naturalezas inferiores no admiten el castigo merecido; los mediocres simplemente se resignan; las almas superiores lo piden.**
Arturo Graf *(1848-1913), escritor italiano.*

2196. **Escucha bien el consejo de quien sabe mucho; pero, sobre todo, escucha el consejo de quien te quiere mucho.**
Arturo Graf *(1848-1913), escritor italiano.*

Mundo interior

2197. **Hay muchos que no viven sino por el miedo a morir.**
JACQUES NORMAND *(1848-1931), escritor francés.*

2198. **Tener todo para ser feliz no es, en manera alguna, una razón para serlo.**
JACQUES NORMAND *(1848-1931), escritor francés.*

2199. **No se puede tener otra tarea en cuanto a la vida que la de conservarla hasta morir.**
JOHANN AUGUST STRINDBERG *(1849-1912), escritor sueco.*

2200. **Cuando se tienen veinte años se cree haber resuelto el enigma de la vida; a los treinta, se empieza a reflexionar sobre él; y a los cuarenta se descubre que el misterio es irresoluble.**
AUGUST STRINDBERG *(1849-1912), dramaturgo sueco.*

2201. **Los abusos son todos compadres unos de otros y viven de la protección que mutuamente se prestan.**
RUY BARBOSA *(1849-1923), escritor y político brasileño.*

2202. **Si quieres ser feliz, como me dices,**
¡no analices, muchacho, no analices!
JOAQUÍN M. BARTRINA *(1850-1880), poeta español.*

2203. **Huele una rosa**
la mujer dichosa
y aspira los perfumes de la rosa;
la huele una infeliz
y se clava una espina en la nariz.
JOAQUÍN M. BARTRINA *(1850-1880), poeta español.*

2204. **No pido riquezas, ni esperanzas, ni amor, ni un amigo que me comprenda; todo lo que pido es el cielo sobre mí y un camino a mis pies.**
ROBERT LOUIS STEVENSON *(1850-1894), escritor escocés.*

2205. **El cementerio puede ser el vestíbulo del cielo; pero debemos admitir que resulta un vestíbulo sucio y desagradable en sí mismo, por muy bonita que sea la vida hacia la que nos conduce.**
ROBERT LOUIS STEVENSON *(1850-1894), escritor escocés.*

2206. **La vejez suplica que le eviten los dolores; la juventud, tomando a la fortuna por la barba, exige la felicidad como un derecho.**
ROBERT LOUIS STEVENSON *(1850-1894), escritor escocés.*

2207. **Hay dos clases de hombres que nunca alcanzarán grandes éxitos: aquellos que no pueden hacer lo que se les manda y aquellos que no pueden hacer sino lo que se les manda.**
CYRUS H. K. CURTIS *(1850-1933), escritor estadounidense.*

2208. **La vida son breves mascaradas;**
aquí aprendemos a reír con llanto,
y también a llorar con carcajadas.
JUAN DE DIOS PEZA *(1851-1909), poeta mexicano.*

2209. **Cabe tanto mal en el espíritu humano, que cabe esta contradicción: la envidia y el desprecio.**
LEOPOLDO ALAS, *CLARÍN (1852-1901), escritor español.*

2210. **El orgullo es una pasión de los dioses; pero de los dioses falsos.**
LEOPOLDO ALAS, *CLARÍN (1852-1901), escritor español.*

2211. **El anciano propende a enjuiciar el hoy con el criterio del ayer.**
SANTIAGO RAMÓN Y CAJAL *(1852-1934), científico español.*

2212. **El arte de vivir mucho es resignarse a vivir poco.**
SANTIAGO RAMÓN Y CAJAL *(1852-1934), científico español.*

2213. **Triste es llegar a una edad en que todas las mujeres agradan y no es posible agradar a ninguna.**
ARMANDO PALACIO VALDÉS *(1853-1938), escritor español.*

2214. **En este mundo, los errores se expían como si fuesen crímenes.**
ARMANDO PALACIO VALDÉS *(1853-1938), escritor español.*

2215. **El placer es la única cosa por la que se debe vivir.**
Nada envejece como la felicidad.
OSCAR WILDE *(1854-1900), escritor irlandés.*

2216. **Puedo resistirlo todo, excepto la tentación.**
OSCAR WILDE *(1854-1900), escritor irlandés.*

2217. **Yo puedo creer cualquier cosa, con tal de que sea increíble.**
OSCAR WILDE *(1854-1900), escritor irlandés.*

2218. **Un cigarrillo es el tipo perfecto del placer perfecto. Es exquisito y le deja a uno insatisfecho. ¿Qué más se puede pedir?**
OSCAR WILDE *(1854-1900), escritor irlandés.*

Mundo interior

2219. **Ser absolutamente honesto con uno mismo es un buen ejercicio.**
SIGMUND FREUD *(1856-1939), médico austríaco.*

2220. **El odio es la venganza del cobarde por haber sido intimidado.**
GEORGE BERNARD SHAW *(1856-1950), escritor irlandés.*

2221. **La virtud no consiste en abstenerse del vicio, sino en no desearlo.**
GEORGE BERNARD SHAW *(1856-1950), escritor irlandés.*

2222. **Del mismo modo que no tenemos derecho a consumir riqueza sin producirla, tampoco lo tenemos a consumir la felicidad sin producirla.**
GEORGE BERNARD SHAW *(1856-1950), escritor irlandés.*

2223. **La felicidad no consiste, como cree la gente, en ser dichoso, ni tampoco en no ser desgraciado, sino en procurar lo primero y en no resignarse a ser lo segundo.**
GEORGE BERNARD SHAW *(1856-1950), escritor irlandés.*

2224. **Nunca he deseado ser feliz, me siento capaz de soportar muchas cosas, pero no de soportar una vida feliz.**
GEORGE BERNARD SHAW *(1856-1950), escritor irlandés.*

2225. **Mi forma de bromear es decir la verdad. Es la broma más divertida del mundo.**
GEORGE BERNARD SHAW *(1856-1950), escritor irlandés.*

2226. **Yo busco, sueño, creo, dudo y vivo como si el ayer no me hubiese engañado sin cesar, y como si el mañana me hubiese de traer algo bueno.**
ÉDOUARD ROD *(1857-1910), escritor suizo.*

2227. **Un hombre debe ser capaz de soportar todo lo que le brinde la vida, con coraje en el corazón y la sonrisa en los labios; de lo contrario no es un hombre.**
SELMA LAGERLÖF *(1858-1940), novelista sueca.*

2228. **La vida nos ha hecho sentir mutuamente su dura severidad. Este pensamiento será nuestro consuelo, como un niño mimado con el que podremos jugar.**
SELMA LAGERLÖF *(1858-1940), novelista sueca.*

2229. **Todo hombre es tonto de remate al menos durante cinco minutos al día. La sabiduría consiste en no rebasar el límite.**
ELBERT HUBBARD *(1859-1915), ensayista estadounidense.*

2230. **¡Dios os guarde de sacrificar el presente al porvenir!**
ANTON PAVLOVICH CHEJOV *(1860-1904), escritor ruso.*

2231. **Un perro hambriento sólo tiene fe en la carne.**
ANTON PAVLOVICH CHEJOV *(1860-1904), escritor ruso.*

2232. **La felicidad no existe. Lo único que existe es el deseo de ser feliz.**
ANTON PAVLOVICH CHEJOV *(1860-1904), escritor ruso.*

2233. **Si te dignas guardarme a tu lado en el camino del peligro y de la osadía, si me permites que comparta contigo los grandes deberes de tu vida, conocerás mi verdadero ser.**
RABINDRANATH TAGORE *(1861-1941), filósofo y escritor hindú.*

2234. **La vida es sencilla. Todas las cosas acaban por descomponerse cuando se pierde la noción de la sencillez fundamental.**
RABINDRANATH TAGORE *(1861-1941), filósofo y escritor hindú.*

2235. **La vida no es más que la continua maravilla de existir.**
RABINDRANATH TAGORE *(1861-1941), filósofo y escritor hindú.*

2236. **La vida se nos da, y la merecemos dándola.**
RABINDRANATH TAGORE *(1861-1941), filósofo y escritor hindú.*

2237. **La vida es la constante sorpresa de ver que existo.**
RABINDRANATH TAGORE *(1861-1941), filósofo y escritor hindú.*

2238. **La muerte es de la vida igual que el nacer;**
como el andar está lo mismo en el alzar el pie,
que en volverlo a la tierra.
RABINDRANATH TAGORE *(1861-1941), filósofo y escritor hindú.*

2239. **Cuando mi voz calle con la muerte,**
mi canción te seguirá cantando con su corazón vivo.
RABINDRANATH TAGORE *(1861-1941), filósofo y escritor hindú.*

2240. **La vida está compuesta de momentos, y cada momento que se desperdicia es una batalla que se pierde.**
MORRIS ROSENFELD *(1862-1918), poeta polaco.*

2241. **La fuerza del carácter con frecuencia no es más que debilidad de sentimientos.**
ARTHUR SCHNITZLER *(1862-1931), dramaturgo austríaco.*

Mundo interior

2242. **La única verdadera y profunda felicidad del hombre es ésta: que puede esperar la muerte.**
MAURICE MAETERLINCK *(1862-1949), escritor belga.*

2243. **Cuando se es feliz es cuando hay que tener más miedo; nada amenaza tanto como la felicidad.**
MAURICE MAETERLINCK *(1862-1949), escritor belga.*

2244. **El hombre más feliz es el que mejor conoce su felicidad; y el que mejor la conoce es el que más hondamente sabe que la felicidad sólo está separada de la desgracia por una idea humana, alta, infatigable y valiente.**
MAURICE MAETERLINCK *(1862-1949), escritor belga.*

2245. **Cuando uno dice que sabe lo que es la felicidad, se puede suponer que la ha perdido.**
MAURICE MAETERLINCK *(1862-1949), escritor belga.*

2246. **Sólo a los muertos nos atrevemos a decir la verdad, porque sabemos que ya la conocen mejor que nosotros.**
MAURICE MAETERLINCK *(1862-1949), escritor belga.*

2247. **El avaro tiene a la vez todas las preocupaciones del rico y todos los tormentos del pobre.**
ALBERT GUINON *(1863-1923), periodista y dramaturgo francés.*

2248. **El procedimiento más seguro de hacernos más agradable la vida es hacerla agradable a los demás.**
ALBERT GUINON *(1863-1923), periodista y comediógrafo francés.*

2249. **Todos los hombres alimentan en sí mismos un sueño secreto que no es la bondad ni el amor, sino un deseo desenfrenado de placer y egoísmo.**
GABRIELE D'ANNUNZIO *(1863-1938), escritor italiano.*

2250. **¿Quién ha dicho que la vida es un sueño? La vida es un juego.**
GABRIELE D'ANNUNZIO *(1863-1938), escritor italiano.*

2251. **La página abierta del libro de la vida es hermosa; pero es aún más bella la página cerrada con siete sellos.**
ALFREDO PANZINI *(1863-1939), escritor italiano.*

2252. **Para un hombre que ha cumplido sus deberes naturales, la muerte es tan natural y bienvenida como el sueño.**
GEORGE SANTAYANA *(1863-1952), filósofo estadounidense.*

2253. **Morir es algo espantoso, del mismo modo que nacer es algo ridículo.**
GEORGE SANTAYANA *(1863-1952), filósofo estadounidense.*

2254. **No hay remedio ni para el nacimiento ni para la muerte. Lo único que nos resta es poder aprovechar el intervalo.**
GEORGE SANTAYANA *(1863-1952), filósofo estadounidense.*

2255. **La vida no se ha hecho para comprenderla, sino para vivirla.**
GEORGE SANTAYANA *(1863-1952), filósofo estadounidense.*

2256. **Un hombre de mucho carácter no tiene buen carácter.**
JULES RENARD *(1864-1910), escritor francés.*

2257. **La vida no es sueño. El más vigoroso tacto espiritual es la necesidad de persistencia en una forma u otra. El anhelo de extenderse en tiempo y en espacio.**
MIGUEL DE UNAMUNO *(1864-1936), escritor español.*

Miguel de Unamuno desestima aquí una proposición famosa, elaborada en castellano por el dramaturgo barroco Pedro Calderón de la Barca (1600-1681). Una de las obras más conocidas de este dramaturgo es, precisamente, *La vida es sueño* (1635). En ella, el infeliz Segismundo es sometido a todos los vaivenes de la fortuna, de modo que le resulta imposible distinguir el sueño de la realidad. En Calderón la vida consiste en un problema moral: teniendo en cuenta la seguridad de una vida espiritual tras la muerte, conviene ser bueno: «Mas sea verdad o sueño / obrar bien es lo que importa: / si fuera verdad, por serlo; / si no, por ganar amigos / para cuando despertemos». En Unamuno, en cambio, lo más importante es la trascendencia de nuestra propia vida: solía decir y escribir que sólo existe una forma de existencia verdadera, aquella que nos hace inmortales. En términos simples, Unamuno sugería que ha de dedicarse la vida a dejar memoria de nuestros actos, de este modo jamás pereceremos.

2258. **Procuremos más ser padres de nuestro povernir que hijos de nuestro pasado.**
MIGUEL DE UNAMUNO *(1864-1936), escritor español.*

Mundo interior

2259. **Vuelve hacia atrás la vista caminante;**
verás lo que te queda de camino.
MIGUEL DE UNAMUNO *(1864-1936), escritor español.*

2260. **El que tiene fe en sí mismo no necesita que los demás crean en él.**
MIGUEL DE UNAMUNO *(1864-1936), escritor español.*

2261. **La envidia es mil veces más terrible que el hambre,**
porque es hambre espiritual.
MIGUEL DE UNAMUNO *(1864-1936), escritor español.*

2262. **El carácter independiente surge de poder bastarse a sí mismo.**
FRANCISCO GRANDMONTAGNE *(1866-1936), periodista español.*

2263. **El humorismo no es más que una lógica sutil.**
PAUL TRISTAN BERNARD *(1866-1947), escritor francés.*

2264. **Dicen que me burlo de todo y me río de todo, porque me burlo de ellos y me río de ellos, y ellos creen serlo todo.**
JACINTO BENAVENTE *(1866-1954), dramaturgo español.*

2265. **La virtud está compuesta por los vicios que no se tienen.**
JACINTO BENAVENTE *(1866-1954), dramaturgo español.*

2266. **Más se unen los hombres para compartir un mismo odio**
que para compartir un mismo amor.
JACINTO BENAVENTE *(1866-1954), dramaturgo español.*

2267. **Nos despreciaríamos demasiado si no creyéramos valer**
más que nuestra vida.
JACINTO BENAVENTE *(1866-1954), dramaturgo español.*

2268. **La felicidad es mejor imaginarla que tenerla.**
JACINTO BENAVENTE *(1866-1954), dramaturgo español.*

2269. **No eres ambicioso: te contentas con ser feliz.**
JACINTO BENAVENTE *(1866-1954), dramaturgo español.*

2270. **Tonterías son los disparates que no pruducen dinero.**
JACINTO BENAVENTE *(1866-1954), dramaturgo español.*

2271. **Juventud, divino tesoro,**
¡ya te vas para no volver!
FÉLIX RUBÉN GARCÍA SARMIENTO, *RUBÉN DARÍO (1867-1916), escritor nicaragüense.*

2272. **La vida no merece que uno se preocupe tanto.**
MARIE CURIE *(1867-1934), científica polaca.*

2273. **La vida está llena de una infinidad de absurdos que ni siquera necesitan parecer verosímiles porque son verdaderos.**
LUIGI PIRANDELLO *(1867-1936), escritor italiano.*

2274. **No podremos comprender la vida si, de algún modo, no explicamos el sentido de la muerte.**
LUIGI PIRANDELLO *(1867-1936), escritor italiano.*

2275. **¡Qué bueno es vivir, aunque sea mal!**
STEPHEN PHILLIPS *(1868-1915), poeta y actor inglés.*

2276. **Sólo hay una forma de resistir bien el frío: estando contento de que haga frío.**
ÉMILE-AUGUSTE CHARTIER, *ALAIN (1868-1951), filósofo francés.*

2277. **El ojo debe resguardarse del polvo; el pie, por el contrario, no debe temerlo.**
PAUL CLAUDEL *(1868-1955), poeta y diplomático francés.*

2278. **La felicidad no es el fin, sino el medio de la vida.**
PAUL CLAUDEL *(1868-1955), poeta y diplomático francés.*

2279. **El nacimiento y la muerte no son dos estados distintos, sino dos aspectos del mismo estado.**
MAHATMA GANDHI *(1869-1948), líder pacifista hindú.*

2280. **La honradez es incompatible con las grandes fortunas.**
MAHATMA GANDHI *(1869-1948), líder pacifista hindú.*

2281. **La no violencia es el primer artículo de mi fe. Y es también el último de mi creencia.**
MAHATMA GANDHI *(1869-1948), líder pacifista hindú.*

2282. **Es muy difícil descubrir la esencia de la felicidad. Todos los filósofos están de acuerdo en que desear aquello que no tenemos nos hace desgraciados, y también en que nos hace desgraciados poseer aquello que deseábamos. Pero nadie ha afirmado aún que en la posesión de aquello que deseábamos se encuentra la felicidad, o el placer, o el bienestar o sólo el equilibrio.**
PIERRE LOUIS, *PIERRE LOUŸS (1870-1925), escritor francés.*

2283. **La juventud más inquietante es la que no tiene opiniones extremas.**
HENRY BORDEAUX *(1870-1963), escritor francés.*

2284. **Los días pueden ser iguales para un reloj, pero no para un hombre.**
MARCEL PROUST *(1871-1922), escritor francés.*

2285. **La amargura sobreviene casi siempre de no recibir un poco más de lo que uno dio. Es el sentimiento por no haber hecho un buen negocio.**
PAUL AMBROISE VALÉRY *(1871-1945), poeta francés.*

2286. **Los hombres son semejantes más que nada por su odiosa pretensión de ser diferentes y enemigos.**
HENRI BARBUSSE *(1872-1935), novelista francés.*

2287. **Es absurdo poner esas piedras tan pesadas sobre los muertos.**
HENRI BARBUSSE *(1872-1935), novelista francés.*

2288. **La muerte es alguien que se retira de sí mismo y vuelve a nosotros. No hay más muertos que los llevados por los vivos.**
PÍO BAROJA *(1872-1956), escritor español.*

2289. **Cuando el hombre se mira mucho a sí mismo, llega a no saber cuál es su cara y cuál es su careta.**
PÍO BAROJA *(1872-1956), escritor español.*

2290. **Así como la desgracia hace discurrir más, la felicidad quita todo deseo de análisis; por eso es doblemente deseable.**
PÍO BAROJA *(1872-1956), escritor español.*

2291. **Nos buscamos en la felicidad pero nos encontramos en la desgracia.**
HENRI BATAILLE *(1872-1970), poeta, dramaturgo y pintor inglés.*

2292. **El hombre juicioso sólo piensa en sus males cuando ello conduce a algo práctico; todos los demás momentos los dedica a otras cosas.**
BERTRAND ARTHUR WILLIAM RUSSELL *(1872-1970), filósofo y matemático inglés.*

2293. **Carecer de algunas de las cosas que uno desea es condición indispensable de la felicidad.**
BERTRAND ARTHUR WILLIAM RUSSELL *(1872-1970), filósofo y matemático inglés.*

2294. **Los hombres que son desgraciados, como los que duermen mal, se enorgullecen siempre del hecho.**
BERTRAND ARTHUR WILLIAM RUSSELL *(1872-1970), filósofo y matemático inglés.*

2295. Después de todo puedo vencer al diablo porque soy más que él. Soy un hombre y puedo hacer algo que le es imposible hacer a Satanás: morir.

GILBERT KEITH CHESTERTON *(1874-1936), escritor inglés.*

2296. Los niños no hacen ningún caso del paisaje. Lo aceptan. El amor a la naturaleza llega más tarde, con la juventud.

MAURICE BARING *(1874-1945), escritor inglés.*

2297. Los muertos tienen muy pocas probabilidades cuando han de competir con los vivos.

MAURICE BARING *(1874-1945), escritor inglés.*

2298. Ni el vicio me seduce ni adoro la virtud.

MANUEL MACHADO *(1874-1947), poeta español.*

Manuel Machado, miembro de la Real Academia Española desde 1938, traductor, crítico y poeta, se ha visto oscurecido por la personalidad de su hermano menor, Antonio, con quien inició su carrera literaria (algunas obras dramáticas) y con el que conoció la vida parisina de los últimos años del siglo XIX. De su poesía se valora el colorido de su etapa modernista y, muy especialmente, su faceta más reflexiva y grave: aquella en la que se vuelca en el análisis lírico de la existencia. Manuel Machado muestra también los rasgos distintivos del pensamiento de principios de siglo: apatía, desinterés, pesimismo y la honda tristeza del que sabe que su vida carece de interés: «¡Que la vida se tome el trabajo de matarme, ya que yo no me tomo la pena de vivir...!». En otro lugar, dice: «Sé que voy a morir; porque no amo ya nada».

La cita seleccionada pertenece a un poema titulado «Adelfos». En él pone de manifiesto su desinterés por todo cuanto la vida le ofrece: «Mi voluntad se ha muerto una noche de luna / en que era muy hermoso no pensar ni querer... / Mi ideal es tenderme, sin ilusión ninguna... / De cuando en cuando un beso y un nombre de mujer». La cita, por tanto, no ha de entenderse como un consejo de moderación: Manuel Machado hace referencia a la ausencia de sentimientos: el vicio y la virtud han muerto en él, y ya nada importa: «¡Ambición!, no la tengo. ¡Amor!, no lo he sentido».

2299. No importa la vida que ya está perdida; y después de todo, ¿qué es eso de la vida?

MANUEL MACHADO *(1874-1947), poeta español.*

Mundo interior

2300. La imaginación consuela al hombre de lo que no puede ser. El humor, de lo que es.
WINSTON LEONARD SPENCER CHURCHILL *(1874-1965), político inglés.*

2301. La mayoría de las personas abandonan sus vicios sólo cuando les causan molestias.
WILLIAM SOMERSET MAUGHAM *(1874-1965), escritor inglés.*

2302. He rezado por mi niñez, y ha vuelto a mí, y siento que sigue siendo tan pesada como antes, y que no ha servido de nada hacerme mayor.
RAINER MARIA RILKE *(1875-1926), poeta checo.*

2303. El ave canta, aunque la rama cruja, porque conoce lo que son sus alas.
JOSÉ SANTOS CHOCANO *(1875-1934), poeta peruano.*

2304. Hoy es siempre todavía.
ANTONIO MACHADO *(1875-1939), escritor español.*

2305. La carencia de vicios añade muy poco a la virtud.
ANTONIO MACHADO *(1875-1939), escritor español.*

2306. De lo que llaman los hombres virtud, justicia y bondad, una mitad es envidia, y la otra no es caridad.
ANTONIO MACHADO *(1875-1939), escritor español.*

2307. Mi risa es alegre, aunque no niego que llevo prisa.
ANTONIO MACHADO *(1875-1939), escritor español.*

2308. Todo necio confunde valor y precio.
ANTONIO MACHADO *(1875-1939), escritor español.*

2309. Virtud es fortaleza, ser bueno es ser valiente.
ANTONIO MACHADO *(1875-1939), escritor español.*

2310. ¡Y entre el ayer y el mañana,
el hombre va de camino,
como un ciego tanteando
al borde de los abismos!
FRANCISCO VILLAESPESA *(1877-1936), escritor español.*

2311. ¡Siendo de dos una tristeza,
ya no es tristeza, es alegría!
FRANCISCO VILLAESPESA *(1877-1936), escritor español.*

2312. **Huye de los rostros graves que no saben reír, de los espíritus que no entienden de ironías.**
RICARDO LEÓN *(1877-1943), escritor español.*

2313. **Ninguna vida acaba aquí su obra. Solamente la acorta.**
NICETO ALCALÁ ZAMORA *(1877-1949), político español.*

2314. **Tenéis que aprender a reír, para alcanzar el humorismo superior, dejad primero de tomaros demasiado en serio.**
HERMANN HESSE *(1877-1962), escritor alemán.*

2315. **Dejar a otro mis cosas cuando me muera me parece que es prostituirlas. Prefiero quemarlas o dejarlas a los pobres, a una comunidad, a muchos; así la prostitución, más diluida, no es tan marcada.**
EDMOND JALOUX *(1878-1949), escritor y crítico francés.*

2316. **Si una idea no endulza y aligera la vida, la vida es inútil y peligrosa.**
EDMOND JALOUX *(1878-1949), escritor y crítico francés.*

2317. **No me gusta ser feliz. Cuando estoy triste siento que no puede durar, que un día u otro no lo estaré y este sentimiento me da valor; pero cuando soy feliz siento que se acabará y esto me desespera.**
EDMOND JALOUX *(1878-1949), escritor y crítico francés.*

2318. **Si hay algo que tomo en serio es el no tomar nada en serio.**
FRANCIS PICABIA *(1879-1953), pintor y poeta francés.*

2319. **No es vulgar ni solitaria una vida donde el bien se reproduce; el sacrificio es obra de alto linaje que recibe muy ocultas recompensas.**
CONCHA ESPINA *(1879-1955), escritora española.*

2320. **El buen humor es un deber que tenemos para con el prójimo.**
E. WALLACE STEVENS *(1879-1955), poeta estadounidense.*

2321. **Lo que vive es siempre hostil a lo que está muriendo.**
ALEXANDER BLOK *(1880-1921), poeta simbolista ruso.*

2322. **La mayoría de los hombres prefieren los substitutivos de la felicidad a la felicidad verdadera que, con un pequeño esfuerzo, podrían alcanzar. Y es que el hombre es inerte y rutinario y lo que más teme es el esfuerzo individual.**
HERMANN ALEXANDER VON KEYSERLING *(1880-1946), filósofo alemán.*

Mundo interior

2323. **¿Cuáles son los hombres verdaderamente felices? Son los que han vencido y dominado desde el interior condiciones exteriores, si no muy duras, por lo menos difíciles. El prototipo de hombre feliz sobre la tierra es el santo. Un santo auténtico siempre ha conocido la profunda alegría, a veces aun en medio de crueles torturas. Es el gozo de la emoción propia de la vida completamente espiritualizada, como lo es la del santo que, pobre o rico, está desligado de todo bien terrenal. Se ha concentrado en la lucha contra su naturaleza, que él considera defectuosa.**
HERMANN ALEXANDER VON KEYSERLING *(1880-1946), filósofo alemán.*

2324. **Al miedo de la muerte le llama «el temor blanco» que le acomete durante la noche. Dice: «Parece que mi ser se va a romper en trozos sin acabar de romperse jamás».**
STEFAN ZWEIG *(1881-1942), novelista austriaco.*

2325. **Hay una muerte antes de expirar y una vida más allá de la existencia. La muerte no señala el límite de la vida, sino sólo señala el término del efecto; vivir es crear.**
STEFAN ZWEIG *(1881-1942), novelista austriaco.*

2326. **La existencia es esfuerzo, es deseo, es dolor.**
GIOVANNI PAPINI *(1881-1956), escritor italiano.*

2327. **Todos los hombres pagan su grandeza con muchas pequeñeces, su victoria con muchas derrotas, su riqueza con múltiples quiebras.**
GIOVANNI PAPINI *(1881-1956), escritor italiano.*

2328. **Lo terrible de la necedad es que puede semejarse a la sabiduría más profunda.**
VALÉRY LARBAUD *(1881-1957), escritor francés.*

2329. **La vida es sueño; el despertar es lo que nos mata.**
VIRGINIA WOOLF *(1882-1941), escritora inglesa.*

2330. **Ante el cadáver de una persona que se ha amado, uno se siente siempre culpable. El sentimiento de la propia inocencia se tambalea y se desvanece.**
RENÉ HENRI LENORMAND *(1882-1951), dramaturgo francés.*

2331. **Si las pasiones y los sueños no pudiesen crear nuevos tiempos futuros, la vida sería un engaño insensato.**
HENRI RENÉ LENORMAND *(1882-1951), dramaturgo francés.*

2332. **Mejor morir de pie que vivir de rodillas.**

EMILIANO ZAPATA *(1883-1919), revolucionario mexicano.*

2333. **El programa de la vida feliz apenas ha variado a lo largo de la vida humana.**

JOSÉ ORTEGA Y GASSET *(1883-1955), filósofo español.*

2334. **El verdadero tesoro del hombre es el tesoro de sus errores.**

JOSÉ ORTEGA Y GASSET *(1883-1955), filósofo español.*

2335. **La mayor parte de los hombres tienen una capacidad intelectual muy superior al ejercicio que hacen de ella.**

JOSÉ ORTEGA Y GASSET *(1883-1955), filósofo español.*

2336. **Una buena parte de los hombres no tiene más vida interior que la de sus palabras, y sus sentimientos se reducen a una existencia oral.**

JOSÉ ORTEGA Y GASSET *(1883-1955), filósofo español.*

2337. **La personalidad de la mujer es poco personal, o dicho de otra manera, la mujer es más bien un género que un individuo.**

JOSÉ ORTEGA Y GASSET *(1883-1955), filósofo español.*

2338. **Algunas personas enfocan su vida de modo que viven con entremeses y guarniciones. El plato principal nunca lo conocen.**

JOSÉ ORTEGA Y GASSET *(1883-1955), filósofo español.*

2339. **Es el porvenir quien debe imperar sobre el pretérito, y de él recibimos la orden para nuestra conducta frente a cuanto fue.**

JOSÉ ORTEGA Y GASSET *(1883-1955), filósofo español.*

2340. **El hombre selecto no es el petulante que se cree superior a los demás, sino el que se exige más que los demás, aunque no logre cumplir en su persona esas exigencias superiores.**

JOSÉ ORTEGA Y GASSET *(1883-1955), filósofo español.*

2341. **La juventud es algo muy novedoso. Hace veinte años nadie la nombraba.**

GABRIELLE BONHEUR, *COCÓ CHANEL (1883-1971), diseñadora francesa.*

2342. **No debemos creer que el mundo termina con nosotros, porque el mundo sólo termina para nosotros.**

IVY COMPTON-BURNETT *(1884-1969), escritora inglesa.*

Mundo interior

2343. **Me anuncian la muerte de uno cuya presencia no me entusiasmaba y pienso: «Yo no pedía tanto».**
ALEXANDRE SACHA GUITRY *(1885-1957), escritor y cineasta francés.*

2344. **Vida: conjunto de pequeños dramas que todos juntos no constituyen más que una comedia.**
ALEXANDRE SACHA GUITRY *(1885-1957), escritor y cineasta francés.*

2345. **Hasta que no hayas sido olvidado del todo, no habrás terminado con la tierra. ¡Morir no basta!**
HENRI MONDOR *(1885-1962), cirujano y escritor francés.*

2346. **Una vida grande nace del encuentro de un gran carácter y una gran casualidad.**
ÉMILE HERZOG, *ANDRÉ MAUROIS (1885-1967), novelista y ensayista francés.*

2347. **La vida es un juego del que nadie puede en un momento retirarse, llevándose las ganancias.**
ÉMILE HERZOG, *ANDRÉ MAUROIS (1885-1967), novelista y ensayista francés.*

2348. **La vida es poca cosa, escribe Voltaire a la señora de Deffaud; gozad de ella mientras esperáis la muerte, que no es nada.**
ÉMILE HERZOG, *ANDRÉ MAUROIS (1885-1967), novelista y ensayista francés.*

2349. **La vida es una lucha contra el tiempo.**
ÉMILE HERZOG, *ANDRÉ MAUROIS (1885-1967), novelista y ensayista francés.*

2350. **Casi todos los hombres ganan al ser conocidos.**
ÉMILE HERZOG, *ANDRÉ MAUROIS (1885-1967), novelista y ensayista francés.*

2351. **El hombre de acción es ante todo un poeta.**
ÉMILE HERZOG, *ANDRÉ MAUROIS (1885-1967), novelista y ensayista francés.*

2352. **Una acción colectiva es la que creen todos los que en ella tienen parte; he aquí, me parece, una de las recetas de la felicidad.**
ÉMILE HERZOG, *ANDRÉ MAUROIS (1885-1967), novelista y ensayista francés.*

2353. **Tener sentido del humor es ser espiritual contra uno mismo.**
ÉMILE HERZOG, *ANDRÉ MAUROIS (1885-1967), novelista y ensayista francés.*

2354. **El perfecto humorista humoriza en las cosas pequeñas y se admira de las grandes. Sin el segundo detalle, todo humor falta.**
ÉMILE HERZOG, *ANDRÉ MAUROIS (1885-1967), novelista y ensayista francés.*

2355. **La fortuna, el triunfo, la gloria, el poder, pueden aumentar la felicidad, pero no pueden crearla. Sólo los afectos la dan.**

ÉMILE HERZOG, *ANDRÉ MAUROIS (1885-1967), novelista y ensayista francés.*

2356. **¿Qué hace falta para ser feliz? Un poco de cielo azul encima de nuestras cabezas, un vientecillo tibio, la paz del espíritu.**

ÉMILE HERZOG, *ANDRÉ MAUROIS (1885-1967), novelista y ensayista francés.*

2357. **El secreto de mi felicidad es tratar las catástrofes como molestias y no las molestias como catástrofes.**

ÉMILE HERZOG, *ANDRÉ MAUROIS (1885-1967), novelista y ensayista francés.*

2358. **Es raro que cuando nos conmueve una cierta felicidad, no se deje oír a nuestro lado una voz que nos advierta: «Por mucho que vivas no tendrás más felicidad que estas horas; saboréalas a fondo, porque cuando se desvanezcan ya se habrá terminado para ti. Este primer manantial que has encontrado en el camino, es también el último. Apaga tu sed de una vez por todas; ya no beberás más».**

ÉMILE HERZOG, *ANDRÉ MAUROIS (1885-1967), novelista y ensayista francés.*

2359. **Nada nos puede impedir sentir esta maravillosa felicidad de ser preferidos a otros.**

ÉMILE HERZOG, *ANDRÉ MAUROIS (1885-1967), novelista y ensayista francés.*

2360. **Ella creía que sería feliz si podía reunirse con él, porque él tenía para ella el prestigio del ser que se ha visto poco y que, no estando aún agotado, parece rico de posibles inéditos.**

ÉMILE HERZOG, *ANDRÉ MAUROIS (1885-1967), novelista y ensayista francés.*

2361. **Ella se curaría si él muriera. Sólo la muerte corta todos los caminos de la esperanza y deja una única salida al que sobrevive: el olvido.**

ÉMILE HERZOG, *ANDRÉ MAUROIS (1885-1967), novelista y ensayista francés.*

2362. **Sería necesario imponer esta regla: no repetir jamás una afirmación malévola sin verificar su contenido. Aunque es cierto que así nunca se hablaría de nada.**

ÉMILE HERZOG, *ANDRÉ MAUROIS (1885-1967), novelista y ensayista francés.*

2363. **Las huellas del hombre sobre el hombre son eternas y ningún destino se ha cruzado impunemente con el nuestro.**

ÉMILE HERZOG, *ANDRÉ MAUROIS (1885-1967), novelista y ensayista francés.*

Mundo interior

2364. **No bromeo nunca con el humorismo.**

FRIGJES KARINTHY *(1887-1938), escritora húngara.*

2365. **La felicidad es fundamentalmente un sentimiento negativo: la ausencia de dolor. Usar la palabra «bienestar» en vez de «felicidad», sería más exacto.**

GREGORIO MARAÑÓN *(1887-1960), médico y pensador español.*

2366. **La vida es nueva cada día.**

GREGORIO MARAÑÓN *(1887-1960), médico y escritor español.*

2367. **La vida es sólo instantes. ¡Unos instantes...!**

BENJAMÍN JARNÉS *(1888-1935), escritor español.*

2368. **Con tal de que la vida no me canse, quiero que la vida fluya en mí, con tal que yo no cambie.**

FERNANDO PESSOA *(1888-1935), poeta portugués.*

2369. **Una dulce y triunfante libertad se apodera de aquellos que saben que van a morir pronto.**

VICKI BAUM *(1888-1960), escritora austríaca.*

2370. **La vida no es gran cosa. He sido feliz. Sí, bueno; he sido feliz algunas veces. Nunca durante mucho tiempo.**

VICKI BAUM *(1888-1960), escritora austríaca.*

2371. **Lo más importante de la vida es no haber muerto.**

RAMÓN GÓMEZ DE LA SERNA *(1888-1963), escritor español.*

2372. **Los ojos de los muertos se cierran cuidadosamente, con no menos cautela deberíamos abrir los ojos de los vivos.**

JEAN COCTEAU *(1889-1963), escritor francés.*

2373. **Es muy difícil hacer bella la felicidad. Una felicidad que sólo es ausencia de desdicha es cosa fea.**

JEAN COCTEAU *(1889-1963), escritor francés.*

2374. **Luchar para vivir la vida, para sufrirla, para gozarla. La vida es una cosa bella y magnífica. La vida es maravillosa, si no se le tiene miedo.**

CHARLES CHAPLIN, *CHARLOT (1889-1977), actor y director de cine inglés.*

2375. **La vida no es significado, la vida es deseo.**

CHARLES CHAPLIN, *CHARLOT (1889-1977), actor y director de cine inglés.*

2376. **Hay una cosa tan inevitable como la muerte: la vida.**
CHARLES CHAPLIN, *CHARLOT (1889-1977), actor y director de cine inglés.*

2377. **El tiempo es un gran autor. Siempre da con un final perfecto.**
CHARLES CHAPLIN, *CHARLOT (1889-1977), actor y director de cine inglés.*

2378. **Si amas la vida, ella te corresponderá.**
ARTHUR RUBINSTEIN *(1890-1957), pianista polaco.*

2379. **Lo que pensamos de la muerte sólo tiene importancia por lo que la muerte nos hace pensar de la vida.**
CHARLES DE GAULLE *(1890-1970), militar y estadista francés.*

2380. **Aprendí... que uno nunca puede marchar hacia atrás, que no debería intentarse siquiera, que la esencia de la vida es ir hacia delante. La vida es, en realidad, una calle de sentido único.**
AGATHA (MARY CLARISSA) CHRISTIE *(1891-1976), escritora inglesa.*

2381. **No vivimos solos. Nadie vive solo. Todos vivimos con los muertos.**
UGO BETTI *(1892-1953), dramaturgo italiano.*

2382. **Pienso en su buena suerte con alegría y después con dolor, porque en esta vida no es bueno ser demasiado afortunado. El aire y la tierra abundan en espíritus malignos que no pueden sufrir la felicidad de los mortales, especialmente de los pobres.**
PEARL S. BUCK *(1892-1973), escritora estadounidense.*

2383. **Muchas personas se pierden las pequeñas alegrías mientras aguardan la gran felicidad.**
PEARL S. BUCK *(1892-1973), escritora estadounidense.*

2384. **Somos, por naturaleza, tan fútiles, que sólo las distracciones pueden impedirnos verdaderamente morir.**
LOUIS FERDINAND CÉLINE *(1894-1961), escritor francés.*

2385. **Participamos en una tragedia; en una comedia sólo miramos.**
LEONARD ALDOUS HUXLEY *(1894-1963), escritor inglés.*

2386. **La felicidad no es nunca grandiosa.**
LEONARD ALDOUS HUXLEY *(1894-1963), escritor inglés.*

2387. **El bien de la humanidad debe consistir en que cada uno goce al máximo de la felicidad que pueda, sin disminuir la felicidad de los demás.**
LEONARD ALDOUS HUXLEY *(1894-1963), escritor inglés.*

Mundo interior

2388. El carácter es una voluntad fuerte, dirigida por una conciencia tierna.
LEONARD ALDOUS HUXLEY *(1894-1963), escritor inglés.*

2389. El carácter es la suma de las tendencias para actuar en cierta dirección.
LEONARD ALDOUS HUXLEY *(1894-1963), escritor inglés.*

2390. La muerte, la única cosa más grande que la palabra que la nombra.
JEAN ROSTAND *(1894-1977), biólogo y ensayista francés.*

2391. Deberíamos utilizar el pasado como trampolín y no como sofá.
HAROLD MACMILLAN, BARÓN DE STOCKTON *(1894-1986), político inglés.*

2392. No hay más que una vida; por la tanto, es perfecta.
PAUL ÉLUARD *(1895-1952), poeta francés.*

2393. La función química del humor es ésta: cambiar el carácter de nuestros pensamientos.
LI YUTANG *(1895-1972), escritora estadounidense.*

2394. Cuando muera quiero que me incineren y que el diez por ciento de mis cenizas sean vertidas sobre mi empresario.
«GROUCHO» MARX *(1895-1977), humorista y actor estadounidense.*

2395. Y así vamos adelante, botes contra la corriente, incesantemente arrastrados hacia el pasado.
FRANCIS SCOTT FITZGERALD *(1896-1940), escritor estadounidense.*

2396. Cuando suceden las cosas sólo puedes vivirlas; si son alegres, procurando abrir los poros para que entren lo más posible; las tristes, sacando la cabeza para que ese trocito de ahí arriba no se ahogue.
PIERRE BLANCHAR *(1896-1963), actor francés.*

2397. Vivir y dejar vivir son soluciones imaginarias. La existencia está en otra parte.
ANDRÉ BRETON *(1896-1966), poeta francés.*

2398. El único elemento que puede sustituir la dependencia del pasado es la dependencia del futuro.
JOHN DOS PASSOS *(1896-1970), novelista estadounidense.*

2399. El sexo y la muerte... la puerta delantera y la puerta trasera del mundo.
WILLIAM FAULKNER *(1897-1962), novelista estadounidense.*

2400. Enfrentarse con humor a un asunto serio no significa forzosamente tratarlo a la ligera.

PETER BAMM, *KURT EMMERICH (1897-1975), novelista alemán.*

2401. Desechad tristezas y melancolías. La vida es amable, tiene pocos días y tan sólo ahora la hemos de gozar.

FEDERICO GARCÍA LORCA *(1898-1936), poeta español.*

2402. Como no me he preocupado de nacer, no me preocupo de morir.

FEDERICO GARCÍA LORCA *(1898-1936), poeta español.*

2403. El más terrible de todos los sentimientos es el sentimiento de tener la esperanza muerta.

FEDERICO GARCÍA LORCA *(1898-1936), poeta español.*

2404. La miseria te hace desgraciado, pero también sabio.

BERTOLT BRECHT *(1898-1956), dramaturgo alemán.*

2405. Un hombre debe tener por lo menos dos vicios, uno solo es demasiado.

BERTOLD BRECHT *(1898-1956), dramaturgo alemán.*

2406. Te matarán como a un perro. Es una muerte muy bella. Siempre he deseado morir como un perro.

CURZIO MALAPARTE *(1898-1957), escritor italiano.*

2407. Ahora: una palabra curiosa para expresar todo un mundo y toda una vida.

ERNEST HEMINGWAY *(1898-1961), novelista estadounidense.*

2408. El hombre tiene corazón, señor mío, aunque no siga sus dictados.

ERNEST HEMINGWAY *(1898-1961), novelista estadounidense.*

2409. Quien es capaz de hospedar bien la desgracia, puede hospedar serenamente a la felicidad.

LUIS L. FRANCO *(1898-1973), poeta argentino.*

2410. No hay virtud más eminente que el hacer sencillamente lo que tenemos que hacer.

JOSÉ MARÍA PEMÁN *(1898-1981), escritor español.*

2411. La felicidad es ese placer que se deriva del sentido de la virtud y de la conciencia de los hechos justos.

HENRY MOORE *(1898-1986), escultor y pintor inglés.*

Mundo interior

2412. **No puede herirnos la injuria sino cuando la recordamos; por ello la mejor venganza es el olvido.**

HAROLD HART CRANE *(1899-1932), poeta estadounidense.*

2413. **Un hombre que no cambia nunca de opinión, en vez de demostrar la buena calidad de la opinión sostenida, demuestra la escasa calidad mental de sí mismo.**

MARCEL ACHARD *(1899-1974), dramaturgo y humorista francés.*

2414. **Nuestra existencia no es más que un cortocircuito de luz entre dos eternidades de oscuridad.**

VLADIMIR NABOKOV *(1899-1977), novelista ruso.*

2415. **La vida es una gran sorpresa. No veo por qué la muerte no podría ser una mayor.**

VLADIMIR NABOKOV *(1899-1977), escritor ruso.*

2416. **La muerte me desgasta, incesante.**

JORGE LUIS BORGES *(1899-1986), escritor argentino.*

2417. **He cometido el peor de los pecados que un hombre puede cometer. No he sido feliz.**

JORGE LUIS BORGES *(1899-1986), escritor argentino.*

2418. **Un hombre se confunde, gradualmente, con la forma de su destino; un hombre es, a la larga, sus circunstancias.**

JORGE LUIS BORGES *(1899-1986), escritor argentino.*

2419. **Al cabo de los años he observado que la belleza, como la felicidad, es frecuente. No pasa un día en que no estemos, un instante, en el paraíso.**

JORGE LUIS BORGES *(1899-1986), escritor argentino.*

2420. **El hombre se descubre cuando se mide con el obstáculo.**

ANTOINE MARIE DE SAINT-EXUPÉRY *(1900-1944), escritor francés.*

2421. **Nada nos envejece tanto como la muerte de aquellos que conocimos en nuestra infancia.**

JULIEN GREEN *(1900-1964), escritor francés.*

2422. **El secreto de la dicha es encontrar una monotonía simpática.**

VICTOR S. PRITCHETT *(1900-1997), escritor inglés.*

2423. **Hay dos maneras de conseguir la felicidad: una, hacerse el idiota; otra, serlo.**
ENRIQUE JARDIEL PONCELA *(1901-1952), escritor español.*

2424. **Intentar definir el humorismo es como pretender pinchar una mariposa con un palo de telégrafo.**
ENRIQUE JARDIEL PONCELA *(1901-1952), escritor español.*

2425. **La vida es tan amarga que abre a diario las ganas de comer.**
ENRIQUE JARDIEL PONCELA *(1901-1952), escritor español.*

2426. **Un hombre feliz es aquel que durante el día, por su trabajo, y a la noche, por su cansancio, no tiene tiempo de pensar en sus cosas.**
GARY COOPER *(1901-1961), actor estadounidense.*

2427. **La indignación moral es, en la mayoría de los casos, un dos por ciento de moral, un cuarenta y ocho por ciento, indignación, y un cincuenta por ciento, envidia.**
VITTORIO DE SICA *(1901-1974), actor y director de cine italiano.*

2428. **La tragedia de la muerte es que transforma la vida en destino.**
ANDRÉ MALRAUX *(1901-1976), novelista y político francés.*

2429. **La vida es el conjunto de las fuerzas que se oponen a la muerte.**
ANDRÉ MALRAUX *(1901-1976), novelista y político francés.*

2430. **Hay hombres ávidos de representar su biografía, como un actor su papel.**
ANDRÉ MALRAUX *(1901-1976), escritor y político francés.*

2431. **La mirada indiferente es un continuo adiós.**
MALCOLM DE CHAZAL *(1902-1981), poeta de Isla Mauricio.*

2432. **Si eres feliz, escóndete. No se puede andar cargado de joyas por un barrio de mendigos. No se puede pasear una felicidad como la tuya por un mundo de desgraciados.**
ALEJANDRO CASONA *(1903-1965), dramaturgo español.*

2433. **Un hombre vale por lo que construye.**
ALEJANDRO CASONA *(1903-1965), dramaturgo español.*

2434. **Yo sé que la muerte no resuelve nada, que todos los problemas hay que resolverlos de pie.**
ALEJANDRO CASONA *(1903-1965), dramaturgo español.*

Mundo interior

2435. Si muero, no moriré del todo.
SALVADOR DALÍ *(1904-1989), pintor español.*

2436. La mayor desgracia de la juventud actual es ya no pertenecer a ella.
SALVADOR DALÍ *(1904-1989), pintor español.*

2437. Muchas personas no cumplen los ochenta porque intentan durante mucho tiempo quedarse en los cuarenta.
SALVADOR DALÍ *(1904-1989), pintor español.*

2438. El odio no es más que carencia de imaginación.
GRAHAM GREENE *(1904-1991), novelista y dramaturgo inglés.*

2439. Sólo en soledad se siente la sed de la verdad.
MARÍA ZAMBRANO *(1904-1991), filósofa española.*

2440. A una vida de ensueño
la muerte no puede dañarla.
MANUEL ALTOLAGUIRRE *(1905-1959), poeta español.*

2441. El hombre tiene una obligación moral: ser inteligente.
ASHLEY MONTAGU *(1905-1969), antropólogo estadounidense.*

2442. La vida es un pánico en un teatro en llamas.
JEAN PAUL SARTRE *(1905-1980), escritor y filósofo francés.*

2443. La vida humana comienza al otro lado de la desesperación.
JEAN PAUL SARTRE *(1905-1980), escritor y filósofo francés.*

2444. Basta con que un hombre odie a otro para que el odio vaya corriendo hasta la humanidad entera.
JEAN PAUL SARTRE *(1905-1980), escritor y filósofo francés.*

2445. El hombre debe inventarse cada día.
JEAN PAUL SARTRE *(1905-1980), escritor y filósofo francés.*

2446. Todos encontrarían su propia vida mucho más interesante si dejaran de compararla con la de los demás.
HENRY FONDA *(1905-1982), actor estadounidense.*

2447. Cada uno tiene su carácter, aunque no lo ejerza.
NOEL CLARASÓ *(1905-1985), escritor español.*

2448. La vida es un naufragio en el que, a última hora, sólo se salva el barco.
NOEL CLARASÓ *(1905-1985), escritor español.*

2449. **Nadie puede cambiar su pasado; pero todo el mundo puede contarlo al revés.**
NOEL CLARASÓ *(1905-1985), escritor español.*

2450. **Hay dos clases de virtudes: las que hacen ganar el cielo y las que hacen ganar la tierra.**
NOEL CLARASÓ *(1905-1985), escritor español.*

2451. **Odiar es un despilfarro del corazón, y el corazón es nuestro mayor tesoro.**
NOEL CLARASÓ *(1905-1985), escritor español.*

2452. **El doctor en humorismo es el hombre que sabe referirse al prójimo burlándose de sí mismo.**
NOEL CLARASÓ *(1905-1985), escritor español.*

2453. **El hombre que hace la felicidad de una mujer es un hombre ejemplar; y el que hace la felicidad de tres mujeres a la vez, un caso perdido.**
NOEL CLARASÓ *(1905-1985), escritor español.*

2454. **Tratarse mal sin enfadarse es una de las mayores delicadezas de la verdadera amistad. Que puede ser superada por otra delicadeza: la de tratarse siempre bien.**
NOEL CLARASÓ *(1905-1985), escritor español.*

2455. **Si el objeto de tu vida es tu propia felicidad, cásate con una mujer que no piense igual.**
NOEL CLARASÓ *(1905-1985), escritor español.*

2456. **He leído en un texto de André Maurois, que para ser feliz basta con un poco de cielo azul encima de nuestras cabezas, un vientecillo tibio y la paz del espíritu. Yo creo que no hace falta tanto y que basta con la paz del espíritu. Y si es así, ya lo único que hace falta es saber cómo se consigue la paz del espíritu.**
LEÓN DANDÚ *(1905-1985), escritor español.*

2457. **Lo más sorprendente del pasado, si se repitiera, sería comprobar que nada es igual a como nos lo cuentan.**
LEÓN DANDÚ *(1905-1985), escritor español.*

2458. **Es curioso que la vida, cuanto más vacía es, más pesa.**
LEÓN DANDÚ *(1905-1985), escritor español.*

Mundo interior

2459. **Me he dedicado a investigar la vida y no sé por qué ni para qué existe.**
SEVERO OCHOA *(1905-1993), bioquímico español.*

2460. **La muerte aceptada con resignación no es ningún honor.**
ELÍAS CANETTI *(1905-1994), escritor búlgaro.*

2461. **La felicidad no se experimenta... se recuerda.**
OSCAR LEVANT *(1906-1972), escritor estadounidense.*

2462. **El hombre y la mujer, en sus relaciones mutuas, son dos fenómenos humanos absolutamente distintos.**
ANNE MORROW LINDBERGH *(1906-2001), escritora estadounidense.*

2463. **La vida es corta, la obligación de odiar la acorta siniestramente.**
VITALIANO BRANCATTI *(1907-1954), escritor italiano.*

2464. **La felicidad consiste en tener buena salud y mala memoria.**
EDWINGE FEUILLERE *(1907-1962), actriz francesa.*

2465. **Las palabras de un hombre muerto se modifican en las entrañas de los vivientes.**
WYSTAN HUGH AUDEN *(1907-1973), poeta estadounidense.*

2466. **La felicidad es tanto más grande cuanto menos se advierte.**
ALBERTO PINCHERLE, *ALBERTO MORAVIA (1907-1991), escritor italiano.*

2467. **El hombre «sano» no es tanto aquel que ha eliminado de sí mismo las contradicciones: es aquel que las utiliza y las arrastra en su trabajo.**
MAURICE MERLEAU-PONTY *(1908-1961), escritor francés.*

2468. **Soy humorista porque miro al mundo con sentido crítico, pero con amor.**
JACQUES TATI *(1908-1982), cineasta francés.*

2469. **La verdad es una y el error, múltiple.**
SIMONE DE BEAUVOIR *(1908-1985), escritora francesa.*

2470. **Su odio... no hacía falta ser muy sabio para saber que es el peor sufrimiento del hombre.**
GABRIELLE ROY *(1909-1983), escritora canadiense.*

2471. **Y la vida es uno mismo, y uno mismo son los otros.**
JUAN CARLOS ONETTI *(1909-1994), escritor uruguayo.*

2472. **Al sentido trágico de la vida se le pondrá punto final tan pronto como la economía esté completamente desarrollada, las necesidades de consumo satisfechas y las tensiones de la existencia trivializadas.**
José Luis López Aranguren *(1909-1996), filósofo español.*

2473. **Siempre habrá un perro perdido en alguna parte que me impedirá ser feliz.**
Jean Anouilh *(1910-1987), escritor francés.*

2474. **La vida que nos toca vivir es absurda, y tan desazonante y presurosa que no nos deja tiempo para estudiar. Es muy posible que dentro de unos años ni siquiera nos deje tiempo para vivir.**
Luis Rosales *(1910-1992), poeta español.*

2475. **Se puede morir tranquilo si uno ha cumplido su vocación.**
Akira Kurosawa *(1910-1998), director de cine japonés.*

2476. **La peor soledad que hay es darse cuenta de que la gente es idiota.**
Gonzalo Torrente Ballester *(1910-1999), escritor español.*

2477. **Creo que el odio es un sentimiento que sólo puede existir en ausencia de toda inteligencia. Los médicos no odian a sus enfermos.**
Tennessee Williams *(1911-1983), dramaturgo estadounidense.*

2478. **El que ha vivido hasta el extremo del orgullo y la soledad no tiene más que un rival: Dios.**
Émile M. Cioran *(1911-1995), ensayista rumano.*

2479. **Todo duelo teme su fin y sueña con terror en el día en que terminará su pena. Así, el odio teme por encima de todo librarse de sí mismo, y se muerde la cola.**
Jean Pierre Hervé Bazin *(1911-1996), novelista francés.*

2480. **La felicidad es una estación en el camino entre lo demasiado y lo muy poco.**
Jackson Channing Pollock *(1912-1956), pintor estadounidense.*

2481. **No hay sólo que integrar. También hay que desintegrar. Esto es la vida. Esto es la filosofía. Esto es la ciencia. Esto es el progreso, la civilización.**
Eugène Ionesco *(1912-1976), dramaturgo francés.*

Mundo interior

2482. **La vida, la verdadera vida, empieza cuando uno ha dejado de ser alegre.**
VÍCTOR RUIZ IRIARTE *(1912-1982), dramaturgo español.*

2483. **La vida, la vida que ríe y llora todos los días, es una cosa mucho más importante que el propio dolor.**
VÍCTOR RUIZ IRIARTE *(1912-1982), dramaturgo español.*

2484. **Para los europeos, la vida es una carrera; para los americanos es un azar.**
MARY MCCARTHY *(1912-1989), escritora estadounidense.*

2485. **Vivir es hacer vivir el absurdo. Hacerlo vivir es ante todo mirar. Al contrario de Eurídice, lo absurdo sólo muere al volverse.**
ALBERT CAMUS *(1913-1960), escritor francés.*

2486. **Me decían que eran necesarios unos muertos para llegar a un mundo donde no se mataría.**
ALBERT CAMUS *(1913-1960), escritor francés.*

2487. **El odio es el arma de los débiles. El fuerte castiga a su enemigo; el débil debe conformarse con odiar.**
JOSÉ MALLORQUÍ *(1913-1972), escritor español.*

2488. **En la vida tenemos la opción de correr junto a la masa o salir huyendo de ella.**
INGRID BERGMAN *(1915-1982), actriz sueca.*

2489. **La vida es como una nuez. No puede cascarse entre almohadones de plumas.**
ARTHUR MILLER *(1915), dramaturgo estadounidense.*

2490. **Trabaja uno toda la vida para comprar una casa, y cuando, por fin, la casa ya es de uno... no hay quien viva en ella.**
ARTHUR MILLER *(1915), dramaturgo estadounidense.*

2491. **El hombre es la víctima propiciatoria que los dioses ofrecen, un sacrificio, al tiempo insaciable y jamás clemente.**
CAMILO JOSÉ CELA *(1916-2002), escritor español.*

2492. **Lo malo de los que se creen en posesión de la verdad es que cuando tienen que demostrarlo no aciertan ni una.**
CAMILO JOSÉ CELA *(1916-2002), periodista y escritor español.*

2493. **Es difícil ser bueno y fuerte a la vez. Y, por lo común, cuanto más fuerte se es, menos razón se tiene.**
ENRIQUE TIERNO GALVÁN *(1918-1986), intelectual y político español.*

2494. **Ser humano exige ver lo perecedero y el mismo perecimiento como elementos de nuestra propia condición.**
ENRIQUE TIERNO GALVÁN *(1918-1986), intelectual y político español.*

2495. **Buscar el sentido de la vida es darle significado.**
ENRIQUE SOLARI *(1918-1993), escritor peruano.*

2496. **Vivir sin raíces es vivir en el infierno.**
PETER ABRAMS *(1919), escritor sudafricano.*

2497. **No hay un final. No existe un principio. Solamente existe una infinita pasión por la vida.**
FEDERICO FELLINI *(1920-1993), director de cine italiano.*

2498. **¿Cómo compaginar la aniquiladora idea de la muerte con este incontenible afán de vida?**
MARIO BENEDETTI *(1920), escritor uruguayo.*

2499. **Eso de «de la cuna a la sepultura» es una verdad como un templo, la gente muere como vive, el discreto en discreto y el abandonado en abandonado; ahí tienes a tu madre, sin ir más lejos.**
MIGUEL DELIBES *(1920), periodista y escritor español.*

2500. **Se olvida a menudo que el mar, ante todo, no tiene edad: su fuerza reside en esto.**
MOHAMED DIB *(1920), escritor argelino.*

2501. **El peor enemigo de las mujeres es su abnegación.**
BETTY FRIEDAM *(1921), escritora estadounidense.*

2502. **Lo mejor de la vida es el pasado, el presente y el futuro.**
PIER PAOLO PASOLINI *(1922-1975), escritor y director de cine italiano.*

2503. **Es raro no saber nada, no estar seguro de qué es cierto o qué es justo o qué es real.**
PHILIP LARKIN *(1922-1985), poeta inglés.*

2504. **Si se me diera la oportunidad de hacer un regalo a la siguiente generación, sería la capacidad de reírse cada cual de sí mismo.**
CHARLES MONROE SCHULZ *(1922), dibujante de cómic estadounidense.*

Mundo interior

2505. **Nunca odié a un hombre lo suficiente como para devolverle sus diamantes.**
ZSA ZSA GABOR *(1923-1995), actriz estadounidense.*

2506. **Hay una ley de vida, cruel y exacta, que afirma que uno debe crecer o, en caso contrario, pagar más por seguir siendo el mismo.**
NORMAN MAILER *(1923), escritor estadounidense.*

2507. **La vida es como una naranja. Por fuera, bonita. Por dentro, puede resultar ácida, pero nuestra obligación es pelarla y comérnosla.**
ALFONSO PASO *(1926-1978), autor teatral español.*

2508. **Compañeros, poetas del futuro:**
sed buenos con nosotros; intentad
comprender cómo pudo ser tan duro
este inútil vivir en vaguedad,
este fracaso, al fin debilidad.
JOSÉ MARÍA VALVERDE *(1926-1996), poeta español.*

2509. **Hay dos momentos tristes en la vida: el nacimiento y la muerte. Todo lo demás es rodar por tierra.**
JERRY LEWIS *(1926), actor estadounidense.*

2510. **Porque eso es la muerte: vivir ese instante dominado tan sólo por ese instante.**
JUAN BENET *(1927-1993), escritor español.*

2511. **Los románticos son seres que mueren de deseos de vida.**
FRANCISCO NIEVA *(1927), dramaturgo español.*

2512. **Nada se olvida más despacio que una ofensa; y nada más rápido que un favor.**
MARTIN LUTHER KING *(1929-1968), líder antirracista estadounidense.*

2513. **Nada de lo que un hombre haga lo envilece más que permitirse caer tan bajo como para odiar a alguien.**
MARTIN LUTHER KING *(1929-1968), líder antirracista estadounidense.*

2514. **Quien consiente el mal sin rebelarse contra él, está realmente cooperando con él.**
MARTIN LUTHER KING *(1929-1968), líder antirracista estadounidense.*

2515. **Si un hombre no ha descubierto alguna cosa por la que valga la pena morir, es que no está preparado para vivir.**
MARTIN LUTHER KING *(1929-1968), líder antirracista estadounidense.*

2516. **La caridad es recomendable, pero ésta no debe hacer olvidar al caritativo las circunstancias y la injusticia económica que hacen de la caridad algo necesario.**
MARTIN LUTHER KING *(1929-1968), líder antirracista estadounidense.*

2517. **En el fondo, tener sentido del humor es ser consciente de la relatividad de las cosas.**
ANTONIO DE SENILLOSA *(1929-1994), escritor y político español.*

2518. **No creo en la muerte porque uno no está presente para saber que, en efecto, ha ocurrido.**
ANDY WARHOL *(1930-1988), pintor estadounidense.*

2519. **Todo el mundo quiere sus quince minutos de fama.**
ANDY WARHOL *(1930-1988), pintor estadounidense.*

2520. **Todos nuestros cuerpos son relojes que se retrasan.**
JOHN UPDIKE *(1932), escritor estadounidense.*

2521. **Cuanto más envejecemos y menos mañanas nos quedan, con más profunda puñalada nos despierta la aurora.**
JOHN UPDIKE *(1932), escritor estadounidense.*

2522. **Trabajo deprisa para vivir despacio.**
MONTSERRAT CABALLÉ *(1933), soprano española.*

2523. **No es que tenga miedo a morir. Es tan sólo que no quiero estar allí cuando suceda.**
WOODY ALLEN *(1935), actor y director de cine estadounidense.*

2524. **La felicidad para mí consiste en gozar de buena salud, en dormir sin miedo y despertarme sin angustia.**
FRANÇOISE QUOIREZ, *FRANÇOISE SAGAN (1935), escritora francesa.*

2525. **El gilipollas por definición lo es de cuerpo entero. Se es gilipollas como se es pícnico, barbero, coronel, sastre, canónigo o notario: de una manera genética y vocacional.**
FRANCISCO UMBRAL *(1935), escritor español.*

Mundo interior

2526. **Ser feliz consiste en no darse cuenta de que uno está viviendo.**
MANUEL VICENT *(1936), escritor y periodista español.*

2527. **Vamos por este mundo como si tuviéramos uno de repuesto en nuestra maleta.**
JANE FONDA *(1937), actriz estadounidense.*

2528. **El intelectual ha de ser un dedo índice que señala y un ojo clínico que opina.**
ANTONIO GALA *(1937), escritor español.*

2529. **El sentido de la vida está en vivir cada día tal como se presenta.**
ANTHONY HOPKINS *(1937), actor galés.*

2530. **El humor es una cobardía, una manera de huir de la realidad.**
CLAUDE SERRE *(1938), pintor francés.*

2531. **La vida es aquello que te va a suceder mientras tú te empeñas en hacer otros planes.**
JOHN LENNON *(1940-1980), músico inglés.*

2532. **Hay quien, desobedeciendo, rebelándose, destronando, cuestionando, vive sólo en función de los demás y el odio que le inspiran.**
JUAN OVITRAL *(1940), abogado, político y sociólogo español.*

2533. **Dale a la vida prioridad sobre todas las cosas: sobre la tierra, el dinero, las promesas, sobre todas las cosas.**
JOAN BAEZ *(1941), cantante estadounidense.*

2534. **El que no se preocupa de nacer se está ocupando de morir.**
ROBERT ZIMMERMAN DYLAN, *BOB DYLAN (1941), músico estadounidense.*

2535. **El pensamiento tiene que ser duro de cabeza y ligero de pies.**
EUGENIO TRÍAS *(1942), ensayista español.*

2536. **Está muy bien seguir adelante, siempre y cuando puedas regresar.**
MICK P. JAGGER *(1943), músico inglés.*

2537. **La vida es como el café o las castañas en otoño. Siempre huele mejor de lo que sabe.**
MARUJA TORRES *(1943), periodista y escritora española.*

2538. **Todos hemos venido al mundo de la misma manera, pero nos marchamos de él según hayamos construido nuestras vidas.**
SHIRLEY MACLAINE *(1944), actriz estadounidense.*

2539. **La gente se cree que es inmortal, por eso se quedan quietos y se acogen a una rutina, quedándose allí paralizados.**
FÉLIX DE AZÚA *(1945), escritor y filósofo español.*

2540. **Todos llevamos dentro unas posibles vidas que vivir, y luego nos toca una u otra.**
CARMEN ROMERO *(1946), político española.*

2541. **Es un error fatal que la felicidad sea siempre subterránea y la desgracia tan evidente.**
MONTSERRAT ROIG *(1947-1991), escritora y periodista española.*

2542. **Las cosas que importan en nuestras vidas suceden en nuestra ausencia.**
SALMAN RUSDHIE *(1947), escritor hindú.*

2543. **El escéptico de lo que duda es de la fuerza de lo posible frente al peso agobiante de lo necesario.**
FERNANDO SAVATER *(1947), filósofo español.*

2544. **No debemos vivir según lo que se espera de nosotros. Hacerlo sería una pequeña muerte diaria.**
RICHARD GERE *(1949), actor estadounidense.*

2545. **La vida es mucho más pequeña que los sueños.**
ROSA MONTERO *(1951), escritora española.*

2546. **La vida es una película mal montada.**
FERNANDO TRUEBA *(1955), director de cine español.*

2547. **La vida hay que vivirla, y no pasarla discutiendo sobre ella.**
ISABELLE ADJANI *(1956), actriz francesa.*

2548. **Lo terrible del siglo xx es que el hombre nace con la pregunta de ¿quién soy yo?, y se muere sin haberla contestado.**
MIGUEL BOSÉ *(1956), músico español.*

2549. **La vida es como una caja de bombones, nunca sabes qué te va a tocar.**
TOM HANKS *(1956), en la película «*Forrest Gump*» (1994), del director de cine estadounidense Robert Zemmeckis.*

2550. **La vida humana es demasiado corta para empezar a quitarle cosas. Lo importante es añadirle capítulos.**
VICTORIA ABRIL *(1960), actriz española.*

Mundo interior

2551. **El único hombre que no se equivoca es el que nunca hace nada.**
ANÓNIMO.

2552. **Todo lo que está sujeto a nacimiento también está sujeto a desaparición.**
ANÓNIMO.

2553. **¿Cuándo será el fin del mundo? El día que yo muera.**
ANÓNIMO.

2554. **Los muertos cabalgan aprisa.**
ANÓNIMO.

2555. **Los muertos duermen fuera.**
ANÓNIMO.

2556. **La vida constituye un don de la naturaleza; pero una vida bella es un don de la sabiduría.**
ANÓNIMO.

2557. **La muerte es la mayor patada de todas, por eso se guarda para el final.**
ANÓNIMO.

2558. **A fuerza de ir todo mal, comienza a ir todo bien.**
ANÓNIMO.

2559. **Las desgracias y los paraguas son fáciles de llevar cuando pertenecen a otros.**
ANÓNIMO.

2560. **El regalo de la felicidad pertenece a quienes lo desenvuelven.**
ANÓNIMO.

2561. **La felicidad viaja de incógnito; sólo cuando ha pasado sabemos de ella.**
ANÓNIMO.

2562. **La virtud, negándose a recibir el aplauso, es la modestia.**
ANÓNIMO.

2563. **En nuestro actual estado, la perseverancia en el bien consiste no tanto en no caer nunca, cuanto en levantarse cada vez que uno cae.**
ANÓNIMO.

2564. **La honradez y la hombría de bien no necesitan parabienes.**
ANÓNIMO.

2565. **Donde hay verdadero valor encuéntrase también verdadera modestia.**
ANÓNIMO.

2566. **Un hombre de buen carácter es más querido tanto por los suyos como por los demás.**
ANÓNIMO.

2567. **La prueba máxima de si uno posee sentido del humor es su reacción cuando alguien le dice que no lo tiene.**
ANÓNIMO.

2568. **Hay muchos hombres solitarios que se han apartado del mundo, como Eva de Adán, para hablar privadamente con el diablo.**
ANÓNIMO.

2569. **Aunque las espinas me pinchen, quiero coger la rosa. Quien pretenda arrancar la rosa no debe preocuparse por los pinchazos.**
ANÓNIMO.

2570. **Lo que haga hoy es importante porque estoy utlizando un día de mi vida en ello.**
ANÓNIMO.

2571. **Para conocer la calidad de un vino no es necesario beberse todo el tonel.**
ANÓNIMO.

2572. **«Quédate» es una hermosa palabra en el vocabulario de un amigo.**
ANÓNIMO.

2573. **El silencio es el único amigo que jamás traiciona.**
ANÓNIMO.

2574. **No puedes evitar que el pájaro de la tristeza vuele sobre tu cabeza, pero sí puedes evitar que anide en tu cabellera.**
PROVERBIO CHINO.

2575. **Cuando uno está muerto, lo está por mucho tiempo.**
PROVERBIO FRANCÉS.

2576. **Los mortales usan muchas lenguas, los inmortales sólo una.**
PROVERBIO GRIEGO.

Mundo interior

2577. El bien que hicimos la víspera nos trae la felicidad de la mañana.
PROVERBIO HINDÚ.

2578. El diablo tienta a todos, pero el ocioso tienta al diablo.
PROVERBIO ITALIANO.

2579. Hay una puerta por la que pueden entrar la buena y la mala fortuna:
pero tú tienes la llave.
PROVERBIO JAPONÉS.

2580. Los sabios dominarán las estrellas.
PROVERBIO LATINO.

2581. Los idiotas escriben sus nombres en todas partes.
PROVERBIO LATINO.

Sociedad

Sociedad

A lo largo de su historia, el ser humano ha desarrollado, probablemente debido a su innato instinto de supervivencia, un carácter eminentemente social. Para ello ha creado una serie de códigos y normas de conducta, algunos escritos y otros no, para así poder asegurarse una convivencia pacífica y beneficiosa con el resto de personas. Es obvio que no lo ha conseguido.

El ser humano es un animal en lucha permanentemente consigo mismo y eso requiere un constante cambio en sus códigos y normas que no siempre se producen en el momento preciso. Surge así la realidad de la convivencia, la lucha por salirse de esas normas sin llegarlas a romper completamente.

La hipocresía, la doble moral, el disimulo y la ética son algunas de las armas que utiliza la sociedad para soportarse a sí misma, y en el uso de las mismas reside el éxito y la supervivencia de la misma. Y como veremos a continuación, el tiempo y las personas cambian sus reglas pero no su naturaleza. Las citas de los pensadores más ilustres reflejan el devenir del hombre y su pensamiento en relación a los demás seres que juntos conforman el ente social.

Sociedad

2582. Ni el hombre más bravo puede luchar más allá de lo que le permiten sus fuerzas.

HOMERO *(siglo VIII a.C.), poeta griego.*

Homero, o «el poeta divino», como lo llamaban Aristófanes y Demócrito, es el punto de referencia de la literatura clásica griega, pero, en muchos aspectos, es también la base de toda la literatura occidental, desde Virgilio a Kazantzakis, y desde Dante a Joyce. Las dos obras monumentales que se le atribuyen (*Ilíada* y *Odisea*) estaban compuestas para ser recitadas, y así lo entendían los maestros en los gimnasios: los jóvenes memorizaban fragmentos de estas obras y aprendían, de este modo, lengua, poesía, religión y filosofía.

En su obra, Homero despliega un cuadro de acción y reflexión: los argumentos (la guerra de Troya y los viajes de Ulises) han mantenido su atractivo a lo largo de casi tres mil años; la batalla entre los hombres y los dioses es un argumento eterno; la paz y la guerra, la felicidad y la desgracia, la alegría y el dolor; todo está en la inmortal obra de Homero. En los primeros versos de la *Odisea* Zeus habla a los mortales: «¡Ay, cómo culpan los mortales a los dioses!, pues dicen que de nosotros vienen todos sus males. Pero también ellos, por su estupidez, soportan más desgracias de las que les corresponden». Un pasaje representativo del pensamiento homérico respecto a la posición del hombre en el mundo podría ser éste: en el canto octavo de la *Ilíada*, Zeus amenaza a todos los dioses y les ordena no interferir en la guerra de Troya. Esto suponía que la batalla sería igual, y que resultaría vencedor aquel que más valor demostrase. Pero la hermosa Atenea pretende proteger a uno de los bandos y sugiere a su padre que le sea propicio, a lo cual Zeus responde: «Tranquila Atenea, no estaba hablando en serio».

2583. Los hombres se cansan antes de dormir, de amar, de cantar y bailar que de hacer la guerra.

HOMERO *(siglo VIII a.C.), poeta griego.*

2584. La sociedad está bien ordenada cuando los ciudadanos obedecen a los magistrados, y los magistrados a las leyes.

SOLÓN DE ATENAS *(640-560 a.C.), político y poeta griego.*

2585. Educad a los niños y no será necesario castigar a los hombres.

PITÁGORAS DE SAMOS *(582-497 a.C.), filósofo griego.*

2586. **El gobierno es bueno cuando hace felices a los que viven bajo él y atrae a los que viven lejos.**
CONFUCIO *(h. 551-h. 479 a.C.), filósofo chino.*

2587. **Arréglese un estado como se arregla una familia. Nadie puede gobernar la suya sin dar ejemplo.**
CONFUCIO *(h. 551-h. 479 a.C.), filósofo chino.*

2588. **En un país bien gobernado debe inspirar vergüenza la pobreza. En un país mal gobernado debe inspirar vergüenza la riqueza.**
CONFUCIO *(h. 551-h. 479 a.C.), filósofo chino.*

2589. **El hombre superior es cortés, pero no rastrero; el hombre vulgar es rastrero, pero no cortés.**
CONFUCIO *(h. 551-h. 479 a.C.), filósofo chino.*

2590. **La religión es una enfermedad, pero una enfermedad noble.**
HERÁCLITO DE ÉFESO *(540-475 a.C.), filósofo griego.*

2591. **Con tanto ardor deben pelear los ciudadanos por la defensa de las leyes, como por la de sus murallas, no siendo menos necesarias aquéllas que éstas para la conservación de la ciudad.**
HERÁCLITO DE ÉFESO *(540-475 a.C.), filósofo griego.*

2592. **El Estado es el navío que trae nuestra fortuna.**
SÓFOCLES *(495-406 a.C.), poeta trágico griego.*

2593. **Los reyes son felices en muchas cosas, pero principalmente en esto: pueden decir y hacer lo que les plazca.**
SÓFOCLES *(495-406 a.C.), poeta trágico griego.*

2594. **La guerra es la mejor escuela del cirujano.**
HIPÓCRATES *(494-399 a.C.), médico griego.*

2595. **La riqueza es la cosa que más honran los hombres y la fuente del más grande poder.**
EURÍPIDES DE SALAMINA *(480-406 a.C.), poeta trágico griego.*

2596. **La pobreza tiene este defecto: incita al hombre a cometer malas acciones.**
EURÍPIDES DE SALAMINA *(480-406 a.C.), poeta trágico griego.*

2597. **Todo hombre es como las compañías que frecuenta.**
EURÍPIDES DE SALAMINA *(480-406 a.C.), poeta trágico griego.*

Sociedad

2598. El dios de la guerra detesta a los que vacilan.
EURÍPIDES DE SALAMINA *(480-406 a.C.), poeta trágico griego.*

2599. No hay ningún hombre absolutamente libre. Es esclavo de la riqueza, o de la fortuna, o de las leyes, o bien el pueblo le impide obrar con arreglo a su exclusiva voluntad.
EURÍPIDES DE SALAMINA *(480-406 a.C.), poeta trágico griego.*

2600. Yo soy un ciudadano, no de Atenas o Grecia, sino del mundo.
SÓCRATES *(470-399 a.C.), filósofo griego.*

2601. El buen ciudadano debe seguir las leyes malas, para estimular al mal ciudadano a no violar las buenas.
SÓCRATES *(470-399 a.C.), filósofo griego.*

2602. La fortaleza de un ejército estriba en la disciplina rigurosa y en la obediencia inflexible a sus oficiales.
TUCÍDIDES *(h. 460-h. 396 a.C.), historiador griego.*

2603. Reconocer la pobreza no deshonra a un hombre, pero sí no hacer ningún esfuerzo para salir de ella.
TUCÍDIDES *(h. 460-h. 396 a.C.), historiador griego.*

2604. Dos palabras son suficientes para gobernar toda la vida de un hombre: tolerar y abstenerse.
DEMÓCRITO DE ABDERA *(h. 460-361 a.C.), filósofo griego.*

2605. No hay mayor cobardía que la riqueza.
ARISTÓFANES DE ATENAS *(h. 448-h. 386 a.C.), poeta griego.*

2606. La patria de cada hombre es el país donde mejor vive.
ARISTÓFANES DE ATENAS *(h. 448-h. 386 a.C.), poeta griego.*

2607. Los ricos que no saben usar sus riquezas son de una pobreza incurable, porque es pobreza de espíritu.
JENOFONTE DE ATENAS *(h. 430-h. 355 a.C.), historiador y político griego.*

2608. Las guerras largas se terminan siempre con la destrucción e infelicidad de ambos partidos.
JENOFONTE DE ATENAS *(h. 430-h. 355 a.C.), historiador y político griego.*

2609. Sin concordia no puede existir ni un Estado bien gobernado ni una casa bien administrada.
JENOFONTE DE ATENAS *(h. 430-h. 355 a.C.), historiador y político griego.*

2610. **El Estado es un hombre en grande, esto es: un organismo perfecto, en él se encarna la más perfecta unidad.**
PLATÓN *(h. 428-347 a.C.), filósofo griego.*

2611. **Hasta que los filósofos se encarguen del gobierno o los que gobiernan se conviertan a filósofos, de modo que el gobierno y la filosofía estén unidos, no podrá ponerse fin a las miserias de los estados.**
PLATÓN *(428-347 a.C.), filósofo griego.*

2612. **El poder no es un placer ni un medio de proporcionar ventajas a los gobernantes, sino una espinosa misión consagrada al servicio de la humanidad.**
PLATÓN *(h. 428-347 a.C.), filósofo griego.*

2613. **Si Dios es bueno, no es el autor de todas las cosas, sino sólo de unas cuantas, y no de la mayor parte de las que le ocurren al hombre.**
PLATÓN *(428-347 a.C.), filósofo griego.*

2614. **Los ricos tienen muchos consuelos.**
PLATÓN *(428-347 a.C.), filósofo griego.*

2615. **La pobreza no viene por la disminución de las riquezas, sino por la multiplicación de los deseos.**
PLATÓN *(428-347 a.C.), filósofo griego.*

2616. **La derrota en la guerra no es el mayor de los males, salvo cuando la inflige un enemigo indigno.**
ESQUINES *(h. 393-h. 314 a.C.), orador griego.*

2617. **El afán de riquezas oscurece el sentido de lo justo y lo injusto.**
ANTÍFANES DE RODAS *(388-311 a.C.), dramaturgo griego.*

2618. **El único Estado estable es aquel en que todos los ciudadanos son iguales ante la ley.**
ARISTÓTELES *(384-322 a.C.), filósofo griego.*

2619. **Un Estado es gobernado mejor por un hombre bueno que por unas buenas leyes.**
ARISTÓTELES *(384-322 a.C.), filósofo griego.*

2620. **El hombre es un animal social.**
ARISTÓTELES *(384-322 a.C.), filósofo griego.*

Sociedad

2621. Tres bases tiene la tiranía: producir la desconfianza entre los ciudadanos, debilitarlos y degradarlos moralmente.
ARISTÓTELES *(384-322 a.C.), filósofo griego.*

2622. Quien es capaz de vivir en sociedad y no tiene necesidad de ella, porque se basta a sí mismo, tiene que ser un animal o un dios.
ARISTÓTELES *(384-322 a.C.), filósofo griego.*

2623. La sociedad perfecta es aquella en la que todos encuentran justicia, trabajo y comodidades.
ARISTÓTELES *(384-322 a.C.), filósofo griego.*

2624. Los hombres no han establecido la sociedad solamente para vivir, sino para vivir felices.
ARISTÓTELES *(384-322 a.C.), filósofo griego.*

2625. En la multitud cada individuo tiene su parte de virtud y de prudencia; la reunión de tantos individuos puede decirse que es un hombre con multitud de sentidos.
ARISTÓTELES *(384-322 a.C.), filósofo griego.*

2626. La democracia ha surgido de la idea de que si los hombres son iguales en cualquier aspecto, lo son en todos.
ARISTÓTELES *(384-322 a.C.), filósofo griego.*

2627. Cuando la democracia se desgasta y se debilita es suplantada por la oligarquía.
ARISTÓTELES *(384-322 a.C.), filósofo griego.*

2628. Las tropas regulares pierden el valor cuando se encuentran ante peligros mayores que los que esperaban y superadas por el número y las armas del enemigo. Son los primeros en volver la espalda. En cambio, los hombres de la milicia mueren en su puesto.
ARISTÓTELES *(384-322 a.C.), filósofo griego.*

2629. Preferid siempre una pobreza sin tacha a las riquezas mal adquiridas; éstas no pueden sernos útiles sino durante la vida.
ARISTÓTELES *(384-322 a.C.), filósofo griego.*

2630. El dinero es una garantía de que se podrá obtener lo que se quiera en el futuro.
ARISTÓTELES *(384-322 a.C.), filósofo griego.*

2631. **He aquí tres animales intratables: el mochuelo, la serpiente y el pueblo.**
DEMÓSTENES *(384-322 a.C.), orador y político griego.*

2632. **Cuando los soldados huyen, nunca se culpan a sí mismos: culpan a un general o a sus compañeros.**
DEMÓSTENES *(384-322 a.C.), orador y político griego.*

2633. **Ningún hombre justo se ha hecho rico de pronto.**
MENANDRO DE ATENAS *(h. 343-290 a.C.), dramaturgo griego.*

2634. **¿Quieres ser rico? Pues no te afanes en aumentar tus bienes, sino en disminuir tu codicia.**
EPICURO DE SAMOS *(341-270 a.C.), filósofo griego.*

2635. **Es verdad que hay dioses; pero lo que la multitud cree de ellos no es cierto, pues lo que la multitud cree cambia con el tiempo.**
EPICURO DE SAMOS *(341-270 a.C.), filósofo griego.*

2636. **El hombre es rico desde el momento en que ha sabido familiarizarse con la escasez.**
EPICURO DE SAMOS *(341-270 a.C.), filósofo griego.*

2637. **La riqueza más sirve para la maldad que para la conducta honrosa.**
CHILÓN DE LACEDEMONIA *(siglo IV a.C.), sabio griego.*

2638. **La pobreza es un maestro de todas las artes.**
TITO MACCIO PLAUTO *(254-184 a.C.), dramaturgo latino.*

2639. **El objeto de la guerra no es aniquilar a los que la han provocado, sino hacerles que se enmienden; no destruir a los inocentes y a los culpables por igual, sino salvar a ambos.**
POLIBIO *(h. 210-h. 128 a.C.), historiador y político griego.*

2640. **Tiene sin duda mucho mérito vencer en el campo de batalla; pero se necesita más sabiduría y más destreza para hacer uso de la victoria.**
POLIBIO *(h. 210-h. 128 a.C.), historiador y político griego.*

2641. **La monarquía degenera en tiranía, la aristocracia en oligarquía y la democracia en violencia y anarquía. La mejor forma de gobierno es la que combina la monarquía, la aristocracia y la democracia.**
POLIBIO *(h. 210-h. 128 a.C.), historiador y político griego.*

Sociedad

2642. **Adapta tus maneras al hombre con quien tratas.**
Publio Terencio Afer *(184-159 a.C.), escritor latino.*

2643. **Siempre la mala paz es mejor que la mejor guerra.**
Marco Tulio Cicerón *(106-43 a.C.), político, orador, filósofo y literato romano.*

2644. **Entre el ruido de las armas, las leyes no se pueden escuchar.**
Marco Tulio Cicerón *(106-43 a.C.), político, orador, filósofo y literato romano.*

2645. **Seamos esclavos de las leyes para poder ser libres.**
Marco Tulio Cicerón *(106-43 a.C.), político, orador, filósofo y literato romano.*

2646. **Hemos nacido para unirnos con nuestros semejantes y vivir en comundidad con la raza humana.**
Marco Tulio Cicerón *(106-43 a.C.), político, orador, filósofo y literato romano.*

2647. **La base de la sociedad es el matrimonio.**
Marco Tulio Cicerón *(106-43 a.C.), político, orador, filósofo y literato romano.*

2648. **La libertad sólo puede fijar su residencia en aquellos Estados en que el pueblo tiene el poder supremo.**
Marco Tulio Cicerón *(106-43 a.C.), político, orador, filósofo y literato romano.*

2649. **La religión no se suprime suprimiendo la superstición.**
Marco Tulio Cicerón *(106-43 a.C.), político, orador, filósofo y literato romano.*

2650. **Los dioses han existido siempre y nunca han nacido.**
Marco Tulio Cicerón *(106-43 a.C.), político, orador, filósofo y literato romano.*

2651. **La naturaleza misma ha impreso en la mente de todos la idea de un Dios.**
Marco Tulio Cicerón *(106-43 a.C.), político, orador, filósofo y literato romano.*

2652. **No hay nada que Dios no pueda realizar.**
Marco Tulio Cicerón *(106-43 a.C.), político, orador, filósofo y literato romano.*

2653. **Si un hombre pudiera subir al cielo y contemplar todo el Universo, la admiración que le causarían sus bellezas quedaría grandemente mermada si no tuviera alguien con quien compartir su placer.**
Marco Tulio Cicerón *(106-43 a.C.), político, orador, filósofo y literato romano.*

2654. **El buen ciudadano es aquel que no puede tolerar en su patria un poder que pretende hacerse superior a las leyes.**
Marco Tulio Cicerón *(106-43 a.C.), político, orador, filósofo y literato romano.*

2655. **En la guerra, causas triviales producen acontecimientos trascendentales.**
JULIO CÉSAR *(100-44 a.C.), emperador romano.*

2656. **Es hermoso servir a la patria con hechos,
y no es absurdo servirla con palabras.**
CRISPO CAYO SALUSTIO *(86-34 a.C.), historiador y político latino.*

2657. **No hay nada peor que una guerra civil, pues los vencidos son destruidos por sus propios amigos.**
DIONISIO DE HALICARNASO *(h. 68-h. 8 a.C.), retórico e historiador griego.*

2658. **El populacho puede silbarme, pero cuando voy a mi casa
y pienso en mi dinero me aplaudo a mí mismo.**
QUINTO HORACIO FLACO *(65 a.C.-8 d.C.), poeta latino.*

2659. **Consigue dinero ante todo; la virtud vendrá después.**
QUINTO HORACIO FLACO *(65 a.C.-8 d.C.), poeta latino.*

2660. **La virtud, la gloria, el honor, todas las cosas humanas y divinas,
son esclavas de las riquezas.**
QUINTO HORACIO FLACO *(65 a.C.-8 d.C.), poeta latino.*

2661. **La alta alcurnia y las hazañas meritorias, si no van unidas
a la riqueza, son tan inútiles como las algas del mar.**
QUINTO HORACIO FLACO *(65 a.C.-8 d.C.), poeta latino.*

2662. **La pobreza nos incita a hacer y soportar cualquier cosa con tal
de librarnos de ella, y, por eso, nos aparta de la virtud.**
QUINTO HORACIO FLACO *(65 a.C.-8 d.C.), poeta latino.*

2663. **¿Quién es libre? El sabio que puede dominar sus pasiones, que no teme a la necesidad, a la muerte ni a las cadenas, que refrena firmemente sus apetitos y desprecia los honores del mundo, que confía exclusivamente en sí mismo y que ha redondeado y pulido las aristas de su carácter.**
QUINTO HORACIO FLACO *(65 a.C.-8 d.C.), poeta latino.*

2664. **La adversidad revela el genio de un general;
la buena fortuna lo oculta.**
QUINTO HORACIO FLACO *(65 a.C.-8 d.C.), poeta latino.*

2665. **Tus propios intereses están en juego cuando arde la casa de tu vecino.**
QUINTO HORACIO FLACO *(65 a.C.-8 d.C), poeta latino.*

Sociedad

2666. En la guerra más que en ningún otro caso, los acontecimientos no corresponden a las esperanzas.
TITO LIVIO *(59 a.C.-17 d.C.), historiador romano.*

2667. Para un buen general, la muerte no tiene importancia.
TITO LIVIO *(59 a.C.-17 d.C.), historiador romano.*

2668. Ningún favor produce una gratitud menos permanente que el don de la libertad, especialmente entre aquellos pueblos que están dispuestos a hacer mal uso de ella.
TITO LIVIO *(59 a.C.-17 d.C.), historiador romano.*

2669. Nada se clava más hondo que la pérdida de dinero.
TITO LIVIO *(59 a.C.-17 d.C.), historiador romano.*

2670. El hábito crea la costumbre.
PUBLIO NASÓN OVIDIO *(43 a.C.-17 d.C.), poeta latino.*

2671. No hay nada más poderoso que el hábito.
PUBLIO NASÓN OVIDIO *(43 a.C.-17 d.C.), poeta latino.*

2672. El amor a la patria es más patente que la razón misma.
PUBLIO NASÓN OVIDIO *(43 a.C.-17 d.C.), poeta latino.*

2673. La abundancia me hizo pobre.
PUBLIO NASÓN OVIDIO *(43 a.C.-17 d.C.), poeta latino.*

2674. El vulgo estima a los amigos por las ventajas que pueden obtenerse de ellos.
PUBLIO NASÓN OVIDIO *(43 a.C.-17 d.C.), poeta latino.*

2675. En un cambio de gobierno, el pobre rara vez cambia de otra cosa que del nombre de su amo.
FEDRO *(10 a.C.-70 d.C.), fabulista latino.*

2676. Quien no se acomoda a las maneras del resto de los hombres, de ordinario sufre la pena de soberbia.
FEDRO *(10 a.C.-70 d.C.), fabulista latino.*

2677. Ningún imperio conquistado y gobernado por la violencia es duradero.
LUCIO ANNEO SÉNECA *(4 a.C.-65 d.C.), escritor y filósofo latino.*

2678. Un rey es una persona que no teme nada ni desea nada.
LUCIO ANNEO SÉNECA *(4 a.C.-65 d.C.), escritor y filósofo latino.*

2679. **El primer arte que deben aprender los que aspiran al poder es el de ser capaces de soportar el odio.**
LUCIO ANNEO SÉNECA *(4 a.C.-65 d.C.), escritor y filósofo latino.*

2680. **El temor a la guerra es peor que la guerra misma.**
LUCIO ANNEO SÉNECA *(4 a.C.-65 d.C.), escritor y filósofo latino.*

2681. **La fortuna de la guerra es siempre dudosa.**
LUCIO ANNEO SÉNECA *(4 a.C.-65 d.C.), escritor y filósofo latino.*

2682. **La naturaleza, el destino, la suerte: todo esto no son más que nombres del mismo Dios.**
LUCIO ANNEO SÉNECA *(4 a.C.-65 d.C.), escritor y filósofo latino.*

2683. **¿Preguntas qué es la libertad? No ser esclavo de nada, de ninguna necesidad, de ningún accidente y conservar la fortuna al alcance de la mano.**
LUCIO ANNEO SÉNECA *(4 a.C.-65 d.C.), escritor y filósofo latino.*

2684. **Dios no se arrepiente nunca de sus primeras decisiones.**
LUCIO ANNEO SÉNECA *(4 a.C.-65 d.C.), escritor y filósofo latino.*

2685. **Acomodarse con la pobreza es ser rico; se es pobre, no por tener poco, sino por desear mucho.**
LUCIO ANNEO SÉNECA *(4 a.C.-65 d.C.), escritor y filósofo latino.*

2686. **Grandes riquezas, gran esclavitud.**
LUCIO ANNEO SÉNECA *(4 a.C.-65 d.C.), escritor y filósofo latino.*

2687. **La verdadera medida de la riqueza es el no estar demasiado cerca ni demasiado lejos de la pobreza.**
LUCIO ANNEO SÉNECA *(4 a.C.-65 d.C.), escritor y filósofo latino.*

2688. **El dinero cae en las manos de algunos hombres como una moneda cae en la alcantarilla.**
LUCIO ANNEO SÉNECA *(4 a.C.-65 d.C.), escritor y filósofo latino.*

2689. **Aquel goza perfectamente de sus riquezas, que para nada las necesita.**
LUCIO ANNEO SÉNECA *(4 a.C.-65 d.C.), escritor y filósofo latino.*

2690. **El camino más corto para llegar a la riqueza es despreciarla.**
LUCIO ANNEO SÉNECA *(4 a.C.-65 d.C.), escritor y filósofo latino.*

Sociedad

2691. Un compañero alegre sirve en viaje casi de vehículo.
PUBLIO SIRO *(siglo I a.C.), poeta latino.*

2692. Ama a tus padres si son justos; si no lo son, sopórtalos.
PUBLIO SIRO *(siglo I a.C.), poeta latino.*

2693. Bienaventurados los pobres, porque de ellos será el reino de los cielos.
LA BIBLIA.

2694. Más vale un vecino próximo que un hermano alejado.
LA BIBLIA.

2695. Conviene, pues, que el obispo sea irreprensible, marido de una mujer... Que gobierne bien su casa, que tenga sus hijos en sujeción con toda honestidad; porque el que no sabe gobernar su casa, ¿cómo cuidará de la Iglesia de Dios?
LA BIBLIA, SAN PABLO.

**2696. Cuando sufrimos es cuando veneramos a los dioses.
El hombre feliz rara vez se acerca al altar.**
SILIO ITÁLICO *(25-101), poeta latino.*

**2697. Haznos enemigos de todos los pueblos de la tierra,
pero sálvanos de la guerra civil.**
MARCO ANNEO LUCANO *(39-65), poeta épico latino.*

**2698. Las riquezas que entregues a otros serán las únicas
que realmente poseerás siempre.**
MARCO VALERIO MARCIAL *(h. 40-104), poeta latino.*

2699. Aníbal sabía lograr victorias, pero no hacer uso de ellas.
PLUTARCO DE QUERONA *(46-120), historiador y moralista griego.*

**2700. No fue Filipo, sino el oro de Filipo,
quien tomó las ciudades de Grecia.**
PLUTARCO DE QUERONA *(46-120), historiador y moralista griego.*

2701. Es difícil que una persona rica sea modesta o que una persona modesta sea rica.
EPICTETO DE FRIGIA *(h. 50-h.120), filósofo latino.*

2702. Tan difícil es para los ricos adquirir la sabiduría como para los sabios adquirir la riqueza.
EPICTETO DE FRIGIA *(h. 50-h.120), filósofo latino.*

2703. **Nada es en realidad agradable o desagradable por naturaleza; todas las cosas son agradables o desagradables a causa del hábito.**
EPICTETO DE FRIGIA *(h. 50-h.120), filósofo latino.*

2704. **El hombre sabio no debe abstenerse de participar en el gobierno del estado, pues es un delito renunciar a ser útil a los necesitados y una cobardía ceder el paso a los indignos.**
EPICTETO DE FRIGIA *(h. 50-h.120), filósofo latino.*

2705. **El poder nunca es estable cuando es ilimitado.**
PUBLIO CORNELIO TÁCITO *(h. 54/57-h. 125), historiador y orador latino.*

2706. **El oro y las riquezas son las causas principales de la guerra.**
PUBLIO CORNELIO TÁCITO *(h. 54/57-h. 125), historiador y orador latino.*

2707. **Dios lo gobierna todo.**
PUBLIO CORNELIO TÁCITO *(h. 54/57-h. 125), historiador y orador latino.*

2708. **Una mala paz es todavía peor que la guerra.**
PUBLIO CORNELIO TÁCITO *(h. 54/57-h. 125), historiador y orador latino.*

2709. **Las cualidades de un general son el juicio y la prudencia.**
PUBLIO CORNELIO TÁCITO *(h. 54/57-h. 125), historiador y orador latino.*

2710. **Las libertades y los amos no se combinan fácilmente.**
PUBLIO CORNELIO TÁCITO *(h. 54/57-h. 125), historiador y orador latino.*

2711. **La naturaleza concede libertad hasta a los animales.**
PUBLIO CORNELIO TÁCITO *(h. 54/57-h. 125), historiador y orador latino.*

2712. **No cabe esperar que una madre enseñe a sus hijos costumbres diferentes a las suyas.**
DECIMUS IUNIUS JUVENAL *(h. 60-h. 140), poeta latino.*

2713. **El dinero se llora con un pesar más profundo que a los amigos o a los parientes.**
DECIMUS IUNIUS JUVENAL *(h. 60-h. 140), poeta latino.*

2714. **La mayor desdicha de la pobreza es que hace ridículos a los hombres.**
DECIMUS IUNIUS JUVENAL *(h. 60-h. 140), poeta latino.*

2715. **Nadie pregunta cómo te has hecho rico; y todos te reciben mejor si saben que lo eres.**
DECIMUS IUNIUS JUVENAL *(h. 60-h. 140), poeta latino.*

Sociedad

2716. **Nada es más intolerable que una mujer rica.**
DECIMUS IUNIUS JUVENAL *(h. 60-h. 140), poeta latino.*

2717. **El que desea llegar a rico quiere serlo pronto.**
DECIMUS IUNIUS JUVENAL *(h. 60-h. 140), poeta latino.*

2718. **En el gobierno, como en el cuerpo humano, las enfermedades más graves proceden de la cabeza.**
PLINIO EL JOVEN *(62-114), político y escritor latino.*

2719. **La tierra es benigna, mansa, indulgente y asidua servidora en todas nuestras necesidades. [...] ¡Con qué honradez nos devuelve multiplicado el caudal que le confiamos! ¡Cuántas cosas produce para nuestro bien!**
PLINIO EL JOVEN *(62-114), político y escritor latino.*

2720. **Como en la vida, así en los estudios conviene mezclar lo serio y lo jovial, para que lo primero no produzca tristeza y lo segundo no genere frivolidad.**
PLINIO EL JOVEN *(62-114), político y escritor latino.*

2721. **Un buen pastor esquila las ovejas, no las devora.**
CAYO SUETONIO TRANQUILO *(75-160), historiador latino.*

2722. **La belleza y la sabiduría rara vez se encuentran juntas.**
PETRONIO *(siglo I), escritor latino.*

2723. **La invención de los dioses se debe fundamentalmente al miedo.**
PETRONIO *(siglo I), escritor latino.*

2724. **La inteligencia del universo es social. Ha hecho a los inferiores para beneficio de los superiores, y a los superiores para que se adapten unos a otros.**
MARCO AURELIO *(121-180), emperador romano.*

2725. **Lo que no es bueno para el enjambre no es bueno para la abeja.**
MARCO AURELIO *(121-180), emperador romano.*

2726. **Aquélla se podrá llamar suma y verdadera riqueza, que poseída se desprecia, que sólo sirve al remedio de las necesidades, que se comunica con los buenos y se reparte con los amigos.**
MARCO AURELIO *(121-180), emperador romano.*

2727. **Nada de lo que es de Dios puede obtenerse con dinero.**
QUINTUS SEPTIMIUS FLORENS TERTULIANO *(h. 155-h. 222), Doctor de la Iglesia cristiana, creador de la literatura teológica latina.*

2728. **La sangre de los mártires es la semilla de la iglesia.**
QUINTUS SEPTIMIUS FLORENS TERTULIANO *(h. 155-h. 222), Doctor de la Iglesia cristiana, creador de la literatura teológica latina.*

2729. **Una mujer santa puede ser bella, por gracia de la naturaleza; pero no debe dar ocasión a la lascivia. Para que la belleza sea suya, lejos de ostentarla, debe oscurecerla.**
QUINTUS SEPTIMIUS FLORENS TERTULIANO *(h. 155-h. 222), Doctor de la Iglesia cristiana, creador de la literatura teológica latina.*

2730. **¿De qué aprovechan las riquezas superfluas en este mundo, cuando no pueden socorreros ni en el nacimiento ni en la muerte?, pues nacemos desnudos y desnudos nos marchamos, y en la tumba no hay posesiones.**
SAN AMBROSIO *(340-397), Padre y Doctor de la Iglesia cristiana.*

2731. **¿Acaso porque eres rico tienes dos estómagos que llenar?**
SAN AGUSTÍN *(354-430), tteólogo y Padre de la Iglesia cristiana.*

2732. **El matrimonio no es tan útil para la procreación debida de los hijos como para formar la más feliz y propia sociedad de diverso sexo.**
SAN AGUSTÍN *(354-430), teólogo y Padre de la Iglesia cristiana.*

2733. **La paz es para el mundo lo que la levadura para la masa.**
TALMUD *(siglos IV-V), texto sagrado del judaísmo.*

2734. **Más que a la madre, el hijo teme al padre, cuya autoridad siente. Por eso, la sagrada ley antepone la madre al padre en el precepto de respetar a los padres.**
TALMUD *(siglos IV-V), texto sagrado del judaísmo.*

2735. **La sociedad y la familia se parecen al arco de un palacio: quitas una piedra y todo se derrumba.**
TALMUD *(siglos IV-V), texto sagrado del judaísmo.*

2736. **Todo aquel que desposa una mujer sólo por su fortuna, tendrá hijos que le avergonzarán.**
TALMUD *(siglos IV-V), texto sagrado del judaísmo.*

Sociedad

2737. **Sabed que quien cambia la fe por la incredulidad, deja lo bello en medio del camino.**
MAHOMA *(570-632), profeta del Islam.*

2738. **En verdad, hay signos en la tierra para los hombres que creen firmemente.**
MAHOMA *(570-632), profeta del Islam.*

2739. **La belleza del hombre consiste en el buen decir.**
MAHOMA *(570-632), profeta del Islam.*

2740. **La amistad y la enemistad se heredan.**
MAHOMA *(570-632), profeta del Islam.*

2741. **Ningún pueblo puede retardar o precipitar el instante en que está declarada su ruina.**
CORÁN *(siglo VII).*

2742. **Tú y todo cuanto posees lo debes a tu padre. Vuestros hijos son vuestras ganancias. Por tanto, tenéis derecho a disfrutar de su fortuna.**
CORÁN *(siglo VII).*

2743. **¡Oh, Alá! Dame un hijo y no te volveré a pedir más favores.**
CORÁN *(siglo VII).*

2744. **Nada debe ensalzar la pobreza excepto los pobres.**
SAN BERNARDO *(1090-1153), Doctor francés de la Iglesia ctistiana.*

2745. **La guerra es puro ardid: si no puedes vencer, engaña.**
ABD ALLAH *(siglo XI), rey de Granada.*

2746. **Muchos son los beneficios de viajar: la frescura que reporta al espíritu, el ver y oír cosas maravillosas, la delicia de contemplar nuevas ciudades, el encuentro con nuevos amigos y el aprender finas maneras.**
MUSLIH-UD-DIN SAADI *(1184-1291), poeta persa.*

2747. **Los buenos siervos de Dios procuran que no sufran sus enemigos. Tú no podrás asemejarte a ellos cuando estás en guerra con tus amigos.**
MUSLIH-UD-DIN SAADI *(1184-1291), poeta persa.*

2748. **Difícilmente alcanzo, sin rubor, cómo una virgen pudo concebir sin obra de varón.**
LIBRO DE SANTIAGO *(siglo XII).*

2749. **Non es guisada nin honesta cosa que la mujer tome oficio de varón.**
ALFONSO X EL SABIO *(1221-1284), rey de Castilla y León.*

La Edad Media organizaba el mundo social y moral de un modo muy rígido. Los medievalistas suelen identificar la estructura social con una pirámide cuya base está formada por los campesinos y labradores y cuya cúspide o vértice superior es el rey. Por lo que se refiere al universo moral, los eruditos comparan el pensamiento medieval con los tímpanos de las catedrales. Jesucristo se halla en el centro del grupo escultórico; a sus lados, en un plano inferior, se encuentran los santos y los buenos; la base la componen los hombres y mujeres malvados y perversos, condenados a las llamas del infierno. El lugar de la mujer en esta imagen del mundo era prácticamente invisible. La mujer era un objeto, una posesión, o un mal inevitable. Su labor se reducía a trabajar en beneficio del hombre y su significado social era nulo. El poder religioso la señalaba como causa de la perdición del hombre, sólo necesaria para los trabajos más ingratos y para la reproducción. Ahora bien, este esquema no se ajustaba siempre a la realidad. Los relatos populares y cultos muestran a una mujer inteligente y astuta que intenta, por todos los medios, eludir la presión masculina. Su actitud, desde luego, no es revolucionaria, sino que procura «engañar» al hombre para lograr sus objetivos. En las obras de Gonzalo de Berceo, de Alfonso x, del Arcipreste de Hita o de don Juan Manuel, existen numerosos ejemplos de este modo de proceder femenino. El Arcipreste de Hita, por ejemplo, propone como modelo a la mujer que sea «En la cama muy loca, en la casa muy cuerda». Este modelo lo argumentó Ovidio en su *Ars Amandi* (*El arte de amar*), y concuerda con el dicho popular «A la noche putas, y a la mañana comadres».

2750. **Si los míos hijos son mis enemigos, no está mal que yo tome a mis enemigos por hijos.**
ALFONSO X EL SABIO *(1221-1284), rey de Castilla y León.*

2751. **Antes deja que tus parientes manden en tu casa, que los de tu mujer.**
RAMÓN LLULL *(1233-1315), poeta y teólogo español.*

2752. **No honres a tu señor más de lo que a los dos conviene.**
RAMÓN LLULL *(1233-1315), poeta y teólogo español.*

2753. **Procura que tu perro no muerda al de tu vecino.**
RAMÓN LLULL *(1233-1315), poeta y teólogo español.*

Sociedad

2754. **Ya verás cuán amargo sabe el pan ajeno, y cuán áspero camino es bajar y subir por la escalera de otros.**
DANTE ALIGHIERI *(1265-1321), poeta italiano.*

2755. **Muchas veces hubieron de llorar los hijos por las culpas del padre.**
DANTE ALIGHIERI *(1265-1321), poeta italiano.*

2756. **Dado que no puede haber amistad entre desiguales, donde quiera que se ve amistad se supone igualdad y donde quiera que se entiende amistad son comunes alabanza y vituperio.**
DANTE ALIGHIERI *(1265-1321), poeta italiano.*

2757. **Si queréis servir a Dios y hacerle enmienda de los enojos que le habéis hecho, entended que, antes de que abandonéis esta tierra, enmendéis lo que habéis hecho a aquellos a los que hicisteis algún daño.**
INFANTE DON JUAN MANUEL *(1282-1348), escritor y político español.*

2758. **El ome en su tierra vive más a sabor;**
fázenle a la muerte los parientes honor;
los ojos a l'alma han folgança maior
cuando muchos parientes están aderredor.
LIBRO DE ALEXANDRE *(siglo XIII).*

2759. **Amistad vender non es costumbre nuestra;**
quien bondad ha per preçio malamente se denuesta.
LIBRO DE ALEXANDRE *(siglo XIII).*

2760. **Dicen las Escrituras: «Dispersaos por el mundo»; así que los sacerdotes y los monjes corren por el mundo, abandonando el evangelio; ya se levantan los diáconos y entran en nuestra secta, que es la salud de la vida.**
CANTO GOLIÁRDICO *(siglo XIII).*

Corre la primera mitad del siglo XIII. En Europa se fundan las primeras universidades y parece renacer una vitalidad y alegría que se tenían por perdidas. Las ciudades crecen y los distintos emplazamientos humanos (aldeas y monasterios) se dedican más al comercio que a la guerra. Fue por aquella época cuando los caminos de Alemania, Francia y España se poblaron de *clerici vagantes*: estudiantes y jóvenes clérigos cultos que, a falta de empleos en palacios y monasterios, se dedicaban a cantar vulgaridades y groserías en las plazas públicas. Se les llamaba también goliardi, o goliardos, palabra de origen incierto a las que algunos la relacionan con la voz «gula» o «gola» (garganta).

Su vida andariega y disipada les propició numerosas críticas, pero durante varios siglos los goliardos, animados jóvenes, lujuriosos y comilones, estuvieron vagando por los pueblos europeos e influyeron decisivamente en la poesía humorística de la Edad Media: el mismo arcipreste de Hita debe buena parte de su obra a esta tradición literaria.

Los goliardos atacan a todas las instituciones eclesiásticas, desde el Papa a los curas de aldea, y, de paso, promueven la alegría de la vida pícara, incluyendo el sexo y la glotonería. Con todo, lo más importante de esta tendencia poética es la crítica: ellos mismos eran clérigos pero entendían que el mundo religioso estaba corrompido, era falso e hipócrita; en sus escritos desvelan las ruindades de los monjes y sacerdotes, y ponen al fresco la vileza de sus comportamientos.

La cita pertenece al *Himno de los vagantes*, según el cual existiría una verdadera Orden de vagantes, por supuesto cómica y falsa. Uno de sus párrafos dice:

En esta secta está escrito: «¡Probadlo todo!
¡Observad cuidadosamente nuestro modo de vivir!
¡Encarnizaos contra los malos clérigos
que no os dan con abundancia, por caridad!»
(Versión de A. Dornheim.)

Seguramente el canto goliárdico más popular es el *In taberna quando sumus...* (*Cuando estamos en la taberna...*), que, en una de sus partes dice:

Bebe el siervo con la criada,
bebe el dispuesto, bebe el holgazán,
bebe el blanco, bebe el negro,
bebe el constante, bebe el vago,
bebe el burro, bebe el sabio,
bebe el pobre y el enfermo,
bebe el desterrado y el desconocido,
bebe el niño, bebe el canoso,
bebe el obispo y el decano,
bebe la monja, bebe el fraile,
bebe la abuela, bebe la madre,
bebe éste, bebe aquel,
beben ciento, beben mil...

Sociedad

2761. Te aseguro que, si es mi juicio recto, no creí ver allí santidad ninguna, ni devoción, ni obra buena, ni ejemplo de vida, ni de nada, en nadie que fuese clérigo. Pero la lujuria, la avaricia, la gula y cosas semejantes y peores, si es que peores se pueden encontrar en alguien, me pareció encontrarlas en todos, con tanto predicamento, que tengo aquel lugar [Roma] más por sede de obras diabólicas que divinas.

GIOVANNI BOCCACCIO *(1313-1375), escritor italiano.*

**2762. Os digo que os podéis enorgullecer de vuestra hermosura
más que ninguna otra mujer, puesto que agrada a los santos,
que están acostumbrados a ver las del cielo.**

GIOVANNI BOCCACCIO *(1313-1375), escritor italiano.*

2763. He oído mil veces decir a los hombres que hay gozo en el cielo y pena en el infierno, y concedo que esto sea así. Pero, sin embargo, sé también que no hay nadie en este país que haya estado jamás en el cielo o en el infierno, y que todo cuanto dicen de ello es porque lo han oído decir o lo han leído.

GEOFFREY CHAUCER *(h. 1340-h. 1400), poeta inglés.*

**2764. Si se corrompe el cura en quien confiamos,
no es raro que cualquiera haga lo mismo.**

GEOFFREY CHAUCER *(h. 1340-h. 1400), poeta inglés.*

**2765. A un miserable los hombres le declaran sus vicios,
pero no a un señor, aunque vaya directo al infierno.**

GEOFFREY CHAUCER *(h. 1340-h. 1400), poeta inglés.*

**2766. Me han dicho que, así como Cristo sólo fue a una boda,
en Caná de Galilea, ese mismo ejemplo me enseñaba que
yo sólo debería casarme una vez.**

GEOFFREY CHAUCER *(h. 1340-h. 1400), poeta inglés.*

2767. El que non ha dineros, non es de sy señor.

JUAN RUIZ, ARCIPRESTE DE HITA *(† h. 1350), poeta castellano.*

**2768. Como dice Aristóteles, cosa es verdadera,
el mundo por dos cosas trabaja: la primera,
por aver mantenençia; la otra cosa era
por haber ayuntamiento con fembra placentera.**

JUAN RUIZ, ARCIPRESTE DE HITA *(† h. 1350), poeta castellano.*

2769. **No es dichoso amigo el que da mal consejo.**

Juan Ruiz, Arcipreste de Hita *(† h. 1350), poeta castellano.*

2770. **Y el hombre que mantiene a una huérfana o a las viudas hace obra de piedad. Y si el arzobispo piensa que es cosa mala, dejaremos a las mujeres buenas y volveremos a tratar con las malas.**

Juan Ruiz, Arcipreste de Hita *(† h. 1350), poeta castellano.*

2771. **Por las malas vecindades se pierden heredades.**

Juan Ruiz, Arcipreste de Hita *(† h. 1350), poeta castellano.*

2772. **Grandes artes demuestra el mucho menester,**
pensando en los peligros podedes estorcer,
quizás el gran trabajo puede vos acorrer,
Dios e el uso grande fazen los fados volver.

Juan Ruiz, Arcipreste de Hita *(† h. 1350), poeta castellano.*

2773. **Hijo mío muy amado,**
para mientes
e no contristes las gentes
mal su grado:
ama e serás amado
e podrás
fazer lo que non farás
desamado.

Íñigo López de Mendoza, marqués de Santillana *(1398-1458), político y escritor español.*

2774. **El vivir que es perdurable**
no se gana con estados
mundanales,
ni con vida deleitable
en que moran los pecados
infernales.
Mas los buenos religiosos
gánanlo con oraciones
y con lloros;
los caballeros famosos,
con trabajos y aflicciones
contra moros.

Jorge Manrique *(1440-1479), poeta español.*

Sociedad

2775. **Tú, ¡oh Dios!, vendes todos los bienes a los hombres a cambio de su esfuerzo.**
LEONARDO DA VINCI *(1452-1519), humanista italiano.*

2776. **Y quiera nuestro Creador que yo pueda mostrar la naturaleza de los hombres y sus costumbres, como describo su figura.**
LEONARDO DA VINCI *(1452-1519), humanista italiano.*

2777. **Mediocre alumno el que no sobrepase a su maestro.**
LEONARDO DA VINCI *(1452-1519), humanista italiano.*

2778. **La amistad no se encuentra entre los que compiten por algún cargo o dignidad, porque ambos trabajan y se esfuerzan por alcanzar lo mismo.**
ERASMO DE ROTTERDAM *(1466-1536), teólogo holandés.*

2779. **La paz más desventajosa es mejor que la guerra más justa.**
ERASMO DE ROTTERDAM *(1466-1536), teólogo holandés.*

2780. **La guerra es dulce para los que no la conocen.**
ERASMO DE ROTTERDAM *(1466-1536), teólogo holandés.*

2781. **Para el hombre dichoso, todos los países son su patria.**
ERASMO DE ROTTERDAM *(1466-1536), teólogo holandés.*

2782. **Los hijos de los personajes más notables y renombrados suelen resultar calamitosos para la comunidad.**
ERASMO DE ROTTERDAM *(1466-1536), teólogo holandés.*

2783. **Un buen criado debe ser fiel, deforme y feroz.**
ERASMO DE ROTTERDAM *(1466-1536), teólogo holandés.*

2784. **No pasa de ser natural que los príncipes deseen extender sus dominios, y cuando no intentan nada más que lo que pueden lograr, son aplaudidos. Sin embargo, si son incapaces de lograrlo, se les condena, y a decir verdad, no sin razón.**
NICOLÁS MAQUIAVELO *(1469-1527), escritor y político italiano.*

Niccolò Machiavelli, hombre de pensamiento y de acción política, es el autor de *El príncipe* (1513), una de las obras más representativas del Renacimiento europeo. Se trata de un ensayo de teoría política, lo que los eruditos llaman un espejo de príncipes: enseñanzas para reyes y gobernantes. A lo largo de una vida agitada, como profesional de las cancillerías y de la Corte, Maquiavelo va configurando su teoría política, fruto de su experiencia y de sus conocimientos históricos. Maquiavelo enseña a Laurencio de Médicis cómo se ha de gobernar: la cuestión principal ha de ser mantener el poder. Un príncipe debe ocuparse de la guerra. Respecto a todo, el príncipe debe obrar con virtud. La virtud consiste en salir beneficiado de cualquier asunto y a toda costa. La razón de estado, su conservación y firme asentamiento, es el pilar de su doctrina política: «Procure pues el príncipe ganar y conservar el estado; los medios serán siempre juzgados honorables y serán alabados si se logra el éxito: el vulgo se deja cautivar por la apariencia y el éxito». Estas propuestas, carentes de toda caballerosidad y de dignidad moral, le acarrearon toda suerte de desgracias a Maquiavelo y una fama de miserable que ha perdurado en el lenguaje común: se dice de una persona que tiene intenciones maquiavélicas cuando tiene tendencia a la falsedad, la traición y la perfidia.

2785. **Todos los estados bien gobernados y todos los príncipes inteligentes han tenido cuidado de no reducir a la nobleza a la desesperación, ni al pueblo al descontento.**
NICOLÁS MAQUIAVELO *(1469-1527), escritor y político italiano.*

2786. **El que quiere ser tirano y no mata a Bruto y el que quiere establecer un Estado libre y no mata a los hijos de Bruto, sólo por breve tiempo conservará su obra.**
NICOLÁS MAQUIAVELO *(1469-1527), escritor y político italiano.*

2787. **De la misma manera que se necesitan las leyes para conservar las buenas costumbres, éstas son necesarias para el mantenimiento de las leyes.**
NICOLÁS MAQUIAVELO *(1469-1527), escritor y político italiano.*

2788. **Los pueblos, aunque ignorantes, son capaces de comprender la verdad,
y fácilmente ceden cuando la demuestra un hombre digno de fe.**
NICOLÁS MAQUIAVELO *(1469-1527), escritor y político italiano.*

2789. **Aunque el engaño sea detestable en otras actividades, su empleo en la guerra es laudable y glorioso, y el que vence a un enemigo por medio del engaño merece tantas alabanzas como el que lo logra por la fuerza.**
NICOLÁS MAQUIAVELO *(1469-1527), escritor y político italiano.*

Sociedad

2790. Los hombres son tan simples que el que los quiere engañar siempre encuentran algunos que se dejan.

NICOLÁS MAQUIAVELO *(1469-1527), escritor y político italiano.*

2791. Los hombres trabajan o por necesidad o por elección, y se sabe que la virtud tiene mayor imperio donde se trabaja más por necesidad que voluntariamente.

NICOLÁS MAQUIAVELO *(1469-1527), escritor y político italiano.*

2792. Los cimientos principales de todos los Estados son las buenas leyes y las buenas armas, y no puede haber buenas leyes donde no hay buenas armas.

NICOLÁS MAQUIAVELO *(1469-1527), escritor y político italiano.*

2793. El mejor procedimiento para sostener un Estado consiste en poseer armas propias, halagar a los súbditos y mantener amistad con los vecinos.

NICOLÁS MAQUIAVELO *(1469-1527), escritor y político italiano.*

2794. Todos los profetas armados han triunfado; todos los desarmados han perecido.

NICOLÁS MAQUIAVELO *(1469-1527), escritor y político italiano.*

2795. El hombre olvida más fácilmente la muerte de su padre que la pérdida de su patrimonio.

NICOLÁS MAQUIAVELO *(1469-1527), escritor y político italiano.*

2796. Un buen ciudadano debe, por amor al bien público, olvidar las injurias personales.

NICOLÁS MAQUIAVELO *(1469-1527), escritor y político italiano.*

2797. Dios no quiere hacerlo todo, para no quitaros el libre albedrío y aquella parte de gloria que os corresponde.

NICOLÁS MAQUIAVELO *(1469-1527), escritor y político italiano.*

2798. Cierta boda será
según anda el novio listo,
que parece que te ha visto
en la priesa que se da.

FERNANDO DE ROJAS *(h. 1470-1541), escritor español.*

2799. Un hijo que nace, restaura la falta de tres finados.

FERNANDO DE ROJAS *(h. 1470-1541), escritor español.*

3000. **Miserable cosa es pensar ser maestro el que nunca fue discípulo.**

FERNANDO DE ROJAS *(h. 1470-1541), escritor español.*

3001. **La mitad está hecha cuando tienen buen principio las cosas.**

FERNANDO DE ROJAS *(h. 1470-1541), escritor español.*

3002. **El hombre es el único animal que hace daño a su pareja.**

LUDOVICO ARIOSTO *(1474-1533), poeta italiano.*

3003. **Los hombres no tienen otras cosas que los bienes, el cuerpo y el alma. De los bienes se ocupan los jurisconsultos; del cuerpo, los médicos; y del alma, los teólogos.**

BALTASAR DE CASTIGLIONE *(1478-1529), escritor y político italiano.*

3004. **La crianza y buen comedimiento más honra al que lo hace que no al que se hace.**

FRAY ANTONIO DE GUEVARA *(1480-1545), político y moralista español.*

La vida en la Corte condicionó probablemente la obra de Guevara, a quien encontramos en 1521 junto a Carlos I realizando funciones de predicador real y, tal vez, escribiendo discursos para el joven emperador. Su interés como literato se centró en ofrecer consejos piadosos y prácticos al príncipe y de ahí nació su obra mayor: *Relox de príncipes*, basado en parte en una hipotética biografía de Marco Aurelio. Desde el punto de vista literario, sin embargo, es más apreciado el *Menosprecio de corte y alabanza de aldea*, dedicado al rey Juan III de Portugal. De este tratado extraemos un párrafo en el que confiesa los errores y malas costumbres que propicia la Corte, y cómo los cortesanos se ven obligados a fingir y a batallar por hallar acomodo, placer y recompensas en torno al rey:

«Persuadíame a mí que en sangre ninguno eran tan limpio, en ciencia tan docto, en doctrina tan gracioso, en aconsejar tan cuerdo, en hablar tan limitado, en escribir tan elegante, en crianza tan comedido y en conversación tan amoroso. Y después que tornaba sobre mí y veía las faltas que había en mí, hallaba por cierto y por verdad que en todo me levantaba falso testimonio y que en otros y no en mí se hallaba todo aquello. Holgaba que todos me tuviesen por santo, todos por docto, todos por recogido, todos por desapasionado, todos por contento, todos por celoso y todos por asosegado; y, por otra parte, estaba mi voluntad hecha un piélago de deseos y mi corazón un mar de pensamientos.»

Sociedad

3005. **El que presume de hombre cuerdo y de ser buen marido, más ha de usar con mujer de sagacidad que de rigor y fuerza.**

FRAY ANTONIO DE GUEVARA *(1480-1545), político y moralista español.*

3006. **¡Cuántos en las cortes tienen oficios preeminentes, a los cuales en una aldea no les hicieran alcaldes!**

FRAY ANTONIO DE GUEVARA *(1480 1545), político y moralista español.*

3007. **Se combate con gran desventaja cuando se lucha contra los que no tienen nada que perder.**

FRANCESCO GUICCIARDINI *(1483-1540), historiador italiano.*

3008. **La riqueza es el más mezquino y pequeño don que en este mundo puede conceder Dios a un hombre. Por eso nuestro Señor da de ordinario las riquezas a los mayores pollinos, que no saben apetecer otra cosa.**

MARTIN LUTERO *(1483-1546), teólogo alemán.*

3009. **La guerra es la mayor plaga que puede afligir a la humanidad. Destruye la religión, destruye los Estados, destruye las familias. Cualquier calamidad es preferible a ésta.**

MARTIN LUTERO *(1483-1546), teólogo alemán.*

3010. **Debemos estar siempre dispuestos a creer que lo que nos parece blanco es en realidad negro, si la jerarquía de la Iglesia así lo decide.**

SAN IGNACIO DE LOYOLA *(1491-1556), religioso español.*

3011. **La sociedad humana no termina dentro de los límites de esta vida, sino que trasciende más allá. Como si los vivos estuvieran bajo la protección de los muertos.**

JUAN LUIS VIVES *(1492-1540), humanista español.*

3012. **Y porque el Padre Santo es muy alto señor,**
que en todo el mundo no hay su par,
d'esta mi danza será guiador:
desnude su capa, comience a sotar;
non es ya tiempo de perdones dar,
ni de celebrar en grande aparato,
que yo le daré en breve mal rato:
danzad, Padre Santo, sin mas detardar.

DANZA DE LA MUERTE *(siglo xv), en la que se llama al Papa a morir.*

3013. **Los literatos me instruyen, los comerciantes me enriquecen, y los grandes me despojan.**

CARLOS I *(1500-1558), rey de España y emperador de Alemania (*CARLOS V*).*

3014. **¡Feliz quien, como Ulises, ha terminado un hermoso viaje!**

JOACHIM DU BELLAY *(1515-1560), poeta francés.*

3015. **Aunque las mujeres no somos buenas para el consejo, algunas veces acertamos.**

SANTA TERESA DE JESÚS *(1515-1582), escritora mística española.*

3016. **Procuremos siempre mirar las virtudes y cosas buenas que viéramos en los otros, y tapar sus defectos con nuestros grandes pecados.**

SANTA TERESA DE JESÚS *(1515-1582), escritora mística española.*

3017. **Es cosa muy cierta, en no habiendo menester de nadie, tener muchos amigos; lo tengo bien visto por diferencia.**

SANTA TERESA DE JESÚS *(1515-1582), escritora mística española.*

3018. **No merecen el nombre de padres los que ponen más cuidado en ganar hacienda que en hacer buenos a sus hijos, a los cuales han de dejar.**

PEDRO RIVADENEYRA *(1526-1611), escritor español.*

3019. **Si es o no invención moderna**
vive Dios que no lo sé.
Pero delicada fue
la invención de la taberna.

BALTASAR DEL ALCÁZAR *(1530-1606), poeta español.*

3020. **Hay que pensar que los juegos de los niños no son sólo juegos, y han de juzgarse como sus actividades más serias.**

MICHEL D'EYCHEM, SEÑOR DE MONTAIGNE *(1533-1592), ensayista francés.*

3021. **El hombre sabio debe apartar su alma de la muchedumbre para conservar en su retiro la libertad y la facultad de juzgar libremente las cosas, pero por lo que se refiere a su atavío exterior, debe seguir de manera absoluta la moda de su época. La regla de las reglas y la ley general de las leyes en que cada cual observe las del lugar donde vive.**

MICHEL D'EYCHEM, SEÑOR DE MONTAIGNE *(1533-1592), ensayista francés.*

3022. **No hay victoria si no se pone fin a la guerra.**

MICHEL D'EYCHEM, SEÑOR DE MONTAIGNE *(1533-1592), ensayista francés.*

Sociedad

3023. **La verdadera libertad consiste en el dominio absoluto de sí mismo.**
MICHEL D'EYCHEM, SEÑOR DE MONTAIGNE *(1533-1592), ensayista francés.*

3024. **Las mismas razones que nos llevan a reñir con un vecino originan la guerra entre dos príncipes.**
MICHEL D'EYCHEM, SEÑOR DE MONTAIGNE *(1533-1592), ensayista francés.*

3025. **A quienes me preguntan la razón de mis viajes les contesto que sé bien de qué huyo pero que ignoro lo que busco.**
MICHEL D'EYCHEM, SEÑOR DE MONTAIGNE *(1533-1592), ensayista francés.*

3026. **Todos los hombres nacen en la igualdad, pero no sabrían permanecer mucho tiempo en ella.**
MICHEL D'EYCHEM, SEÑOR DE MONTAIGNE *(1533-1592), ensayista francés.*

3027. **La mujer se ruboriza siempre al escuchar lo que, sin embargo, no teme realizar.**
MICHEL D'EYCHEM, SEÑOR DE MONTAIGNE *(1533-1592), ensayista francés.*

3028. **¡Cuántas cosas que ayer eran artículos de fe son fábulas hoy!**
MICHEL D'EYCHEM, SEÑOR DE MONTAIGNE *(1533-1592), ensayista francés.*

3029. **Pues es mayor miseria la pobreza para quien se vio en próspera riqueza.**
ALONSO DE ERCILLA *(1533-1594), poeta español.*

3030. **La amistad vieja es como el vino añejo, que cuanto más viejo es más fuerte.**
ANTONIO PÉREZ *(1534-1611), político español.*

3031. **Quien se pone a servir ninguna cosa debe rehusar en la necesidad, y a todas las de su obligación tiene alegremente que satisfacer.**
MATEO ALEMÁN *(1547-1614), escritor español.*

3032. **Débense buscar los amigos como los buenos libros, que no está la felicidad en que sean muchos, ni muy curiosos, antes que sean pocos, buenos y bien conocidos.**
MATEO ALEMÁN *(1547-1614), escritor español.*

3033. **El hombre prudente antes debe carecer de todos y cualesquiera otros bienes que de buenos amigos, que son mejores que cercanos deudos ni propios hermanos.**
MATEO ALEMÁN *(1547-1614), escritor español.*

3034. **Con la iglesia hemos topado, Sancho.**
Miguel de Cervantes Saavedra *(1547-1616), escritor español.*

3035. **Señor, yo soy hombre pacífico, manso, sosegado, y sé disimular cualquier injuria porque tengo mujer e hijos que sustentar y criar.**
Miguel de Cervantes Saavedra *(1547-1616), escritor español.*

3036. **La mujer ha de ser buena y parecerlo, que es más.**
Miguel de Cervantes Saavedra *(1547-1616), escritor español.*

3037. **No hay carga más pesada que la mujer liviana.**
Miguel de Cervantes Saavedra *(1547-1616), escritor español.*

3038. **Come poco, y cena más poco, que la salud de todo el cuerpo se fragua en la oficina del estómago.**
Miguel de Cervantes Saavedra *(1547-1616), escritor español.*

3039. **El andar tierras y comunicar con diversas gentes hace a los hombres discretos.**
Miguel de Cervantes Saavedra *(1547-1616), escritor español.*

3040. **No pidas por favor lo que puedas obtener por la fuerza.**
Miguel de Cervantes Saavedra *(1547-1616), escritor español.*

3041. **Las cosas de la guerra más que otras están sujetas a continua mudanza.**
Miguel de Cervantes Saavedra *(1547-1616), escritor español.*

3042. **Los religiosos, con toda paz y sosiego, piden al cielo el bien de la tierra, pero los soldados y caballeros ponemos en ejecución lo que ellos piden.**
Miguel de Cervantes Saavedra *(1547-1616), escritor español.*

3043. **No andes, Sancho, desceñido y flojo, que el vestido descompuesto da indicios de ánimo desmalazado.**
Miguel de Cervantes Saavedra *(1547-1616), escritor español.*

3044. **El gobernador codicioso hace la justicia degollando.**
Miguel de Cervantes Saavedra *(1547-1616), escritor español.*

3045. **La libertad, Sancho, es uno de los más preciosos dones que a los hombres dieron los cielos. Con ella no pueden igualarse los tesoros que encierra la tierra ni el mar encubre; por la libertad, así como por la honra, se puede y debe aventurar la vida.**
Miguel de Cervantes Saavedra *(1547-1616), escritor español.*

Sociedad

3046. **Entre los pueblos pueden durar las amistades, porque la igualdad de la fortuna sirve de eslabonar los corazones, pero entre los ricos y los pobres no puede haber amistad duradera, por la desigualdad que hay entre la riqueza y la pobreza.**
Miguel de Cervantes Saavedra *(1547-1616), escritor español.*

3047. **¡Venturoso aquel a quien el cielo dio un pedazo de pan, sin que le quede obligado de agradecerlo a otro que al mismo cielo!**
Miguel de Cervantes Saavedra *(1547-1616), escritor español.*

3048. **El mejor cimiento y zanja del mundo es el dinero.**
Miguel de Cervantes Saavedra *(1547-1616), escritor español.*

3049. **El vino templado con agua da esfuerzo al corazón, color al rostro, quita la melancolía, alivia el camino, da coraje al más cobarde, templa el hígado, y hace olvidar todos los pesares.**
Vicente Espinel *(1550-1624), músico y escritor español.*

3050. **Los padres, o por tener más experiencia que los hijos, o por ser hechura suya y conocer sus inclinaciones, o por haberlos criado y conocer de qué pie cojean, o por el amor entrañable que les tienen, son algo profetas de los bienes o de los males de los hijos.**
Vicente Espinel *(1550-1624), poeta y músico español.*

3051. **A mis amigos, en la elección aconséjoles lo mejor que sé, y en la determinación, ayúdoles lo mejor que puedo.**
Vicente Espinel *(1550-1624), poeta y músico español.*

3052. **La casa debe ser siempre como el propio castillo y la propia fortaleza; no sólo para defendernos contra todo daño y violencia, sino también para descansar.**
Edward Coke *(1552-1634), jurisconsulto inglés.*

3053. **Las casas han sido construidas para habitarlas, no para contemplarlas.**
Francis Bacon *(1561-1626), filósofo inglés.*

3054. **Las democracias suelen ser más tranquilas y están menos expuestas a la sedición que el régimen gobernado por una estirpe de nobles.**
Francis Bacon *(1561-1626), filósofo inglés.*

3055. **El dinero es como el estiércol: no es bueno a no ser que se esparza.**
Francis Bacon *(1561-1626), filósofo inglés.*

3056. **El hombre que se muestre solícito y cortés con un extranjero demuestra que es ciudadano del mundo.**
FRANCIS BACON *(1561-1626), filósofo inglés.*

3057. **La naturaleza nunca puso las piedras preciosas en las buhardillas de los pisos altos; así, los hombres excesivamente altos tienen la cabeza vacía.**
FRANCIS BACON *(1561-1626), filósofo inglés.*

3058. **La multitud no hace compañía y los muchos rostros no son más que una galería de cuadros.**
FRANCIS BACON *(1561-1626), filósofo inglés.*

3059. **Dios Todopoderoso plantó el primer jardín. Y éste es, en verdad, el lugar de los más puros goces humanos. Aquí los pensamientos del hombre parece que se refrescan; sin él los palacios y todos los edificios no son más que vastos artilugios. Y debe uno notar que cuando las naciones avanzan hacia la elegancia y el refinamiento de las costumbres, los hombres antes erigen suntuosos jardines que aprenden a cultivarlos con primor; como si el arte de la jardinería fuese el ápice de la perfección.**
FRANCIS BACON *(1561-1626), filósofo inglés.*

3060. **Que pobreza no es vileza mientras no hace cosas malas.**
FÉLIX LOPE DE VEGA Y CARPIO *(1562-1635), dramaturgo y poeta español.*

3061. **¡Oh, libertad preciosa,**
no comparada al oro,
ni al bien mayor de la espaciosa tierra,
más rica y más gozosa
que el precioso tesoro
que el mar del sur entre nácar cierra!
FÉLIX LOPE DE VEGA Y CARPIO *(1562-1635), dramaturgo y poeta español.*

3062. **El vino es la leche de los viejos. No sé si lo dijo Cicerón o el alcalde de Mondoñedo.**
FÉLIX LOPE DE VEGA Y CARPIO *(1562-1635), dramaturgo y poeta español.*

3063. **No tiene un padre enemigos**
como los hijos traviesos.
FÉLIX LOPE DE VEGA Y CARPIO *(1562-1635), dramaturgo y poeta español.*

Sociedad

3064. **Está la discreción de una casada**
en amar y servir a su marido;
en vivir recogida y recatada,
honesta en el hablar y en el vestido.
FÉLIX LOPE DE VEGA Y CARPIO *(1562-1635), dramaturgo y poeta español.*

3065. **De tres maneras se entiende la amistad: honesta, deleitable y provechosa.**
FÉLIX LOPE DE VEGA Y CARPIO *(1562-1635), dramaturgo y poeta español.*

3066. **El hombre arruinado lee su condición en los ojos de los demás con tanta rapidez que él mismo siente su caída.**
WILLIAM SHAKESPEARE *(1564-1616), escritor inglés.*

3067. **Mendigo como soy, también soy pobre en agradecimiento.**
WILLIAM SHAKESPEARE *(1564-1616), escritor inglés.*

3068. **¿Quién podría soportar los latigazos y burlas de la vida, las injusticias del opresor, las contumelias de un hombre orgulloso, las angustias de un amor desdeñado, las dilaciones de la ley, las insolencias de la servidumbre y los desprecios que un hombre de mérito recibe de gentes indignas, cuando todo podría concluirse con un simple estilete?**
WILLIAM SHAKESPEARE *(1564-1616), escritor inglés.*

3069. **Ama a todos, fíate de pocos, no hagas daño a nadie, procura tener siempre el derecho de humillar a tu enemigo, no abuses de ese derecho, conserva a tu amigo bajo la llave de tu propia vida, que se reproche tu silencio antes que tus palabras.**
WILLIAM SHAKESPEARE *(1564-1616), escritor inglés.*

3070. **No pidas ni des prestado a nadie, pues el prestar hace perder a un tiempo el dinero y al amigo, y el tomar prestado embota el filo de la economía.**
WILLIAM SHAKESPEARE *(1564-1616), escritor inglés.*

3071. **No tratéis de guiar al que pretende elegir por sí su propio camino.**
WILLIAM SHAKESPEARE *(1564-1616), escritor inglés.*

3072. **Un embajador es un hombre muy honrado al cual se le manda muy lejos a mentir por el bien de su país.**
SIR HENRY WOTTON *(1568-1639), poeta y dramaturgo inglés.*

3073. **Peca de grosero**
quien aguarda que le digan
que se vaya.
GABRIEL TÉLLEZ, *TIRSO DE MOLINA (1571-1648), dramaturgo español.*

3074. **Amigos que lisonjean ni son amigos ni son sabios.**
GABRIEL TÉLLEZ, *TIRSO DE MOLINA (1571-1648), dramaturgo español.*

3075. **Si lloras, lloro contigo;**
alégrame tu contento;
lo mismo que sientes siento,
¿me llamas mal amigo?
GABRIEL TÉLLEZ, *TIRSO DE MOLINA (1571-1648), dramaturgo español.*

3076. **Poderoso caballero es don dinero.**
FRANCISCO DE QUEVEDO Y VILLEGAS *(1580-1645), escritor español.*

3077. **Si la mujer es mala se pasa con perderla; si es buena, con perderla nos aseguramos que no lo dejará de ser.**
FRANCISCO DE QUEVEDO Y VILLEGAS *(1580-1645), escritor español.*

3078. **Vedamos a todo marido que ha sufrido el poder de hacer testamento, porque no es justo que tenga última voluntad en la muerte quien no la supo tener en vida.**
FRANCISCO DE QUEVEDO Y VILLEGAS *(1580-1645), escritor español.*

3079. **Entre iguales son los beneficios firmes; entre favores de fortuna, no está nuestra mortalidad segura.**
FRANCISCO DE QUEVEDO Y VILLEGAS *(1580-1645), escritor español.*

3080. **No hay rueda de tormento mayor que la presencia y vista de un padre a un hijo en la confusión de algún error grande.**
FRANCISCO DE QUEVEDO Y VILLEGAS *(1580-1645), escritor español.*

3081. **Mal abriga al pobre la costumbre de no tener abrigo.**
FRANCISCO DE QUEVEDO Y VILLEGAS *(1580-1645), escritor español.*

3082. **Menos mal hacen los delincuentes que un mal juez.**
FRANCISCO DE QUEVEDO Y VILLEGAS *(1580-1645), escritor español.*

3083. **Nunca mejora su estado quien muda solamente de lugar y no de vida y costumbres.**
FRANCISCO DE QUEVEDO Y VILLEGAS *(1580-1645), escritor español.*

Sociedad

3084. **El amigo ha de ser como la sangre, que acude luego a la herida sin esperar a que la llamen.**
FRANCISCO DE QUEVEDO Y VILLEGAS *(1580-1645), escritor español.*

3085. **El amor a la patria siempre daña a la persona.**
FRANCISCO DE QUEVEDO Y VILLEGAS *(1580-1645), escritor español.*

3086. **Cada uno debe abrir los ojos y no fiarse del título de parentesco, ni aun de las mismas prendas de él, sino de las de amor y voluntad muy experimentado, porque no son los parientes más de cómo se tratan.**
FRANCISCO DE QUEVEDO Y VILLEGAS *(1580-1645), escritor español.*

3087. **El vestido, pienso yo**
que ha de imitar nuestra hechura
porque, si nos desfigura
es disfraz, que ornato no.
JUAN RUIZ DE ALARCÓN *(1581-1639), dramaturgo mexicano.*

3088. **Inadvertidos, los padres suelen entregar a sus hijos en los primeros años al gobierno de las mujeres, las cuales con temores de sombras les enflaquecen el ánimo y les imponen otros resabios que suelen mantener después.**
DIEGO DE SAAVEDRA FAJARDO *(1584-1648), escritor y político español.*

3089. **La amistad más se ha de sostener con correspondencia que con dádivas; porque con el interés se fingen, pero no se hacen las amistades.**
DIEGO DE SAAVEDRA FAJARDO *(1584-1648), escritor y político español.*

3090. **Los viejos amigos son los mejores. El rey Jacobo solía pedir su calzado viejo, por ser más cómodo para sus pies.**
JOHN SELDEN *(1584-1654), escritor inglés.*

3091. **Vi a un puritano que ahorcó a un gato el lunes, porque había matado un ratón el domingo.**
RICHARD BRATHWAITE *(1588-1673), poeta inglés.*

3092. **La base de todas las sociedades grandes y duraderas ha consistido, no en la mutua buena voluntad que los hombres se tenían, sino en el recíproco temor.**
THOMAS HOBBES *(1588-1679), filósofo inglés.*

3093. **La ley primera y fundamental de la naturaleza es buscar la paz.**
THOMAS HOBBES *(1588-1679), filósofo inglés.*

3094. Lo mismo por lo que se refiere a los hombres que a las demás cosas, no es el vendedor sino el comprador el que determina el precio.

THOMAS HOBBES *(1588-1679), filósofo inglés.*

3095. No buscamos la sociedad por amor a ella misma, sino por los honores o los beneficios que puede reportarnos.

THOMAS HOBBES *(1588-1679), filósofo inglés.*

3096. Un hombre libre es aquel que, teniendo fuerza y talento para hacer una cosa, no encuentra trabas a su voluntad.

THOMAS HOBBES *(1588-1679), filósofo inglés.*

3097. Una democracia no es en realidad más que una aristocracia de oradores, interrumpida a veces por la monarquía temporal de un orador.

THOMAS HOBBES *(1588-1679), filósofo inglés.*

3098. Un buen vallado hace buenos vecinos.

GEORGE HERBERT *(1593-1633), poeta galés.*

3099. Tener dinero es fuente de temor; no tenerlo, es fuente de dolor.

GEORGE HERBERT *(1593-1633), poeta galés.*

3100. No frecuentes las malas compañías, no sea que aumentes su número.

GEORGE HERBERT *(1593-1633), poeta galés.*

3101. Vivir sin amigos: morir sin testigos.

GEORGE HERBERT *(1593-1633), poeta galés.*

3102. Ama a tu vecino, pero no derribéis vuestra verja.

GEORGE HERBERT *(1593-1633), poeta galés.*

3103. La amistad es la gran cadena de la sociedad humana, y el intercambio de cartas constituye uno de los eslabones principales de la cadena.

JAMES HOWELL *(1593-1666), escritor inglés.*

3104. Nuestra idea de Dios implica la existencia necesaria y eterna. Por tanto, la conclusión manifiesta es que Dios existe.

RENÉ DESCARTES *(1596-1650), matemático y filósofo francés.*

3105. Cuando se concede demasiado tiempo a viajar, se acaba por convertirse uno en extranjero en su propia patria.

RENÉ DESCARTES *(1596-1650), matemático y filósofo francés.*

Sociedad

3106. **Venciste, mujer. Con no dejarte vencer.**
PEDRO CALDERÓN DE LA BARCA *(1600-1681), dramaturgo español.*

3107. **Es admitido proverbio**
que el bueno para enemigo
será para amigo bueno.
PEDRO CALDERÓN DE LA BARCA *(1600-1681), dramaturgo español.*

3108. **No hablaré más que un pariente**
pobre en la casa de un rico.
PEDRO CALDERÓN DE LA BARCA *(1600-1681), dramaturgo español.*

3109. **Dormid, dormid, mortales,**
que el grande y el pequeño
iguales son en lo que les dura el sueño.
PEDRO CALDERÓN DE LA BARCA *(1600-1681), dramaturgo español.*

3110. **Mujer a mi gusto quiero:**
sea su dote mi agrado:
que al que otro interés se vende
no es marido, sino esclavo.
PEDRO CALDERÓN DE LA BARCA *(1600-1681), dramaturgo español.*

3111. **Cada uno muestra lo que es en los amigos que tiene.**
BALTASAR GRACIÁN *(1601-1658), escritor español.*

3112. **Los amigos son para las grandes ocasiones; no se ha de emplear la confianza mucha en cosas pocas, que sería desperdicio de la gracia.**
BALTASAR GRACIÁN *(1601-1658), escritor español.*

3113. **La cortesía es la principal muestra de cultura.**
BALTASAR GRACIÁN *(1601-1658), escritor español.*

3114. **Para vivir, deja vivir.**
BALTASAR GRACIÁN *(1601-1658), escritor español.*

3115. **Todas las victorias engendran odio.**
BALTASAR GRACIÁN *(1601-1658), escritor español.*

3116. **Métense a querer dar gusto a todos, que es imposible,**
y vienen a disgustar a todos, que es más fácil.
BALTASAR GRACIÁN *(1601-1658), escritor español.*

3117. **El que tiene lo bastante para poder hacer bien a otros, es rico.**
Sir Thomas Browne *(1605-1682), médico y filósofo inglés.*

3118. **Vencer sin peligro es triunfar sin gloria.**
Pierre Corneille *(1606-1684), dramaturgo francés.*

3119. **El comienzo de toda guerra puede descubrirse, no en el primer acto de hostilidad, sino en los consejos y los preparativos que la anteceden.**
John Milton *(1608-1674), poeta inglés.*

3120. **La soledad es a veces la mejor compañía, de modo que un corto retiro acelera un dulce retorno.**
John Milton *(1608-1674), poeta inglés.*

3121. **El amigo que sufre a solas hace una injuria a otro.**
Jean de Rotrou *(1609-1650), dramaturgo francés.*

3122. **La oración debería ser la llave del día y el cerrojo de la noche.**
Thomas Fuller *(1609-1661), escritor inglés.*

3123. **Un hombre sin dinero es como un arco sin flecha.**
Thomas Fuller *(1609-1661), escritor inglés.*

3124. **El dinero no crea tantos enemigos sinceros como enemigos verdaderos.**
Thomas Fuller *(1609-1661), escritor inglés.*

3125. **Lo peor de la pobreza es no saber soportarla.**
Thomas Fuller *(1609-1661), escritor inglés.*

3126. **La riqueza se consigue con dolor, se conserva con preocupación y se pierde con pesadumbre.**
Thomas Fuller *(1609-1661), escritor inglés.*

3127. **Los milagros son los pañales de las iglesias nacientes.**
Thomas Fuller *(1609-1661), escritor inglés.*

3128. **La sabiduría en un hombre pobre es como un diamante montado en plomo.**
Thomas Fuller *(1609-1661), escritor inglés.*

3129. **Los que se casan con una vieja o las que lo hacen con un viejo, simplemente esperando enterrarlos, se ahorcan con la esperanza de que alguno vendrá a cortar la cuerda.**
Thomas Fuller *(1609-1661), escritor inglés.*

Sociedad

3130. El esfuerzo corporal nos libra de los dolores espirituales: por eso son felices los pobres.

FRANÇOIS DE LA ROCHEFOUCAULD *(1613-1680), escritor moralista francés.*

3131. Las personas afortunadas no suelen corregirse: siempre creen estar en posesión de la razón, cuando la fortuna viene en apoyo de sus malas acciones.

FRANÇOIS DE LA ROCHEFOUCAULD *(1613-1680), escritor moralista francés.*

3132. La cortesía se practica para que se observe también con nosotros y para que se nos tome por personas bien educadas.

FRANÇOIS DE LA ROCHEFOUCAULD *(1613-1680), escritor moralista francés.*

3133. Nunca somos tan ridículos por los hábitos que tenemos como por los que afectamos tener.

FRANÇOIS DE LA ROCHEFOUCAULD *(1613-1680), escritor moralista francés.*

3134. Los hombres no vivirían mucho tiempo en sociedad si no se engañaran unos a otros.

FRANÇOIS DE LA ROCHEFOUCAULD *(1613-1680), escritor moralista francés.*

3135. Hay pocas mujeres decentes que no estén cansadas de un oficio.

FRANÇOIS DE LA ROCHEFOUCAULD *(1613-1680), escritor moralista francés.*

3136. La honestidad de las mujeres es un tesoro oculto que sólo está seguro del todo cuando nadie lo busca.

FRANÇOIS DE LA ROCHEFOUCAULD *(1613-1680), escritor moralista francés.*

3137. El mejor medio de conservar los amigos es no pedirles ni deberles nada.

FRANÇOIS DE LA ROCHEFOUCAULD *(1613-1680), escritor moralista francés.*

3138. Dios hizo el primer jardín, y Caín la primera ciudad.

ABRAHAM COWLEY *(1618-1667), poeta inglés.*

3139. Todo el mundo cree con facilidad aquello que teme o que desea.

JEAN DE LA FONTAINE *(1621-1695), escritor francés.*

3140. Nada tan peligroso como un amigo ignorante; más vale un enemigo inteligente.

JEAN DE LA FONTAINE *(1621-1695), escritor francés.*

3141. El trabajo es el único capital no sujeto a quiebras.

JEAN DE LA FONTAINE *(1621-1695), escritor francés.*

3142. Pocas amistades quedarían en este mundo si uno supiera lo que su amigo dice de él en ausencia suya, aun cuando sus palabras fueran sinceras y desapasionadas.

BLAISE PASCAL *(1623-1662), escritor, matemático, físico y filósofo francés.*

La *machine aritmetique* creada por Pascal cuando sólo contaba diecinueve años se considera la primera calculadora: es una caja de madera en la que estaban engranados distintos sistemas de ruedas. Su uso permitió al padre del inventor (recaudador de impuestos) realizar con más facilidad las cuentas y operaciones matemáticas. Pascal no se conformó con inventar esta máquina aritmética, sino que la patentó y la vendió con éxito.

De Blaise Pascal, no obstante, se recuerdan sus hallazgos matemáticos, físicos y sus teorías sobre el vacío; y, sobre todo, sus *Pensées* o *Pensamientos*, escritos en forma de máximas sobre distintos asuntos y materias. De ellos se deduce una tensión extrema entre la verdadera vocación racionalista del autor y la conciencia de que el Universo resulta incomprensible para el ser humano. Pascal escribe desde la fe (un tanto desligada del cristianismo tradicional) y concibe un mundo que resulta inexplicable si no se discurre por la senda de Jesucristo. Ello no impide que observe el Universo como un espectáculo aterrador y que su concepción del mundo no sea tan apacible y serena como la Iglesia y los hombres creen: la infelicidad del hombre radica «en la desgracia natural de nuestra condición débil y mortal, y tan miserable que nada puede consolarnos cuando pensamos en ella de cerca». La tensión entre razón y fe presente en este autor se ha recogido a menudo en esta máxima suya: «Dos excesos: excluir la razón; no admitir más que la razón».

Respecto a la amistad y las relaciones entre los hombres, puede transcribirse un pensamiento que da una buena idea acerca del extremo pesimismo que informaba su obra:

«Todos los hombres se odian naturalmente unos a otros. Se ha utilizado como se ha podido la concupiscencia para hacerla servir para el bien público. Pero no es más que fingimiento y una imagen falsa de la caridad, porque en el fondo no es más que odio.»

3143. La verdad de la religión estriba en su misma oscuridad, en la escasa luz que tenemos sobre ella y en nuestra indiferencia por esa luz.

BLAISE PASCAL *(1623-1662), escritor, matemático, físico y filósofo francés.*

Sociedad

3144. Los hombres sienten desprecio por la religión y temor porque sea cierta. Para remediar esto, es necesario empezar por demostrar que la religión no es contraria a la razón; después, que es venerable y digna de respeto; a continuación, hacerla amable e inducir a los buenos a desear que sea cierta, y, por último, probar que lo es.
BLAISE PASCAL *(1623-1662), escritor, matemático, físico y filósofo francés.*

3145. La fe afirma lo que no afirman los sentidos, pero no lo contrario de lo que éstos perciben. Está por encima de ellos, pero no en contra.
BLAISE PASCAL *(1623-1662), escritor, matemático, físico y filósofo francés.*

3146. No es bueno ser demasiado libre. No es bueno tener todo lo que uno quiere.
BLAISE PASCAL *(1623-1662), escritor, matemático, físico y filósofo francés.*

3147. ¿Puede haber algo más ridículo que la pretensión de que un hombre tenga derecho a matarme porque habita al otro lado del agua y porque un príncipe tenga una querella con el mío, aunque yo no la tenga con él?
BLAISE PASCAL *(1623-1662), escritor, matemático, físico y filósofo francés.*

3148. Un milagro es un efecto que supera la fuerza natural de los medios empleados para realizarlo.
BLAISE PASCAL *(1623-1662), escritor, matemático, físico y filósofo francés.*

3149. Todos los hombres se odian mutuamente entre sí.
BLAISE PASCAL *(1623-1662), escritor, matemático, físico y filósofo francés.*

3150. Los amigos de mis amigos son amigos míos por reflejo.
MARIE DE RABUTIN-CHANTAL, MARQUESA DE SEVIGNÉ *(1626-1696), escritora francesa.*

3151. Sólo es libre aquello que existe por las necesidades de su propia naturaleza y cuyos actos se originan exclusivamente dentro de sí.
BARUCH BENEDICT SPINOZA *(1632-1677), filósofo holandés.*

3152. Dios es un ser absolutamente infinito; una substancia que consta de atributos infinitos, cada uno de los cuales expresa su esencia eterna e infinita.
BARUCH BENEDICT SPINOZA *(1632-1677), filósofo holandés.*

3153. Dios es una cosa que piensa.
BARUCH BENEDICT SPINOZA *(1632-1677), filósofo holandés.*

3154. **Procuro ser puntual; he observado que los defectos de una persona que tarda se reflejan vivamente en la memoria de quien espera.**
NICHOLAS BOILEAU DESPRÉAUX *(1636-1711), poeta, gramático y crítico francés.*

3155. **El dinero presta una apariencia de belleza incluso a la fealdad. La pobreza, en cambio, todo lo vuelve horrible.**
NICHOLAS BOILEAU DESPRÉAUX *(1636-1711), poeta, gramático y crítico francés.*

3156. **Todo cuanto la pobreza toca se torna horrible.**
NICHOLAS BOILEAU DESPRÉAUX *(1636-1711), poeta, gramático y crítico francés.*

3157. **Dejad pensar al pueblo que gobierna y se dejará gobernar.**
WILLIAM PENN *(1644-1718), político inglés.*

3158. **Los hombres suelen poner más interés en la crianza de sus caballos y de sus perros que en la de sus hijos.**
WILLIAM PENN *(1644-1718), escritor inglés.*

3159. **Nada dura más que una fortuna moderada y nada llega antes a su término que una gran fortuna.**
JEAN DE LA BRUYÈRE *(1645-1696), escritor francés.*

3160. **Es empresa vana tratar de ridiculizar a un necio rico: las carcajadas están de su parte.**
JEAN DE LA BRUYÈRE *(1645-1696), escritor francés.*

3161. **La cortesía consiste en conducirse de modo que los demás queden satisfechos de nosotros y de ellos mismos.**
JEAN DE LA BRUYÈRE *(1645-1696), escritor francés.*

3162. **En la sociedad, el hombre sensato es el primero que cede siempre. Por eso, los más sabios son dirigidos por los más necios y extravagantes.**
JEAN DE LA BRUYÈRE *(1645-1696), escritor francés.*

3163. **El sentimiento me dice que existe un Dios y no me dice que no existe. Con esto me basta.**
JEAN DE LA BRUYÈRE *(1645-1696), escritor francés.*

3164. **Dios es para sus criaturas, no sólo lo que un inventor es para su máquina, sino también lo que un príncipe es para sus súbditos y un padre para sus hijos.**
GOTTFRIED WILHEM VON LEIBNITZ *(1646-1716), filósofo alemán.*

Sociedad

3165. No obliguéis nunca a vuestros súbditos a cambiar de religión. La violencia no sirve nunca para persuadir a los hombres: sólo sirve para hacerles hipócritas.

FRANÇOIS DE SALIGNAC DE LA MOTHE, *FÉNELON (1651-1715), escritor francés.*

3166. Un rey está perdido si no rechaza la adulación y si no prefiere a los que dicen audazmente la verdad.

FRANÇOIS DE SALIGNAC DE LA MOTHE, *FÉNELON (1651-1715), escritor francés.*

3167. El más libre de todos los hombres es el que puede ser libre hasta en la esclavitud.

FRANÇOIS DE SALIGNAC DE LA MOTHE, *FÉNELON (1651-1715), escritor francés.*

3168. Pero... si Dios es más fuerte que el diablo, ¿por qué Dios no mata al diablo y así él no hará más hombres malos?

DANIEL DEFOE *(1660-1731), escritor inglés.*

Estas palabras están puestas en boca del famosísimo *Friday* (Viernes). El relato original de Daniel Defoe, que obtuvo un éxito inmediato, narra la peripecia de un joven inglés que decide aventurarse por los mares africanos con la intención de hacer dinero fácil vendiendo baratijas a los indígenas. Sufre varios naufragios pero, finalmente, se instala en Brasil, donde logra mantener un próspero negocio agrícola. En uno de sus viajes, la nave se va a pique en el Caribe y el joven logra salvar su vida: el problema es que se halla en una isla desierta. Se trata, naturalmente, de la novela *Robinson Crusoe*.

Viernes es un indígena al que ciertos salvajes pretendían inmolar. Robinson, muy aficionado a la lectura de su Biblia, trata de enseñar a Viernes la verdadera religión. Naturalmente, Viernes se muestra interesado por el cristianismo, pero interroga a Robinson con preguntas lógicas que sólo pueden ocurrírsele a quien no ha vivido en la cultura europea occidental. Una de las preguntas es la que se ha transcrito como cita. En otra ocasión, el salvaje inquiere a su educador:

—Esto ser bueno; así tú, yo, el diablo, todos los malos, todos seguir viviendo, arrepentirse, Dios perdonar todos.

O lo que es lo mismo: ¿qué importa ser buenos o malos si, arrepintiéndonos finalmente, Dios nos perdonará? ¡Vivamos, y ya nos arrepentiremos más adelante! Robinson se muestra «confuso en grado extremo» ante la ingenuidad (lógica) de Viernes y decide que para ser cristiano es imprescindible la gracia divina: «Solamente la revelación divina puede hacer conocer a Jesucristo».

Robinson Crusoe (1719), la historia de un hombre solo en lucha con la naturaleza, ha mantenido su prestigio a lo largo de los casi trescientos años que la contemplan y jamás ha defraudado a jóvenes y mayores. El mismo nombre del protagonista es, en la actualidad, el símbolo de un individuo solo a merced de los elementos naturales. A su autor se debe también la ajetreada historia de *Moll Flanders* (1722).

3169. **Si Dios no me desampara, ¿qué malas consecuencias puede acarrearme y qué me importa si el mundo me desampara, sabiendo, por otra parte, que si tuviera todo el mundo y perdiese el favor de Dios, no habría comparación posible en la pérdida?**

DANIEL DEFOE *(1660-1731), escritor inglés.*

3170. **Dios nos conserva la vida para que nos arrepintamos y seamos perdonados.**

DANIEL DEFOE *(1660-1731), escritor inglés.*

3171. **Suele decirse que los reyes tienen las manos largas; yo quisiera que tuvieran igualmente largas las orejas.**

JONATHAN SWIFT *(1667-1745), escritor irlandés.*

3172. **Tenemos la suficiente religión para odiarnos unos a otros, pero no la bastante para amarnos.**

JONATHAN SWIFT *(1667-1745), escritor irlandés.*

3173. **El poder arbitrario constituye una tentación natural para un príncipe, como el vino o las mujeres para un hombre joven, o el soborno para un juez, o la avaricia para el viejo, o la vanidad para la mujer.**

JONATHAN SWIFT *(1667-1745), escritor irlandés.*

3174. **La libertad de conciencia se entiende hoy día, no sólo como la libertad de creer lo que uno quiera, sino también de poder propagar esa creencia.**

JONATHAN SWIFT *(1667-1745), escritor irlandés.*

3175. **Ningún hombre aceptará un consejo, pero todos aceptarán dinero. De donde se deduce que el dinero vale más que el consejo.**

JONATHAN SWIFT *(1667-1745), escritor irlandés.*

Sociedad

3176. La mayor parte de las diversiones a que se entregan los hombres, los niños y otros animales son imitaciones de la lucha.
JONATHAN SWIFT *(1667-1745), escritor irlandés.*

3177. Cuando aparece un gran genio en el mundo se le puede reconocer por esta señal: todos los mentecatos se confabulan contra él.
JONATHAN SWIFT *(1667-1745), escritor irlandés.*

3178. No hay en la naturaleza nada más variable que el tocado de una cabeza femenina.
JOSEPH ADDISON *(1672-1719), periodista y escritor inglés.*

3179. No hay nada tan escandaloso como los harapos, ni crimen más vergonzoso que la pobreza.
GEORGE FARQUHAR *(1678-1707), dramaturgo irlandés.*

3180. De noche, incluso un ateo casi cree en Dios.
EDWARD YOUNG *(1683-1765), poeta inglés.*

3181. Los jueces hambrientos firman las sentencias pronto; y se ahorca a los desgraciados para que los jurados puedan almorzar.
ALEXANDER POPE *(1688-1744), poeta inglés.*

3182. La pobreza seduce y aparta a los hombre del cielo tanto como la riqueza.
EMANUEL SWEDENBORG *(1688-1772), teósofo ruso.*

3183. La fe separada del amor no es fe, sino mera ciencia, la cual se halla desprovista de vida espiritual.
EMANUEL SWEDENBORG *(1688-1772), teósofo ruso.*

3184. El amor a la república en una democracia es el amor a la igualdad.
CHARLES LOUIS DE SECONDAT, BARÓN DE MONTESQUIEU *(1689-1755), escritor y filósofo francés.*

3185. La democracia debe guardarse de dos excesos: el espíritu de desigualdad, que conduce a la aristocracia, y el espíritu de igualdad externa, que la conduce al despotismo.
CHARLES LOUIS DE SECONDAT, *BARÓN DE MONTESQUIEU (1689-1755), escritor y filósofo francés.*

3186. Dichosos los pueblos cuyos anales son aburridos.
CHARLES LOUIS DE SECONDAT, BARÓN DE MONTESQUIEU *(1689-1755), escritor y filósofo francés.*

3187. **Cuando un gobierno dura mucho tiempo se descompone poco a poco y sin notarlo.**
Charles Louis de Secondat, *barón de Montesquieu (1689-1755), escritor y filósofo francés.*

3188. **En la indumentaria debe uno mantenerse siempre por debajo de los propios recursos.**
Charles Louis de Secondat, barón de Montesquieu *(1689-1755), escritor y filósofo francés.*

3189. **Si los triángulos hicieran un dios, lo idearían con tres lados.**
Charles Louis de Secondat, barón de Montesquieu *(1689-1755), escritor y filósofo francés.*

3190. **La libertad es el derecho a hacer lo que las leyes permiten. Si un ciudadano tuviera derecho a hacer lo que éstos prohíben, ya no sería libertad, pues cualquier otro tendrá el mismo derecho.**
Charles Louis de Secondat, barón de Montesquieu *(1689-1755), escritor y filósofo francés.*

3191. **La descomposición de todo gobierno comienza por la decadencia de los principios sobre los cuales fue fundado.**
Charles Louis de Secondat, barón de Montesquieu *(1689-1755), escritor y filósofo francés.*

3192. **La verdadera fuerza de un príncipe no consiste tanto en su capacidad para vencer a sus vecinos como en lo difícil que puede ser para éstos atacarlo.**
Charles Louis de Secondat, barón de Montesquieu *(1689-1755), escritor y filósofo francés.*

3193. **Cuando los hombres están reunidos, pierden el sentido de su debilidad.**
Charles Louis de Secondat, barón de Montesquieu *(1689-1755), escritor y filósofo francés.*

3194. **La injusticia hecha a uno solo es una amenaza dirigida a todos.**
Charles Louis de Secondat, barón de Montesquieu *(1689-1755), escritor y filósofo francés.*

3195. **Estamos obligados a leer cualquier libro estúpido que la moda convierta en tema favorito en las conversaciones.**
Samuel Richardson *(1689-1761), escritor inglés.*

Sociedad

3196. **Nunca te muestres más sabio o más instruido que las personas con quienes estás.**

PHILIP DORMER STANHOPE, LORD CHESTERFIELD *(1694-1773), político inglés.*

3197. **Los buenos modales son, para las sociedades en particular, lo que la buena moral para la sociedad en general: su base y su seguridad.**

PHILIP DORMER STANHOPE, LORD CHESTERFIELD *(1694-1773), político inglés*

3198. **Los buenos modales sirven de adorno al conocimiento y le abren paso a través del mundo.**

PHILIP DORMER STANHOPE, LORD CHESTERFIELD *(1694-1773), político inglés.*

3199. **La costumbre ha hecho del baile una necesidad para los hombres jóvenes; por consiguiente, piensa mientras aprendes a bailar, que debes aprenderlo bien, y no hagas el ridículo, aunque el baile sea un acto ridículo.**

PHILIP DORMER STANHOPE, LORD CHESTERFIELD *(1694-1773), político inglés.*

3200. **Yo soy un entusiasta de la verdad, pero no del martirologio.**

FRANÇOIS MARIE AROUET, *VOLTAIRE (1694-1778), escritor francés.*

3201. **Adorar a Dios y dejar que cada cual le adore a su manera; amar al prójimo, ilustrarle si uno puede y compadecer a los que se obstinan en el error; desdeñar como intranscendentes todas las cuestiones que no hubieran creado ningún trastorno si no se les hubiese concedido importancia: tal es mi religión, y vale tanto como todos vuestros sistemas y símbolos.**

FRANÇOIS MARIE AROUET, *VOLTAIRE (1694-1778), escritor francés.*

3202. **Dios está siempre al lado de los batallones más fuertes.**

FRANÇOIS MARIE AROUET, *VOLTAIRE (1694-1778), escritor francés.*

3203. **La religión y la moral ponen un freno a las energías de la naturaleza, pero no las destruyen. El borracho encerrado en un claustro y reducido a medio jarro de sidra por cada comida, ya no se emborrachará, pero no por ello dejará de gustarle el vino.**

FRANÇOIS MARIE AROUET, *VOLTAIRE (1694-1778), escritor francés.*

3204. **La razón me dice que Dios existe, pero también me dice que nunca podré saber lo que es.**

FRANÇOIS MARIE AROUET, *VOLTAIRE (1694-1778), escritor francés.*

3205. **Si Dios no existiera, sería necesario inventarlo.**

FRANÇOIS MARIE AROUET, *VOLTAIRE (1694-1778), escritor francés.*

3206. **No hay quien comprenda mejor las verdades de la religión que los que han perdido la facultad de razonar.**

FRANÇOIS MARIE AROUET, *VOLTAIRE (1694-1778), escritor francés.*

3207. **Siempre que un acontecimiento importante, una revolución o una calamidad redunda en beneficio de la iglesia, pretende verse en ello el dedo de Dios.**

FRANÇOIS MARIE AROUET, *VOLTAIRE (1694-1778), escritor francés.*

3208. **¿Qué es más peligroso, el fanatismo o el ateísmo? Sin duda lo es mil veces más el fanatismo, pues el ateísmo no inspira pasiones sanguinarias, mientras que el fanatismo, sí. El ateísmo no se opone al crimen, pero el fanatismo es causa de que se cometan crímenes.**

FRANÇOIS MARIE AROUET, *VOLTAIRE (1694-1778), escritor francés.*

3209. **Debemos amar a nuestro país aunque nos trate injustamente.**

FRANÇOIS MARIE AROUET, *VOLTAIRE (1694-1778), escritor francés.*

3210. **El primer rey fue un soldado afortunado.**

FRANÇOIS MARIE AROUET, *VOLTAIRE (1694-1778), escritor francés.*

3211. **Cuanto más feliz soy, más compadezco a los reyes.**

FFRANÇOIS MARIE AROUET, *VOLTAIRE (1694-1778), escritor francés.*

3212. **Yo conozco al pueblo: cambia en un día. Derrocha pródigamente lo mismo su odio que su amor.**

FRANÇOIS MARIE AROUET, *VOLTAIRE (1694-1778), escritor francés.*

3213. **Todos los hombres tienen iguales derechos a la libertad, a su prosperidad y a la protección de las leyes.**

FRANÇOIS MARIE AROUET, *VOLTAIRE (1694-1778), escritor francés.*

3214. **El que tiene miedo a la pobreza no es digno de ser rico.**

FRANÇOIS MARIE AROUET, *VOLTAIRE (1694-1778), escritor francés.*

3215. **No siempre depende de nosotros ser pobres; pero siempre depende de nosotros hacer respetar nuestra pobreza.**

FRANÇOIS MARIE AROUET, *VOLTAIRE (1694-1778), escritor francés.*

Sociedad

3216. Las mujeres necias siguen la moda, las pretenciosas la exageran, las de buen gusto, en cambio, pactan con ella.
EMILIE LE TONNELIER DE BRETEUIL, MADAME DE CHÂTELET *(1706-1749), escritora francesa.*

3217. Cortés con todos, sociable con muchos, familiar con pocos, amigo de alguno y enemigo de nadie.
BENJAMIN FRANKLIN *(1706-1790), científico y político estadounidense.*

3218. Hay tres amigos fieles: una esposa vieja, un perro viejo y dinero contante y sonante.
BENJAMIN FRANKLIN *(1706-1790), científico y político estadounidense.*

3219. El cielo cura y el médico cobra la minuta.
BENJAMIN FRANKLIN *(1706-1790), científico y político estadounidense.*

3220. El ruido de tu martillo a las cinco de la mañana o a las nueve de la noche, si lo oye tu acreedor, le deja tranquilo durante seis meses más.
BENJAMIN FRANKLIN *(1706-1790), científico y político estadounidense.*

3221. Recuerda que un remiendo en tu traje y dinero en el bolsillo no vale más que una deuda a tus espaldas sin dinero para saldarla.
BENJAMIN FRANKLIN *(1706-1790), científico y político estadounidense.*

3222. La pobreza priva a menudo al hombre de la virtud y del ánimo.
BENJAMIN FRANKLIN *(1706-1790), científico y político estadounidense.*

3223. No hay nada más dulce que la miel, excepto el dinero.
BENJAMIN FRANKLIN *(1706-1790), científico y político estadounidense.*

3224. De aquel que opina que el dinero puede hacerlo todo, cabe sospechar con fundamento que será capaz de hacer cualquier cosa por dinero.
BENJAMIN FRANKLIN *(1706-1790), científico y político estadounidense.*

3225. Más de un hombre hubiera sido peor si su fortuna hubiese sido mejor.
BENJAMIN FRANKLIN *(1706-1790), científico y político estadounidense.*

3226. Si examináramos con imparcialidad los modales de diferentes naciones, quizá descubriéramos que no hay pueblo tan rudo que no posea algunas reglas de urbanidad, ni ninguno tan cortés que no conserve algunos vestigios de rudeza.
BENJAMIN FRANKLIN *(1706-1790), científico y político estadounidense.*

3227. **Si queréis ser ricos, no aprendáis solamente a saber cómo se gana, sino también cómo se ahorra.**

BENJAMIN FRANKLIN *(1706-1790), científico y político estadounidense.*

3228. **Come para complacerte a ti mismo, pero viste para complacer a los demás.**

BENJAMIN FRANKLIN *(1706-1790), científico y político estadounidense.*

3229. **Nunca existió una buena guerra ni una mala paz.**

BENJAMIN FRANKLIN *(1706-1790), científico y político estadounidense.*

3230. **La corona real no cura el dolor de cabeza.**

BENJAMIN FRANKLIN *(1706-1790), científico y político estadounidense.*

3231. **A la novena generación no queda a la nobleza más que los quinientos doceavos de la parte de sangre de sus abuelos.**

BENJAMIN FRANKLIN *(1706-1790), científico y político estadounidense.*

3232. **En los asuntos de este mundo, los hombres se salvan, no por la fe, sino por la falta de ella.**

BENJAMIN FRANKLIN *(1706-1790), científico y político estadounidense.*

3233. **Aquellos que pueden renunciar a la libertad esencial por conseguir una pequeña necesidad transitoria no merecen ni la libertad ni la seguridad.**

BENJAMIN FRANKLIN *(1706-1790), científico y político estadounidense.*

3234. **Donde mora la libertad, allí está mi patria.**

BENJAMIN FRANKLIN *(1706-1790), científico y político estadounidense.*

3235. **Uno ha de mantener su amistad en continua reparación.**

HENRY FIELDING *(1707-1754), escritor inglés.*

3236. **El que no sale nunca de su tierra vive lleno de prejuicios.**

CARLO GOLDONI *(1707-1793), dramaturgo italiano.*

3237. **La pobreza es un gran enemigo de la felicidad humana. Destruye la libertad y hace impracticables algunas virtudes y sumamente difíciles otras.**

SAMUEL JOHNSON *(1709-1784), escritor inglés.*

3238. **El gobierno de un solo hombre puede no ser adecuado para una sociedad pequeña, pero es el mejor para una gran nación.**

SAMUEL JOHNSON *(1709-1784), escritor inglés.*

Sociedad

3239. **Las actividades del gobierno ejercen poca influencia sobre la felicidad privada de los individuos.**
SAMUEL JOHNSON *(1709-1784), escritor inglés.*

3240. **La ropa fina sólo suple la falta de otros medios para hacerse respetar.**
SAMUEL JOHNSON *(1709-1784), escritor inglés.*

3241. **El hombre que sabe gastar y ahorrar es el más feliz, porque disfruta de ambas cosas.**
SAMUEL JOHNSON *(1709-1784), escritor inglés.*

3242. **Nada resulta más sorprendente para el que examina los asuntos humanos con mirada filosófica que la facilidad con que la mayoría es gobernada por la minoría.**
DAVID HUME *(1711-1776), filósofo e historiador escocés.*

3243. **Las primeras ideas de la religión han surgido, no de la contemplación de las obras de la naturaleza, sino de la preocupación por los sucesos de la vida, y de las esperanzas y temores incesantes que actúan en la mente humana.**
DAVID HUME *(1711-1776), filósofo e historiador escocés.*

3244. **El hombre ha nacido libre y en todas partes está encadenado.**
JEAN-JACQUES ROUSSEAU *(1712-1778), filósofo ginebrino.*

3245. **Es verdaderamente libre aquel que desea solamente lo que es capaz de realizar y que hace lo que le agrada.**
JEAN-JACQUES ROUSSEAU *(1712-1778), filósofo ginebrino.*

3246. **La libertad es la obediencia a la ley que uno mismo se ha trazado.**
JEAN-JACQUES ROUSSEAU *(1712-1778), filósofo ginebrino.*

3247. **Pueblos libres, recordad esta máxima: podemos adquirir la libertad, pero nunca se recupera una vez que se pierde.**
JEAN-JACQUES ROUSSEAU *(1712-1778), filósofo ginebrino.*

3248. **La libertad no es un fruto que crezca en todos los climas, y por ello no está al alcance de todos los pueblos.**
JEAN-JACQUES ROUSSEAU *(1712-1778), filósofo ginebrino.*

3249. **Hay mucha diferencia entre viajar para ver países y para ver pueblos.**
JEAN-JACQUES ROUSSEAU *(1712-1778), filósofo ginebrino.*

3250. **Si hubiera una nación de dioses, éstos se gobernarían democráticamente; pero un gobierno tan perfecto no es adecuado para los hombres.**

JEAN-JACQUES ROUSSEAU *(1712-1778), filósofo ginebrino.*

3251. **El gobierno tuvo su origen en el propósito de encontrar una forma de asociación que defienda y proteja la persona y la propiedad de cada cual con la fuerza común de todos.**

JEAN-JACQUES ROUSSEAU *(1712-1778), filósofo ginebrino.*

3252. **Trabajar constituye un deber indispensable para el hombre social. Rico o pobre, poderoso o débil, todo ciudadano ocioso es un ladrón.**

JEAN-JACQUES ROUSSEAU *(1712-1778), filósofo ginebrino.*

3253. **La igualdad en la riqueza debe consistir en que ningún ciudadano sea tan opulento que pueda comprar a otro, ni ninguno tan pobre que se vea necesitado de venderse.**

JEAN-JACQUES ROUSSEAU *(1712-1778), filósofo ginebrino.*

3254. **Sabemos los crímenes que ha causado el fanatismo en la religión. Cuidemos de no introducir el fanatismo en la filosofía.**

FEDERICO II EL GRANDE *(1712-1786), emperador de Prusia.*

3255. **El hombre que se entrega de lleno a su menester, si es un genio, se convertirá en un hombre prodigioso; si no lo es, la tenaz aplicación al trabajo lo elevará por encima de la medianía.**

DENIS DIDEROT *(1713-1784), filósofo francés.*

Denis Diderot es, seguramente, la mente más lúcida en un banquete de genios (Voltaire, Maury, D'Alembert, Condorcet, Rousseau, La Harpe, etc.), y tal vez sus ideas adelantadas se comprendan mejor en nuestro tiempo que en el suyo. El trabajo y los estudios técnicos tenían mucha importancia en su pensamiento: él estaba destinado a ser un afilador o, como mucho, un clérigo o un maestro de escuela, pero antes de cumplir los treinta años se le puede ver en compañía del maniático y extravagante Rousseau por los cafés de París. Por entonces se dedicaba a la traducción y a encargos editoriales de cualquier tipo. Por fin, en 1746 publica sus *Pensamientos filosóficos*, donde aparece su incendiaria frase: «Sólo le corresponde al hombre honrado ser ateo». Diderot continuó con su trabajo filosófico, publicando algunas obras dialogadas y en forma de máximas, hasta que en 1747 se le encarga la gran *Enciclopedia*. En ella participaron D'Alembert, Voltaire, Rousseau, Montesquieu, Buffon y otros autores menores. El éxito fue inmediato, aunque no faltaron las críticas y las censuras del propio editor (Le Breton). La *Enciclopedia* (*Dictionanaire raisonné des sciences, des arts et des métiers*) es un monumento del espíritu filosófico y racionalista de la Francia del siglo XVIII; era la confirmación del hombre en la cúspide de la pirámide natural, un elogio al conocimiento humano, un orgullo consciente y, finalmente, un deseo de hacer del Universo un sistema en el que todo es comprensible por la Razón.

3256. **Los padres suelen sentir por sus hijos un amor inquieto y pusilánime, que les perjudica. Pero hay otra clase de amor, tranquilo y más atento, que les hace honestos: he aquí el verdadero amor del padre.**
DENIS DIDEROT *(1713-1784), filósofo francés.*

3257. **Estamos más propensos a tomar los vicios que las virtudes de nuestros amigos.**
DENIS DIDEROT *(1713-1784), filósofo francés.*

3258. **El último esfuerzo de la prudencia humana es amarse, entender sus intereses; somos cada uno en la sociedad lo que es una parte en relación con un todo organizado.**
DENIS DIDEROT *(1713-1784), filósofo francés.*

3259. **No hay un musulmán que no imagine hacer una acción agradable para Dios y el santo Profeta exterminando a todos los cristianos, que, por su parte, no son mucho más tolerantes.**
DENIS DIDEROT *(1713-1784), filósofo francés.*

3260. **Los locos siempre han sido y serán la mayoría. Y los más peligrosos son los que origina la religión.**
DENIS DIDEROT *(1713-1784), filósofo francés.*

3261. **No hay más que un paso del fanatismo a la barbarie.**
DENIS DIDEROT *(1713-1784), filósofo francés.*

3262. **Donde Dios no tiene un templo, los reyes no tienen trono.**
FRANÇOIS JOACHIM BERNIS *(1715-1794), político francés.*

3263. **Más vale una paz relativa que una guerra ganada.**
MARÍA TERESA DE AUSTRIA *(1717-1780), emperatriz austríaca.*

3264. **Los hombres admiran la virtud femenina, mas es la coquetería la que los subyuga.**
MADAME D'ARCONVILLE *(1720-1805), escritora francesa.*

3265. **Las mujeres llaman arrepentimiento al recuerdo de sus faltas, pero sobre todo al sentimiento de no poder cometerlas de nuevo.**
JEANNE ANTOINETTE POISSON, MARQUESA DE POMPADOUR *(1721-1764), dama francesa.*

3266. **No hay constitución donde puedan infringirse las leyes so pretexto del bien público.**
CHRÉTIEN GUILLAUME MALESHERBES *(1721-1794), político francés.*

3267. **Rangos, grados, distintivos y adornos, condecoraciones y garambainas de todo género; títulos, blasones y honores; cosas que dan mérito a quienes nada poseen.**
GIOVANNI BAUTISTA CASTI *(1721-1803), poeta italiano.*

3268. **No puede haber una sociedad floreciente y feliz cuando la mayor parte de sus miembros son pobres y desdichados.**
ADAM SMITH *(1723-1790), filósofo y economista inglés.*

3269. **La democracia constituye necesariamente un despotismo, por cuanto establece un poder ejecutivo contrario a la voluntad general, siendo posible que todos decidan contra uno cuya opinión pueda diferir; la voluntad de todos no es por tanto la de todos, lo cual es contradictorio y opuesto a la libertad.**
IMMANUEL KANT *(1724-1804), filósofo alemán.*

3270. **El Estado ha cumplido sus fines cuando ha asegurado la libertad de todos.**
IMMANUEL KANT *(1724-1804), filósofo alemán.*

3271. **Durante la guerra, un Estado no debe admitir que las hostilidades revistan tal carácter que hagan imposible la confianza recíproca en una paz posterior.**
IMMANUEL KANT *(1724-1804), filósofo alemán.*

3272. **La guerra no requiere un motivo determinado; parece hallarse arraigada en la naturaleza humana; incluso se tiene por un acto de grandeza para aquellos que se sienten impulsados únicamente por el amor a la gloria.**
IMMANUEL KANT *(1724-1804), filósofo alemán.*

Sociedad

3273. **Puesto que la razón condena la guerra y hace de la paz un deber absoluto, y puesto que la paz no puede ser lograda ni garantizada sin una unión compacta de naciones, éstas deben formar una alianza de índole peculiar, que podría llamarse una alianza pacífica, diferente de un tratado de paz, puesto que pondría fin para siempre a todas las guerras, en tanto que el tratado de paz sólo pone fin a una.**
IMMANUEL KANT *(1724-1804), filósofo alemán.*

3274. **La libertad es aquella facultad que aumenta la utilidad de todas las demás facultades.**
IMMANUEL KANT *(1724-1804), filósofo alemán.*

3275. **No debe considerarse válido ningún tratado de paz en el que haya reservas tácitas para preparar una guerra futura.**
IMMANUEL KANT *(1724-1804), filósofo alemán.*

3276. **El estado natural de los hombres no es de paz, sino de guerra; cuando no de guerra abierta, de guerra que puede estallar en cualquier momento.**
IMMANUEL KANT *(1724-1804), filósofo alemán.*

3277. **No existe un Estado cuyo jefe no desee asegurarse una paz constante por medio de la conquista del universo entero si ello fuera posible.**
IMMANUEL KANT *(1724-1804), filósofo alemán.*

3278. **La religión es un asunto demasiado importante a los ojos de sus devotos para que pueda ser ridiculizada. Si éstos se entregaran a cosas absurdas, se les debe compadecer, pero no ridiculizarlos.**
IMMANUEL KANT *(1724-1804), filósofo alemán.*

3279. **La riqueza ennoblece las circunstancias del hombre, pero no al hombre mismo.**
IMMANUEL KANT *(1724-1804), filósofo alemán.*

3280. **La religión es la base de la sociedad civil, y la fuente de todo bien y de todo consuelo.**
EDMUND BURKE *(1729-1797), escritor y político irlandés.*

3281. **De la misma manera que la riqueza es poder, todo poder atrae infaliblemente hacia sí la riqueza por uno u otro medio.**
EDMUND BURKE *(1729-1797), escritor y político irlandés.*

3282. **La libertad abstracta, al igual que otras simples abstracciones, no puede ser encontrada.**

EDMUND BURKE *(1729-1797), escritor y político irlandés.*

3283. **La libertad debe ser limitada para poder ser poseída.**

EDMUND BURKE *(1729-1797), escritor y político irlandés.*

3284. **El pueblo no renuncia nunca a sus libertades sino bajo el engaño de una ilusión.**

EDMUND BURKE *(1729-1797), escritor y político irlandés.*

3285. **La sociedad humana constituye una asociación de las ciencias, las artes, las virtudes y las perfecciones. Como los fines de la misma no pueden ser alcanzados en muchas generaciones, en esta asociación participan no sólo los vivos, sino también los que han muerto y los que están por nacer.**

EDMUND BURKE *(1729-1797), escritor y político irlandés.*

3286. **Una persona perezosa es un reloj sin agujas, siendo inútil tanto si anda como si está parado.**

WILLIAM COWPER *(1731-1800), poeta inglés.*

3287. **Cuando un pueblo se ha vuelto incapaz de gobernarse a sí mismo y está en condiciones para someterse a un amo, poco importa de dónde proceda éste.**

GEORGES WASHINGTON *(1732-1799), político estadounidense.*

3288. **En Inglaterra, la libertad es una especie de ídolo. Al pueblo se le enseña a amarla y a creer en ella, pero ve muy pocos de sus resultados. El pueblo puede moverse libremente, pero dentro de altas murallas.**

GEORGE WASHINGTON *(1732-1799), político estadounidense.*

3289. **No duermas cuando otros hablen, no te sientes cuando otros estén de pie, no hables cuando debas guardar silencio, no andes cuando otros se detienen.**

GEORGES WASHINGTON *(1732-1799), político estadounidense.*

3290. **Todo hombre que se conduzca como un buen ciudadano debe ser protegido para que pueda adorar a la divinidad según los dictados de su propia conciencia.**

GEORGES WASHINGTON *(1732-1799), político estadounidense.*

Sociedad

3291. **Las diversas clases de culto que prevalecieron en el mundo romano eran miradas todas por el pueblo como igualmente verdaderas; por los filósofos, como igualmente falsas, y por los magistrados, como igualmente útiles.**

EDWARD GIBBON *(1737-1794), historiador inglés.*

3292. **Ningún hombre es capaz de atender a sus propias necesidades sin la ayuda de la sociedad. Estas necesidades, al actuar sobre cada individuo, impelen a la totalidad de ellos hacia la sociedad, de la misma manera que la fuerza de gravitación impele hacia un centro.**

THOMAS PAINE *(1737-1809), escritor y político inglés.*

3293. **Creo en Dios, y nada más espero la felicidad más allá de esta vida. Creo en la igualdad del hombre, y creo que los deberes religiosos consisten en hacer justicia, amar a la piedad y esforzarse por hacer felices a nuestros semejantes.**

THOMAS PAINE *(1737-1809), escritor y político inglés.*

3294. **Todos los gobiernos monárquicos son militaristas. La guerra es su industria; el saqueo, su objetivo. Mientras sigan existiendo tales gobiernos, la paz no estará segura un solo día.**

THOMAS PAINE *(1737-1809), escritor y político inglés.*

3295. **Cada gobierno acusa al otro de perfidia, intriga y ambición como medio de caldear la imaginación de sus respectivas naciones para llevarlas a las hostilidades.**

THOMAS PAINE *(1737-1809), escritor y político inglés.*

3296. **La única idea que el hombre puede aplicar al nombre de Dios es la de una primera causa, la causa de todas las cosas. Pese a lo incomprensible y difícil que es para el hombre concebir una primera causa, llega a creer en ella debido a la dificultad mucho mayor de no creer en ella.**

THOMAS PAINE *(1737-1809), escritor y político inglés.*

3297. **El hombre es el único ser sensible que se destruye a sí mismo en estado de libertad.**

JACQUES-HENRI BERNARDIN DE SAINT-PIERRE *(1737-1814), escritor francés.*

3298. **La sed de la ambición degenera en fiebre al pie del trono.**

JACQUES-HENRI BERNARDIN DE SAINT-PIERRE *(1737-1814), escritor francés.*

3299. **Las diferentes religiones no son más que otros tantos dialectos religiosos.**
GEORG CHRISTOPH LICHTENBERG *(1742-1799), escritor y científico alemán.*

3300. **Muchos hombres que hoy están dispuestos a dejarse matar por defender su fe en un milagro, lo hubieran puesto en duda si hubiesen estado presentes al producirse.**
GEORG CHRISTOPH LICHTENBERG *(1742-1799), escritor y científico alemán.*

3301. **En el fondo de la intolerancia religiosa hay sin duda cierta suma de verdad, y por tanto, cierta utilidad.**
GEORG CHRISTOPH LICHTENBERG *(1742-1799), escritor y científico alemán.*

3302. **Cuando una mujer tiene miedo de su rival, está perdida.**
MARIE JEANNE BEAU, CONDESA DU BERRY *(1743-1793), dama francesa.*

3303. **Yo soy partidario de la libertad de religión y estoy en contra de todas las maniobras encaminadas a lograr el predominio legal de una secta sobre otra.**
THOMAS JEFFERSON *(1743-1826), político estadounidense.*

3304. **Todos los fanatismos se ahorcan unos a otros.**
THOMAS JEFFERSON *(1743-1826), político estadounidense.*

3305. **No puede esperarse que los hombres sean trasladados del despotismo a la libertad en un lecho de plumas.**
THOMAS JEFFERSON *(1743-1826), político estadounidense.*

3306. **El árbol de la libertad debe ser vigorizado de vez en cuando con la sangre de patriotas y tiranos: es un fertilizante natural.**
THOMAS JEFFERSON *(1743-1826), político estadounidense.*

3307. **Todos los hombres hemos sido creados iguales e independientes, derivándose de esta igual creación unos derechos inalienables entre los que están la vida, la libertad y la búsqueda de la felicidad.**
THOMAS JEFFERSON *(1743-1826), político estadounidense.*

3308. **La cuestión que tiene planteada la raza humana es si el Dios de la naturaleza gobernará al mundo según sus propias leyes, o si le gobernarán los sacerdotes por medio de milagros ficticios.**
THOMAS JEFFERSON *(1743-1826), político estadounidense.*

Sociedad

3309. **Las costumbres de cada nación se sujetan dentro de ella a un régimen de ortodoxia. Pero como este régimen es arbitrario, las personas razonables se muestran ampliamente tolerantes en cuanto a las costumbres, lo mismo que por lo que se refiere a la religión, de los demás.**
THOMAS JEFFERSON *(1743-1826), político estadounidense.*

3310. **El dinero, y no la moral, es el principio de las naciones comerciales.**
THOMAS JEFFERSON *(1743-1826), político estadounidense.*

3311. **El espíritu egoísta del comercio no reconoce patria ni siente ninguna pasión o principio salvo el del lucro.**
THOMAS JEFFERSON *(1743-1826), político estadounidense.*

3312. **La vida carece de valor si no nos produce satisfacciones. Entre éstas, la más valiosa es la sociedad racional, que ilustra la mente, suaviza el temperamento, alegra el ánimo y promueve la salud.**
THOMAS JEFFERSON *(1743-1826), político estadounidense.*

3313. **Nunca he observado que la honradez de los hombres aumenta con su riqueza.**
THOMAS JEFFERSON *(1743-1826), político estadounidense.*

3314. **Ningún gobierno puede sostenerse sin el principio del temor así como del deber. Los hombres buenos obedecerán a este último, pero los malos solamente al primero.**
THOMAS JEFFERSON *(1743-1826), político estadounidense.*

3315. **No se debe ser demasiado severo con los errores del pueblo, sino tratar de eliminarlos por la educación.**
THOMAS JEFFERSON *(1743-1826), político estadounidense.*

3316. **Nunca he podido concebir cómo un ser racional podría perseguir la felicidad ejerciendo el poder sobre otros.**
THOMAS JEFFERSON *(1743-1826), político estadounidense.*

3317. **No hay un rey que, teniendo fuerza suficiente, no esté siempre dispuesto a convertirse en absoluto.**
THOMAS JEFFERSON *(1743-1826), político estadounidense.*

3318. **He visto lo bastante de una guerra para no desear volver a ver otra.**
THOMAS JEFFERSON *(1743-1826), político estadounidense.*

3319. **La vieja práctica de los tiranos es usar una parte del pueblo para tener sometida a la otra.**
THOMAS JEFFERSON *(1743-1826), político estadounidense.*

3320. **La guerra no es el momento más favorable para arrebatar el poder a una monarquía. Por el contrario, es el momento en que la energía de una sola mano se presenta en su forma más seductora.**
THOMAS JEFFERSON *(1743-1826), político estadounidense.*

3321. **Opino con los romanos de antaño que el general de hoy debe ser mañana, si es necesario, soldado raso.**
THOMAS JEFFERSON *(1743-1826), político estadounidense.*

3322. **¿De qué sirve la libertad política para los que no tienen pan? Sólo tiene valor para los teorizantes y los políticos ambiciosos.**
JEAN PAUL MARAT *(1744-1793), revolucionario francés.*

3323. **Las leyes, se dice, son en política lo que en la física los medicamentos.**
GASPAR MELCHOR DE JOVELLANOS *(1744-1811), escritor y ensayista español.*

3324. **Para vivir existen tres métodos: mendigar, robar o realizar algo.**
HONORÉ GABRIEL RIQUETI, CONDE DE MIRABEAU *(1749-1791), político francés.*

3325. **Un rey no debe caer nunca de su trono, excepto cuando el mismo trono cae.**
VITTORIO ALFIERI *(1749-1803), escritor italiano.*

3326. **La ignorancia, la adulación y el miedo han dado a un gobierno tiránico el dulce nombre de monarquía.**
VITTORIO ALFIERI *(1749-1803), escritor italiano.*

3327. **En la guerra, la fortuna es variable. Por eso, el guerrero prudente no debe menospreciar al enemigo.**
JOHANN WOLFANG VON GOETHE *(1749-1832), escritor alemán.*

3328. **Los sentimientos delicados que nos dan la vida yacen entumecidos en la mundanal confusión.**
JOHANN WOLFANG VON GOETHE *(1749-1832), escritor alemán.*

3329. **Al entrar en sociedad deben cogerse las llaves del corazón y meterlas en el bolsillo; los que las dejan en su sitio son estúpidos.**
JOHANN WOLFANG VON GOETHE *(1749-1832), escritor alemán.*

Sociedad

3330. **Si quieres ser mejor que nosotros, querido amigo, ¡viaja!**
JOHANN WOLFANG VON GOETHE *(1749-1832), escritor alemán.*

3331. **Sólo es digno de libertad aquel que sabe conquistarla cada día.**
JOHANN WOLFANG VON GOETHE *(1749-1832), escritor alemán.*

3332. **A bien con las mujeres, y a puñetazos con los hombres y con más crédito que capital así va el hombre por el mundo.**
JOHANN WOLFANG VON GOETHE *(1749-1832), escritor alemán.*

3333. **Pasar de la pobreza a la opulencia no es más que cambiar de miseria.**
JOHANN G. OXENSTIERNA *(1750-1818), escritor sueco.*

3334. **La conciencia tiene la misma relación con la galantería que con la política.**
RICHARD BRINSLEY SHERIDAN *(1751-1816), político y dramaturgo inglés.*

3335. **Precisa tener el apetito del pobre para gozar la riqueza del rico.**
ANTOINE DE RIVAROLI, *RIVAROL (1753-1821), escritor francés.*

3336. **Hay personas que de sus riquezas no tienen más que el miedo de perderlas.**
ANTOINE DE RIVAROLI, *RIVAROL (1753-1821), escritor francés.*

3337. **La mujer es la única vasija que aún nos queda donde verter nuestro idealismo.**
ANTOINE DE RIVAROLI, *RIVAROL (1753-1821), escritor francés.*

3338. **El hombre se equivoca tanto como lucha.**
ANTOINE DE RIVAROLI, *RIVAROL (1753-1821), escritor francés.*

3339. **¡Libertad, libertad! ¡Cuántos crímenes se cometen en tu nombre!**
MADAME DE ROLAND *(1754-1793), revolucionaria francesa.*

3340. **La autoridad de la moda es tan absoluta que nos fuerza a ser ridículos para no parecerlo.**
JOSEPH SANIAL-DUBAY *(1754-1817), escritor francés.*

3341. **Libertad moral es la única libertad verdaderamente importante.**
JOSEPH JOUBERT *(1754-1824), moralista francés.*

3342. **La riqueza no es tan corruptora del hombre cuanto la ambición de la riqueza.**
LOUIS GABRIEL AMBROISE DE BONALD *(1754-1840), filósofo francés.*

3343. **Lo que distingue al hombre de los animales es el modo de comer.**
ANSELMO BRILLANT-SAVARIN *(1755-1826), literato francés.*

3344. **El placer de la mesa es para todas las edades, condiciones, países y para todos los días; puede asociarse a los demás placeres, y se queda el último para consolarnos de la pérdida de los otros.**
ANSELMO BRILLANT-SAVARIN *(1755-1826), literato francés.*

3345. **Nuevos amigos, nuevos dolores.**
WOLFGANG AMADEUS MOZART *(1756-1791), compositor austriaco.*

3346. **Los países libres son aquellos en los que son respetados los derechos del hombre y donde las leyes, por consiguiente, son justas.**
MAXIMILIAN ROBESPIERRE *(1758-1794), político francés.*

3347. **Los votos deberían pesarse, no contarse.**
JOHANN CHRISTOPH FRIEDRICH VON SCHILLER *(1759-1805), escritor alemán.*

3348. **La guerra alimenta a la guerra.**
JOHANN CHRISTOPH FRIEDRICH VON SCHILLER *(1759-1805), escritor alemán.*

3349. **No es la carne y la sangre, sino el corazón lo que nos hace padres e hijos.**
JOHANN CHRISTOPH FRIEDRICH VON SCHILLER *(1759-1805), escritor alemán.*

3350. **El príncipe de Gales se emborracha todas las noches: la borrachera no es en Inglaterra un gran defecto, ni hay cosa más común que hallar sujetos de distinción perdidos de vino en las casas particulares, en los cafés y en los espectáculos.**
LEANDRO FERNÁNDEZ DE MORATÍN *(1760-1828), dramaturgo español.*

3351. **La libertad sólo es concebible tratándose de la inteligencia.**
JOHANN GOTLIEB FICHTE *(1762-1814), filósofo alemán.*

3352. **Hay muchas personas que son llevadas a un estado de verdadera pobreza por su excesiva preocupación de que se las considere pobres.**
WILLIAM COBBETT *(1762-1835), político y periodista inglés.*

3353. **Pobreza e independencia son términos incompatibles.**
WILLIAM COBBETT *(1762-1835), político y periodista inglés.*

3354. **El más indestructible de los milagros es la fe humana en ellos.**
JEAN PAUL FRIEDRICH RICHTER *(1763-1835), novelista alemán.*

Sociedad

3355. Cuando un amigo advierte que lo necesitamos de un modo apremiante, siempre pierde cordialidad.

GERMAINE NECKER, MADAME DE STAËL *(1766-1817), escritora francesa.*

3356. Una nación sólo tiene carácter cuando es libre.

GERMAINE NECKER, MADAME DE STÄEL *(1766-1817), escritora francesa.*

3357. Nada halaga tanto a una mujer como demostrarle que se la teme.

BENJAMIN CONSTANT *(1767-1830), escritor y político suizo.*

3358. La libertad puede conducir a muchas transgresiones, pero incluso a los vicios se les presta una forma menos innoble.

KARL WILHELM VON HUMBOLDT *(1767-1835), filólogo y político alemán.*

3359. La inclinación y el anhelo de una amistad y un amor verdaderos son privilegios de las almas tiernas e íntimamente sensibles.

KARL WILHELM VON HUMBOLDT *(1767-1835), filólogo y político alemán.*

3360. En el fondo, son las relaciones con las personas lo que da valor a la vida.

KARL WILHELM VON HUMBOLDT *(1767-1835), filólogo y político alemán.*

3361. No creo que el arte de citar esté al alcance de todos esos espíritus pequeños que, no encontrando nada en sí mismos, todo lo tienen que tomar de otros.

RENÉ DE CHATEAUBRIAND *(1768-1848), escritor francés.*

3362. La dote es el pasaporte de la vicaría.

RENÉ DE CHATEAUBRIAND *(1768-1848), escritor francés.*

3363. A veces una batalla lo decide todo, y a veces la cosa más insignificante decide la suerte de una batalla.

NAPOLEÓN BONAPARTE *(1769-1821), emperador francés.*

La imagen de Napoleón ha variado sustancialmente con el paso de los tiempos y dependiendo de las interpretaciones que se han hecho de su vida y de la Historia. Heredero de la Revolución de 1789, Napoleón no era más que un soldado ambicioso que asombró a Europa. Los grandes tiranos siempre han buscado un enemigo: ésta es la única manera de mantener activo al pueblo y producir la ilusión de la grandeza y el heroísmo. Europa no esperaba a Napoleón, y éste se lanzó a la conquista del continente de un modo desaforado. La enemistad con Inglaterra o Prusia, los deseos expansionistas, o su simple voluntad, llevaron el fuego y la guerra desde Cádiz hasta Moscú. Lo cierto es que, en aquellos primeros años del XIX, Napoleón era un hombre admirado: su tenacidad, su valor, su inteligencia estratégica, su determinación, su poder implacable y un sinfín de leyendas lo convirtieron en el centro de todas las tertulias, en el objeto de todas las miradas. Sin embargo, León Tolstoi (1828-1910) aseguraba que Napoleón en realidad ganaba las guerras porque no encontraba con quién luchar y que, tanto sus victorias como sus derrotas, no se debían a su inteligencia o a su valor: él no participaba en las batallas y el fragor del combate nunca le permitió ver con claridad las posiciones y los recursos. De modo que las batallas sólo las ganaban los soldados, y dependía de la voluntad o el interés de los soldados ganar o perder la guerra: «Para los historiadores, los príncipes y los generales son genios; para los soldados siempre son unos cobardes».

3364. **En Francia, las bagatelas son cosas grandes; la razón, nada.**
NAPOLÉON BONAPARTE *(1769-1821), emperador francés.*

3365. **En Francia abundan los hombres de talento, pero han escaseado siempre los hombres de acción y de carácter fuerte.**
NAPOLÉON BONAPARTE *(1769-1821), emperador francés.*

3366. **Es propio del carácter francés insultar a los reyes.**
NAPOLÉON BONAPARTE *(1769-1821), emperador francés.*

3367. **El método más seguro de permanecer pobre es ser una persona franca.**
NAPOLÉON BONAPARTE *(1769-1821), emperador francés.*

3368. **Una nación debe tener una religión, y esta religión debe hallarse bajo el control del gobierno.**
NAPOLÉON BONAPARTE *(1769-1821), emperador francés.*

3369. **Si yo hubiera creído en un Dios de recompensas y castigos, puede que hubiera perdido el ánimo en las batallas.**
NAPOLÉON BONAPARTE *(1769-1821), emperador francés.*

3370. **Cada soldado lleva en su mochila un bastón de mariscal.**
NAPOLÉON BONAPARTE *(1769-1821), emperador francés.*

3371. **La guerra es para el hombre un estado natural.**
NAPOLÉON BONAPARTE *(1769-1821), emperador francés.*

3372. **Las batallas contra las mujeres son las únicas que se ganan huyendo.**
NAPOLÉON BONAPARTE *(1769-1821), emperador francés.*

3373. La guerra es un arte singular. Yo he sostenido sesenta batallas y no he aprendido más de lo que sabía cuando sostuve la primera.

NAPOLÉON BONAPARTE *(1769-1821), emperador francés.*

3374. Un general que ve con los ojos de otro nunca será capaz de mandar un ejército como es debido.

NAPOLÉON BONAPARTE *(1769-1821), emperador francés.*

3375. Los generales deben mezclarse con los simples soldados. El sistema espartano era excelente.

NAPOLÉON BONAPARTE *(1769-1821), emperador francés.*

3376. Yo no merezco más de la mitad del mérito por las batallas que he pasado. Por regla general, son los soldados lo que ganan las batallas y los generales los que se llevan la fama.

NAPOLÉON BONAPARTE *(1769-1821), emperador francés.*

3377. Yo estimo a un soldado valeroso que ha sufrido su bautismo de fuego, cualquiera que sea la nación a que pertenezca.

NAPOLÉON BONAPARTE *(1769-1821), emperador francés.*

3378. Para tener buenos soldados, una nación debe estar siempre en guerra.

NAPOLÉON BONAPARTE *(1769-1821), emperador francés.*

3379. Un gran país no puede tener una guerra pequeña.

ARTHUR COLLEY WELLESLEY, DUQUE DE WELLINGTON *(1769-1852), general y político inglés.*

3380. Una palabra afable nada hace perder.

LUDWIG VAN BEETHOVEN *(1770-1827), compositor alemán.*

3381. La verdadera amistad debe basarse en la unión de los caracteres.

LUDWIG VAN BEETHOVEN *(1770-1827), compositor alemán.*

3382. Los milagros no son las pruebas, pero sí los resultados necesarios de la revelación.

SAMUEL TAYLOR COLERIDGE *(1772-1834), poeta inglés.*

3383. Hay tres clases en las cuales se pueden incluir todas las mujeres ancianas: primera, las ancianas amables; segunda, las mujeres ancianas; y tercera, las viejas brujas.

SAMUEL TAYLOR COLERIDGE *(1772-1834), poeta inglés.*

3384. **Sólo quien ama su hogar, ama también su patria.**
SAMUEL TAYLOR COLERIDGE *(1772-1834), poeta ingles.*

3385. **Los franceses son como granos de pólvora: separados resultan desdeñables, pero reunidos constituyen una fuerza verdaderamente terrible.**
SAMUEL TAYLOR COLERIDGE *(1772-1834), poeta inglés.*

3386. **La honestidad de los franceses se debe acaso, no al amor a la justicia, sino a la repugnancia por la violencia o la fuerza.**
WILLIAM HAZLITT *(1773-1830), ensayista inglés.*

3387. **Un apodo es la piedra más dura que el diablo puede tirar al hombre.**
WILLIAM HAZLITT *(1773-1830), ensayista inglés.*

3388. **Me gustaría emplear toda mi vida en viajar, si alguien me pudiera prestar una segunda vida para pasarla en casa.**
WILLIAM HAZLITT *(1773-1830), ensayista inglés.*

3389. **Los hombres tienen el poder de elegir;**
las mujeres, el privilegio de rechazar.
JANE AUSTEN *(1775-1817), escritora inglesa.*

3390. **La vida es un libro del que, quien no ha visto más que su patria, no ha leído más que una página.**
FILLIPPO PANANTI *(1776-1837), poeta italiano.*

3391. **Los hombres no tienen más que dos frenos:**
la vergüenza y la horca.
UGO FOSCOLO *(1778-1827), poeta y novelista italiano.*

3392. **No son los ingenios sutiles los que forman las naciones,**
sino los caracteres austeros y fuertes.
MASSIMO D'AZEGLIO *(1778-1866), político y escritor italiano.*

3393. **La guerra es un acto de violencia cuyo objeto es obligar al enemigo a realizar nuestra voluntad.**
CARL VON CLAUSEWITZ *(1780-1831), historiador, general y tratadista prusiano.*

3394. **La decisión final de una guerra no debe considerarse como absoluta. La nación vencida suele mirar la derrota como un mal pasajero que puede repararse en tiempos posteriores por medio de combinaciones políticas.**
CARL VON CLAUSEWITZ *(1780-1831), historiador, general y tratadista prusiano.*

Sociedad

3395. **La guerra no es más que un duelo a gran escala.**
CARL VON CLAUSEWITZ *(1780-1831), historiador, general y tratadista prusiano.*

3396. **La guerra no es simplemente un acto político, sino también un instrumento político, una continuación de las relaciones políticas, una ejecución de la misma cosa por otros medios.**
CARL VON CLAUSEWITZ *(1780-1831), historiador, general y tratadista prusiano.*

3397. **La víctima del fanatismo descubrirá que cuanto más fuertes sean los motivos que pueda alegar para obtener piedad, menores serán sus probabilidades de lograrla, pues el mérito de su destrucción se considerará que aumenta en proporción al sacrificio de todo sentimiento de justicia y de humanidad.**
CHARLES CALEB COLTON *(1780-1832), poeta inglés.*

3398. **El juego es hijo de la avaricia, pero también padre del despilfarro.**
CHARLES CALEB COLTON *(1780-1832), poeta inglés.*

3399. **Un poder situado por encima de toda responsabilidad humana debe estar fuera del alcance de todo ser humano.**
CHARLES CALEB COLTON *(1780-1832), poeta inglés.*

3400. **Es preferible estar solo a frecuentar las malas compañías, porque somos más propensos a copiar los vicios de los demás que sus virtudes, de la misma manera que la enfermedad es más contagiosa que la salud.**
CHARLES CALEB COLTON *(1780-1832), poeta inglés.*

3401. **Una mujer hermosa, si es pobre, debe proceder con doble circunspección, pues su belleza tentará a los demás y su pobreza a ella misma.**
CHARLES CALEB COLTON *(1780-1832), poeta inglés.*

3402. **Muchos hablan sinceramente cuando dicen que desprecian las riquezas, pero se refieren a las riquezas que poseen los demás.**
CHARLES CALEB COLTON *(1780-1832), poeta inglés.*

3403. **La mayor parte de nuestras desdichas resultan más soportables que los comentarios que de ellas hacen nuestros amigos.**
CHARLES CALEB COLTON *(1780-1832), poeta inglés.*

3404. Los franceses constituyen una nación de gente alegre que posee el verdadero secreto de la felicidad, el cual se reduce a no pensar en nada, hablar de cualquier cosa y reírse de todo.
WASHINGTON IRVING *(1783-1859), escritor estadounidense.*

3405. El hombre se casa para retirarse del mundo, la mujer para entrar en él.
AUGUST LOUIS PETIET *(1784-1858), político francés.*

3406. Hay que tomar a los hombres como son y a las mujeres como quieren ser.
AUGUST LOUIS PETIET *(1784-1858), político francés.*

3407. «De manera femenina» quiere decir «furiosamente»; pues todas las palabras desmedidas nacen en boca de mujeres.
GEORGE GORDON, *LORD BYRON (1788-1824), poeta inglés.*

3408. Las altas montañas guardan para mí una sensación íntima. El zumbido de las ciudades, por el contrario, es mi tortura.
GEORGE GORDON, *LORD BYRON (1788-1824), poeta inglés.*

3409. En el juego hay dos clases de placeres a nuestra elección: ganar o perder.
GEORGE GORDON, *LORD BYRON (1788-1824), poeta inglés.*

3410. El dinero a la mano es como la lámpara de Aladino.
GEORGE GORDON, *LORD BYRON (1788-1824), poeta inglés.*

3411. La riqueza es como el agua salada: cuanto más se bebe más sed da; lo mismo ocurre con la gloria.
ARTHUR SCHOPENHAUER *(1788-1860), filósofo alemán.*

3412. La fe es como el amor: no puede ser impuesta por la fuerza.
ARTHUR SCHOPENHAUER *(1788-1860), filósofo alemán.*

3413. La cortesía es un acuerdo tácito mediante el cual los defectos de la gente, sean morales o intelectuales, serán pasados por alto y no motivarán ningún reproche.
ARTHUR SCHOPENHAUER *(1788-1860), filósofo alemán.*

3414. Aunque el mundo contiene muchas cosas decididamente malas, la peor de todas ellas es la sociedad.
ARTHUR SCHOPENHAUER *(1788-1860), filósofo alemán.*

Sociedad

3415. **Las religiones, como las luciérnagas, necesitan de oscuridad para brillar.**
Arthur Schopenhauer *(1788-1860), filósofo alemán.*

3416. **La religión es la obra maestra del arte de la educación de los seres, pues enseña a la gente cómo debe pensar.**
Arthur Schopenhauer *(1788-1860), filósofo alemán.*

3417. **Cada nación se burla de las otras, y todas tienen razón.**
Arthur Schopenhauer *(1788-1860), filósofo alemán.*

3418. **La riqueza es un poder usurpado por la minoría para obligar a la mayoría a trabajar en su provecho.**
Percy Bysshe Shelley *(1792-1822), poeta inglés.*

Junto al lord Byron y a Keats, Shelley es uno de los grandes poetas románticos ingleses. La cita que encabeza este breve comentario es una muestra de sus convicciones sociales y políticas; convicciones que llevó a la práctica en su propia vida y en su poesía, negándose a admitir las normas estrechas e hipócritas de la sociedad inglesa. Fue expulsado de Oxford por un panfleto titulado *La necesidad del ateísmo*. Enamorado de Mary Goodwin (hija de un revolucionario ácrata), abandona a su mujer y huye con su amante a Suiza. Allí se casan, y su amada se convierte en Mary Shelley, la prodigiosa autora de *Frankenstein*. Amigo de Byron, muere, como él, muy joven (la tormentosa vida de estos románticos está maravillosamente reflejada en la película titulada *Remando al viento*, del director de cine español Gonzalo Suárez). El reflejo poético de su pensamiento y de su vida es *Prometeo desencadenado* (1820), una obra donde se pone de manifiesto la ira del poeta contra Dios y contra el destino. En el acto I, Prometeo (el Hombre) se dirige a los dioses y les dice: «Tres mil años sin descanso, instantes divididos por el dolor agudo, tortura y soledad, desesperanza, escarnio: eso es mi reino».

3419. **Si nunca hubiera habido guerras, nunca hubiese habido tiranía en el mundo.**
Percy Bysshe Shelley *(1792-1822), poeta inglés.*

3420. **El marido y la esposa deben continuar unidos solamente mientras se amen. Toda ley que les obligue a cohabitar por un solo momento después de haber desaparecido su afecto constituye la más intolerable tiranía.**
Percy Bysshe Shelley *(1792-1822), poeta inglés.*

3421. **Ningún gran hombre vive en vano; la historia del mundo no pasa de ser la biografía de los grandes hombres.**
THOMAS CARLYLE *(1795-1881), filósofo, crítico e historiador inglés.*

3422. **Un gran hombre demuestra su grandeza por la forma en que trata a los pequeños.**
THOMAS CARLYLE *(1795-1881), filósofo, crítico e historiador inglés.*

3423. **El culto a los héroes existe, ha existido y existirá siempre con carácter universal en el seno de la humanidad.**
THOMAS CARLYLE *(1795-1881), filósofo, crítico e historiador inglés.*

3424. **En la historia del mundo no volverá a haber ningún hombre, por grande que sea, a quien sus conciudadanos conviertan en un dios.**
THOMAS CARLYLE *(1795-1881), filósofo, crítico e historiador inglés.*

3425. **La más noble corona es, y será siempre sobre la tierra, una corona de espinas.**
THOMAS CARLYLE *(1795-1881), filósofo, crítico e historiador inglés.*

3426. **Los tres grandes elementos de la civilización moderna: la pólvora, la imprenta y el protestantismo.**
THOMAS CARLYLE *(1795-1881), filósofo, crítico e historiador inglés.*

3427. **Seguramente, de todos los derechos del hombre, el único indisputable es el derecho que tiene el ignorante de ser guiado por el sabio, para ser llevado, por las buenas o por las malas, por el camino de la verdad.**
THOMAS CARLYLE *(1795-1881), filósofo, crítico e historiador inglés.*

3428. **En nuestro país y en nuestros tiempos nadie merece ser honrado con el nombre de hombre de estado si en sus planes no está el dar la más alta educación posible al pueblo.**
HORACE MANN *(1796-1859), pensador estadounidense.*

3429. **Mas, ¿qué aristocracia es hoy día superior a la del dinero?**
MANUEL BRETÓN DE LOS HERREROS *(1796-1873), escritor español.*

3430. **El dinero es un buen sirviente, pero un mal amo.**
HENRY GEORGE BOHN *(1796-1884), editor inglés.*

3431. **Puesto que no podemos sustraernos a la miseria colectiva, no la hagamos mayor con nuestras disputas sin fin.**
ALFRED DE VIGNY *(1797-1863), escritor francés.*

Sociedad

3432. **¿Cuál es la primera prioridad de la política? La educación. ¿Y la segunda? La educación. ¿Y la tercera? La educación.**
JULES MICHELET *(1798-1874), historiador francés.*

3433. **Una nobleza sin privilegios es un mango sin herramienta.**
HONORÉ DE BALZAC *(1799-1850), escritor francés.*

3434. **He sabido lo que es ser pobre al desear la fortuna para dársela a mi hijo.**
HONORÉ DE BALZAC *(1799-1850), escritor francés.*

3435. **Por nadie será el marido mejor vengado que por el amante de su mujer.**
HONORÉ DE BALZAC *(1799-1850), escritor francés.*

3436. **Todo poder humano es una mezcla de paciencia y de tiempo.**
HONORÉ DE BALZAC *(1799-1850), escritor francés.*

3437. **Una buena constitución es infinitamente mejor que el mejor déspota.**
THOMAS BABINGTON MACAULAY *(1800-1859), historiador y político inglés.*

3438. **El mejor gobierno es el que desea hacer feliz al pueblo y sabe cómo lograrlo.**
THOMAS BABINGTON MACAULAY *(1800-1859), historiador y político inglés.*

3439. **En política, como en religión, hay devotos que manifiestan su veneración por un santo desaparecido, convirtiendo su tumba en un santuario del crimen.**
THOMAS BABINGTON MACAULAY *(1800-1859), historiador y político inglés.*

3440. **Cuando la lucha entre facciones es intensa, el político se interesa, no por todo el pueblo, sino por el sector a que él pertenece. Los demás son, a su juicio, extranjeros, enemigos, incluso piratas.**
THOMAS BABINGTON MACAULAY *(1800-1859), historiador y político inglés.*

3441. **Los políticos tímidos e interesados se preocupan mucho más de la seguridad de sus puestos que de la seguridad de su país.**
THOMAS BABINGTON MACAULAY *(1800-1859), historiador y político inglés.*

3442. **Todas las causas de la decadencia de España se sintetizan en una sola: el mal gobierno.**
THOMAS BABINGTON MACAULAY *(1800-1859), historiador y político inglés.*

3443. Aquel que desea familiarizarse con la anatomía morbosa de los gobiernos, aquel que desee conocer hasta qué punto se puede debilitar y arruinar un gran estado, debe estudiar la historia de España.

THOMAS BABINGTON MACAULAY *(1800-1859), historiador y político inglés.*

3444. La cortesía ha sido bien definida como benevolencia en las cosas pequeñas.

THOMAS BABINGTON MACAULAY *(1800-1859), historiador y político inglés.*

3445. La paz perdurable es un sueño, y ni siquiera un sueño hermoso.

HELMUT VON MOLTKE *(1800-1891), general prusiano.*

3446. La guerra forma parte del orden creado por Dios. En ella se manifiestan las virtudes más nobles del hombre: el valor y la abnegación, el espíritu del deber y el sacrificio de sí mismo. Sin la guerra el mundo se hundiría en el materialismo.

HELMUT VON MOLTKE *(1800-1891), general prusiano.*

3447. La sociedad no es sino el desarrollo de la familia; si el hombre sale corrompido de la familia, entrará corrompido en la ciudad.

JEAN-BAPTISTE HENRI LACORDAIRE *(1802-1861), escritor francés.*

3448. El hombre justo, el hombre honesto, es aquel que mide sus derechos con sus deberes.

JEAN BAPTISTE HENRI LACORDAIRE *(1802-1861), escritor francés.*

3449. La verdadera sociedad doméstica, que es la raíz de la verdadera sociedad civil, une estrechamente a un solo tronco todas las ramas dispersas de una generación.

NICCOLO TOMASSEO *(1802-1874), político y pintor italiano.*

3450. Yo estoy al lado de la religión y en contra de las religiones.

VICTOR HUGO *(1802-1885), escritor francés.*

3451. El éxito de una guerra se mide por la cantidad de daños que causa.

VICTOR HUGO *(1802-1885), escritor francés.*

3452. Viajar es nacer y morir a cada paso.

VICTOR HUGO *(1802-1885), escritor francés.*

3453. El porvenir está en manos de los maestros de escuela.

VICTOR HUGO *(1802-1885), escritor francés.*

Sociedad

3454. Una guerra contra el extranjero es un arañazo en el brazo; una guerra civil es una úlcera que devora las vísceras de una nación.
VICTOR HUGO *(1802-1885), escritor francés.*

3455. La burguesía no es más que la parte satisfecha del pueblo.
VICTOR HUGO *(1802-1885), escritor francés.*

3456. Una república puede ser llamada el clima de la civilización.
VICTOR HUGO *(1802-1885), escritor francés.*

3457. No existen países pequeños. La grandeza de un pueblo no se mide por el número de sus componentes, como no se mide por su estatura la grandeza de un hombre.
VICTOR HUGO *(1802-1885), escritor francés.*

3458. De las culpas de las mujeres, de los niños, de los criados, de los débiles, de los pobres y de los ignorantes, son responsables los maridos, los padres, los señores, los fuertes, los ricos y los sabios.
VICTOR HUGO *(1802-1885), escritor francés.*

3459. La mujer comprende al hombre mejor de lo que se comprende el hombre mismo.
VICTOR HUGO *(1802-1885), escritor francés.*

3460. La religión está en el corazón, no en la rodillas.
WILLIAM DOUGLAS JORROLD *(1803-1857), escritor y humorista inglés.*

3461. No hay para una mujer nada más odioso que esas caricias que es casi tan ridículo rehusar como aceptar.
PROSPER MÉRIMEÉ *(1803-1870), escritor francés.*

3462. El jabón da la medida del bienestar y de la civilización de las naciones.
JUSTUS VON LIEBIG *(1803-1873), químico alemán.*

3463. La gravedad y la compostura son las características principales de los españoles.
GEORGE BORROW *(1803-1881), escritor inglés.*

3464. Cuando un hombre encuentra a su pareja, comienza la sociedad.
RALPH WALDO EMERSON *(1803-1882), escritor y político estadounidense.*

3465. ¡Ah, si el rico fuera rico al modo en que el pobre piensa!
RALPH WALDO EMERSON *(1803-1882), escritor y político estadounidense.*

3466. **Las mujeres desconfían demasiado de los hombres en general y demasiado poco en particular.**
RALPH WALDO EMERSON *(1803-1882), escritor y político estadounidense.*

3467. **El dios de los caníbales será un caníbal, el de los cruzados, un cruzado, y el de los mercaderes, un mercader.**
RALPH WALDO EMERSON *(1803-1882), escritor y político estadounidense.*

3468. **Viajar es el paraíso de los necios. A nuestros primeros viajes debemos el descubrimiento de que los lugares nada significan.**
RALPH WALDO EMERSON *(1803-1882), escritor y político estadounidense.*

3469. **Los buenos modales se consiguen a base de pequeños sacrificios.**
RALPH WALDO EMERSON *(1803-1882), escritor y político estadounidense.*

3470. **Todas las épocas de fe han sido grandes; todas las de incredulidad han sido mezquinas.**
RALPH WALDO EMERSON *(1803-1882), escritor y político estadounidense.*

3471. **Los hombres se parecen a sus contemporáneos más que a sus progenitores.**
RALPH WALDO EMERSON *(1803-1882), escritor y político estadounidense.*

3472. **Es perfectamente comprensible la afición de la humanidad a la guerra, porque ésta viene a quebrar el estancamiento de la sociedad y sirve para poner de manifiesto los méritos personales de todos los hombres.**
RALPH WALDO EMERSON *(1803-1882), escritor y político estadounidense.*

3473. **Las diferencias de raza son una de las causas por las que es de temer que existan siempre las guerras; porque la raza implica diferencia, la diferencia implica superioridad, y la superioridad conduce al predominio.**
BENJAMIN DISRAELI *(1804-1881), político y escritor inglés.*

3474. **Como todos los grandes viajeros —dijo Essper—, yo he visto más cosas de las que recuerdo, y recuerdo más cosas de las que he visto.**
BENJAMIN DISRAELI *(1804-1881), político y escritor inglés.*

3475. **El secreto del éxito en la vida del hombre consiste en estar dispuesto a aprovechar la ocasión que se le depare.**
BENJAMIN DISRAELI *(1804-1881), político y escritor inglés.*

3476. **En política, los experimentos significan revoluciones.**
BENJAMIN DISRAELI *(1804-1881), político y escritor inglés.*

Sociedad

3477. El mundo está harto de estadistas a quienes la democracia ha degradado convirtiéndolos en políticos.
BENJAMIN DISRAELI *(1804-1881), político y escritor inglés.*

3478. ¿Es menos filosófico creer en un dios personal, omnipotente y omnisciente, que en fuerzas naturales inconscientes e irresistibles? ¿Es antifilosófico combinar el poder con la inteligencia?
BENJAMIN DISRAELI *(1804-1881), político y escritor inglés.*

3479. Los conservadores no son necesariamente estúpidos, pero casi todos los estúpidos son conservadores.
JOHN STUART MILL *(1806-1873), filósofo inglés.*

3480. Las nociones y los sentimientos de una persona estúpida pueden deducirse fácilmente por los que prevalecen en el círculo de que dicha persona se halla rodeada.
JOHN STUART MILL *(1806-1873), filósofo inglés.*

3481. Las banderas de los partidos son lienzos con que se amortaja a la patria.
GIUSEPPE GARIBALDI *(1807-1882), revolucionario italiano.*

3482. ¿Sobre qué descansa la familia? Sobre el matrimonio y los deberes de la paternidad.
PEDRO FELIPE MONLAU *(1808-1871), médico y escritor español.*

3483. Tanto en el orden moral como en el material, la familia asegura la continuación en la sociedad.
PEDRO FELIPE MONLAU *(1808-1871), médico y escritor español.*

3484. En política, el vencedor es quien tiene la razón.
ALPHONSE KARR *(1808-1890), escritor francés.*

3485. La oposición cuida siempre de pedir lo que no está segura de obtener, porque si lo obtuviese dejaría de ser oposición.
ALPHONSE KARR *(1808-1890), escritor francés.*

3486. La mujer, en el paraíso, mordió la manzana diez minutos antes que el hombre; y siempre ha mantenido después esos diez minutos de ventaja.
ALPHONSE KARR *(1808-1890), novelista francés.*

3487. La igualdad no es más que un peldaño para llegar a caminar sobre las cabezas de los demás.
ALPHONSE KARR *(1808-1890), escritor francés.*

3488. **¿En dónde ve el pueblo español su principal peligro, el más inminente? En el poder dejado por una tolerancia mal entendida.**

MARIANO JOSÉ LARRA *(1809-1837), escritor y periodista español.*

3489. **Generalmente, se puede asegurar que no hay nada más terrible en la sociedad que el trato de las personas que se sienten con alguna superioridad sobre sus semejantes.**

MARIANO JOSÉ DE LARRA *(1809-1837), escritor y periodista español.*

3490. **Y el gran lazo que sostiene a la sociedad es, por una incomprensible contradicción, aquello mismo que parecía destinado a disolverla, es decir, el egoísmo.**

MARIANO JOSÉ DE LARRA *(1809-1837), escritor y periodista español.*

3491. **No hay nada más terrible en sociedad que el trato de las personas que se sienten con alguna superioridad sobre sus semejantes.**

MARIANO JOSÉ DE LARRA *(1809-1837), escritor y periodista español.*

3492. **Ley implacable de la naturaleza: o devorar, o ser devorado. Pueblos e individuos, o víctimas o verdugos.**

MARIANO JOSÉ DE LARRA *(1809-1837), escritor y periodista español.*

3493. **Lo difícil es ganar miles honradamente. Los millones se amontonan sin trabajo.**

NICOLAI VASILIEVICH GOGOL *(1809-1852), novelista ruso.*

3494. **Aquellos que niegan la libertad a otros no la merecen para sí, y bajo un Dios justo no pueden conservarla mucho tiempo.**

ABRAHAM LINCOLN *(1809-1865), político estadounidense.*

3495. **Es mi deseo que cuando deje las riendas del gobierno, si he perdido todos mis amigos, me quede al menos uno: el que yo mismo llevo dentro.**

ABRAHAM LINCOLN *(1809-1865), político estadounidense.*

3496. **Hay momentos en la vida de todo político en que lo mejor que puede hacerse es no despegar los labios.**

ABRAHAM LINCOLN *(1809-1865), político estadounidense.*

3497. **Una papeleta de voto es más fuerte que una bala de fusil.**

ABRAHAM LINCOLN *(1809-1865), político estadounidense.*

Sociedad

3498. Ningún hombre es lo bastante bueno para gobernar a otro sin su consentimiento.

ABRAHAM LINCOLN *(1809-1865), político estadounidense.*

3499. Yo no sé qué fue mi abuelo. Me interesa mucho más saber que será su nieto.

ABRAHAM LINCOLN *(1809-1865), político estadounidense.*

3500. No más partidos, no más autoridad, libertad absoluta del hombre y del ciudadano: ésta es mi profesión de fe social y política.

JOSEPH PROUDHON *(1809-1865), filósofo francés.*

3501. Quienquiera que ponga su mano sobre mí para gobernarme es un usurpador y un tirano y le declaro mi enemigo.

JOSEPH PROUDHON *(1809-1865), filósofo francés.*

3502. La democracia no es más que un poder arbitrario constitucional que ha sustituido a otro poder arbitrario constitucional.

JOSEPH PROUDHON *(1809-1865), filósofo francés.*

3503. Las únicas cosas esenciales en una fiesta son la alegría y la comida.

OLIVER WENDELL HOLMES *(1809-1894), escritor estadounidense.*

3504. ¡Ay de los pueblos gobernados por un poder que ha de pensar en la conservación propia!

JAIME BALMES *(1810-1848), filósofo español.*

3505. No me interesa el dinero, sino la amistad.

FRÉDÉRIC CHOPIN *(1810-1849), compositor polaco.*

3506. Cualquier ocupación, por poco importante que sea, hace emplear el tiempo y disipa las nubes del aburrimiento y de la tristeza.

FRÉDÉRIC CHOPIN *(1810-1849), compositor polaco.*

3507. Lo malo del amigo es que nos dice las cosas desagradables a la cara; el enemigo las dice a nuestras espaldas y, como no nos enteramos, nada ocurre.

LOUIS CHARLES ALFRED DE MUSSET *(1810-1857), escritor francés.*

Aquel mayo de 1857 murió olvidado e ignorado Alfred de Musset. Pocos acudieron a su entierro. La posteridad tampoco fue muy benévola con Musset, y ni Flaubert ni Baudelaire ni Proust escatiman improperios y críticas contra él. Musset solía burlarse de sus amigos románticos, que acudían a ver puestas de sol en Montrouge y, sin embargo, él mismo es puro romanticismo: expresión individual, exceso vital y exceso de cerveza y coñac, además de una intensa sensación de fracaso e inutilidad. Lo mejor de Musset está en su segundo libro de poemas (*Nouvelles poésies*, hasta 1852), donde se observa el cambio producido en su viaje a Italia en compañía de George Sand (Aurore Dupin). Las «Noches» ya sólo reflejan dolor y desesperación, y estas amarguras acabarán por matarlo en vida: de taberna en taberna, de café en café, bebiendo y jugando, solitario y agostado, enamorado mil veces de otras tantas mujeres y mil veces cayendo de nuevo en la desolación... Una plaza como bibliotecario y un compasivo lugar en la Academia Francesa es todo cuanto obtuvo finalmente.

Una prueba de sus últimos años es «Tristeza», publicado en 1841, cuando apenas había superado la treintena: ya por entonces conocía agotada su existencia.

Fuerza y vida he perdido juntamente,
como he perdido amigos y alegría;
por perder, he perdido hasta el orgullo
que me hacía tomarme por un genio.

Al conocer un día la Verdad
creí que se trataba de una amiga;
pero al saber quién era y comprenderla,
ya solamente me inspiraba hastío.

Y no obstante, quién duda que es eterna,
que aquellos que le han vuelto la espalda
lo han ignorado todo en este mundo.
Dios habla, y es forzoso responderle.
El único tesoro que me queda
es el haber llorado algunas veces.

(Trad. Carlos Pujol, en *Poetas románticos franceses,* Barcelona, 1990.)

3508. ¡Días de trabajo...! ¡Únicos días en que he vivido!

LOUIS CHARLES ALFRED DE MUSSET *(1810-1857), escritor francés.*

3509. El placer de las disputas entre enamorados
es hacer luego la paz.

LOUIS CHARLES ALFRED DE MUSSET *(1810-1857), escritor francés.*

Sociedad

3510. **Yo he descubierto el arte de engañar a los diplomáticos. Digo la verdad y nunca me creen.**
Camilo Benso, conde de Cavour *(1810-1861), político italiano.*

3511. **La sociedad humana, tal como ha sido creada por Dios, está compuesta por elementos desiguales, y querer igualarlos es imposible, ya que sería la destrucción de la sociedad misma.**
León XIII *(1810-1903), Papa de la Iglesia cristiana.*

3512. **La familia es una sociedad limitada en número, pero una verdadera sociedad anterior a toda nación o Estado, con derechos y deberes propios, completamente independiente de la comunidad.**
León XIII *(1810-1903), Papa de la Iglesia cristiana.*

3513. **Todo el arte de adquirir lo necesario para la vida y el mantenimiento se funda en el trabajo.**
León XIII *(1810-1903), Papa de la Iglesia cristiana.*

3514. **Del trabajo del obrero nace la grandeza de las naciones.**
León XIII *(1810-1903), Papa de la Iglesia cristiana.*

3515. **Muchas veces compramos el dinero demasiado caro.**
William Makepeace Thackeray *(1811-1864), novelista inglés.*

3516. **Las mujeres tienen el sentimiento de la moda, pero no el sentimiento de lo bello.**
Théophile Gautier *(1811-1872), poeta y novelista francés.*

3517. **Cuando un hombre se ve bien vestido tiene buen ánimo y buen humor.**
Charles Dickens *(1812-1870), escritor inglés.*

3518. **La puntualidad es la cortesía de los reyes, decía Luis XIV. También es el deber de los caballeros y la necesidad de los hombres de negocios.**
Samuel Smiles *(1812-1904), moralista y sociólogo inglés.*

3519. **Dicen que la mujer es débil. ¡Falso! La mujer es tan fuerte como el hombre, si no más fuerte que él.**
Sören Aabye Kierkegaard *(1813-1855), filósofo danés.*

3520. **Hay mucha gente que piensa que el domingo es una esponja que limpia los pecados de toda la semana.**
Henry Ward Beecher *(1813-1887), escritor inglés.*

3521. **Yo soy libre solamente en la medida en que reconozco la humanidad y respeto la libertad de todos los hombres que me rodean.**
MIJAIL ALEXANDROVICH BAKUNIN *(1814-1876), revolucionario ruso.*

3522. **La libertad significa que el hombre sea reconocido libre y tratado como libre por los que le rodean.**
MIJAIL ALEXANDROVICH BAKUNIN *(1814-1876), revolucionario ruso.*

3523. **No hay Estado sin religión ni que pueda pasarse sin ella. Considérense los estados más libres del mundo —los Estados Unidos y la Confederación Suiza— y adviértase cómo la Divina Providencia figura en todas sus manifestaciones públicas.**
MIJAIL ALEXANDROVICH BAKUNIN *(1814-1876), revolucionario ruso.*

3524. **Si no hubiera sido inventada la sociedad, el hombre hubiera seguido siendo una bestia salvaje, o, lo que viene a ser lo mismo, un santo.**
MIJAIL ALEXANDROVICH BAKUNIN *(1814-1876), revolucionario ruso.*

3525. **Los sacerdotes, los reyes, los estadistas, los generales, los banqueros y los funcionarios públicos de toda índole; los policías, los carceleros y los verdugos; los capitalistas, los usureros, los hombres de negocios y los propietarios; los abogados, los economistas y los políticos: todos ellos, hasta llegar al más ruin tendero, repiten a coro las palabras de Voltaire de que si no hubiera Dios sería necesario inventarlo.**
MIJAIL ALEXANDROVICH BAKUNIN *(1814-1876), revolucionario ruso.*

3526. **Sólo es pobre aquel que siempre desea más.**
MARIANO AGUILO *(1815-1897), poeta español.*

3527. **Nunca se miente tanto como antes de las elecciones, durante la guerra y después de la cacería.**
OTTO VON BISMARCK *(1815-1898), estadista prusiano.*

3528. **Para la juventud sólo tengo tres consejos: trabajo, trabajo y trabajo.**
OTTO VON BISMARCK *(1815-1898), estadista prusiano.*

3529. **La política no es una ciencia exacta.**
OTTO VON BISMARCK *(1815-1898), estadista prusiano.*

3530. **La política no es una ciencia, como se imaginan muchos profesores, sino un arte.**
OTTO VON BISMARCK *(1815-1898), estadista prusiano.*

Sociedad

3531. Hasta en una declaración de guerra deben observarse las reglas de urbanidad.

OTTO VON BISMARCK *(1815-1898), estadista prusiano.*

3532. La libertad es un lujo que no todos pueden permitirse.

OTTO VON BISMARCK *(1815-1898), estadista prusiano.*

3533. La riqueza superflua sólo puede comprar cosas superfluas.

HENRY DAVID THOREAU *(1817-1862), escritor estadounidense.*

3534. El hombre es rico en proporción a las cosas que puede desechar.

HENRY DAVID THOREAU *(1817-1862), escritor estadounidense.*

3535. En ningún lugar probablemente es más sincero el sentimiento y peor el gusto que en los cementerios.

BENJAMIN JOWETT *(1817-1893), ensayista inglés.*

3536. Si desde la época de Augier el dinero nace con una mancha natural de barro en cada mejilla, el capital nace lleno de sangre y barro desde los pies a la cabeza.

KARL MARX *(1818-1883), filósofo alemán.*

3537. Libres y esclavos, patricios y plebeyos, señores y siervos, maestros y aprendices, en una palabra: opresores y oprimidos, han estado en constante oposición unos con otros.

KARL MARX *(1818-1883), filósofo alemán.*

3538. La familia burguesa se basa en el capital, en el lucro privado.

KARL MARX *(1818-1883), filósofo alemán.*

3539. Cuanto más pone el hombre en Dios, menos guarda en sí mismo.

KARL MARX *(1818-1883), filósofo alemán.*

3540. La religión es el opio del pueblo.

KARL MARX *(1818-1883), filósofo alemán.*

3541. Las mujeres más felices, como las naciones más felices, no tienen historia.

MARY ANN EVANS, *GEORGE ELIOT (1819-1880), escritora inglesa.*

3542. Los animales son unos amigos tan discretos que no hacen preguntas ni repiten habladurías.

MARY ANN EVANS, *GEORGE ELIOT (1819-1880), escritora inglesa.*

3543. La democracia da a cada uno el derecho de ser su propio opresor.
JAMES RUSSELL LOWELL *(1819-1891), escritor estadounidense.*

3544. Todo lo referente a la guerra es una bofetada al buen sentido.
HERMANN MELVILLE *(1819-1891), novelista estadounidense.*

3545. Durante el invierno bebo y canto, pensando con alegría que la primavera se avecina; y cuando la primavera llega, vuelvo a beber, sintiendo, satisfecho, que ya ha llegado.
FRIEDRICH BODENSTEDT *(1819-1892), escritor alemán.*

3546. La fe es el antiséptico del alma.
WALT WHITMAN *(1819-1892), poeta estadounidense.*

3547. El que un perro haya mordido a un hombre no es ninguna noticia; una noticia es que un hombre haya mordido a un perro.
CARLOS ANDERSON DANA *(1819-1897), periodista estadounidense.*

3548. Tanto la paz como la guerra son nobles o innobles según su especie y según la ocasión.
JOHN RUSKIN *(1819-1900), sociólogo inglés.*

3549. El hombre aislado se siente débil, y lo es.
CONCEPCIÓN ARENAL *(1820-1893), escritora española.*

3550. ¿Los pobres serían lo que son, si nosotros fuéramos lo que debiéramos ser?
CONCEPCIÓN ARENAL *(1820-1893), escritora española.*

3551. Proteger el trabajo es proteger la virtud, es apartar escollos contra los cuales se estrella tantas veces; proteger el trabajo es enjugar lágrimas, consolar dolores, arrancar víctimas al vicio, al crimen y a la muerte.
CONCEPCIÓN ARENAL *(1820-1893), escritora española.*

3552. Cuando sea posible hablar de libertad, el Estado como tal dejará de existir.
FRIEDRICH ENGELS *(1820-1895), filósofo alemán.*

3553. Todo hombre tiene libertad para hacer lo que quiera siempre y cuando no infrinja la libertad igual de cualquier hombre.
HERBERT SPENCER *(1820-1903), filósofo y sociólogo inglés.*

3554. Nadie puede ser perfectamente libre hasta que todos lo sean.
HERBERT SPENCER *(1820-1903), filósofo y sociólogo inglés.*

Sociedad

3555. Si los hombres emplean su libertad de tal manera que renuncian a ésta, ¿puede considerárseles por ello menos esclavos? Si el pueblo elige por un plebiscito a un déspota para gobernarlo, ¿sigue siendo libre por el hecho de que el despotismo ha sido su propia obra?
HERBERT SPENCER *(1820-1903), filósofo y sociólogo inglés.*

3556. La sociedad existe para provecho y beneficio de los hombres, y no los hombres para beneficio de la sociedad.
HERBERT SPENCER *(1820-1903), filósofo inglés.*

3557. La belleza es, para la mujer, el mejor sustitutivo de la inteligencia.
GUSTAVE FLAUBERT *(1821-1880), escritor francés.*

3558. La mujer es una hechura del hombre. Dios creó la hembra y el hombre hizo de ella la mujer, que es una obra artificiosa, resultado de la civilización.
GUSTAVE FLAUBERT *(1821-1880), escritor francés.*

3559. La fraternidad es una de las más bellas invenciones de la hipocresía social.
GUSTAVE FLAUBERT *(1821-1880), escritor francés.*

3560. La patria, posiblemente, es como la familia, sólo sentimos su valor cuando la perdemos.
GUSTAVE FLAUBERT *(1821-1880), escritor francés.*

3561. La mujer sólo el diablo sabe lo que es; yo no lo sé en absoluto.
FIODOR MIJAILOVICH DOSTOIEVSKI *(1821-1881), escritor ruso.*

3562. Es la tiranía una costumbre que se convierte al fin en una necesidad.
FIODOR MIJAILOVICH DOSTOIEVSKI *(1821-1881), escritor ruso.*

3563. Diplomacia: el camino más largo entre dos puntos.
ADRIANO DECOURCELLE *(1821-1892), dramaturgo francés.*

3564. Dos leyes parecen estar luchando hoy entre sí. Una es una ley de sangre y de muerte que imagina sin cesar nuevos medios de destrucción y obliga a las naciones a estar constantemente preparadas para el campo de batalla. La otra es una ley de paz, de trabajo y de salud, que desarrolla nuevamente nuevos medios para librar al hombre de los males que le asedian.
LOUIS PASTEUR *(1822-1895), químico francés.*

3565. **Las convicciones políticas son como la virginidad: una vez perdidas no vuelven a recobrarse.**
FRANCISCO PI I MARGALL *(1824-1901), político español.*

3566. **El comunismo en todas sus formas es hijo del sufragio universal.**
ANTONIO CÁNOVAS DEL CASTILLO *(1828-1897), político español.*

3567. **En política, todo cuanto no es posible es falso.**
ANTONIO CÁNOVAS DEL CASTILLO *(1828-1897), político español.*

3568. **Aquel que en la doctrina es adversario, no es ni debe ser por eso enemigo personal.**
ANTONIO CÁNOVAS DEL CASTILLO *(1828-1897), político español.*

3569. **No hay más alianzas que las que trazan los intereses, ni las habrá jamás.**
ANTONIO CÁNOVAS DEL CASTILLO *(1828-1897), político español.*

3570. **Con el submarino ya no habrá más batallas navales. Como seguirán inventándose instrumentos de guerra cada vez más perfeccionados y terroríficos, la guerra misma será imposible.**
JULES VERNE *(1828-1905), escritor francés.*

3571. **Ni el hombre ni la mujer deben pensar en sí mismos. Todos debemos prestar apoyo a una sociedad cualquiera, grande o pequeña.**
HENRIK IBSEN *(1828-1906), dramaturgo noruego.*

Ibsen es una personalidad destacadísima en el panorama literario e intelectual de principios del siglo XX. Su trabajo recorrió Europa maravillando, no tanto por su técnica, sino por las nuevas ideas y críticas a la sociedad de su tiempo. Se dice que Unamuno aprendió noruego para poder leer a Ibsen, pero Galdós ya conocía bien los dramas del autor escandinavo y puso de manifiesto la trascendencia de esta nueva forma de hacer teatro.

Ibsen cuadra bien en este capítulo dedicado a las relaciones sociales: sus piezas dramáticas (exceptuando los primeros intentos y los encargos) se consideran un análisis del tejido social y, en buena parte, del tejido moral de las sociedades modernas. *Un enemigo del pueblo* (1882) demuestra hasta qué punto la ambición y la desvergüenza se pueden adueñar de toda una sociedad, y cuán difícil resulta mantener una opción ética y honrada en un mundo poblado de seres humanos: «El hombre más fuerte del mundo es el hombre solo». El reconocimiento europeo le llegó a Ibsen con su famosísma *Casa de muñecas* (1880), en la que una mujer,

Nora, ocupada sólo en el bienestar de su casa, recibe en pago el desprecio y la humillación de un marido y de una sociedad dispuestos a sobrevivir por encima de los individuos. El siguiente fragmento pertenece al acto final de esta obra en la que Nora reniega de su pasado de «muñeca-juguete», contra toda una sociedad, y decide llevar una existencia en la que, al menos, ella tenga posibilidades de decidir por sí misma:

«Creo ante todo que soy un ser humano, igual que tú... o, cuando menos, debo intentar serlo. Sé que la mayoría de los hombres te darán la razón y que tus ideas están impresas en los libros. Pero ya no puedo creer lo que dicen los hombres ni lo que se imprime en los libros. Es necesario que por mí misma opine sobre todo, y que procure darme cuenta de todo.»

3572. **No comprendo nada; pero quiero llegar a comprenderlo y cerciorarme de quién de los dos tiene razón: si la sociedad o yo.**
HENRIK IBSEN *(1828-1906), dramaturgo noruego.*

3573. **La sociedad viene a ser como un navío y todo el mundo debe contribuir a la buena dirección de su timón.**
HENRIK IBSEN *(1828-1906), dramaturgo noruego.*

3574. **Amo tanto mi ciudad natal que prefiero verla en ruinas antes que verla prosperar con mentiras.**
HENRIK IBSEN *(1828-1906), dramaturgo noruego.*

3575. **El espíritu de tolerancia es el auténtico espíritu de ciudadanía.**
HENRIK IBSEN *(1828-1906), dramaturgo noruego.*

3576. **Son las madres quienes deben resolver la emancipación de la humanidad, y no pueden hacerlo sino como madres. Esto comporta su verdadero papel.**
HENRIK IBSEN *(1828-1906), dramaturgo noruego.*

3577. **Trabajar para sí mismo no produce alegría. Hay que buscar a alguien por quien poder trabajar.**
HENRIK IBSEN *(1828-1906), dramaturgo noruego.*

3578. **El ejército ha sido siempre la base del poder, y lo sigue siendo. El poder está siempre en manos de los que tienen el mando del ejército.**
LEV NIKOLAEVICH TOLSTOI *(1828-1910), escritor ruso.*

3579. **El que tiene dinero tiene en el bolsillo a los que no lo tienen.**
LEV NIKOLAEVICH TOLSTOI *(1828-1910), escritor ruso.*

3580. El dinero es una nueva forma de esclavitud, que sólo se distingue de la antigua por el hecho de que es impersonal, de que no existe una relación humana entre amo y esclavo.

LEV NIKOLAEVICH TOLSTOI *(1828-1910), escritor ruso.*

3581. El gobierno es una asociación de hombres que ejercen violencia sobre todos los demás.

LEV NIKOLAEVICH TOLSTOI *(1828-1910), escritor ruso.*

3582. Sin hipocresía, mentiras, castigos, cárceles, fortalezas y crímenes no puede surgir ningún nuevo poder ni sostenerse el que existe.

LEV NIKOLAEVICH TOLSTOI *(1828-1910), escritor ruso.*

3583. Los gobiernos necesitan ejércitos que los protejan contra súbditos esclavizados y oprimidos.

LEV NIKOLAEVICH TOLSTOI *(1828-1910), escritor ruso.*

3584. Con el dinero se puede fundar una casa espléndida, pero no una familia dichosa.

MANUEL TAMAYO Y BAUS *(1829-1898), poeta y dramaturgo español.*

3585. Me parece muy bien el hecho de que los hijos de los grandes artistas rara vez escojan como profesión la especialidad del arte en que sus padres han brillado, pues con ello se marca una distinción entre el arte y la industria artística.

ANTON GRIGORIEVITCH RUBISTEIN *(1829-1894), compositor y pianista ruso.*

3586. Solamente puedes tener paz si tú la proporcionas.

MARIE EBUER-ESCHENBACH *(1830-1916), escritora austríaca.*

3587. Por muy poderosa que sea el arma de la belleza, desgraciada la mujer que sólo a este recurso debe el triunfo sobre el hombre.

SEVERO CATALINA *(1832-1871), escritor y político español.*

3588. La primera tarea del marido, por regla general, debe ser educar a su compañera.

SEVERO CATALINA *(1832-1871), escritor y político español.*

3589. Un pelo en la sopa nos disgusta enormemente, aunque sea de la cabeza de la amada.

WILHEIM BUSCH *(1832-1896), poeta alemán.*

Sociedad

3590. **Hay tres especies de animales que, cuando parece que vienen, van, y cuando parece que van, vienen: los diplomáticos, las mujeres y los cangrejos.**
JOHN HAY *(1832-1905), escritor estadounidense.*

3591. **Los españoles, o son católicos, o son racionalistas. Los católicos lo esperan todo del milagro, los racionalistas todo lo esperan de la lotería nacional.**
MANUEL RUIZ ZORRILLA *(1833-1895), político español.*

3592. **Las universidades son lugares donde las piedras se pulen y los diamantes se empañan.**
ROBERT GREEN INGERSOLL *(1833-1899), abogado y escritor estadounidense.*

3593. **El mejor colegio para una niña es una buena madre.**
JOSÉ MARÍA PEREDA *(1833-1906), escritor español.*

3594. **Yo no soy político. Además, el resto de mis costumbres son todas honradas.**
ARTEMIUS WARD *(1834-1867), escritor estadounidense.*

3595. **Dios se encargará de que las guerras se produzcan siempre como una medicina drástica para la humanidad doliente.**
VON TREITSCHE *(1834-1896), historiador alemán.*

3596. **Ninguna mujer parece tan pasada de moda como cuando sigue ésta.**
SAMUEL LANGHORNE CLEMENS, *MARK TWAIN (1835-1910), escritor estadounidense.*

3597. **¿Por qué nos alegramos en las bodas y lloramos en los funerales? Porque no somos la persona involucrada.**
SAMUEL LANGHORNE CLEMENS, *MARK TWAIN (1835-1910), escritor estadounidense.*

3598. **El pobre no debe avergonzarse de su pobreza ni desdeñar la caridad del rico, pues debe pensar en Jesucristo, que pudiendo haber nacido en medio de la opulencia, se hizo pobre para ennoblecer la pobreza y enriquecerla con incomparables méritos para el cielo.**
PÍO X *(1835-1914), Papa de la Iglesia cristiana.*

3599. **La sociedad humana, tal como ha sido establecida por Dios, se halla compuesta de elementos desiguales, lo mismo que son desiguales las partes del cuerpo humano. Hacer iguales todos esos elementos es imposible, y significaría la destrucción de la sociedad humana misma.**
PÍO X *(1835-1914), Papa de la Iglesia cristiana.*

3600. Dios, aunque invisible, tiene siempre una mano tendida para levantar por un extremo la carga que abruma al pobre.
GUSTAVO ADOLFO BÉCQUER *(1836-1870), poeta español.*

3601. La soledad es muy hermosa... cuando se tiene a alguien a quien decírselo.
GUSTAVO ADOLFO BÉCQUER *(1836-1870), poeta español.*

3602. El nacimiento, el matrimonio y la muerte no pueden ser sometidos a otra intervención que la del Estado.
SEGISMUNDO MORET Y PRENDERGAST *(1838-1913), político español.*

3603. Si en la república de las plantas existiera el sufragio universal, las ortigas desterrarían a las rosas y a los lirios.
JEAN-LUCIEN ARRÉAT *(1841-1922), filósofo francés.*

3604. El ejército es la expresión del nacionalismo en acción.
GEORGES CLEMENCEAU *(1841-1929), político y periodista francés.*

3605. La historia demuestra que la suerte del vencedor está unida a la suerte del vencido.
GEORGES CLEMENCEAU *(1841-1929), político y periodista francés.*

3606. Cuando un político muere, mucha gente acude a su entierro. Pero sólo lo hacen para estar completamente seguros de que se encuentra de verdad bajo tierra.
GEORGES CLEMENCEAU *(1841-1929), político y periodista francés.*

3607. Lo que necesitamos descubrir ahora en el terreno social es un equivalente moral de la guerra: algo heroico que hable a los hombres con un lenguaje tan universal como el que emplea la guerra y que sea, sin embargo, tan compatible con su personalidad espiritual como ha resultado ser incompatible la guerra.
WILLIAM JAMES *(1842-1910), filósofo estadounidense.*

3608. La tolerancia religiosa es una especie de infidelidad.
AMBROSE BIERCE *(1842-1914), escritor estadounidense.*

3609. La guerra es el estado habitual de Europa. Siempre se tiene a mano una abundante provisión de causas de guerra.
PEDRO KROPOTKIN *(1842-1921), escritor ruso.*

3610. Lo más terrible de la guerra es que mata todo amor a la verdad.

GEORGES BRANDES *(1842-1927), escritor danés.*

3611. Imaginaos un jardín formal (Lenôtre): correcto, ridículo y encantador.

PAUL VERLAINE *(1844-1896), poeta francés.*

3612. Dios ha muerto.

FRIEDRICH NIETZSCHE *(1844-1900), filósofo alemán.*

La mayoría de las citas de Nietzsche que se recogen en las colecciones de frases célebres pertenecen a una serie de libros donde el autor prefirió concentrar su pensamiento en sentencias cortas, ingeniosas e intensas: *Humano, demasiado humano*, *Aurora*, *La gaya ciencia* y otros. Sin embargo, entender a un filósofo de esta altura no es tan fácil ni tan simple. De hecho, a este autor se le ha interpretado torcidamente y se le ha querido ver como el filósofo del nazismo o como propagador de la ideología fascista. Sucede, como con todos los grandes pensadores, que cada cual lo utiliza de acuerdo con sus intereses. En realidad, la extensa obra de Nietzsche tiene muchas ramificaciones: si algo une toda su producción es el deseo de acabar con el régimen del pensamiento moral cristiano, que él entendía como prisión. Su alto concepto de la humanidad le hace renegar de los hombres, reducidos y minimizados en sus posibilidades. El *nihilismo* es, según Nietzsche, la cultura moral existente, no la que él propone: él propone liberarse de las ataduras de una moral que tiene gran semejanza con unos grilletes. Su pensamiento lo describió perfectamente en *Ecce homo* (1908): «Yo no soy un hombre: yo soy dinamita». Otras obras son: *Así habló Zaratustra* (1884) y *El Anticristo*, publicado en 1895.

3613. El advenimiento del Dios cristiano, que es la máxima idea de Dios que hasta ahora tenemos, ha puesto de manifiesto el sentimiento de culpa en el hombre.

FRIEDRICH NIETZSCHE *(1844-1900), filósofo alemán.*

3614. Suspirar por una fe sólida no es la prueba de un convencimiento sólido, sino todo lo contrario. El hombre que tiene una fe verdaderamente fuerte puede permitirse el lujo del escepticismo.

FRIEDRICH NIETZSCHE *(1844-1900), filósofo alemán.*

3615. El hombre religioso sólo piensa en sí mismo.

FRIEDRICH NIETZSCHE *(1844-1900), filósofo alemán.*

3616. **Es una frivolidad que Dios aprendiese griego cuando quiso hacerse escritor, y que no lo aprendiese mejor.**
FRIEDRICH NIETZSCHE *(1844-1900), filósofo alemán.*

3617. **Donde comienza el Estado allí termina el hombre.**
FRIEDRICH NIETZSCHE *(1844-1900), filósofo alemán.*

3618. **La política es el campo de trabajo para ciertos cerebros mediocres.**
FRIEDRICH NIETZSCHE *(1844-1900), filósofo alemán.*

3619. **El político divide la humanidad en dos clases: los instrumentos y los enemigos.**
FRIEDRICH NIETZSCHE *(1844-1900), filósofo alemán.*

3620. **El hombre está hecho para la guerra; la mujer, para solaz del guerrero. Todo lo demás es pura insensatez.**
FRIEDRICH NIETZSCHE *(1844-1900), filósofo alemán.*

3621. **La guerra vuelve estúpido al vencedor y rencoroso al vencido.**
FRIEDRICH NIETZSCHE *(1844-1900), filósofo alemán.*

3622. **El que no tiene dos terceras partes de su jornada para sí mismo es un esclavo, sea lo que sea, político, comerciante, funcionario o erudito.**
FRIEDRICH NIETZSCHE *(1844-1900), filósofo alemán.*

3623. **El bien público está formado por buen número de males particulares.**
FRANÇOIS-ANATOLE THIBAULT, *ANATOLE FRANCE (1844-1924), escritor francés.*

3624. **El arte de la guerra consiste en ordenar las tropas de tal modo que no puedan huir.**
FRANÇOIS-ANATOLE THIBAULT, *ANATOLE FRANCE (1844-1924), escritor francés.*

3625. **Es perjudicial consentir que otro realice servilmente aquello en que podemos emplearnos con hidalga libertad.**
FRANÇOIS-ANATOLE THIBAULT, *ANATOLE FRANCE (1844-1924), escritor francés.*

3626. **Basta darle a un hombre un fusil con la bayoneta calada para que la hunda en el vientre del primer transeúnte y se transforme en héroe.**
FRANÇOIS-ANATOLE THIBAULT, *ANATOLE FRANCE (1844-1924), escritor francés.*

3627. **No hay que atarse demasiado a los bienes perecederos de este mundo y hay que saber abandonar lo que nos abandona.**
FRANÇOIS-ANATOLE THIBAULT, *ANATOLE FRANCE (1844-1924), escritor francés.*

Sociedad

3628. **No tengo ni mujer ni hijos, ni amores ni enfermedades, no soy rico ni frecuento la sociedad; puedo, por consiguiente, contarme entre los más dichosos.**

François-Anatole Thibault, *Anatole France (1844-1924), escritor francés.*

3629. **Admiro el grado de fealdad que puede alcanzar una ciudad moderna.**

François-Anatole Thibault, *Anatole France (1844-1924), escritor francés.*

3630. **Una sociedad formada exclusivamente por hombres grandes resultaría poco numerosa y parecería triste. Los hombres grandes no pueden sufrirse unos a otros y apenas tienen espíritu. Es mejor que se mezclen con los pequeños.**

François-Anatole Thibault, *Anatole France (1844-1924), escritor francés.*

3631. **Las mujeres aceptan la parte material del hombre con mucha más facilidad que su parte espiritual. Lo que más perjudicó a Petrarca, a los ojos de Laura, fueron sus sonetos.**

José María Eça de Queiroz *(1845-1900), escritor portugués.*

3632. **La estrechez espiritual origina casi infaliblemente la intolerancia.**

H. Marion *(1846-1896), pedagogo y moralista francés.*

3633. **Jamás habrá otra ni más España que la que salga de la cabeza de los españoles. Por eso lo primero que la República debe ser es labradora, cultivadora de cerebros y de almas.**

Joaquín Costa *(1846-1911), político y escritor español.*

3634. **El que no tiene más que dinero, es un pobre diablo.**

Arturo Graf *(1848-1913), escritor italiano.*

3635. **El pudor inventó el vestido para gozar más de la desnudez.**

Carlo Alberto Pisani, *Carlo Dossi (1849-1910), escritor italiano.*

3636. **Las tres cuartas partes de la vida de un hombre civilizado se consumen en cumplidos, congratulaciones y condolencias; cada día nos llegan cartas y tarjetas de visita inútiles que nos obligan a contestaciones todavía más inútiles.**

Carlo Alberto Pisani, *Carlo Dossi (1849-1910), escritor italiano.*

3637. **El error de muchos ladrones de cara al público y la justicia es el de no haber robado lo bastante como para ocultar el hurto.**

Carlo Alberto Pisani, *Carlo Dossi (1849-1910), escritor italiano.*

3638. **La sociedad es un manicomio cuyos guardianes son los funcionarios y la policía.**

JOHANN AUGUST STRINDBERG *(1849-1912), escritor sueco.*

3639. **Los hijos son educados como si debiesen ser hijos toda la vida, sin que se piense en absoluto que se convertirán en padres.**

JOHANN AUGUST STRINDBERG *(1849-1912), escritor sueco.*

3640. **La peor de las democracias es mil veces preferible a la mejor de las dictaduras.**

RUI BARBOSA *(1849-1923), político brasileño.*

3641. **El político piensa en la próxima elección; el estadista, en la próxima generación.**

RUI BARBOSA *(1849-1923), político brasileño.*

3642. **La de político es tal vez la única profesión para la cual la preparación es innecesaria.**

ROBERT LOUIS STEVENSON *(1850-1894), escritor escocés.*

3643. **El verdadero progreso democrático no consiste en rebajar la élite al nivel de la plebe, sino en elevar la plebe a la élite.**

GUSTAVE LE BON *(1851-1931), médico y escritor belga.*

3644. **Uno de los hábitos más peligrosos de los hombres políticos mediocres es prometer lo que no pueden cumplir.**

GUSTAVE LE BON *(1851-1931), médico y escritor belga.*

3645. **En el fondo de cada cabeza juvenil hay un perfecto anarquista y comunista.**

SANTIAGO RAMÓN Y CAJAL *(1852-1934), científico español.*

3646. **Los débiles sucumben no por ser débiles, sino por ignorar que lo son. Lo mismo les sucede a las naciones.**

SANTIAGO RAMÓN Y CAJAL *(1852-1934), científico español.*

3647. **En política todo necio es peligroso mientras no demuestre con hechos su inocuidad.**

SANTIAGO RAMÓN Y CAJAL *(1852-1934), científico español.*

3648. **Nada más radicalmente injusto que el padre de familia. Todo lo perdona con tal de favorecer a sus hijos.**

SANTIAGO RAMÓN Y CAJAL *(1852-1934), científico español.*

Sociedad

3649. Hay un patriotismo infecundo y vano: el orientado hacia el pasado. Otro fuerte y activo: el orientado hacia el porvenir. Entre preparar un germen y dorar un esqueleto, ¿quién dudará?

SANTIAGO RAMÓN Y CAJAL *(1852-1934), científico español.*

3650. El llamado espíritu de clase o de cuerpo solapa, ordinariamente, un egoísmo refinado. Todo sindicato del honor constituye en realidad un *trust* para la explotación de los demás.

SANTIAGO RAMÓN Y CAJAL *(1852-1934), científico español.*

3651. Las mujeres tienen un modo muy angelical de no darse cuenta de las familiaridades que los hombres se toman con ellas.

PAUL BOURGET *(1852-1935), novelista y crítico francés.*

3652. La religión es una sociología concebida como una explicación física, metafísica y moral de todas las cosas; es la reducción de todas las fuerzas naturales e incluso sobrenaturales a un tipo humano, y la reducción de sus relaciones a las relaciones sociales.

JEAN MARIE GUYAU *(1854-1888), filósofo francés.*

3653. Mientras la guerra sea considerada como una cosa mala, ejercerá su fascinación. Cuando se la considere como algo vulgar, dejará de ser popular.

OSCAR WILDE *(1854-1900), escritor irlandés.*

3654. Que un hombre muera por una causa no significa nada en cuanto al valor de la causa.

OSCAR WILDE *(1854-1900), escritor irlandés.*

3655. La tragedia del pobre es que no puede permitirse nada más que la abnegación.

OSCAR WILDE *(1854-1900), escritor irlandés.*

3656. Sólo hay una clase de la sociedad que piensa más en el dinero que los ricos, y son los pobres. Los pobres no pueden pensar en otra cosa. En eso consiste la tragedia de ser pobre.

OSCAR WILDE *(1854-1900), escritor irlandés.*

3657. Las religiones mueren cuando se demuestra que son verdaderas. La ciencia es el archivo de las religiones muertas.

OSCAR WILDE *(1854-1900), escritor irlandés.*

3658. **Un pobre ingrato, no ahorrativo, descontentadizo y rebelde, probablemente es una verdadera personalidad y lleva algo dentro de sí. Por lo menos es una saludable protesta. En cuanto al pobre virtuoso, claro está que se le puede compadecer, pero ¿quién sería capaz de admirarlo?**
OSCAR WILDE *(1854-1900), escritor irlandés.*

3659. **En cuestión de religión, la verdad es simplemente la opinión que ha sobrevivido.**
OSCAR WILDE *(1854-1900), escritor irlandés.*

3660. **Hoy día es sumamente peligroso para un marido tener atenciones con su esposa en público: esto hace siempre pensar a la gente que le pega cuando están solos.**
OSCAR WILDE *(1854-1900), escritor irlandés.*

3661. **La moda es aquello merced a lo cual lo fantástico se convierte por un momento en universal.**
OSCAR WILDE *(1854-1900), escritor irlandés.*

3662. **Después de todo, ¿qué es la moda? Desde el punto de vista artístico, la moda es generalmente una forma de fealdad tan intolerable que nos vemos obligados a cambiarla cada seis meses.**
OSCAR WILDE *(1854-1900), escritor irlandés.*

3663. **Lo elegante es lo que uno lleva. Lo que no es elegante es lo que llevan los demás.**
OSCAR WILDE *(1854-1900), escritor irlandés.*

3664. **El primer deber de una mujer en esta vida es atender a su modista. En cuanto al segundo, nadie lo ha descubierto todavía.**
OSCAR WILDE *(1854-1900), escritor irlandés.*

3665. **El matrimonio es un noventa y siete por ciento de conversación.**
OSCAR WILDE *(1854-1900), escritor irlandés.*

3666. **Las mujeres tienen la mejor parte en la vida; les están prohibidas muchas más cosas que a los hombres.**
OSCAR WILDE *(1854-1900), escritor irlandés.*

3667. **Lo más inaguantable de las mujeres es eso: que nos quieran convertir. Les agrada conocernos malos, y en cuanto nos convierten en buenos nos dejan.**
OSCAR WILDE *(1854-1900), escritor irlandés.*

Sociedad

3668. Un marido es una especie de pagaré: la mujer se cansa de atenderlo.
OSCAR WILDE *(1854-1900), escritor irlandés.*

3669. La sociedad civilizada cree difícilmente nada malo de los que son ricos y hermosos. Se da cuenta de que las maneras tienen más importancia que la moral.
OSCAR WILDE *(1854-1900), escritor irlandés.*

3670. Una sociedad se embrutece más con el empleo habitual de los castigos que con la repetición de los delitos.
OSCAR WILDE *(1854-1900), escritor irlandés.*

3671. Todos los hombres tienen el mismo derecho a sentarse a la misma mesa.
OSCAR WILDE *(1854-1900), escritor irlandés.*

3672. Tarde o temprano toda guerra comercial se convierte en una guerra sangrienta.
EUGENE V. DEBS *(1855-1926), político estadounidense.*

3673. Sin un poco de fanatismo no se hacen milagros en filosofía ni en ninguna otra ciencia humana.
MARCELINO MENÉNDEZ Y PELAYO *(1856-1912), erudito español.*

3674. Pueblo que no sabe su historia es pueblo condenado a irrevocable muerte.
MARCELINO MENÉNDEZ Y PELAYO *(1856-1912), erudito español.*

3675. En las cosas que son puramente sociales podemos ser tan diferentes y separados como los dedos, pero hemos de ser uno solo como la mano en todas las cosas esenciales para el progreso mutuo.
BOOKER TALLAFERRO WASHINGTON *(1856-1915), líder estadounidense.*

3676. Una monarquía constitucional es un medio de combinar la inercia de una imagen de madera con la credulidad de un ídolo de carne y hueso.
GEORGE BERNARD SHAW *(1856-1950), escritor irlandés.*

3677. El arte de gobernar es la organización de la idolatría.
GEORGE BERNARD SHAW *(1856-1950), escritor irlandés.*

3678. La democracia es la elección por muchos incompetentes de los pocos corrompidos.
GEORGE BERNARD SHAW *(1856-1950), escritor irlandés.*

3679. **La libertad significa responsabilidad:
por eso la temen la mayor parte
de los hombres.**
GEORGE BERNARD SHAW *(1856-1950), escritor irlandés.*

3680. **Nunca se tendrá un mundo tranquilo hasta que se extirpe el patriotismo en la raza humana.**
GEORGE BERNARD SHAW *(1856-1950), escritor irlandés.*

3681. **Cuando un hombre mata un tigre, lo llaman deporte;
cuando un tigre mata a un hombre, lo llaman ferocidad.**
GEORGE BERNARD SHAW *(1856-1950), escritor irlandés.*

3682. **Un soldado es un anacronismo del que debemos desembarazarnos.**
GEORGE BERNARD SHAW *(1856-1950), escritor irlandés.*

3683. **El dinero es sin duda la cosa más importante del mundo, y toda moral, personal y nacional, sana y acertada debe tener este hecho en cuenta.**
GEORGE BERNARD SHAW *(1856-1950), escritor irlandés.*

3684. **Los hombres ricos sin convicciones son más peligrosos
en la sociedad moderna que las mujeres pobres sin castidad.**
GEORGE BERNARD SHAW *(1856-1950), escritor irlandés.*

3685. **La taberna, caballero, es el club del pobre.**
GEORGE BERNARD SHAW *(1856-1950), escritor irlandés.*

3686. **En un mundo feo y desdichado el hombre más rico no puede comprar nada más que fealdad y desdicha.**
GEORGE BERNARD SHAW *(1856-1950), escritor irlandés.*

3687. **Hay modas en el pensar como las hay en el vestir, y para muchas personas es difícil, si no imposible, el pensar de otro modo que según la moda de su época.**
GEORGE BERNARD SHAW *(1856-1950), escritor irlandés.*

3688. **Muchas mujeres coquetean con un hombre porque es inofensivo,
y se cansan de él por la misma razón.**
GEORGE BERNARD SHAW *(1856-1950), escritor irlandés.*

3689. **El vicio es un derroche de vida. La pobreza, la obediencia y el celibato son los vicios canónicos.**
GEORGE BERNARD SHAW *(1856-1950), escritor irlandés.*

Sociedad

3690. La conquista de la tierra, que la mayor parte de las veces significa arrebatar un territorio a veces de diferente color o de nariz más aplastada que la nuestra, no es una cosa nada agradable cuando se la mira de cerca.

JOSEPH CONRAD *(1857-1924), escritor inglés.*

3691. La política depende de los políticos más o menos como el tiempo de los astrónomos.

RÉMY DE GOURMONT *(1858-1915), crítico y escritor francés.*

3692. Todos los actos de la vida social, e incluso los sentimientos, pueden clasificarse bajo las célebres leyes de la oferta y la demanda.

RÉMY DE GOURMONT *(1858-1915), crítico y escritor francés.*

3693. Hemos llegado a tal grado de imbecilidad que consideramos el trabajo no sólo como honroso, sino hasta sagrado, cuando no es más que una necesidad.

RÉMY DE GOURMONT *(1858-1915), crítico y escritor francés.*

3694. Hasta que el mundo llegue a su fin, se recurrirá siempre en última instancia a la espada.

GUILLERMO II *(1859-1921), emperador de Prusia y Alemania.*

3695. Cuando no se elige al más bruto de todos, parece que no es realmente democracia.

ALBERT GUINON *(1863-1923), periodista y dramaturgo francés.*

3696. A fuerza de conceder derechos a todo el mundo, la democracia es el régimen que mata con mayor seguridad la bondad.

ALBERT GUINON *(1863-1923), periodista y dramaturgo francés.*

3697. De todos los cambios de régimen, el único que realmente teme el orador político es aquel que le impide hablar.

ALBERT GUINON *(1863-1923), periodista y dramaturgo francés.*

3698. La política es el arte de servirse de los hombres haciéndoles creer que se les sirve a ellos.

LOUIS DUMUR *(1863-1933), escritor suizo.*

3699. Esta guerra, como la que venga después, es para poner término a la guerra.

DAVID LLOYD GEORGE *(1863-1945), escritor inglés.*

3700. Si no existieran hijos, yernos y cuñados, ¡cuántos disgustos se ahorrarían los jefes de gobierno!

ÁLVARO DE FIGUEROA Y TORRES, CONDE DE ROMANONES *(1863-1950), político español.*

3701. Cada nuevo amigo que ganamos en la carrera de la vida nos perfecciona y nos enriquece más aún por lo que de nosotros mismos nos descubre, que por lo que de él mismo nos da.

MIGUEL DE UNAMUNO *(1864-1936), escritor español.*

3702. El más terrible enemigo del heroísmo es la vergüenza de aparecer pobre.

MIGUEL DE UNAMUNO *(1864-1936), escritor español.*

3703. España es una nación absurda y metafísicamente imposible.

ÁNGEL GANIVET *(1865-1898), escritor y pensador español.*

A finales del siglo XIX brotó en España un sentimiento de derrota que ha dado verdaderos quebraderos de cabeza a los especialistas. En términos generales, los ensayistas, novelistas, políticos, etc., hablaban del «problema de España»: el problema en cuestión radicaba en un sistema económico medieval, en un sistema social más cercano al feudalismo que a la sociedad industrial, en una política corrupta e invadida por el caciquismo y el clientelismo, una desmembración absoluta de los territorios... o lo que es lo mismo: un país en ruinas. La crisis del 98, encarnada en la pérdida de las últimas colonias de ultramar, no hizo más que avivar el sentimiento catastrofista que, en cierto modo, ha pervivido entre los españoles hasta hace bien poco. La denominada *Generación del 98* estuvo vivamente interesada en este problema, pero obvió el conflicto práctico (economía, política y sociedad) para elaborar propuestas de tipo psicologista, muy populares en aquella época. Con este fin, buscaron la «esencia de España» en el espiritualismo, el paisaje, la falta de carácter de los castellanos, etc.

La cita transcrita aborda el «problema de España» desde esta perspectiva. Su autor, Ángel Ganivet, es también el autor de *Idearium español*, redactado dos años antes de la gran crisis del 98. Su análisis de España es psicológico o filosófico y en raras ocasiones apunta las verdaderas claves de la ruina del país. A modo de corolario, escribe: «Nuestro espíritu [el de los españoles] parece tosco, porque está embastecido por luchas brutales; parece flaco, porque está sólo nutrido de ideas ridículas, copiadas sin discernimiento, y parece poco original, porque ha perdido la audacia, la fe en sus propias ideas, porque busca fuera de sí lo que en sí tiene».

Sociedad

3704. Una nación que cría hijos que huyen de ella por no transigir con la injusticia es más grande por los que se van, que por los que se quedan.

ÁNGEL GANIVET *(1865-1898), escritor y pensador español.*

3705. La diferencia entre pueblo, aldea y ciudad está precisamente en que la ciudad tiene espíritu, un espíritu que todo lo baña, lo modela y lo dignifica.

ÁNGEL GANIVET *(1865-1898), escritor y pensador español.*

3706. Creo que la organización del trabajo con el régimen liberal es insensata, pues someter la vida de los hombres al tira y afloja o al alza y baja del mercado, como si se tratara de manufacturas, será muy liberal, pero es indecoroso para el género humano.

ÁNGEL GANIVET *(1865-1898), escritor y pensador español.*

3707. Nuestro desprecio del trabajo manual se acentúa día a día y, sin embargo, en él está la salvación; él solo puede engendrar el sentimiento de la fraternidad, el cual exige el contacto de unos con otros.

ÁNGEL GANIVET *(1865-1898), escritor y pensador español.*

3708. Las relaciones sociales, dígase lo que se quiera, son un gran medio de ventilar y de refrescar el espíritu.

ÁNGEL GANIVET *(1865-1898), escritor y pensador español.*

3709. El arte de un príncipe consiste en hacer el bien personalmente y el mal por segunda mano.

ÁNGEL GANIVET *(1865-1898), escritor y pensador español.*

3710. La mujer tiene como centro natural la familia, pero el hombre debe salirse de esta pequeñez y trabajar como si su familia fuera el mundo entero.

ÁNGEL GANIVET *(1865-1898), escritor y pensador español.*

3711. La mujer tiene un solo camino para superar al hombre: ser cada día más mujer.

ÁNGEL GANIVET *(1865-1898), escritor y pensador español.*

3712. Un pueblo culto es un pueblo libre; un pueblo salvaje es un pueblo esclavo; y un pueblo instruido a la ligera, a paso de carga, es un pueblo ingobernable.

ÁNGEL GANIVET *(1865-1898), escritor y pensador español.*

3713. **La verdadera elegancia no consiste en que aquello que nos ponemos nos mejore, sino en mejorar aquello que nos ponemos.**
FRANCISCO GRANDMONTAGNE *(1866-1936), periodista español.*

3714. **Nuestra verdadera nacionalidad es la humanidad.**
HERBERT GEORGE WELLS *(1866-1946), escritor e historiador inglés.*

3715. **Los ricos no quieren asombrarse de nada. Quieren reconocer al primer vistazo que dan a una bella obra el defecto que les dispensará de admirarla. La admiración es para ellos un sentimiento vulgar.**
JACINTO BENAVENTE *(1866-1954), dramaturgo español.*

3716. **A los pobres, a los oprimidos, hay que socorrerlos aunque no tengan razón. Han tenido tanto tiempo razón los oprimidos, que bien tienen derecho a no tenerla alguna vez.**
JACINTO BENAVENTE *(1866-1954), dramaturgo español.*

3717. **Todas las madres y todas las patrias nos quieren pequeños, para que seamos más suyos. La diferencia es que la madre llora y acaricia; la patria detiene y castiga.**
JACINTO BENAVENTE *(1866-1954), dramaturgo español.*

3718. **La disciplina consiste en que un imbécil se haga obedecer por otros que son más inteligentes.**
JACINTO BENAVENTE *(1866-1954), dramaturgo español.*

3719. **Los chicos son como se es con ellos. Yo he oído decir a muchas madres: «¡Qué chico éste! Es un castigo». Y no es un castigo: casi siempre es justicia.**
JACINTO BENAVENTE *(1866-1954), dramaturgo español.*

3720. **Sólo en el teatro y en la política se es joven a los cincuenta años.**
JACINTO BENAVENTE *(1866-1954), dramaturgo español.*

3721. **Los hombres juntan todos los errores de su vida y crean un monstruo al que llaman destino.**
PEARL MARY TERESA RICHARDS (MRS. CRAIGIE), *JOHN OLIVER HOBBES (1867-1906), escritora estadounidense.*

3722. **Si has sido alguna vez pobre de verdad, seguirás siéndolo en lo íntimo de tu corazón durante el resto de tu vida.**
ARNOLD D. BENNETT *(1867-1931), novelista inglés.*

Sociedad

3723. Sólo hay una regla para todos los políticos del mundo: no digas en el poder lo que decías en la oposición.
JOHN GALSWORTHY *(1867-1933), escritor inglés.*

3724. La guerra terminaría si los muertos pudiesen regresar.
STANLEY BALDWIN *(1867-1947), escritor inglés.*

3725. Un hombre puede ser un mal juez; pero el hombre, en conjunto, es buen juez siempre.
ÉMILE-AUGUSTE CHARTIER, *ALAIN (1868-1951), filósofo y escritor francés.*

3726. La gran fuerza de las mujeres consiste en retrasarse o en estar ausentes.
ÉMILE-AUGUSTE CHARTIER, *ALAIN (1868-1951), filósofo y escritor francés.*

3727. El hombre que ha tenido algo que hacer en este mundo nunca ha sido guerrero. Lo que gusta de la guerra es que la guerra «se hace».Y es una solución para el que no tiene otra cosa emocionante que hacer.
ÉMILE-AUGUSTE CHARTIER, *ALAIN (1868-1951), filósofo y escritor francés.*

3728. Para hacer la paz se necesitan por los menos dos; mas para hacer la guerra basta uno solo.
NEVILLE CHAMBERLAIN *(1869-1940), político inglés.*

3729. No hay camino para la paz; la paz es el camino.
MAHATMA GANDHI *(1869-1948), líder pacifista hindú.*

3730. El hombre es más interesante que las mujeres, a él y no a ellas hizo Dios a su imagen.
ANDRÉ GIDE *(1869-1951), escritor francés.*

3731. La libertad no es nada cuando se convierte en un privilegio.
ROSA LUXEMBURG *(1870-1919), filósofa alemana.*

3732. El imperialismo ruso, en cierto sentido, es la etapa de transición del capitalismo al socialismo. Es el capitalismo agonizante, pero no muerto.
VLADIMIR ILLICH ULIANOV, *LENIN (1870-1924), revolucionario y político ruso.*

3733. La burguesía –inconsciente e interesada– no acepta las palabras de libertad más que en parte y con hipocresía.
VLADIMIR ILLICH ULIANOV, *LENIN (1870-1924), revolucionario y político ruso.*

3734. Mientras el Estado existe no hay libertad. Cuando reine la libertad, no habrá Estado.
VLADIMIR ILLICH ULIANOV, *LENIN (1870-1924), revolucionario y político ruso.*

3735. **El alma femenina es de una simplicidad que los hombres no pueden imaginar. Ellos buscan complicaciones, tropiezan en el vacío y se pierden.**
PIERRE LOUIS, *PIERRE LOUŸS (1870-1925), escritor francés.*

3736. **Del hombre dependen la vida y el progreso de la sociedad, y de la mujer, la dicha y la salud de la familia, que es su base.**
STEPHEN CRANE *(1871-1900), escritor estadounidense.*

3737. **La tierra no pertenece a quienes la empapan con sangre, sino a los que la laboran, la siembran y la pueblan.**
GUGLIELMO FERRERO *(1871-1942), sociólogo e historiador italiano.*

3738. **Un estado es tanto más fuerte cuanto puede consentir en su seno lo que actúa en contra suya.**
PAUL AMBROISE VALÉRY *(1871-1945), poeta francés.*

3739. **La guerra es una masacre entre gentes que no se conocen para provecho de gentes que sí se conocen pero que nunca se masacran.**
PAUL AMBROISE VALÉRY *(1871-1945), poeta francés.*

3740. **Lo que ha sido creído por todos siempre y en todas partes, tiene todas las probabilidades de ser falso.**
PAUL AMBROISE VALÉRY *(1871-1945), poeta francés.*

3741. **Una religión proporciona a los hombres palabras, actos, gestos, pensamientos para aquellas circunstancias en que no saben qué decir, qué hacer, qué imaginar.**
PAUL AMBROISE VALÉRY *(1871-1945), poeta francés.*

3742. **El hombre libre es aquel que no teme ir hasta el final de su pensamiento.**
LEON BLUM *(1872-1950), político francés.*

3743. **La respetabilidad es tener dinero.**
PÍO BAROJA *(1872-1956), escritor español.*

La crisis provocada por los cambios sufridos a finales del siglo XIX, sumió a la sociedad europea en un pesimismo intelectual general, debido a la inseguridad, las angustias existenciales y el desprecio hacia la moral convencional e hipócrita. Los filólogos suelen decir que la literatura de Pío Baroja es la expresión de esta gran catástrofe en la que sólo el autor parece quedar a salvo. Con esta opinión se quiere dar a conocer la implacable ferocidad literaria del autor vasco, su escepticismo, su mirada crítica o su pesimismo. Sin embargo, la extensión de su obra y la evolución ideológica del autor no permiten hacer resúmenes simples de su trayectoria. Junto a una búsqueda filosófica y espiritual (*Camino de perfección*, 1902) encontramos la violencia o la desesperación (*La busca*, 1904, y *El árbol de la ciencia*, 1911). Con todo, su pensamiento crítico se puede resumir en las palabras de Ortega y Gasset: «La vida en general, y sobre todo la suya, le parecía una cosa fea y turbia, dolorosa y abominable». José Martínez Ruiz, Azorín, (1874-1967) fue el inventor de la llamada Generación del 98, en la que se incluye habitualmente a Pío Baroja, aunque éste y otros autores (Maeztu, Valle-Inclán o Machado) siempre negaron pertenecer a esa agrupación literaria imaginaria. Actualmente, la expresión Generación del 98 sirve para enseñar en las escuelas ciertos rasgos ideológicos de escritores españoles nacidos al final del siglo XIX.

3744. **Lo único que no cambia es el pan, el vino y la gente.**

Pío Baroja *(1872-1956), escritor español.*

3745. **Una mujer puede ser inculta y enormemente agradable, pero un atractivo fuerte no es una cosa ordinaria. La mujer que tiene un encanto así, con saber leer y escribir y las cuatro reglas, le basta y le sobra.**

Pío Baroja *(1872-1956), escritor español.*

3746. **Al hombre le gusta todavía el misterio y la confusión. La ciudad monstruo, la mujer fatal, son caras ilusiones de su alma.**

Pío Baroja *(1872-1956), escritor español.*

3747. **Cuando una mujer no tiene dotes de atracción extraordinarias, tiene que defenderse de otras maneras, y si es mediocre y su cultura es también mediocre, no se defiende.**

Pío Baroja *(1872-1956), escritor español.*

3748. **Los científicos se esfuerzan por hacer posible lo imposible. Los políticos, por hacer lo posible, imposible.**

Bertrand Arthur William Russell *(1872-1970), filósofo y matemático inglés.*

3749. **Tengo recelo del Gobierno y desconfío de los políticos; pero como es preciso tener un gobierno prefiero que sea democrático.**

Bertrand Arthur William Russell *(1872-1970), filósofo y matemático inglés.*

3750. **Si un partido político se atribuye el mérito de la lluvia, no debe extrañarse de que sus adversarios lo hagan culpable de la sequía.**
DWIGHT WHITNEY MORROW *(1873-1931), banquero y diplomático estadounidense.*

3751. **El hombre moderno es un ser blando, sentimental, lascivo, violento y sin sentido moral, estético ni religioso.**
ALEXIS CARREL *(1873-1944), médico y escritor francés.*

3752. **Las mujeres han de recibir una educación superior, no para ser doctoras, abogados o catedráticos, sino para educar a sus hijos a ser seres humanos de calidad superior.**
ALEXIS CARREL *(1873-1944), médico y escritor francés.*

3753. **Los hijos de los hombres muy ricos –como los de los criminales– deberían ser separados de su ambiente natural a una edad muy temprana.**
ALEXIS CARREL *(1873-1944), médico y escritor francés.*

3754. **Todas las enfermedades de la democracia pueden ser curadas con más democracia.**
ALFRED EMMANUEL SMITH *(1873-1944), político estadounidense.*

3755. **El viaje sólo es necesario a las imaginaciones menguadas.**
GABRIELLE SIDONIE, *COLETTE (1873-1954), escritora francesa.*

3756. **Es una prueba de cortesía escuchar disquisiciones sobre cosas que se conocen bien, de quien las ignora en absoluto.**
GILBERT KEITH CHESTERTON *(1874-1936), escritor inglés.*

3757. **Todo lo que se hace con prisas queda enseguida pasado de moda; por eso nuestra civilización industrial moderna ofrece tan curioso parecido con la barbarie.**
GILBERT KEITH CHESTERTON *(1874-1936), escritor inglés.*

3758. **De todas las ideas engendradas por la nueva riqueza, la peor es ésta: que la vida doméstica es aburrida y rutinaria. La verdad es que, para un vulgar trabajador, el honor no sólo no es el único lugar de sujeción en un mundo de aventuras, sino todo lo contrario: el único lugar libre en un mundo de reglas y tareas preestablecidas.**
GILBERT KEITH CHESTERTON *(1874-1936), escritor inglés.*

3759. **En todas las leyendas los hombres han encontrado a las mujeres sublimes de una en una, pero insoportables en rebaño.**
GILBERT KEITH CHESTERTON *(1874-1936), escritor inglés.*

Sociedad

3760. **Cuando Dios vio que todo estaba bien hecho, la fe humana le atribuyó la vanidad, pero no la inseguridad del creador.**
KARL KRAUS *(1874-1936), escritor austriaco.*

3761. **Todavía hay personas entre nosotros que tienen aires de venir de la crucifixión de Cristo, y otras que parecen preguntar: «¿Qué dijo?». Y otras que lo ponen todo por escrito bajo el título «Los sucesos del Gólgota».**
KARL KRAUS *(1874-1936), escritor austriaco.*

3762. **La vida es un esfuerzo digno de mejor causa.**
KARL KRAUS *(1874-1936), escritor austriaco.*

3763. **Los españoles sentimos tanta piedad por las medianías que no toleramos nunca que se las despoje de sus puestos para abrir paso a las capacidades.**
RAMIRO DE MAEZTU *(1874-1936), escritor español.*

3764. **Las promesas que hicieran ayer los políticos son los impuestos de hoy.**
WILLIAM LYON MACKENZIE KING *(1874-1950), político canadiense.*

3765. **La democracia es el sistema político en el que cuando alguien llama a la puerta de la calle a las seis de la mañana se sabe que es el lechero.**
WINSTON LEONARD SPENCER CHURCHILL *(1874-1965), político inglés.*

3766. **El político debe ser capaz de predecir lo que va a ocurrir mañana, el mes próximo y el año que viene, y de explicar luego por qué no ha ocurrido.**
WINSTON LEONARD SPENCER CHURCHILL *(1874-1965), político inglés.*

3767. **La democracia es el peor de los regímenes, excluidos todos los demás.**
WINSTON LEONARD SPENCER CHURCHILL *(1874-1965), político inglés.*

3768. **La política es tan emocionante como la guerra y no menos peligrosa. En la guerra podemos morir una vez; en política, muchas veces.**
WINSTON LEONARD SPENCER CHURCHILL *(1874-1965), político inglés.*

3769. **Los socialistas tienen la idea de que hacer ganancias es un vicio, y yo creo que el verdadero vicio es el procurar evitar las pérdidas.**
WINSTON LEONARD SPENCER CHURCHILL *(1874-1965), político inglés.*

3770. **Un buen político es aquel que, tras haber sido comprado, sigue siendo comprable.**
WINSTON LEONARD SPENCER CHURCHILL *(1874-1965), político inglés.*

3771. **El amor a la moda es el instinto de perfección de los espíritus vulgares.**

Carlos Octavio Bunge *(1875-1918), escritor argentino.*

3772. **Soñando está con sus hijos,**
que sus hijos lo apuñalan;
y cuando despierta mira
que es cierto lo que soñaba.

Antonio Machado *(1875-1939), escritor español.*

Estos versos pertenecen a una de las obras más estimadas de Antonio Machado: *La tierra de Alvargonzález*, publicado en *Campos de Castilla* (1907-1917). La versión en prosa de esta narración legendaria fue publicada en una revista parisina en 1912. Tanto el romance como el cuento narran la turbulenta historia de una familia típica castellana: Alvargonzález vivía felizmente casado con su esposa Polonia y con sus tres hijos. Al mayor de los tres le encomendó la huerta y las colmenas, al segundo dio los ganados y las tierras, y al tercero lo destinaba al clero. Los dos mayores tomaron esposas y éstas encizañaron la casa, pensando en la suculenta herencia del viejo. El pequeño, pese al gusto de sus padres, no apreciaba los latines y se dedicó a perseguir faldas y a soñar aventuras: el padre vendió un encinar y despidió al menor de sus hijos. Deseaba buscar fortuna en las Indias y, despidiéndose de su madre, abandonó las tierras. La preocupación invade el alma de Alvargonzález: sale al campo y, mientras reza, le vence el sueño. Una pesadilla horrorosa le muestra que sus hijos lo matan, y así sucede verdaderamente. Los dos parricidas lanzan el cadáver a la Laguna Negra, con una piedra atada a los pies. Además, acusaron a un buhonero del crimen y éste fue ahorcado. Pasaron los años y el tiempo fue descargando la conciencia de los dos hijos mayores, que gozaban una herencia inmerecida. Pero la tierra comenzó a negar sus frutos y, muy pronto, los asesinos se vieron en la mayor penuria. Una noche de invierno, en la que se hallaban los dos con sus esposas junto a la lumbre, llamaron a la puerta. Era el benjamín, llamado Miguel, que regresaba de América. Volvía como hombre rico y caballero, y sus dos hermanos lamentaron la miseria en que se hallaban. Miguel compró parte de las tierras a sus hermanos y trabajó con paciencia: pero mientras florecían las espigas del joven indiano, los sembrados de los mayores continuaban estériles y yermos. En cierta ocasión, acertaron los criminales a pasar junto al huerto de Miguel y lo vieron trabajando durante la noche. Pero no se trataba del joven, sino del mismo Alvargonzález, que venía cada noche a cultivar las tierras de su hijo menor. La sangre de Caín encendió las venas de los envidiosos y decidieron matar a Miguel; y así lo hicieron. Pero las tierras pronto se secaron y volvieron a dejarlos en la más ruín de las miserias. En cierta ocasión, en la que los dos criminales vagaban cerca de la Laguna Negra, ésta los engulló al tiempo que las rocas repetían a coro: «¡Padre, padre!».

El cainismo, la envidia, la miseria moral y la venganza de la tierra son, entre otros, los argumentos ideológicos de esta narración legendaria, a la que hay que añadir conceptos muy queridos para los integrantes de la generación del 98: la esencia del pueblo español (castellano), la dependencia de la tierra («¡Tierras pobres, tristes tierras!») o la historia. Otras ideas, particulares de Antonio Machado, como las reminiscencias bíblicas o la relación con Dios, se dejan sentir aunque de forma más evidente en el texto poético que en la prosa.

3773. **Para dialogar,**
preguntad, primero;
después... escuchad.

ANTONIO MACHADO *(1875-1939), escritor español.*

3774. **El aventajamiento de un grupo social sobre otro carece de fundamento moral.**

ANTONIO MACHADO *(1875-1939), escritor español.*

3775. **Tengo a mis amigos**
en mi soledad;
cuando estoy con ellos
¡qué lejos están!

ANTONIO MACHADO *(1875-1939), escritor español.*

3776. **Cuando estudiemos la Historia sagrada hemos de definirla como historia de los grandes arrepentimientos, para distinguirla no ya de la Historia profana, sino de la misma naturaleza, que no tiene historia, porque no acostumbra a arrepentirse de nada.**

ANTONIO MACHADO *(1875-1939), escritor español.*

3777. **Los grandes filósofos son los bufones de la divinidad.**

ANTONIO MACHADO *(1875-1939), escritor español.*

3778. **De diez cabezas, nueve embisten y una piensa. Nunca extrañéis que un bruto se descuerne luchando por la idea.**
ANTONIO MACHADO *(1875-1939), escritor español.*

3779. **Hay un español que quiere**
vivir y a vivir empieza,
entre una España que muere
y una España que bosteza.
Españolito que vienes
al mundo, te guarde Dios;
una de las dos Españas
ha de helarte el corazón.
ANTONIO MACHADO *(1875-1939), escritor español.*

3780. **Quien habla solo espera hablar a Dios un día.**
ANTONIO MACHADO *(1875-1939), escritor español.*

3781. **Enseña el Cristo: a tu prójimo**
amarás como a ti mismo,
mas nunca olvides que es otro.
ANTONIO MACHADO *(1875-1939), escritor español.*

3782. **Cuando leemos en los periódicos noticias de esas grandes batallas en que mueren miles y miles de hombres, ¿cómo podemos dormir aquella noche? Dormimos, sin embargo, y nos despertamos pensando en otra cosa. ¡Y es que tenemos tan poca imaginación!**
ANTONIO MACHADO *(1875-1939), escritor español.*

3783. **El trabajo resulta imposible cuando obra y verdad no se compadecen y soportan mutuamente.**
THOMAS MANN *(1875-1955), escritor alemán.*

3784. **La guerra es una salida de cobardes a los problemas de la paz.**
THOMAS MANN *(1875-1955), escritor alemán.*

3785. **El mal y el bien, la santidad y el crimen, ¡todo eso mezclado! ¡Sin juicio, sin voluntad!**
THOMAS MANN *(1875-1955), escritor alemán.*

3786. **El hombre se distingue de los demás animales por ser el único que maltrata a su hembra.**
JACK LONDON *(1876-1916), escritor estadounidense.*

Sociedad

3787. Somos demasiados progresivos los futuristas para crear hijos.

FILIPPO TOMMASO MARINETTI *(1876-1944), escritor y político italiano.*

Filippo Tommaso Marinetti, heredero de una gran fortuna, fue expulsado de su colegio italiano y su padre quiso que intentara graduarse en la universidad parisina. Marinetti es conocido como el padre del futurismo: su *Manifiesto del futurismo* (1909) es anterior al de Apollinaire, pero acaso éste tenía más consistencia y podía entenderse mejor en la tradición literaria de los últimos años del siglo XIX. Marinetti, aficionado a los manifiestos (redactó medio centenar de proclamas), es el autor de la famosa frase «Un automóvil es más bello que la Victoria de Samotracia», lo cual nos indica, seguramente, que jamás conoció la obra atribuida a Praxíteles, pero no era así. El futurismo es un reflejo de la sociedad de su época: ciudades masificadas, ruidosas hasta la estridencia, aceleración del ritmo en la vida, etc., fruto de la nueva sociedad de principios de siglo basada en la industrialización. Se trata de ver en este aparente y novedoso caos las mismas cosas comunes que, al igual que en otras épocas, inspiraron a los artistas. Lo que ocurre es que esas cosas comunes han cambiado. ¿Resulta hoy en día tan difícil encontrar a una persona que encuentre un automóvil más bello que una estatua?

Este revolucionario del arte atacó también las ideas de Nietzsche, o al menos lo que él había entendido en las lecturas del filósofo alemán; cargó contra los románticos («Matemos el claro de luna») y acabó por declarar que «La guerra es la única higiene del mundo».

El futurismo tuvo algunos seguidores, pero sus frutos fueron escasos y apenas valorados. Sus propuestas poéticas las plasmó en el *Manifiesto técnico de la literatura futurista* (destrucción de la sintaxis, nominalización, infinitivos, etc.), y él mismo ensayó la poesía que proclamaba. De su modo literario pueden extraerse algunos párrafos significativos:

«Abajo abajo al fondo de la orquesta estanques chapotear bueyes búfalos aguijones carros pluff plaff encabritarse de caballos flic flac zing zing schaaac rientes relinchos iiiiiii... arrastrar patas tintineos 3 batallones búlgaros en marcha croooc-craaac (lento dos tiempos) ríos Maritza o Karvavena...»

La portentosa capacidad intelectual de Marinetti le llevó finalmente a secundar la política de Mussolini y ser fiel seguidor del fascismo. Marinetti «murió oportunamente» (J. M. Valverde) poco antes de finalizar la Segunda Guerra Mundial, en 1944.

3788. **¡Antes de matar a un ave,**
cazador, piensa en tu hogar,
y en la pena de tus hijos
si tú no volvieses más!

FRANCISCO DE VILLAESPESA *(1877-1936), poeta español.*

3789. **Mal conoce el alma española quien juzga que ésta ha de romperse en muchos pedazos al quebrantarse la hidra del centralismo, y recobrar las regiones su personalidad.**

RICARDO LEÓN *(1877-1943), escritor español.*

3790. **La divinidad está en ti, no en conceptos o libros.**

HERMANN HESSE *(1877-1962), escritor alemán.*

3791. **En toda sociedad respetable alguien tiene que hacer el oficio de bufón. Siempre ha de haber alguien cuyo único trabajo consista en hacer reír a los demás.**

EDMOND JALOUX *(1878-1949), escritor y crítico francés.*

3792. **No somos ni franceses ni ingleses, ni turcos ni samoyanos. Cada uno de nosotros pertenece a una familia moral que existe desde la época de las cavernas, y que no desaparecerá mientras el mundo exista.**

EDMOND JALOUX *(1878-1949), escritor y crítico francés.*

3793. **La facultad de olvidar –muy acentuada en los individuos– lo es aún más en la sociedades humanas.**

JACQUES BAINVILLE *(1879-1936), periodista e historiador francés.*

3794. **Los ceros representan un papel importante en la combinación de las cifras; también las nulidades lo representan en el conjunto social.**

ALBERT EINSTEIN *(1879-1955), físico alemán.*

3795. **Debe existir espíritu de tolerancia en toda la población para que cada hombre pueda expresar sus opiniones.**

ALBERT EINSTEIN *(1879-1955), físico alemán.*

3796. **La humanidad es una totalidad abstracta; solamente al individuo se le ha concedido un alma.**

ALBERT EINSTEIN *(1879-1955), físico alemán.*

3797. **Un estómago vacío no es buen consejero político.**

ALBERT EINSTEIN *(1879-1955), físico alemán.*

Sociedad

3798. **Mi ideal político es el democrático. Cada uno debe ser respetado como persona y nadie debe ser divinizado.**

ALBERT EINSTEIN *(1879-1955), físico alemán.*

3799. **La posesión de medios de producción maravillosos no ha aportado la libertad, sino la inquietud y el hambre.**

ALBERT EINSTEIN *(1879-1955), físico alemán.*

3800. **Hay trabajo superior y trabajo inferior. Éste es uno de los resultados de la existencia de una cultura.**

OSWALD SPENGLER *(1880-1936), filósofo e historiador alemán.*

3801. **Sin riqueza económica concentrada en pocas manos es imposible el esplendor de las artes plásticas, del espíritu, de los hábitos distinguidos y del lujo.**

OSWALD SPENGLER *(1880-1936), filósofo e historiador alemán.*

3802. **La libertad no hace felices a los hombres; los hace, sencillamente, hombres.**

MANUEL AZAÑA *(1880-1940), político y escritor español.*

3803. **Las reglas elementales de la cortesía son muy simples: alabar lo bueno de los otros, suprimir los reproches, dar importancia a los demás, y prestarles atención.**

HERMANN ALEXANDER VON KEYSERLING *(1880-1946), filósofo alemán.*

3804. **Rigen la vida de la paz, pierden todo su valor y lo que antes era considerado un crimen se convierte muchas veces en una virtud.**

HERMANN ALEXANDER VON KEYSERLING *(1880-1946), filósofo alemán.*

3805. **Nada es evidentemente tan provechoso para el hombre, como considerarse elegido; todo aquel que cree en sí mismo, sea quien fuere, es superior al inseguro.**

HERMANN ALEXANDER VON KEYSERLING *(1880-1946), filósofo alemán.*

3806. **El único medio de vencer en una guerra es evitarla.**

GEORGE C. MARSHALL *(1880-1959), militar y político estadounidense.*

3807. **No se puede ganar una guerra, como tampoco se puede ganar un terremoto.**

JEANNETTE RANKIN *(1880-1973), pacifista estadounidense.*

3808. **Solamente los pobres que saben de veras que son pobres, padecen su pobreza.**

GIOVANNI PAPINI *(1881-1956), escritor italiano.*

3809. **Nada más común entre los hombres que el deseo de riqueza. Amontonar dinero de todos modos, aun los más infames, ha parecido siempre la mejor y más respetada educación.**

GIOVANNI PAPINI *(1881-1956), escritor italiano.*

3810. **Es preciso luchar para que la palabra «político» deje de tener valor de insulto.**

FRANKLIN DELANO ROOSEVELT *(1882-1945), político estadounidense.*

3811. **Basta ver a una persona rodeada de sus parientes para percibir que su voz, su fisonomía y todo le pertenece hasta cierto punto. Olor de la familia, sensación de pertenencia a la raza y a la tierra.**

GIUSEPPE ANTONIO BORGHESE *(1882-1952), escritor italiano.*

3812. **No hay mujeres feas, sólo perezosas.**

HELENA RUBINSTEIN *(1882-1965), empresaria estadounidense.*

3813. **El fin de toda sociedad política –como de toda sociedad humana– implica una obra para hacer en común.**

JACQUES MARITAIN *(1882-1973), filósofo francés.*

3814. **Tras cualquier acción de un político se puede encontrar algo dicho por un intelectual quince años atrás.**

JOHN MAYNARD KEYNES *(1883-1946), economista inglés.*

3815. **El hombre vive en riesgo permanente de deshumanización.**

JOSÉ ORTEGA Y GASSET *(1883-1955), filósofo español.*

3816. **La civilización no dura porque a los hombres sólo les interesan los resultados de la misma: los anestésicos, los automóviles y la radio.**

JOSÉ ORTEGA Y GASSET *(1883-1955), filósofo español.*

3817. **Una nación es un pueblo organizado por una aristocracia.**

JOSÉ ORTEGA Y GASSET *(1883-1955), filósofo español.*

3818. **Todo lo que es moda pasa de moda.**

GABRIELLE BONHEUR, *COCÓ CHANEL (1883-1971), diseñadora francesa.*

3819. La pobreza conviene a la buena fama del artista, porque la envidia de los hombres sólo le perdona la gloria al que no tiene una peseta.

FELIPE SASSONE *(1884-1959), escritor peruano.*

3820. Es preciso que los ricos tengan el alma muy fuerte, para poder abstenerse con tal firmeza del placer que se experimenta en dar a otros.

ABEL BONNARD *(1884-1968), escritor francés.*

3821. Los pobres se jactan de sus gastos, y los ricos de sus economías.

ABEL BONNARD *(1884-1968), escritor francés.*

3822. En un mundo injusto el que clama por la injusticia es tomado por loco.

FELIPE CAMINO GALICIA, *LEÓN FELIPE (1884-1968), poeta español.*

3823. La libertad es el derecho a escoger a las personas que tendrán la obligación de limitárnosla.

HARRY TRUMAN *(1884-1972), político estadounidense.*

3824. Cuando era joven había decidido ser pianista en un burdel o político profesional. A decir verdad, no hay mucha diferencia.

HARRY TRUMAN *(1884-1972), político estadounidense.*

3825. Pensáis escapar de vuestros problemas yéndoos de viaje. Y ellos partirán tras vosotros.

STANISLAW IGNACY WITKIEWICZ *(1885-1939), escritor polaco.*

3826. Los nuevos ricos tienen una ventaja segura: que son ricos.

ALEXANDRE SACHA GUITRY *(1885-1957), escritor y cineasta francés.*

3827. La guerra es, sin duda, despúes del claustro, la más grande escuela de humildad.

PIERRE BENOIT *(1885-1962), novelista francés.*

3828. Nada parece, de momento, más raro en la guerra que oír las mismas voces de mando que tanto se oyeron repetir en el período de instrucción. Se ha de proclamar bien alto; nadie jamás en Francia había pensado que un día pudieran servir de veras.

PIERRE BENOIT *(1885-1962), novelista francés.*

3829. **Tenía aquel doble sentimiento propio de los orientales: desear los bienes de este mundo y darse cuenta de su vanidad.**
ÉMILE HERZOG, *ANDRÉ MAUROIS (1885-1967), novelista y ensayista francés.*

3830. **Las familias son como los ejércitos: pueden ponerse a salvo mediante un prudente movimiento de despliegue.**
ÉMILE HERZOG, *ANDRÉ MAUROIS (1885-1967), novelista y ensayista francés.*

3831. **La mujer exige del hombre ciertas atenciones, y una de las atenciones que exige es que, llegado el caso, se le pierda el respeto.**
ÉMILE HERZOG, *ANDRÉ MAUROIS (1885-1967),n ovelista y ensayista francés.*

3832. **Poder reflexionar sobre el dolor en un ambiente de cierto lujo, ya no es sufrir. La gente que vive en el lujo todo lo supedita a él, y su mismo dolor es un lujo. Poderse encerrar en una habitación y llorar. Y el dinero que aparece siempre en la mano para satisfacer un capricho. Todo esto es contrario al verdadero dolor.**
ÉMILE HERZOG, *ANDRÉ MAUROIS (1885-1967), novelista y ensayista francés.*

3833. **Oposición es el arte de prometer aquello que el gobierno puede asegurar.**
HAROLD NICHOLSON *(1886-1968), escritor y diplomático inglés.*

3834. **El español no es teatral, sino dramático.**
SALVADOR DE MADARIAGA *(1886-1978), escritor español.*

3835. **Dios ha dicho: «Tú, mujer, parirás; tú, hombre, trabajarás».**
GREGORIO MARAÑÓN *(1887-1960), médico y ensayista español.*

3836. **La mujer, por estar profundamente ligada a su feminidad, es poco apta para el papel de confesor, como lo es poco para el papel de juez.**
GREGORIO MARAÑÓN *(1887-1960), médico y ensayista español.*

3837. **El miedo de la sociedad pacata a que desaparezca la familia y se hunda el mundo, cada vez que éste da un estirón (una revolución) en su crecimiento, es tan antiguo como la creencia de la venida inmediata del anticristo, del fin del mundo, etcétera.**
GREGORIO MARAÑÓN *(1887-1960), médico y ensayista español.*

3838. **El material con que debe construirse la sociedad ideal libre son los hombres mismos, y no se puede edificar un templo de mármol con una mezcla de barro y estiércol.**
EUGÉNE O'NEILL *(1888-1953), dramaturgo estadounidense.*

Sociedad

3839. El musgo es el peluquín de las piedras.

RAMÓN GÓMEZ DE LA SERNA *(1888-1963), escritor español.*

Don Ramón Gómez de la Serna fue uno de los grandes personajes literarios de la primera vanguardia literaria española. La revista *Prometeo* (1908) y su libro *Ismos* (1931) pueden considerarse hitos en la formación de los jóvenes literatos de la preguerra. La estética y el pensamiento de la vanguardia artística de principios de siglo no se puede esbozar en breves líneas, pero podría admitirse que todo gira alrededor de una nueva forma de mirar el mundo. Una nueva mirada supone desprender de los objetos las connotaciones y la historia que llevan adheridas. Hasta entonces, el pelo rubio de una dama era siempre oro, los dientes, perlas y la boca, rubíes. Pues bien, este tipo de secuencias era, en opinión de los vanguardistas, una rémora en la creación estética. Era necesario crear un lenguaje nuevo. Por ejemplo, ¿qué es un libro? Ramón Gómez de la Serna sugiere que es un hojaldre de ideas. La gaseosa es agua con agujeritos, agua que da calambre y que sabe a pie dormido. Este tipo de definiciones las recopiló en varios volúmenes y les dio el nombre de «greguerías». Pudiera parecer que las greguerías no son sino saltos de ingenio al modo barroco, y algo de ello hay también. Pero lo más importante es el método de producción y de modernización de la palabra. Un tranvía, por ejemplo, parece un objeto poco poético a simple vista, pero en manos de Gómez de la Serna adquiere tonos verdaderamente líricos. Escribía que «el tranvía aprovecha las curvas para llorar». Con la misma delicadeza sugería que «las gaviotas nacieron de los pañuelos que dicen ¡adiós! en los barcos». El humor, la poesía, el pesimismo o el escepticismo se hallan a partes iguales en la obra de Ramón Gómez de la Serna. A continuación se ofrecen diez greguerías en las que se perciben nuevas imágenes del mundo.

3840. El tábano pasa cantándoles el responso a las flores.

RAMÓN GÓMEZ DE LA SERNA *(1888-1963), escritor español.*

3841. El fotógrafo nos coloca en la postura más difícil con la pretensión de que salgamos más naturales.

RAMÓN GÓMEZ DE LA SERNA *(1888-1963), escritor español.*

3842. El cerebro es un paquete de ideas arrugadas que llevamos en la cabeza.

RAMÓN GÓMEZ DE LA SERNA *(1888-1963), escritor español.*

3843. Lo que pone más rabiosa a la ballena es que la llamen cetáceo.
RAMÓN GÓMEZ DE LA SERNA *(1888-1963), escritor español.*

3844. La coliflor es un cerebro vegetal que nos comemos.
RAMÓN GÓMEZ DE LA SERNA *(1888-1963), escritor español.*

3845. Los mejillones son las almejas de luto.
RAMÓN GÓMEZ DE LA SERNA *(1888-1963), escritor español.*

3846. Era tan moral que perseguía las conjunciones copulativas.
RAMÓN GÓMEZ DE LA SERNA *(1888-1963), escritor español.*

3847. Todos los chorizos se ahorcan.
RAMÓN GÓMEZ DE LA SERNA *(1888-1963), escritor español.*

3848. Hay que inventar la manera de lavar los pies a los quesos.
RAMÓN GÓMEZ DE LA SERNA *(1888-1963), escritor español.*

3849. El primer sonajero y el hisopo final se parecen demasiado.
RAMÓN GÓMEZ DE LA SERNA *(1888-1963), escritor español.*

3850. La guerra no es más natural que la tuberculosis o la mortalidad infantil.
FRAUS E. SILLANPAA *(1888-1964), escritor finlandés.*

3851. Por lo que al humanitarismo respecta, ya Moltke dijo que la guerra radicaba en la celeridad del procedimiento, es decir, que el humanitarismo suponía en consecuencia el empleo de los medios de lucha más eficaces; según eso, las armas más crueles eran humanitarias, si es que aceleraban la consecución de la victoria y sólo eran buenos aquellos métodos capaces de contribuir a asegurarle a la nación la dignidad de su autonomía.
ADOLF HITLER *(1889-1945), dictador alemán.*

3852. El primer fundamento inherente a la noción de autoridad es siempre la popularidad. En el poder, esto es, en la fuerza, vemos representado el segundo fundamento de toda autoridad; desde luego, éste es un fundamento mucho más estable y seguro, pero no siempre más eficaz que la popularidad.
ADOLF HITLER *(1889-1945), dictador alemán.*

3853. Las masas se creen más fácilmente una gran mentira que una pequeña.
ADOLF HITLER *(1889-1945), dictador alemán.*

Sociedad

3854. **Los espejos, antes de darnos la imagen que reproducen, deberían reflexionar un poco.**
JEAN COCTEAU *(1889-1963), escritor francés.*

3855. **El mayor castigo para quienes no se interesan por la política es que serán gobernados por personas que sí se interesan.**
ARNOLD JOSEPH TAYNBEE *(1889-1975), historiador inglés.*

3856. **Los tacones altos fueron inventados por una mujer a la que besaron en la frente.**
CHRISTOPHER MORLEY *(1890-1957), escritor estadounidense.*

3857. **El deseo del privilegio y el gesto de la igualdad son las pasiones dominantes y contradictorias de todas las épocas.**
CHARLES DE GAULLE *(1890-1970), militar y estadista francés.*

3858. **Yo siempre estoy con un pie en el siglo XIX. Ando un poco atrasado, como todos los americanos.**
HENRY MILLER *(1891-1980), escritor estadounidense.*

3859. **Cada guerra es una destrucción del espíritu humano.**
HENRY MILLER *(1891-1980), escritor estadounidense.*

3860. **No hay desdichado que en un momento cualquiera no pueda ganar una fortuna fabulosa. La vida es algo misterioso. ¿Ustedes no creen en la lotería?**
UGO BETTI *(1892-1953), dramaturgo italiano.*

3861. **Lo que más gusta a las mujeres son los pequeños detalles de los hombres, tales como un cochecito, un brillantito, una finquita de recreo, y otras menudencias.**
PEARL S. BUCK *(1892-1973), escritora estadounidense.*

3862. **Si quisiera una familia ya me habría comprado un perro.**
MAE WEST *(1892-1980), actriz estadounidense.*

3863. **Las cartas de recomendación son las que se entregan a un inoportuno para que vaya a importunar a otro.**
DINO SEGRE, *PITIGRILLI (1893-1975), escritor italiano.*

3864. **La miseria es una enfermedad que si no se cura a los treinta, se hace crónica.**
DINO SEGRE, *PITIGRILLI (1893-1975), escritor italiano.*

3865. **La política es una guerra sin efusión de sangre; la guerra, una política con efusión de sangre.**
MAO TSE TUNG *(1893-1976), político chino.*

3866. **El mundo ha conseguido la brillantez sin conciencia. El nuestro es un mundo de gigantes nucleares y niños éticos.**
OMAR NELSON BRADLEY *(1893-1981), militar estadounidense.*

3867. **Me gustan las ciudades desconocidas. Son los lugares donde aún se puede pensar que la gente que nos rodea es amable.**
LOUIS-FERDINAND CÉLINE *(1894-1961), novelista francés.*

3868. **Los caballos en la guerra eran más felices que nosotros los soldados, porque aunque ellos también soportaban la guerra como nosotros, por lo menos no se les obligaba a creer en ella. Desgraciados, pero libres, los caballos.**
LOUIS FERDINAND CÉLINE *(1894-1961), escritor francés.*

3869. **El asesinato no es capaz de quitar la vida más que al individuo. La falta de ortodoxia amenaza a algo más que la vida: amenaza a la sociedad.**
ALDOUS LEONARD HUXLEY *(1894-1963), escritor inglés.*

3870. **La doctrina de que todos los hombres, en cualquier sentido, en algún tiempo fueron libres e iguales es una completa ficción sin base.**
ALDOUS LEONARD HUXLEY *(1894-1963), escritor inglés.*

3871. **Los vecinos que uno nunca ve de cerca son los vecinos ideales y perfectos.**
ALDOUS LEONARD HUXLEY *(1894-1963), escritor inglés.*

3872. **El dinero no reporta ninguna satisfacción cuando hay que trabajar para ganarlo, puesto que trabajando para conseguirlo no queda tiempo para gastarlo.**
ALDOUS LEONARD HUXLEY *(1894-1963), escritor inglés.*

3873. **La hipocresía, además de ser un homenaje que el vicio rinde a la virtud, es también uno de los artificios mediante el cual el vicio se hace más interesante.**
ALDOUS LEONARD HUXLEY *(1894-1963), escritor inglés.*
(Reflexiona sobre una afirmación realizada por François de la Rochefoucauld (1613-1680): «L'hypocrisie est un hommage que le vice rend à la vertu».)

Sociedad

3874. El derecho es más precioso que la paz, y lucharemos por las cosas que más cerca han estado siempre de nuestro corazón: por la democracia, por el derecho de aquellos que se someten a la autoridad a tener voz en su propio gobierno, por los derechos y las libertades de las pequeñas naciones, por el dominio universal del derecho mediante un concierto de pueblos libres que traiga la paz y la seguridad a todas las naciones y dé al fin la libertad al mundo.

EDMUND WILSON *(1895-1972), ensayista estadounidense.*

3875. Revelar dos personas que les desagrada otra es una cómoda manera de expresar que se agradan mutuamente.

LI YUTANG *(1895-1972), escritora estadounidense.*

3876. Los hombres ricos, que pasan el día ocupados en sus negocios y por la noche roncan como vacas, no contribuyen mucho, ciertamente, al bien común.

LI YUTANG *(1895-1972), escritora estadounidense.*

3877. Si no se puede hacer trampas con los amigos, no vale la pena jugar a las cartas.

MARCEL PAGNOL *(1895-1974), escritor francés.*

3878. Inteligencia militar son dos términos contradictorios.

«GROUCHO» MARX *(1895-1977), humorista y actor estadounidense.*

3879. Sólo he visto producirse entusiasmo por causas tontas. Si la muchedumbre me aclamase, yo me encogería de hombros y gritaría: «Que los hagan callar». El entusiasmo es uno de los dragones que devoran la sociedad.

HENRY MILLON DE MONTHERLAND *(1896-1970), escritor francés.*

3880. Los políticos son siempre iguales. Prometen construir un puente incluso donde no hay río.

NIKITA SERGEIEVICH KRUSCHEV *(1896-1971), político ruso.*

3881. De los fumadores debemos aprender la tolerancia. Todavía no conozco uno sólo que se haya quejado de los no fumadores.

ALESSANDRO PERTINI *(1896-1990), político italiano.*

3882. A la más perfecta de las dictaduras, preferiré siempre una imperfecta democracia.

ALESSANDRO PERTINI *(1896-1990), político italiano.*

3883. **Podemos pasarnos sin mantequilla, pero no, por ejemplo, sin cañones. Si nos atacan podemos defendernos sólo con cañones, no con mantequilla.**
JOSEPH GOEBBELS *(1897-1945), político alemán.*

3884. **Las madres de los soldados muertos son jueces de la guerra.**
BERTOLD BRECHT *(1898-1956), dramaturgo alemán.*

Bertold Brecht es uno de los dramaturgos más importantes de la época contemporánea. Además de su producción literaria, su labor consistió en renovar los objetivos y las técnicas teatrales. En términos sencillos, Brecht recomendaba un teatro crítico, inconformista, transformador. Él hacía teatro para modificar el mundo, no para ofrecer un divertimento. Su obra dramática y su pensamiento ha de entenderse como una rebelión contra los poderosos, como una agitación ante la opresión política, social y económica. En su poesía, muy popular a lo largo del siglo, lo expresa así: «Pero cuando crecí y miré a mi alrededor, no me gustó la gente rica, ni el mandar, ni el recibir servicio, y abandoné mi clase y me uní a los pobres». Respecto a la guerra, ésta es otra opinión de Brecht: «Con la guerra aumentan las propiedades de los hacendados, aumenta la miseria de los miserables, aumentan los discursos del general, y crece el silencio de los hombres». Sus obras de teatro más valoradas son: *Tambores en la noche* (1919), *Santa Juana de los Mataderos* (1930), *La buena persona de Sezuan* (1940) y la más conocida de sus obras, *Madre Coraje* (1939).

3885. **Esos que pretenden, para reformarnos, vencer nuestro instinto criminal, que nos den primero de comer. De moral hablaremos después. Esos que no se olvidan de cuidar nuestra formación, sin que por ello dejen de engordar, escuchen esto: por más que le den vueltas, primero es comer, y después de hartos ¡venga moral!**
BERTOLD BRECHT *(1898-1956), dramaturgo alemán.*

3886. **El hombre no debe seguir tal como es, es necesario verlo también como podría ser y acostumbrarse a esta visión.**
BERTOLD BRECHT *(1898-1956), dramaturgo alemán.*

3887. **Porque no me fío de él, somos amigos.**
BERTOLT BRECHT *(1898-1956), dramaturgo alemán.*

3888. **Muchos jueces son absolutamente incorruptibles, nadie puede inducirles a hacer justicia.**
BERTOLT BRECHT *(1898-1956), dramaturgo alemán.*

Sociedad

3889. **He aquí un soldado en plena guerra. Primero es valiente porque cree que nada le ha de suceder, que él no es como los otros, que tiene una virtud especial y una media incertidumbre de que no le han de tocar.**
ERNEST HEMINGWAY *(1898-1961), novelista estadounidense.*

3890. **Un tonto pobre siempre será tonto. Un tonto rico será siempre rico.**
PAUL LAFITTE *(1898-1976), ingeniero francés.*

3891. **Un hijo es una pregunta que hacemos al destino.**
JOSÉ MARÍA PEMÁN *(1898-1981), escritor español.*

3892. **Los espejos y la copulación son abominables porque multiplican el número de hombres.**
JORGE LUIS BORGES *(1899-1986), escritor argentino.*

3893. **Conozco las costumbres y las almas**
y ese dialecto de alusiones
que se urde en todo agrupamiento humano.
JORGE LUIS BORGES *(1899-1986), escritor argentino.*

3894. **La democracia es el abuso de la estadística.**
JORGE LUIS BORGES *(1899-1986), escritor argentino.*

3895. **Mi humanidad consiste en sentir que somos voces de la misma penuria.**
JORGE LUIS BORGES *(1899-1986), escritor argentino.*

3896. **La guerra es una enfermedad, como el tifus.**
ANTOINE MARIE DE SAINT-EXUPÉRY *(1900-1944), escritor francés.*

3897. **El poder, si sólo es un deseo de dominio, me parece una ambición estúpida. Pero si es creador...**
ANTOINE MARIE DE SAINT-EXUPÉRY *(1900-1944), escritor francés.*

3898. **Soy ateo, gracias a Dios.**
LUIS BUÑUEL *(1900-1983), director de cine español.*

3899. **Todo hombre es sociable, pero acaba siempre por reñir con sus socios.**
ENRIQUE JARDIEL PONCELA *(1901-1952), escritor español.*

3900. **Toda sociedad es un organismo podrido que se conserva gracias al hielo de la hipocresía.**
ENRIQUE JARDIEL PONCELA *(1901-1952), dramaturgo español.*

3901. **El que pide la mano de una mujer lo que realmente desea es el resto del cuerpo.**
ENRIQUE JARDIEL PONCELA *(1901-1952), dramaturgo español.*

3902. **Todos los hombres que no tienen nada que decir hablan a gritos.**
ENRIQUE JARDIEL PONCELA *(1901-1952), escritor español.*

3903. **La amistad, como el diluvio universal, es un fenómeno del que todo el mundo habla, pero nadie ha visto con sus ojos.**
ENRIQUE JARDIEL PONCELA *(1901-1952), dramaturgo español.*

3904. **La dictadura es el sistema de gobierno en el que lo que no está prohibido es obligatorio.**
ENRIQUE JARDIEL PONCELA *(1901-1952), dramaturgo español.*

3905. **Si la libertad significa algo, es el derecho de decir a los demás lo que no quieren oír.**
ERIC BLAIR, *GEORGE ORWELL (1903-1950), escritor inglés.*

3906. **Todos los animales son iguales, pero algunos animales son más iguales que otros.**
ERIC BLAIR, *GEORGE ORWELL (1903-1950), escritor inglés.*

3907. **Un buen profesor debe parecerse lo más posible a un mal estudiante.**
ALEJANDRO CASONA *(1903-1965), dramaturgo español.*

3908. **Solamente con que los políticos y los científicos fueran un poco más vagos, ¿cuánto más felices seríamos todos?**
EVELYN WAUGH *(1903-1966), escritor inglés.*

3909. **No creo que la amistad entre el hombre y el perro fuera duradera si la carne del perro fuera comestible.**
EVELYN WAUGH *(1903-1966), periodista inglés.*

3910. **Un hombre que lee, o que piensa, o que calcula, pertenece a la especie y no al sexo.**
MARGUERITE YOURCENAR *(1903-1987), escritora francesa.*

3911. **El hombre tiene unas alas que no conoce.**
GUSTAVE THIBON *(1903-2001), filósofo francés.*

3912. **Un banco es un lugar donde te prestarán dinero si puedes demostrar que no lo necesitas.**
LESLIE TOWNES HOPE, *BOB HOPE (1903), actor estadounidense.*

3913. **Al utilizar por primera vez este tipo de armas, nos alineamos con los bárbaros de las primeras edades.**

JULIUS ROBERT OPPENHEIMER *(1904-1967), físico estadounidense (a propósito de la bomba atómica).*

3914. ***Oda a una castaña en el suelo.***
De madera pulida
de lúcida caoba,
lista
como un violín que acaba
de nacer en la altura.

NEFTALÍ RICARDO REYES, *PABLO NERUDA (1904-1973), poeta chileno.*

Pablo Neruda es conocido popularmente por su libro *Veinte poemas de amor y una canción desesperada*, en el que se incluye el proverbial comienzo «Puedo escribir los versos más tristes esta noche, etc.». Sin embargo, Pablo Neruda es mucho más que el poeta sentimental y modernista que se desprende de su poema más conocido. Sus obligaciones diplomáticas y sus viajes le permiten entrar en contacto con la poesía de la Generación del 27 en España y, con esta influencia, su obra comienza a deslizarse por los caminos del surrealismo y el compromiso político. Los tres ejemplos que se proponen pertenecen a su libro *Odas elementales*, publicadas en 1954, en Buenos Aires. Se han seleccionado versos donde las imágenes de determinados objetos se observan a una nueva luz y con diferentes matices poéticos. Desde luego, las *Odas elementales*, aunque tengan como objetos el tomate, la cebolla, el edificio o la madera, contienen significados utópicos, universales, «promisorios», dicen los críticos. En fin, Pablo Neruda acomete su poesía desde lo reducido y sensitivo y se deja llevar hacia la luz y lo eterno: incluso en la «Oda a la noche» la luz, el renacer y el nuevo día son más importantes que las tinieblas.

3915. ***A la cebolla***
Al cortarte
el cuchillo en la cocina
sube la única lágrima
sin pena.
Nos hiciste llorar sin afligirnos.

NEFTALÍ RICARDO REYES, *PABLO NERUDA (1904-1973), poeta chileno.*

3916. **El problema de ser pobre es que te ocupa todo el tiempo.**
WILLEM DE KOONING *(1904-1987), pintor estadounidense.*

3917. **Yo creo que no debemos respetar nunca las ideas contrarias a las que profesamos. Debemos, sí, respetar a las personas que las sustenten, pero nada más.**
MANUEL DE FALLA *(1904-1989), compositor español.*

3918. **El hombre es un ser escondido en sí mismo.**
MARÍA ZAMBRANO *(1904-1991), filósofa española.*

3919. **¿Qué importa si el gato es blanco o negro, con tal de que cace ratones?**
DENG XIAOPING *(1904-1997), político chino.*

3920. **En nuestra era, el camino de la felicidad pasa necesariamente por el mundo de la acción.**
HJALMAR AGNECARL HAMMARSKJOLD *(1905-1961), político sueco.*

3921. **La coalición es el arte de llevar el zapato derecho en el pie izquierdo sin que salgan callos.**
GUY MOLLET *(1905-1975), político francés.*

3922. **El hombre no es nada más que su proyecto, no existe más que en la medida en que se realiza; no es, por lo tanto, más que el conjunto de sus actos, y nada más que su vida.**
JEAN PAUL SARTRE *(1905-1980), escritor y filósofo francés.*

3923. **Cada hombre debe inventar su camino.**
JEAN PAUL SARTRE *(1905-1980), escritor y filósofo francés.*

3924. **Cuando los ricos se hacen la guerra, son los pobres los que mueren.**
JEAN PAUL SARTRE *(1905-1980), escritor y filósofo francés.*

3925. **La amistad supone sacrificios, y sólo el que está dispuesto a hacerlos sin molestia comprende la amistad.**
NOEL CLARASÓ *(1905-1985), escritor español.*

3926. **Hacer compañía consiste en añadir algo a las vidas de los demás, y en hacer que ellos se sientan cómodos en nuestra compañía.**
NOEL CLARASÓ *(1905-1985), escritor español.*

3927. **El sol, el agua y el ejercicio conservan perfectamente la salud a las personas que gozan de una salud perfecta.**
NOEL CLARASÓ *(1905-1985), escritor español.*

Sociedad

3928. **La vuelta a la normalidad es el esfuerzo realizado después de una guerra, para volver a las mismas condiciones que llevaron a ella.**
NOEL CLARASÓ *(1905-1985), escritor español.*

3929. **Morir por la patria es una gloria; pero son más útiles los que saben hacer morir por la patria a los soldados enemigos.**
NOEL CLARASÓ *(1905-1985), escritor español.*

3930. **Todo el mundo cuenta cómo ganó sus primeras cien pesetas; nadie cuenta cómo ganó el último millón.**
NOEL CLARASÓ *(1905-1985), escritor español.*

3931. **Política es el arte de obtener dinero de los ricos y votos de los pobres, con el fin de proteger a los unos de los otros.**
NOEL CLARASÓ *(1905-1985), escritor español.*

3932. **Empieza por no tratarte con tus vecinos. Siempre es tiempo de hacer una excepción.**
NOEL CLARASÓ *(1905-1985), escritor español.*

3933. **Una de las leyes fundamentales de la cortesía es la resistencia al primer impulso.**
NOEL CLARASÓ *(1905-1985), escritor español.*

3934. **Todos los niños son menos inteligentes de lo que creen sus padres, y más inteligentes de lo que creen los vecinos.**
NOEL CLARASÓ *(1905-1985), escritor español.*

3935. **Entre el dinero y la felicidad hay la misma relación que entre las plumas y las gallinas; una gallina sin plumas sigue siendo una gallina, pero no acaba de convencer a nadie.**
NOEL CLARASÓ *(1905-1985), escritor español.*

3936. **He leído que lo bueno es ser rico y saber disfrutar al mismo tiempo de los placeres de la pobreza. Me parece bien, pero mejor me pareciera si a continuación se enumeraran uno a uno esos placeres.**
LEÓN DANDÚ *(1905-1985), escritor español.*

3937. **Una escena entre un hombre y una mujer tiene siempre tres versiones distintas: lo que dice el hombre, lo que dice la mujer y lo que realmente ocurrió.**
LEÓN DANDÚ *(1905-1985), escritor español.*

3938. **Hablar de paz, según los precedentes históricos es inhumano. El mundo ha glorificado siempre a los guerreros; y la heroicidad se ha considerado una suprema virtud guerrera. Según la estimación humana, si diez consiguen vencer a cien, aunque les maten a todos, son héroes; y si de los diez mueren nueve en la lucha, el que queda deja escrito su nombre en la heroicidad universal.**

LEÓN DANDÚ *(1905-1985), escritor español.*

3939. **Curiosamente los votantes no se sienten responsables de los fracasos del gobierno que han votado.**

ALBERTO PINCHERLE, *ALBERTO MORAVIA (1907-1991), escritor italiano.*

3940. **Es más difícil no envidiar a un amigo feliz que ser generoso con un amigo que ha caído en desgracia.**

ALBERTO PINCHERLE, *ALBERTO MORAVIA (1907-1991), escritor italiano.*

3941. **Los crímenes comunes y los sombríos secretos unen a la gente más solidamente que el amor.**

MILKA WALTARI *(1908-1979), escritor finlandés.*

3942. **Si llegase un día en que no haya ni ricos ni pobres, existirán siempre cuerdos e imbéciles, astutos e ingenuos; así ha sido siempre y será.**

MIKA WALTARI *(1908-1979), escritor finlandés.*

3943. **En cuestiones de familia, vale más meter la mano bajo la muela de un molino que intervenir en una querella entre sus miembros.**

MIKA WALTARI *(1908-1979), escritor finlandés.*

3944. **Mediante el trabajo ha sido como la mujer ha podido franquear la distancia que la separa del hombre. El trabajo es lo único que puede garantizarle una libertad completa.**

SIMONE DE BEAUVOIR *(1908-1985), escritora francesa.*

3945. **La televisión es maravillosa. No sólo nos produce dolor de cabeza sino que, además, en su publicidad, encontramos las pastillas que nos aliviarán.**

BETTE DAVIS *(1908-1989), actriz estadounidense.*

3946. **Sólo el equilibrio destruye y anula la fuerza. El orden social no puede ser sino un desequilibrio de fuerzas.**

SIMONE WEIL *(1909-1943), escritora francesa.*

3947. Un viaje se inscribe simultáneamente en el espacio, en el tiempo y en la jerarquía social.

CLAUDE LÉVI-STRAUSS *(1909-1986), antropólogo belga.*

3948. La moral se esfuma cuando se está en la oposición; la política, cuando se ha obtenido el poder.

JOSÉ LUIS LÓPEZ ARANGUREN *(1909-1996), filósofo español.*

3949. Todos las guerras son santas. Os desafío a que encontréis un beligerante que no crea tener el cielo de su parte.

JEAN ANOUILH *(1910-1987), escritor francés.*

3950. ¡Salvar Francia, salvar Francia! Y entretanto, ¿quién guardará mis vacas?

JEAN ANOUILH *(1910-1987), escritor francés.*

3951. No todos los que se quieren se casan, ni todos los que se casan se quieren.

REINALDO TEMPRANO AZCONA *(1911-1954), abogado español.*

3952. Sólo el golpeo del otro en mí me hace el que creo que soy en sí.

GABRIEL CELAYA *(1911-1991), poeta español.*

3953. Recesión es cuando tu vecino se queda sin empleo; depresión es cuando lo pierdes tú.

RONALD REAGAN *(1911), actor y político estadounidense.*

3954. No tenemos tiempo para tomarnos tiempo

EUGÈNE IONESCO *(1912-1976), dramaturgo francés.*

3955. No parece usted un español cualquiera. Un españo nunca es un español cualquiera.

VÍCTOR RUIZ IRIARTE *(1912-1982), dramaturgo español.*

3956. El humanismo de la guerra terminó con la desaparición del caballo, su elemento épico y lírico.

MANUEL GUTIÉRREZ MELLADO *(1912-1995), militar español.*

3957. Si un hombre fracasa en conciliar la justicia y la libertad, fracasa en todo.

ALBERT CAMUS *(1913-1960), escritor francés.*

3958. Sin democracia, la libertad es una quimera.

OCTAVIO PAZ *(1914-1998), escritor mexicano.*

3959. Los gendarmes van siempre de dos en dos, como la ley y la injusticia.

EDMUND DUNE *(1914), escritor luxemburgués.*

3960. A veces es necesario y forzoso que un hombre muera por un pueblo, pero nunca debe un pueblo morir por un solo hombre.

SALVADOR ESPRIU *(1915-1986), escritor español.*

3961. Cuando los pacíficos pierden toda esperanza, los violentos encuentran motivo para disparar.

HAROLD WILSON *(1916), político inglés.*

3962. Si hubiera más políticos que supieran de poesía, y más poetas que entendieran de política, el mundo sería un lugar un poco mejor para vivir.

JOHN FIZTGERALD KENNEDY *(1917-1963), político estadounidense.*

3963. Una sociedad libre que no puede ayudar a los muchos que son pobres, tampoco salvará a los pocos que son ricos.

JOHN FITZGERALD KENNEDY *(1917-1963), político estadounidense.*

3964. El hombre ha de fijar un final para la guerra. Si no, la guerra fijará un final para el hombre.

JOHN FITZGERALD KENNEDY *(1917-1963), político estadounidense.*

3965. Nadie puede ser verdaderamente rico si sus vecinos son pobres.

JOHN FITZGERALD KENNEDY *(1917-1963), político estadounidense.*

3966. Los bolsillos de los gobernantes deben ser de cristal.

ENRIQUE TIERNO GALVÁN *(1918-1986), intelectual y político español.*

3967. El triunfo es la suma del sentido común y la capacidad de liderazgo.

ENRIQUE TIERNO GALVÁN *(1918-1986), intelectual y político español.*

3968. En la política se está en contacto con la mugre y hay que lavarse para no oler mal.

ENRIQUE TIERNO GALVÁN *(1918-1986), intelectual y político español.*

3969. El poder es solamente facilidad de expresión.

GIULIO ANDREOTTI *(1919), político italiano.*

Sociedad

3970. Un humanista ama a todos los hombes, excepto a aquellos con los que se encuentra.

WIESLAW BRUDZINSKY *(1920), escritor polaco.*

3971. El progreso comporta –inevitablemente, a lo que se ve– una minimización del hombre.

MIGUEL DELIBES *(1920), periodista y escritor español.*

3972. Estoy convencido de que el ateo no existe, que el ateo es una invención de los curas.

LEONARDO SCIASCIA *(1921-1989), escritor italiano.*

3973. Aunque no te ocupes de la política, ella se ocupará de ti.

YVES MONTAND *(1921-1991), cantante y actor francés.*

3974. La última voz audible antes de la explosión del mundo será la de un experto que dirá: «Es técnicamente imposible».

PETER ALEXANDER USTINOV *(1921-2004), escritor, actor y director inglés.*

3975. En política todas las victorias son efímeras y todas las derrotas, provisionales.

MANUEL FRAGA IRIBARNE *(1922), político español.*

3976. La política es el arte de lo posible; pero lograrlo consiste en intentar muchas veces lo imposible.

MANUEL FRAGA IRIBARNE *(1922), político español.*

3977. Los políticos siempre dicen que no hay que despertar alarma social. Yo digo que, al revés, hay que despertar la alarma social todos los días, porque eso significa que estamos despiertos.

JOSÉ SARAMAGO *(1922), escritor portugués.*

3978. El comunismo encuentra gran audiencia allí donde no gobierna.

HENRY ALFRED KISSINGER *(1923), político estadounidense.*

3979. La libertad no consiste sólo en seguir la propia voluntad, sino también a veces en huir de ella.

ABE KOVO *(1924), escritor japonés.*

3980. No me importa cuanto hablen de mí mis ministros, con tal que digan lo que digo.

MARGARET THATCHER *(1925), político inglesa.*

3981. **Ni los muertos pueden descansar en paz en un país oprimido.**
FIDEL CASTRO *(1927), político cubano.*

3982. **Los españoles no ahorran, son unos manirrotos. Se lo gastan todo en impuestos.**
JOSÉ M. GONZÁLEZ, *CHUMY CHÚMEZ (1927), humorista español.*

3983. **Nuestros espejos, con el paso del tiempo, se van poniendo impertinentes.**
JOSÉ M. GONZÁLEZ, *CHUMY CHÚMEZ (1927), humorista español.*

3984. **Es increíble ver cómo Europa se hunde en su dependencia cultural al mismo tiempo que aumenta su independencia económica.**
NOAM CHOMSKI *(1928), pensador y filólogo estadounidense.*

3985. **Las altas partes contratantes declaran solemnemente, en nombre de sus respectivos pueblos, que condenan la apelación a la guerra para la solución de los conflictos internacionales y renuncian a ella como instrumento de política nacional en sus relaciones recíprocas. Las altas partes contratantes convienen en que la solución de todas las disputas o conflictos de cualquier naturaleza u origen que pueden surgir entre ellos no será buscada nunca sino por medios pacíficos.**
PACTO KELLOG *(1928), Pacto Internacional Antibélico.*

3986. **Tendremos que arrepentirnos en esta generación, no tanto de las malas acciones de la gente perversa, sino del pasmoso silencio de la gente buena.**
MARTIN LUTHER KING *(1929-1968), líder antiracista estadounidense.*

3987. **Debemos rezar constantemente por la paz, pero también debemos trabajar con todas nuestras fuerzas por el desarme y la suspensión de las pruebas de armas.**
MARTIN LUTHER KING *(1929-1968), líder antirracista estadounidense.*

3988. **Hemos aprendido a volar como los pájaros, a nadar como los peces; pero no hemos aprendido el sencillo arte de vivir como hermanos.**
MARTIN LUTHER KING *(1929-1968), líder antirracista estadounidense.*

3989. **Siempre y en todas partes estorba la gente. Lo enredan todo.**
HANS MAGNUS ENZENSBERGER *(1929), escritor alemán.*

3990. **Donde me halle, soy un pedazo del paisaje de mi patria.**
FATOS ARAPI *(1930), poeta albanés.*

Sociedad

3991. Un país habrá llegado al máximo de su civismo cuando en él se pueda celebrar un partido de fútbol sin árbitro.
JOSE LUIS COLL *(1931), humorista español.*

3992. Daría lo que fuera por tener algo más.
JOSÉ LUIS COLL *(1931), humorista español.*

3993. La política es como las matemáticas: todo lo que no es totalmente correcto, está mal.
EDWARD KENNEDY *(1932), político estadounidense.*

3994. El cerebro es un órgano maravilloso: empieza a trabajar desde que usted se levanta hasta que entra en la oficina.
EDWARD DE BONO *(1933), escritor maltés.*

3995. No le digas a mi madre que trabajo en una agencia de publicidad: cree que toco el piano en un burdel.
JACQUES L. SÉGUÉLA *(1934), publicista francés.*

3996. El hombre muere en todos aquellos que mantienen silencio ante la tiranía.
WOLE SOYINKA *(1934), escritor nigeriano.*

3997. Tuve la culpa parcialmente de que nos divorciáramos. Tenía tendencia a colocar a mi mujer sobre un pedestal.
WOODY ALLEN *(1935), actor y director de cine estadounidense.*

3998. Y mis padres por fin se dan cuenta de que he sido secuestrado y se ponen en acción inmediatamente: alquilan mi habitación.
WOODY ALLEN *(1935), actor y director de cine estadounidense.*

3999. El dinero es mejor que la pobreza, aunque sólo sea por razones financieras.
WOODY ALLEN *(1935), actor y director de cine estadounidense.*

4000. Cuando las personas tienen libertad para hacer lo que quieren, por lo general comienzan a imitarse mutuamente.
FRANÇOISE QUOIREZ, *FRANÇOISE SAGAN (1935), escritora francesa.*

4001. Los hombres, cuando pasan tantos años sin una guerra, no saben en qué dar y algunos se hacen homosexuales, otros crean inmobiliarias y los más agresivos están en la Casa de Campo haciendo los cien metros lisos...
FRANCISCO UMBRAL *(1935), escritor español.*

4002. Cuando se habla de la liberación de la mujer, el hombre dice sí con la cabeza y no con el corazón.

NURIA ESPERT *(1936), actriz española.*

4003. Los hombres movidos por ideales han de interesarse por la política.

EDUARD PUNSET *(1936), político español.*

4004. La política saca a flote lo peor del ser humano.

MARIO VARGAS LLOSA *(1936), escritor peruano.*

4005. Esta sociedad nos da facilidades para hacer el amor, pero no para enamorarnos.

ANTONIO GALA *(1937), escritor español.*

4006. Al poder le ocurre como al nogal, no deja crecer nada bajo su sombra.

ANTONIO GALA *(1937), escritor español.*

4007. Una vez que salgas de la escuela, sólo lo que hagas por ti mismo dará calidad a tu vida.

JACK NICHOLSON *(1937), actor estadounidense.*

4008. Dios es un concepto por el cual medimos nuestro dolor. Lo diré otra vez: Dios es un concepto por el cual medimos nuestro dolor.

JOHN LENNON *(1940-1980), músico inglés.*

4009. Quiero dinero sólo para ser rico.

JOHN LENNON *(1940-1980), músico inglés.*

4010. En política, el que se mueve no sale en la foto.

ALFONSO GUERRA *(1940), político español.*

4011. ¡Qué desagradable resulta caerle bien a la gente que te cae mal!

JAUME PERICH *(1941-1995), escritor y dibujante español.*

4012. La guerra es la obra de arte de los militares, la coronación de su formación, el broche de su profesión. No han sido creados para brillar en la paz.

ISABEL ALLENDE *(1942), escritora chilena.*

4013. Al gobernar aprendí a pasar de la ética de los principios a la ética de las responsabilidades.

FELIPE GONZÁLEZ MÁRQUEZ *(1942), político español.*

Sociedad

4014. Un flirteo es como una pastilla: nadie puede predecir exactamente sus efectos secundarios.

CATHERINE DENEUVE *(1943), actriz francesa.*

4015. Quiero ser un dictador en la aplicación de la democracia.

LECH WALESA *(1943), sindicalista polaco.*

4016. Gobernar no es mandar, por mucha mayoría que se tenga.

JUAN LUIS CEBRIÁN *(1944), periodista español.*

4017. Los intelectuales siempre están allí donde hay un canapé.

JAVIER SÁDABA *(1944), filósofo español.*

4018. Las guerras seguirán mientras el color de la piel siga siendo más importante que el de los ojos.

BOB MARLEY *(1945-1981), músico jamaicano.*

4019. Cuando el fracaso se mide por el paro, es lógico que el triunfo se anuncie por el despilfarro.

JUAN CUETO *(1945), periodista español.*

4020. La democracia no se aprende en el Parlamento, sino en casa. Ser demócrata no es una actitud política, es una actitud ante la vida.

MONTSERRAT ROIG *(1946-1991), escritora española.*

4021. Si quieres ir a una exposición, al cine, dar un paseo o viajar, es muy importante que lo hagas sin esperar que alguien te acompañe.

CARMEN ALBORCH *(1947), político española.*

4022. Mulas, hombres y perros satisfacían sus necesidades naturales, confundiéndose en una fraternidad de mierda. Pero también había vacas: sagrados rumiantes que vagaban por las calles polvorientas, patrullando cada uno su propio territorio y marcando sus propiedades con excrementos.

SALMAN RUSHDIE *(1947), escritor hindú.*

4023. La educación actual hace a los hombres inútiles.

CRISTINA ALMEIDA CASTRO *(1948), político española.*

4024. Se venden del mismo modo joyas que judías estofadas.

GERALD I. RATNER *(1949), ejecutivo británico.*

4025. **Porque es de cajón que algo tiene que haber. Llámalo equis, me parece bien. Llámalo energía, mejor todavía. ¿Y los curas? Ésos ni en pintura. ¿Y el tarot, y la astrología? Me los hice ayer en la peluquería. ¿Y el dinero? El único dios verdadero. ¿Y Lutero y Buda y Mahoma? Con su pan se lo coman. ¿Y qué opinas del Papa de Roma? ¿Ése? Un particular.**
JOAQUÍN SABINA *(1949), músico español.*

4026. **La moda es un paradójico fenómeno social: su éxito anuncia ya su caída; su consagración, sus funerales.**
LOLA GAVARRÓN *(1951), periodista española.*

4027. **Las gafas de sol son la caja fuerte de una sinceridad que, en ningún caso, deseamos dejar escapar por las pupilas.**
JOAN BARRIL *(1952), periodista español.*

4028. **La peineta es un trozo de columna vertebral que se te sube a la nuca y te embellece como a una diosa.**
MARIBEL QUIÑONES, *MARTIRIO (1954), cantante española.*

4029. **Los maridos de las diez mujeres mejor vestidas nunca aparecen en la lista de los diez hombres mejor vestidos.**
ROY DETINGER, *periodista estadounidense contemporáneo.*

4030. **Nunca compres nada que coma, se mueva o que tengas que pintar.**
BILLY ROSE, *empresario estadounidense contemporáneo.*

4031. **El dinero es otra especie de sangre.**
ANÓNIMO.

4032. **La pobreza no es un vicio.**
ANÓNIMO.

4033. **El pobre es un extranjero en su patria.**
ANÓNIMO.

4034. **El pobre puede morir, lo que no puede es estar enfermo.**
ANÓNIMO.

4035. **La pobreza y un rostro feo no se pueden ocultar.**
ANÓNIMO.

4036. **Es más fácil predicar y alabar la pobreza que soportarla.**
ANÓNIMO.

Sociedad

4037. **El hombre que hace su fortuna en un año debería ser ahorcado doce meses antes.**
ANÓNIMO.

4038. **Después de la lluvia nace la hierba; después del vino, las palabras.**
ANÓNIMO.

4039. **La diferencia entre un automóvil y una chica moderna es que debajo del capó del automóvil siempre podemos encontrar algo.**
ANÓNIMO.

4040. **Hay dos cosas por las que se siente mucha aversión: el trabajo y la falta de trabajo.**
ANÓNIMO.

4041. **Una multa es un impuesto por hacer las cosas mal. Un impuesto es una multa por hacer las cosas bien.**
ANÓNIMO.

4042. **Una mujer hermosa debe ser inglesa hasta la garganta, francesa hasta la cintura y holandesa en lo demás.**
ANÓNIMO.

4043. **Las guerras más grandes nacen de las causas más triviales.**
ANÓNIMO.

4044. **Un buen soldado sobre todo debe pensar en tres cosas: en la patria, en Dios y en nada.**
ANÓNIMO.

4045. **Mala cosa es la guerra, que mata a los hombres buenos y deja vivos a los malos.**
ANÓNIMO.

4046. **Si el rey, el presidente, el primer ministro y el general en jefe debieran ser los primeros en ir a la línea de fuego al declararse la guerra, ésta no tendría lugar.**
ANÓNIMO.

4047. **Decir correctamente tonterías es uno de los frutos más acabados de las modernas enseñanzas.**
ANÓNIMO.

4048. Demos gracias a Dios de que Dios no existe.

ANÓNIMO.

4049. Viajar es pasear un sueño.

ANÓNIMO.

4050. Un gobierno que es lo suficientemente grande para darte todo lo que quieres, lo es también para quitarte todo lo que tienes.

ANÓNIMO.

4051. Cuando un diplomático dice sí, quiere decir quizá; cuando dice quizá, quiere decir no, y cuando dice no, no es diplomático.

ANÓNIMO.

4052. Un diplomático es un hombre que recuerda la fecha de nacimiento de una dama, pero olvida la edad que ésta tiene.

ANÓNIMO.

4053. La diplomacia, aparte de inspirarse en la astucia e hipocresía, a veces resuelve conflictos graves.

ANÓNIMO.

4054. No se gobierna con ideas, sino con hombres.

ANÓNIMO.

4055. La democracia cien por cien no tendría sentido.

ANÓNIMO.

4056. Lo que distingue a los españoles del resto de los pueblos son su alegría y su buen sentido del humor, entre otras cosas.

ANÓNIMO.

4057. El hombre es el único animal que ensucia el agua de la cual bebe, corta el árbol que da sombra y mata sin tener hambre.

ANÓNIMO.

4058. Si has de casarte, cásate por los oídos y no por los ojos.

ANÓNIMO.

4059. No pongas en duda la inteligencia de tu mujer; mira con quién se casó.

ANÓNIMO.

Sociedad

4060. **¿Te sientes solo? Hazte esquizofrénico.**
ANÓNIMO.

4061. **El amigo seguro se conoce en la acción insegura.**
ANÓNIMO.

4062. **El comercio mezcla a los hombres pero no los une.**
ANÓNIMO.

4063. **La pared que dice: «Bienvenido forastero» jamás ha sido construida.**
ANÓNIMO.

4064. **Hasta los más estúpidos comprenden lo que quiere decir el rico, pero ni los más sabios entienden lo que dice el pobre.**
PROVERBIO.

Arte y libros

Arte y libros

No hay mayor lucha de entre todos los seres humanos que aquella que enfrenta a un artista con su obra. Si difícil en nuestra época es definir exactamente qué es el arte, intentarlo con el concepto de inspiración es ya prácticamente imposible.

En lo que sí estamos todos de acuerdo es en que los artistas son personas diferentes. Son los ejemplares aventajados de nuestra especie, quizás porque nada expresa mejor la sustancia del ser humano que una obra de arte. Por eso en cada época, la visión del arte ha variado tanto, y por eso, la concepción del arte, es todavía casi imposible de delimitar.

A continuación al menos tendremos un acercamiento al mismo de primerísima mano, ya que son los mismos artistas (pintores, escultores, arquitectos, poetas, dibujantes de comic, dramaturgos, filósofos, etc) quienes nos dicen lo que piensan sobre ellos mismos, sobre el arte y sobre sus obras. Si a alguien le está permitido decir con absoluta sinceridad lo que piensa es a ellos, y por ello, es a quienes se les exige que profundicen hasta lo más recóndito de sí mismos, que se sumerjan en su interior hasta lo más profundo, que expriman toda su capacidad creativa para que podamos comprender en qué consiste el espíritu humano.

Ése es el auténtico valor de una obra de arte. Una vez comprendido esto entendemos por qué es tan dolorosa la creación artística y por eso no nos extrañamos de que los artistas sean a veces excéntricos, caprichosos e insólitos, y se mantengan siempre al margen de la comunidad. Sin contar con que además, eso les hace incluso más interesantes. Sus pensamientos no son ajenos a su concepción de la vida, la sociedad y el hombre.

Arte y libros

4065. Lo que es bello es bueno, y lo que es bueno no tardará en ser bello.
SAFO DE LESBOS *(h. 612-h. 570 a.C.), poetisa griega.*

4066. Tocar bien la cítara es mejor que usar bien la espada.
ALCMEÓN *(siglo VII a.C.), poeta griego.*

**4067. La belleza es más resistente que las lanzas y los escudos.
La mujer hermosa es más formidable que el fuego y el hierro.**
ANACREONTE *(h. 560-478 a.C.), poeta griego.*

4068. La música produce una especie de placer sin el que la naturaleza humana no puede pasarse.
CONFUCIO *(h. 551-h. 479 a.C.), filósofo chino.*

4069. Cada cosa tiene su belleza, pero no todos pueden verla.
CONFUCIO *(h. 551-h. 479 a.C.), filósofo chino.*

4070. El Arte es mucho más débil que la necesidad.
ESQUILO DE ELEUSIS *(525-456 a.C.), poeta trágico griego.*

4071. La pintura es poesía muda, y la poesía, pintura que habla.
SIMÓNIDES DE CEOS *(siglo VI a.C.), poeta griego.*

4072. Después de haber comido y bebido mucho; y después de haber hablado tan mal como pude, aquí reposo yo: Timocreón de Rodas.
SIMÓNIDES DE CEOS *(siglo VI a.C.), poeta griego.*

**4073. La vida es breve, el arte largo, la ocasión fugaz,
el experimento peligroso, el juicio difícil.**
HIPÓCRATES *(494-399 a.C.), médico griego.*

4074. Toda melodía que expresa buenas cualidades del alma o del cuerpo, o la imagen de las mismas, es bella, y es todo lo contrario si expresa las malas cualidades.
PLATÓN *(428-347 a.C.), filósofo griego.*

4075. Muchos son los que enarbolan el tirso; pero los inspirados son muy pocos.
PLATÓN *(428-347 a.C.), filósofo griego.*

4076. Hay poetas que al alabar la virtud la representan, sin embargo, como difícil y trabajosa y muy inferior al vicio en cuanto al deleite que éste proporciona.
PLATÓN *(428-347 a.C.), filósofo griego.*

4077. **Debo deciros que no he encontrado a nadie que hable de la poesía mejor que los propios poetas.**

PLATÓN *(428-347 a.C.), filósofo griego.*

4078. **Porque es una cosa leve, alada y sagrada el poeta, y no está en condiciones de poetizar antes de que esté endiosado, demente, y no habite ya más en él la inteligencia.**

PLATÓN *(428-347 a.C.), filósofo griego.*

4079. **Aquel de los dioses que primero enseñó a los hombres las artes, les entregó el mayor de los males.**

ANTÍFANES DE RODAS *(388-311 a.C.), dramaturgo griego.*

4080. **No es suficiente que los poemas sean hermosos, sean dulces y lleven el ánimo del oyente a donde deseen. Si quieres que yo llore, has de mostrarte triste primero tú mismo.**

ARISTÓTELES *(384-322 a.C.), filósofo griego.*

4081. **La Poesía es más filosófica y más elevada que la Historia, ya que la Poesía narra con preferencia lo universal, y la Historia, lo particular.**

ARISTÓTELES *(384-322 a.C.), filósofo griego.*

4082. **La belleza depende tanto del tamaño como de la simetría.**

ARISTÓTELES *(384-322 a.C.), filósofo griego.*

4083. **El arte es un tipo de conocimiento superior a la experiencia.**

ARISTÓTELES *(384-322 a.C.), filósofo griego.*

4084. **En parte, el arte completa lo que la naturaleza no puede elaborar, y en parte, imita a la naturaleza.**

ARISTÓTELES *(384-322 a.C.), filósofo griego.*

4085. **Lo que distingue al hombre culto es que busca la precisión en toda clase de cosas, en tanto la naturaleza lo permita.**

ARISTÓTELES *(384-322 a.C.), filósofo griego.*

4086. **No hay ciencia si no es universal.**

ARISTÓTELES *(384-322 a.C.), filósofo griego.*

4087. **Cuando te ofrezcan un vaso de vino añejo, devuelve una canción nueva.**

TITO MACCIO PLAUTO *(254-184 a.C.), dramaturgo latino.*

Arte y libros

4088. **¡Oh, Diofanto! Sólo la pobreza es capaz de despertar las artes.**
Teócrito *(siglo III a.C.), poeta griego.*

4089. **¡Oh, Polifemo! Muchas veces lo que no es bello, lo parece.**
Teócrito *(siglo III a.C.), poeta griego.*

4090. **No hay cosa tan difícil que, estudiándola bien, no se pueda comprender.**
Publio Terencio Afer *(184-159 a.C.), dramaturgo latino.*

4091. **Si tienes una biblioteca con jardín, nada te falta.**
Marco Tulio Cicerón *(106-43 a.C.), político, orador, filósofo y literato latino.*

4092. **Un hogar sin libros es como un cuerpo sin alma.**
Marco Tulio Cicerón *(106-43 a.C.), político, orador, filósofo y literato latino.*

4093. **¿Qué hay más agradable que el descanso y la literatura?**
Marco Tulio Cicerón *(106-43 a.C.), político, orador, filósofo y literato latino.*

4094. **Cuando el escultor Fidias dio forma a Júpiter o a Minerva, no tuvo ante sus ojos un modelo al que siguiera estrictamente, sino que en su propia mente debió tener una idea extraordinaria de la belleza.**
Marco Tulio Cicerón *(106-43 a.C.), político, orador, filósofo y literato latino.*

4095. **Todas las artes que miran lo humano están ligadas entre sí por ciertos lazos de parentesco.**
Marco Tulio Cicerón *(106-43 a.C.), político, orador, filósofo y literato latino.*

4096. **La observación de la naturaleza y la meditación han generado el arte.**
Marco Tulio Cicerón *(106-43 a.C.), político, orador, filósofo y literato latino.*

4097. **Será elocuente quien pueda hablar de las materias humildes con delicadeza; de las cosas grandes e importantes, con solemnidad; y de las cuestiones comunes y ordinarias, con sencillez.**
Marco Tulio Cicerón *(106-43 a.C.), político, orador, filósofo y literato latino.*

4098. **Cuando se discute no es tan necesario citar a los autores notables como argumentar razonablemente.**
Marco Tulio Cicerón *(106-43 a.C.), político, orador, filósofo y literato latino.*

4099. **No se puede escribir ninguna estupidez que no la haya dicho antes algún filósofo.**
Marco Tulio Cicerón *(106-43 a.C.), político, orador, filósofo y literato latino.*

4100. Los poetas quieren o ser útiles o deleitar, o tratar al mismo tiempo asuntos gratos e idóneos para la vida.

QUINTO HORACIO FLACO *(65 a.C.-8 d.C.), poeta latino.*

Los versos pertenecen a la *Epistula ad Pisones* (vv. 333-334) y han tenido una fortuna sin parangón a lo largo de la historia literaria. De modo que los poetas han creído sinceramente que la poesía sólo podía tener dos finalidades. La primera consistía en dar placer al lector o al espectador, y la segunda era la instrucción. Sólo tras muchos siglos de ensayos y dedicación los poetas lograron que su obra no dependiera del famoso *utile dulci* (lo útil unido a lo placentero). Era necesario, por tanto, que la obra de arte no estuviera obligada y constreñida en los límites de los intereses que, se suponía, interesaban al auditorio. Los poetas provenzales fueron los primeros que superaron estas obligaciones hedonistas o pedagógicas y se entregaron a la construcción del poema independientemente de las necesidades del auditorio. Con todo, las palabras de Horacio se mantuvieron vivas durante muchos siglos, y a lo largo de la Ilustración (siglo XVIII) no faltaron gentes que aún mantenían que la poesía, y el Arte en general, debía su ser al deleite y a la educación. Alexander G. Baumgarten (1714-1762) dio carpetazo definitivo a esta idea y señaló que la poesía tenía en sí misma todos los valores y que la única finalidad de la poesía era existir, ser ella misma.

Otra de las ideas de Horacio es ésta: *Ut pictura poesis*. Los críticos y preceptistas dieron a esta sentencia («Así en la poesía como en la pintura») un valor que excedía a lo que había pretendido Horacio en su *Epistula ad Pisones*. Cierto que, desde muy antiguo, se equiparó el arte de la pintura al de la poesía, porque uno pinta sin palabras y el otro, sin colores. Plutarco recogió el dicho de Simónides, según el cual la pintura es poesía muda, y la poesía, pintura que habla. Esta equiparación abundaba en la idea de la imitación de la naturaleza: las artes como esfuerzo imitativo. Un crítico italiano del siglo XVI, llamado Piccolomini, escribió:

«La Poesía no es más que imitación, no sólo de las cosas, naturales o artificiales, sino principalmente de acciones, costumbres y afectos humanos.»

Las citas de este tipo pueden extenderse sin interrupción hasta entrado el siglo XIX, cuando nace verdaderamente el concepto de creación artística independiente de la naturaleza y atendiendo exclusivamente a las razones del hombre.

El caso es curioso porque los eruditos mutilaron la frase de Horacio, la cual, en toda su extensión decía:

Ut pictura poesis; erit quae, si propius stes,
te capiat magis, et quaedam, si longius abstes

Es decir: hay cuadros que son muy grandes, como los murales, los cuales se observan mejor si uno se aleja un tanto; y otras pinturas, en cambio, al ser muy pequeñas, como las miniaturas, se aprecian más viéndolas de cerca. Pues así se debe entender la poesía: hay obras que se entienden mejor estudiándolas en conjunto y otras que se valoran mejor en un análisis más preciso.

Así surgió una de las confusiones más famosas de la historia literaria. Y la autoridad de Horacio quiso que el conocido *Ut pictura poesis* fuese una regla invariable en la construcción poética: desde entonces, los poetas creyeron que, verdaderamente, el fin de la poesía era imitar la naturaleza.

4101. O está loco, o se ha metido a poeta.
QUINTO HORACIO FLACO *(65 a.C.-8 d.C.), poeta latino.*

4102. Los médicos se ocupan de la medicina; los artesanos se ocupan de la artesanía; pero respecto a los versos, todos, los sabios y los necios, nos atrevemos a escribirlos.
QUINTO HORACIO FLACO *(65 a.C.-8 d.C.), poeta latino.*

4103. Se discute con frecuencia si el buen poema es hijo de la naturaleza o del arte. Por lo que a mí respecta, no veo para qué sirve el esfuerzo sin la inspiración, ni el ingenio sin el estudio. De tal modo que ambas cosas se buscan como amigas y se piden ayuda.
QUINTO HORACIO FLACO *(65 a.C.-8 d.C.), poeta latino.*

4104. Los pintores y los poetas siempre tuvieron libertad para atreverse a cualquier osadía.
QUINTO HORACIO FLACO *(65 a.C.-8 d.C.), poeta latino.*

4105. Una pintura es un poema sin palabras.
QUINTO HORACIO FLACO *(65 a.C.-8 d.C.), poeta latino.*

4106. No es posible saberlo todo.
QUINTO HORACIO FLACO *(65 a.C.-8 d.C.), poeta latino.*

4107. Todo arte es una imitación de la naturaleza.
QUINTO HORACIO FLACO *(65 a.C.-8 d.C.), poeta latino.*

4108. No hagas ni digas nada si no te inspira Minerva.
QUINTO HORACIO FLACO *(65 a.C.-8 d.C.), poeta latino.*

4109. Mendigos, actores, bufones... toda esa ralea.
QUINTO HORACIO FLACO *(65 a.C.-8 d.C.), poeta latino.*

4110. Las cítaras, las flautas y las liras excitan el alma.
PUBLIO NASÓN OVIDIO *(43 a.C-17 d.C.), poeta latino.*

4111. Nada es más útil al hombre que aquellas artes que no tienen ninguna utilidad.
PUBLIO NASÓN OVIDIO *(43 a.C-17 d.C.), poeta latino.*

4112. La belleza es un bien frágil.
PUBLIO NASÓN OVIDIO *(43 a.C-17 d.C.), poeta latino.*

4113. El arte es ocultar el arte.
PUBLIO NASÓN OVIDIO *(43 a.C-17 d.C.), poeta latino.*

4114. Doble es el beneficio de este libro: mover a risa y dar al hombre prudentes consejos para vivir bien.
FEDRO *(10 a.C.-70 d.C.), fabulista latino.*

4115. No me cuentes cuántos libros tienes, sino cuántos son buenos.
LUCIO ANNEO SÉNECA *(4 a.C.-65 d.C.), escritor y filósofo latino.*

4116. La vida es corta; pero a juzgar por la obra de los que han sabido trabajar bien, es larga.
LUCIO ANNEO SÉNECA *(4 a.C.-65 d.C.), escritor y filósofo latino.*

4117. Nada hay nuevo bajo el sol; ni nadie puede decir: «He aquí una cosa nueva», porque ya existió en los siglos anteriores.
LA BIBLIA.

4118. La perfección del arte consiste en ocultar el arte.
MARCO FABIO QUINTILIANO *(h. 35-h. 95), escritor y retórico latino.*

4119. Allí donde el arte hace demasiada ostentación, parece que falta la verdad.
MARCO FABIO QUINTILIANO *(h. 35-h. 95), escritor y retórico latino.*

4120. [En los libros] alguna cosa hay buena, alguna cosa regular y la mayor parte son cosas malas.
MARCO VALERIO MARCIAL *(h. 40-104), poeta latino.*

Arte y libros

4121. **El conocimiento de muchas artes nos es muy valioso, aunque nos dediquemos a otras actividades.**
PUBLIO CORNELIO TÁCITO *(h. 54/57-h. 125), historiador y orador latino.*

4122. **Raros son esos tiempos felices en los que se puede pensar lo que se quiere y decir lo que se piensa.**
PUBLIO CORNELIO TÁCITO *(h. 54/57-h. 125), historiador y orador latino.*

4123. **Es difícil no escribir sátiras.**
DECIMUS IUNIUS JUVENAL *(h. 60-h. 140), poeta latino.*

4124. **Yo hablo sólo conmigo y con mis libros.**
PLINIO EL JOVEN *(62-114), político y escritor latino.*

4125. **Dos cosas bellas pueden, juntas, formar un todo horroroso.**
LUCIANO *(120-180), escritor griego.*

4126. **La belleza es una luz que ilumina la simetría de las cosas más bien que la simetría misma.**
PLOTINO *(205-270), filósofo griego.*

4127. **Pues el juicio de valor en la Literatura es el fruto maduro de una larga experiencia.**
DIONISIO CASIO LONGINO *(siglo III), filósofo griego.*

4128. **La gente se enamora mucho más de la belleza cuando oye hablar de ella sin verla, pues entonces operan dos incentivos sobre la pasión: el apetito de amor y el ansia de conocimiento.**
SAN AMBROSIO *(340-397), Padre y Doctor de la Iglesia cristiana.*

4129. **Por idiota que sea un autor, siempre encuentra un lector que se le parece.**
SAN JERÓNIMO *(347-420), Padre y Doctor de la Iglesia cristiana.*

4130. **Cuando rezamos, hablamos con Dios; cuando leemos, es Dios quien habla con nosotros.**
SAN AGUSTÍN *(354-430), teólogo y Padre de la Iglesia cristiana.*

4131. **La poesía es el vino de los demonios.**
SAN AGUSTÍN *(354-430), teólogo y Padre de la Iglesia cristiana.*

4132. **Cuando una cosa es admirable y armoniza con nosotros, puede decirse que en ella está la belleza; pero ¿quién comprenderá este sutil pensamiento?**
SIE LING-YUNG *(385-433), escritor chino.*

4133. **Sin música no puede haber enseñanza alguna perfecta, pues nada hay que carezca de ella.**
San Isidoro de Sevilla *(560-636), escritor hispano-romano.*

4134. **La música mueve los afectos y despierta en el alma variedad de sentimientos.**
San Isidoro de Sevilla *(560-636), escritor hispano-romano.*

4135. **Incluso la gramática ha de saber el médico para así entender y explicar lo que lee.**
San Isidoro de Sevilla *(560-636), escritor hispano-romano.*

4136. **Chorda (cuerda) viene de corde, corazón, porque así como el pulso del corazón está en el pecho, así también el pulso de la cuerda está en la cítara.**
San Isidoro de Sevilla *(560-636), escritor hispano-romano.*

4137. **Quien se disponga a leer, no busque la ciencia, sino el placer.**
San Bernardo *(1090-1153), Doctor francés de la Iglesia ctistiana.*

4138. **Encontrarás en los bosques más que en los libros: los árboles y las piedras te enseñarán cosas que no podrás aprender en los libros de ningún maestro.**
San Bernardo *(1090-1153), Doctor francés de la Iglesia ctistiana.*

4139. **Los libros son, entre mis consejeros, los que más me agradan, porque ni el temor ni la ambición les impiden decirme lo que debo hacer.**
Alfonso II el Casto *(1157-1196), rey de Aragón.*

4140. **Poco vale el cantar si el canto no surge desde dentro del corazón; y el canto no puede surgir del corazón si en él no hay fiel amor.**
Bernart de Ventadorn, o Bernard de Ventadour *(siglo XII), trovador francés.*

4141. **La poesía, asombrando a los hombres, es la fuente de la filosofía.**
Alberto Magno *(h. 1200-1280), filósofo y alquimista francés.*

4142. **Teme al hombre de un solo libro.**
Santo Tomás de Aquino *(1225-1274), teólogo y filósofo italiano.*

4143. **El arte es simplemente un método acertado de hacer las cosas. La prueba del artista no consiste en la voluntad que pone en su trabajo, sino en la excelencia de la obra que produce.**
Santo Tomás de Aquino *(1225-1274), teólogo y filósofo italiano.*

Arte y libros

4144. **El arte imita la naturaleza lo mejor que puede, al igual que el discípulo sigue a su maestro. Por eso es una especie de nieto de Dios.**
DANTE ALIGHIERI *(1265-1321), poeta italiano.*

4145. **¡Oh, vosotros, que tenéis inteligencia! Mirad la enseñanza que se esconde detrás del velo de los versos extraños.**
DANTE ALIGHIERI *(1265-1321), poeta italiano.*

4146. **La fama del mundo no es más que un soplo de viento que, ahora viene de allí, ahora de aquí, y cambia la reputación cuando cambia la dirección.**
DANTE ALIGHIERI *(1265-1321), poeta italiano.*

4147. **Hablaré de este libro en las cosas que yo entiendo que los hombres se pueden aprovechar para salvamiento de las almas, y aprovechamiento de sus cuerpos, y mantenimiento de sus honras, y de sus estados.**
INFANTE DON JUAN MANUEL *(1282-1348), escritor y político español.*

4148. **Los libros llevaron a algunos a la sabiduría y a otros a la locura.**
FRANCESCO PETRARCA *(1304-1374), poeta italiano.*

4149. **¿Quién pintará como es debido el tedio y el hastío diario de mi vida y la ciudad más triste, más turbulenta del mundo, infinitamente estrecha, ínfima sentina rebosante de todas las basuras del orbe?**
FRANCESCO PETRARCA *(1304-1374), poeta italiano.*

4150. **Las artes, muchas veces ayudan, y otras, fallan; por las artes viven muchos y por las artes perecen.**
JUAN RUIZ, ARCIPRESTE DE HITA *(† h. 1350), poeta castellano.*

4151. **En todas partes busqué el sosiego, y no lo hallé sino sentado en un rincón y con libro.**
THOMAS A. KEMPIS *(1379?-1471), teólogo flamenco.*

4152. **Cinco cosas le agradaban mucho: leña seca para quemar, caballo viejo para cabalgar, vino añejo para beber, amigos ancianos para conversar y libros antiguos para leer.**
ALFONSO V EL MAGNÁNIMO *(1396-1458), rey de Aragón, Cerdeña y Sicilia.*

4153. **¿E qué cosa es poesía sinon un fingimiento de cosas útiles, cubiertas o veladas con muy fermosa cobertura, compuestas, distinguidas e scandidas por cierto cuento, peso e medida?**
ÍÑIGO LÓPEZ DE MENDOZA, MARQUÉS DE SANTILLANA *(1398-1458), político y escritor español.*

4154. **Tal amigo no hay como el libro.**

SEM TOB BEN YTIZHAK IBN ARDUTIEL *(finales del siglo XIV-h. 1430), moralista español.*

4155. **La pintura es una poesía que se ve y no se oye, y la poesía es una pintura que se oye y no se ve.**

LEONARDO DA VINCI *(1452-1519), humanista italiano.*

4156. **El pintor que retrata por práctica y a ojo, sin razonar lo que hace, es como un espejo que reproduce las cosas que se le ponen delante, sin comprenderlas.**

LEONARDO DA VINCI *(1452-1519), humanista italiano.*

4157. **La belleza perece en la vida, pero no en el arte.**

LEONARDO DA VINCI *(1452-1519), humanista italiano.*

4158. **Con el toque de cincel la piedra cruda y fría se convierte en un molde viviente. Cuanto más se gasta el mármol, más crece la estatua.**

MICHELANGELO BUONARROTI, *MIGUEL ÁNGEL (1475-1564), pintor, escultor y arquitecto italiano.*

4159. **La escultura está dentro de la piedra; yo sólo quito lo que le sobra.**

MICHELANGELO BUONARROTI, *MIGUEL ÁNGEL (1475-1564), pintor, escultor y arquitecto italiano.*

4160. **El verdadero trabajo del arte no es sino una sombra de la divina perfección.**

MICHELANGELO BUONARROTI, *MIGUEL ÁNGEL (1475-1564), pintor, escultor y arquitecto italiano.*

4161. **Las minucias hacen la perfección... pero la perfección no es ninguna minucia.**

MICHELANGELO BUONARROTI, *MIGUEL ÁNGEL (1475-1564), pintor, escultor y arquitecto italiano.*

4162. **Preguntáisme, señor, qué son las cosas que hacen a un hombre ser cuerdo en el vivir y sabio en el hablar. A esto respondiendo, digo que son cuatro, es a saber: el leer muchos libros y el andar por muchos reinos, el pasar muchos trabajos y entender en grandes negocios.**

FRAY ANTONIO DE GUEVARA *(1480-1545), político y moralista español.*

4163. **El ejercicio del arte no es más que la ejecución de sus preceptos.**

JUAN LUIS VIVES *(1492-1540), humanista español.*

Arte y libros

4164. **Alabado sea Dios, que me ha enviado desde el cielo**
este hermoso don, por su misericordia,
como a un hombre sin sabiduría,
que no sabe latín ni griego:
que mi poesía se torne verde, que florezca y crezca
y dé su fruto; eso es lo que deseo.

HANS SACHS *(1494-1576), poeta alemán.*

4165. **El gran misterio de las Letras nos da facultad de hablar con los ausentes, de escuchar, ahora, a los sabios antepasados las cosas que dijeron.**

FERNÁN PÉREZ DE OLIVA *(1494?-1593), humanista español.*

4166. **Se debe hablar a Dios en castellano; a los hombres en francés; a las mujeres en italiano, y a los caballos en alemán.**

CARLOS I *(1500-1558), rey de España y emperador de Alemania (*CARLOS V*).*

4167. **He tenido tanto en qué pensar y recogerme en lo que veía presente, que muy poca o casi ninguna necesidad he tenido de libros.**

SANTA TERESA DE JESÚS *(1515-1582), escritora mística española.*

Teresa de Cepeda y Ahumada es una de las personalidades más apasionantes de la cultura hispánica. Perteneció a la disciplina de las carmelitas y a partir de 1562 comenzó la reforma de su orden, para lo cual contó con la ayuda de dos hombres singulares: fray Luis de León y san Juan de la Cruz. Su actividad en la política de las carmelitas descalzas resulta sorprendente, pero para la posteridad ha tenido más relevancia su obra literaria: es autora de *Las Moradas* o *Castillo interior*, en el que trata de explicar sus experiencias místicas y espirituales, *Camino de perfección*, elaborado para dirigir espiritualmente a sus hermanas y, sobre todo, el *Libro de la vida*, donde la santa de Ávila da cuenta de sus trabajos y fatigas desde su niñez.

La tradición crítica ha mostrado a una mujer ocupada en sus labores religiosas y beatíficas y, en parte, ha creído a pies juntillas expresiones como la que aparece sobre estas líneas. Según la propia Teresa de Jesús, su labor literaria debe entenderse como una imposición de sus superiores o como una necesidad doctrinal, en las que no caben ni estilo ni arte. Esta idea sugirió la posibilidad de que nuestra autora escribiera sus libros casi con descuido y sin mayor conciencia creadora; además es necesario tener en cuenta que las mujeres no tenían acceso a la educación humanística y, por tanto, sus materiales intelectuales serían escasos y sólo podría contar con la inspiración divina. De los límites impuestos a la mujer se quejó años después otra gran escritora mexicana: sor Juana Inés de la Cruz.

Sin embargo, poco hay de cierto en todo ello. Las investigaciones modernas han puesto de relieve que Teresa de Jesús sustituyó con gran sabiduría la educación universitaria por una avidez intelectual digna de elogio. Conocía, por ejemplo, la obra de san Agustín, san Gregorio o san Jerónimo, y las tachaduras y enmiendas de sus manuscritos y cartas demuestran gran interés por la precisión en el lenguaje. Olvídense, por tanto, las imágenes de una pobre monjita dedicada a sus labores conventuales: estamos frente a una mujer fuerte, de ánimo vigoroso, sagaz y hábil en los negocios políticos, lectora y escritora incansable cuya sabiduría responde más a un conocimiento intelectual que a la inspiración del Espíritu Santo. La aparente negligencia en su escritura no es más que ciencia y conocimiento, y su falta de soberbia y orgullo creador responden a figuras clásicas: la humildad y la benevolencia.

4168. Si no tenía libro nuevo, no me parece tenía contento.

SANTA TERESA DE JESÚS *(1515-1582), escritora mística española.*

4169. En la danza, las manos tienen libertad para tocar, los ojos para mirar y los brazos para abrazar.

GEORGE GASCOIGNE *(1525-1577), poeta inglés.*

4170. A cuyo son divino
el alma, que en olvido está sumida,
torna a cobrar el tino
y memoria perdida
de su origen primero esclarecida.

FRAY LUIS DE LEÓN *(1527-1591), teólogo y poeta español.*
(«De la Oda a Salinas», aludiendo a la música de este artista ciego.)

4171. Un ángulo me basta entre mis lares,
un libro y un amigo, un sueño breve
que no perturben deudas ni pesares.

FRAY LUIS DE LEÓN *(1527-1591), teólogo y poeta español.*

4172. El ingenio y habilidad trae a cada uno al arte que le responde en proporción.

JUAN HUARTE DE SAN JUAN *(1529-1589), filósofo y científico español.*

Arte y libros

4173. **Me resultan odiosas las cosas verosímiles cuando se me ofrecen como cosas infalibles. Me gustan las palabras que ablandan y moderan la agresividad de nuestras proposiciones: «acaso», «algún», «se dice», «yo pienso», y otras parecidas. Y si hubiese tenido que educar niños, les habría enseñado a utilizar este tipo de respuestas, no inquisitivas, no resolutivas.**
MICHEL D'EYCHEM, SEÑOR DE MONTAIGNE *(1533-1592), ensayista francés.*

4174. **El lenguaje que a mí me gusta, es un lenguaje sencillo y espontáneo, lo mismo en el papel que en la boca, un lenguaje suculento y nervioso, conciso y apretado.**
MICHEL D'EYCHEM, SEÑOR DE MONTAIGNE *(1533-1592), ensayista francés.*

4175. **Cualquier resumen de un libro es una porquería de resumen.**
MICHEL D'EYCHEM, SEÑOR DE MONTAIGNE *(1533-1592), ensayista francés.*

4176. **Existen determinadas ciencias, estériles y espinosas, en su mayor parte forjadas por la divulgación de la imprenta: lo mejor es abandonarlas a aquellos hombres que andan al servicio del mundo.**
MICHEL D'EYCHEM, SEÑOR DE MONTAIGNE *(1533-1592), ensayista francés.*

4177. **Yo no cito a otros más que para expresar mejor mi pensamiento.**
MICHEL D'EYCHEM, SEÑOR DE MONTAIGNE *(1533-1592), ensayista francés.*

4178. **Oír decir metonimia, metáfora, alegoría y otros nombres tales de la gramática, ¿no parece que se da a entender alguna forma de lenguaje raro y peregrino? Son palabras que pertenecen a la jerga de vuestra criada.**
MICHEL D'EYCHEM, SEÑOR DE MONTAIGNE *(1533-1592), ensayista francés.*

4179. **La admiración es el fundamento de toda filosofía; la indagación, su progreso; la ignorancia, su fin.**
MICHEL D'EYCHEM, SEÑOR DE MONTAIGNE *(1533-1592), ensayista francés.*

4180. **Que la lengua más rica y más copiosa, si no trata de amor es engañosa.**
ALONSO DE ERCILLA *(1533-1594), poeta español.*

4181. **Las reglas del arte entiendo yo que son las corrientes, las que bastan para enseñar y conservar el nombre de un artífice en aquella parte; y las del artífice, las propias, las que él ha descubierto con la experiencia para hacerse célebre y estimado.**
ANTONIO PÉREZ *(1534-1611), político español.*

4182. **Buscad leyendo y hallaréis meditando.**
SAN JUAN DE LA CRUZ *(1542-1591), poeta místico español.*

4183. **Bien sé lo que son tentaciones del demonio, y que una de las mayores es ponerle a un hombre en el entendimiento que puede componer e imprimir un libro con que gane tanta fama como dineros, y tantos dineros cuanta fama.**

MIGUEL DE CERVANTES SAAVEDRA *(1547-1616), escritor español.*

4184. **Son hechos los poetas de una masa**
dulce, suave, correosa y tierna
y amiga del holgar en cosa ajena.

MIGUEL DE CERVANTES SAAVEDRA *(1547-1616), escritor español.*

4185. **La pluma es la lengua del alma.**

MIGUEL DE CERVANTES SAAVEDRA *(1547-1616), escritor español.*

4186. **La poesía, a mi parecer, es como una doncella tierna y de poca edad, a quien tienen cuidado de enriquecer, pulir y adornar otras muchas doncellas, que son todas las otras ciencias, y ella se ha de servir de todas y todas se han de autorizar con ellas; pero esta doncella no quiere ser manoseada ni traída por las calles, ni publicada por las esquinas de las plazas ni por los rincones de los palacios; ella es hecha de una alquimia de tal virtud, que quien la sabe tratar la volverá en oro purísimo de inestimable precio.**

MIGUEL DE CERVANTES SAAVEDRA *(1547-1616), escritor español.*

4187. **La poesía es una bellísima doncella, casta, honesta, discreta, aguda, retirada, que se contiene en los límites de la discreción más alta.**

MIGUEL DE CERVANTES SAAVEDRA *(1547-1616), escritor español.*

4188. **La poesía tal vez se realza cantando cosas humildes.**

MIGUEL DE CERVANTES SAAVEDRA *(1547-1616), escritor español.*

4189. **Aunque la poesía es menos útil que deleitable, no es de aquellas [ciencias] que suelen deshonrar a quien las posee.**

MIGUEL DE CERVANTES SAAVEDRA *(1547-1616), escritor español.*

4190. **La salsa de los cuentos es la propiedad del lenguaje.**

MIGUEL DE CERVANTES SAAVEDRA *(1547-1616), escritor español.*

4191. **Para componer historias y libros de cualquier clase que sean, es menester un gran juicio y un maduro entendimiento.**

MIGUEL DE CERVANTES SAAVEDRA *(1547-1616), escritor español.*

Arte y libros

4192. **Donde hay música no puede haber cosa mala.**
MIGUEL DE CERVANTES SAAVEDRA *(1547-1616), escritor español.*

4193. **La música compone los ánimos descompuestos, y alivia los trabajos que nacen del espíritu.**
MIGUEL DE CERVANTES SAAVEDRA *(1547-1616), escritor español.*

4194. **Las comedias tienen sus sazones y tiempo, como los cantares.**
MIGUEL DE CERVANTES SAAVEDRA *(1547-1616), escritor español.*

4195. **El refrán que no viene a propósito, antes es disparate que sentencia.**
MIGUEL DE CERVANTES SAAVEDRA *(1547-1616), escritor español.*

4196. **El año que es abundante de poesía, suele serlo de hambre.**
MIGUEL DE CERVANTES SAAVEDRA *(1547-1616), escritor español.*

4197. **Nunca la lanza embotó la pluma ni la pluma embotó la lanza.**
MIGUEL DE CERVANTES SAAVEDRA *(1547-1616), escritor español.*

4198. **El que lee mucho y anda mucho, ve mucho y sabe mucho.**
MIGUEL DE CERVANTES SAAVEDRA *(1547-1616), escritor español.*

4199. **Procurad también que, leyendo vuestra historia, el melancólico se mueva a risa, el grave no la desprecie, ni el prudente deje de alabarla.**
MIGUEL DE CERVANTES SAAVEDRA *(1547-1616), escritor español.*

4200. **Los caballos y los poetas deben ser alimentados, no cebados.**
CARLOS IX *(1550-1574), rey de Francia.*

4201. **¡Oh, libros, fieles consejeros, amigos sin adulación, despertadores del entendimiento, maestros del alma, gobernadores del cuerpo, guiones para bien vivir y centinelas para bien morir! ¿Cuántos hombres de oscuro suelo habéis levantado a las cumbres más altas del mundo? ¿Y cuántos habéis subido hasta las sillas del cielo? ¡Oh, libros, consuelo de mi alma, alivio de mis trabajos, en vuestra santa doctrina me encomiendo!**
VICENTE ESPINEL *(1550-1624), poeta y músico español.*

4202. **Los libros hacen libre a quien los quiere bien.**
VICENTE ESPINEL *(1550-1624), poeta y músico español.*

4203. **Son los libros malos como mujercillas perdidas: pregonan hermosura fingida, estando de secreto llenas de mil enfermedades; hacen ostentación de vana apariencia con que saltean en poblado, y aun dentro de la casa a mediodía, y más a los de poca edad, en quien, por hervir la sangre, prende el fuego tan apriesa, que de puro delicados y fáciles, están tiznados y abrasados, y aun no lo echan de ver.**
JUAN MARTÍ, *MATEO LUJÁN DE SAYAVEDRA (h. 1560-1604), abogado y escritor español.*

4204. **He preferido estudiar los libros antes que a los hombres.**
FRANCIS BACON *(1561-1626), filósofo inglés.*

4205. **[La poesía] siempre fue tenida por cosa divina, porque eleva y excita el alma convirtiendo la apariencia de las cosas en deseos del alma.**
FRANCIS BACON *(1561-1626), filósofo inglés.*

4206. **Las universidades orientan los espíritus hacia la argucia y la afectación.**
FRANCIS BACON *(1561-1626), filósofo inglés.*

4207. **La belleza es como la fruta estival, fácil de corromper y de corta duración.**
FRANCIS BACON *(1561-1626), filósofo inglés.*

4208. **No hay ninguna belleza excelente que no tenga algo de extraño en cuanto a la proporción.**
FRANCIS BACON *(1561-1626), filósofo inglés.*

4209. **Algunos libros suelen paladearse; otros, devorarse; y poquísimos son masticados y digeridos.**
FRANCIS BACON *(1561-1626), filósofo inglés.*

4210. **La historia hace a los hombres sabios; la poesía, ingeniosos; las matemáticas, sutiles; la filosofía natural, profundos; la moral, graves; la lógica y la retórica, hábiles para la lucha.**
FRANCIS BACON *(1561-1626), filósofo inglés.*

4211. **La lectura hace a un hombre completo, el discurso lo hace dispuesto, y la escritura lo hace exacto.**
FRANCIS BACON *(1561-1626), filósofo inglés.*

4212. **No leas para contradecir o refutar ni para creer o dar por bueno, ni para buscar materia de conversación o de discurso, sino para considerar y ponderar lo que lees.**
FRANCIS BACON *(1561-1626), filósofo inglés.*

Arte y libros

4213. **Por cuerdo te juzgaba, aunque poeta.**
LUIS DE GÓNGORA Y ARGOTE *(1561-1627), poeta español.*

4214. **Es cualquier libro discreto**
(que si cansa, de hablar deja)
un amigo que aconseja
y reprehende en secreto.
FÉLIX LOPE DE VEGA Y CARPIO *(1562-1635), dramaturgo y poeta español.*

4215. **¡Oh, musas, musas! ¿Quién os hizo nueve,**
si más de nueve mil son los poetas?
FÉLIX LOPE DE VEGA Y CARPIO *(1562-1635), dramaturgo y poeta español.*

4216. **¿Cómo compones? Leyendo,**
y lo que leo imitando,
y lo que imito escribiendo,
y lo que escribo borrando,
y de lo borrado escogiendo.
FÉLIX LOPE DE VEGA Y CARPIO *(1562-1635), dramaturgo y poeta español.*

4217. **Tres cosas hacen los hombres**
y los levantan del suelo:
las armas, letras y el trato.
FÉLIX LOPE DE VEGA Y CARPIO *(1562-1635), dramaturgo y poeta español.*

4218. **La música es el alimento espiritual de los que viven de amor.**
WILLIAM SHAKESPEARE *(1564-1616), escritor inglés.*

4219. **Cuando escucho una música suave,**
nunca me siento alegre.
WILLIAM SHAKESPEARE *(1564-1616), escritor inglés.*

4220. **El hombre que no tiene música en su interior y que no se conmueve con la armonía de los dulces sonidos, es capaz de todas las traiciones, de todas las insidias y de todos los latrocinios.**
WILLIAM SHAKESPEARE *(1564-1616), escritor inglés.*

4221. **Que la acción corresponda a la palabra y la palabra a la acción, poniendo un especial cuidado en no traspasar los límites de la sencillez de la Naturaleza.**
WILLIAM SHAKESPEARE *(1564-1616), escritor inglés.*

4222. **¡Oh, Dios! ¡Si uno pudiera leer en el libro del destino,
y ver cómo la revolución de los tiempos
aplasta las montañas, y los continentes
cansados de la firmeza sólida, se funden
en el mar!; ¡y, en otros tiempos, ver
las playas del océano
demasiado grande para Neptuno;
cómo se burlan las oportunidades,
y los cambios llenan la copa de las alternativas
con distintos licores! ¡Oh, si esto se viera,
el más feliz joven, viendo cómo ha de ser su vida,
con los peligros pasados y las dificultades venideras,
cerraría el libro y se sentaría para morir!**

WILLIAM SHAKESPEARE *(1564-1616), escritor inglés.*

4223. **La vida es una sombra que huye; un pobre actor
que se pavonea y se mueve en el escenario,
y entonces no se le oye más: es un cuento
contado por un idiota, lleno de ruido y furia,
que no significa nada.**

WILLIAM SHAKESPEARE *(1564-1616), escritor inglés.*

4224. **El mundo es un teatro
y todos los hombres y mujeres son simplemente actores**

WILLIAM SHAKESPEARE *(1564-1616), escritor inglés.*

4225. **Hablar oscuramente lo sabe hacer cualquiera,
pero con claridad, poquísimos.**

GALILEO GALILEI *(1564-1642), astrónomo italiano.*

4226. **La filosofía está escrita en este grandísimo libro
que continuamente está abierto para nosotros:
el universo; pero no se puede entender si no se
aprende la lengua y los caracteres con que está escrito.**

GALILEO GALILEI *(1564-1642), astrónomo italiano.*

4227. **La mejor ciencia no se aprende en los libros; el sabio más grande
y mejor maestro es la Naturaleza.**

GALILEO GALILEI *(1564-1642), astrónomo italiano.*

Arte y libros

4228. **No se rompen huevos ni los cobardes se asustan ante unos dientes para complacer a la chusma. Ni el autor coloca a un bobo que recita antiguos poemas para llenar huecos en su descosida escritura.**
BENJAMIN JONSON *(1572-1637), poeta y dramaturgo inglés.*

4229. **... con pocos, pero doctos libros juntos,**
vivo en conversación con los difuntos
y con mis ojos oigo hablar los muertos.
FRANCISCO DE QUEVEDO Y VILLEGAS *(1580-1645), escritor español.*

4230. **[La vida] se consume más en leer que en aprender, porque los hombres se deleitan más en escribir que en enseñar.**
FRANCISCO DE QUEVEDO Y VILLEGAS *(1580-1645), escritor español.*

4231. **La Naturaleza es el instrumento de Dios, el Arte lo es del hombre.**
SIR THOMAS OVERBURY *(1581-1613), escritor inglés.*

4232. **Al público: contigo hablo, bestia fiera, que con la nobleza no es menester, que ella se dicta más que yo sabría. Ahí van esas comedias; trátalas como sueles, no como es justo, sino como es gusto [...]. Si te desagradaren me holgaré de saber que son buenas; y si no, me vengaré de saber que no lo son el dinero que te han de costar.**
JUAN RUIZ DE ALARCÓN *(1581-1639), dramaturgo mexicano.*

4233. **Si yo hubiera gastado tanto tiempo en leer como otros sabios, sería tan ignorante como ellos.**
THOMAS HOBBES *(1588-1679), filósofo inglés.*

4234. **Pienso, luego existo.**
RENÉ DESCARTES *(1596-1650), matemático y filósofo francés.*

4235. **La lectura es una conversación con los hombres más ilustres de los siglos pasados.**
RENÉ DESCARTES *(1596-1650), matemático y filósofo francés.*

4236. **Y si escribo en francés, en vez de en latín, que es la lengua de mis maestros, es porque espero que aquellos que se sirven de su razón natural simplemente comprenderán mejor mis opiniones que aquellos que sólo creen en los libros.**
RENÉ DESCARTES *(1596-1650), matemático y filósofo francés.*

4237. **Los malos libros provocan malas costumbres, y las malas costumbres provocan malos libros.**
RENÉ DESCARTES *(1596-1650), matemático y filósofo francés.*

4238. **Discreto amigo es un libro:**
¡qué a propósito habla
siempre en lo que quiero yo,
y qué a propósito calla
siempre en lo que yo no quiero,
sin que puntoso me haga
cargo de por qué lo elijo,
o por qué le dejo! Blanda
su condición, tanto que
se deja buscar si agrada,
y con el mismo semblante
se deja dejar si cansa.
PEDRO CALDERÓN DE LA BARCA *(1600-1681), dramaturgo español.*

4239. **Siempre la música fue**
el imán de mis sentidos.
PEDRO CALDERÓN DE LA BARCA *(1600-1681), dramaturgo español.*

4240. **No hay loco de quien algo no pueda aprender el cuerdo.**
PEDRO CALDERÓN DE LA BARCA *(1600-1681), dramaturgo español.*

4241. **Es el estilo natural como el pan, que nunca enfada.**
BALTASAR GRACIÁN *(1601-1658), escritor español.*

4242. **La belleza y la necedad se encuentran generalmente unidas.**
BALTASAR GRACIÁN *(1601-1658), escritor español.*

4243. **No es menester arte donde basta la naturaleza.**
Sobra la afectación donde basta el descuido.
BALTASAR GRACIÁN *(1601-1658), escritor español.*

4244. **Gran gusto el de leer, empleo de personas que, si no las halla, las hace.**
BALTASAR GRACIÁN *(1601-1658), escritor español.*

4245. **No hay lisonja, no hay fullería para un ingenio,**
como un libro nuevo cada día.
BALTASAR GRACIÁN *(1601-1658), escritor español.*

4246. **No hay peor locura que enloquecer de entendido, ni mayor necedad que la que se origina del saber.**
BALTASAR GRACIÁN *(1601-1658), escritor español.*

Arte y libros

4247. **Sé bien que imprimir una obra de teatro debilita su reputación: publicarla es envilecerla.**
PIERRE CORNEILLE *(1606-1684), dramaturgo francés.*

4248. **La cultura ha ganado principalmente con aquellos libros con los cuales los impresores han perdido dinero.**
THOMAS FULLER *(1609-1661), escritor inglés.*

4249. **La cultura ha ganado más con los libros que han hecho perder dinero a los editores.**
THOMAS FULLER *(1609-1661), escritor inglés.*

4250. **Los necios suelen inventar modas que llevan los hombres sensatos.**
THOMAS FULLER *(1609-1661), escritor inglés.*

4251. **El deber del maestro no es enseñar al estudiante a pensar por su cuenta. Al contrario: consiste en procurar que piense lo mismo que él; o por lo menos, lo mismo que a él le parece conveniente afirmar que piensa.**
SAMUEL BUTLER *(1612-1680), poeta inglés.*

4252. **No hay tonto más tonto y molesto que el tonto ingenioso.**
FRANÇOIS DE LA ROCHEFOUCAULD *(1613-1680), escritor francés.*

No hay libro de citas en que no aparezca François de la Rochefoucauld. El duque de la Rochefoucauld vivió en el tiempo que se denomina *Grand Siècle*, dominado en la escena por Racine. Los cortesanos solían entretenerse elaborando máximas o sentencias, como Pascal y La Bruyère. Pero fue Rochefoucauld quien dio verdadero sentido a las máximas y su influencia fue decisiva a lo largo de los siglos siguientes: otros pensadores y literatos, como Vauvenarges, Lichtenberg, Schopenhauer, Nietzsche, Kierkegaard, e incluso nuestro Antonio Machado, utilizaron este estilo para mostrarnos su arte o su sabiduría. El pensamiento de Rochefoucauld está recogido en sus *Reflexiones morales* o *Máximas*, y, cuando vieron la luz, muchos cortesanos se estremecieron: lo que había comenzado como un juego de salón se había convertido en un verdadero ataque a la hipocresía y a la estupidez reinante.

Éste era Rochefoucauld, un noble que, con ingenio, como si de un juego se tratase, retira el velo de la falsedad y pone al descubierto todas las debilidades y todos los vicios del hombre. Como dijo aquella señora que leyó aterrorizada las máximas: «¡Después de leer este libro, una se da cuenta que no hay virtud en nada de lo que hacemos!».

4253. **Es más necesario estudiar a los hombres que a los libros.**
FRANÇOIS DE LA ROCHEFOUCAULD *(1613-1680), escritor francés.*

4254. **Hay tres clases de ignorancia:**
no saber lo que se debería saber;
saber mal lo que se sabe;
y saber lo que no se debería saber.
FRANÇOIS DE LA ROCHEFOUCAULD *(1613-1680), escritor francés.*

4255. **La constancia de los sabios no es sino el arte de encerrar su agitación en su corazón.**
FRANÇOIS DE LA ROCHEFOUCAULD *(1613-1680), escritor francés.*

4256. **Los que se aplican demasiado a las cosas pequeñas,**
se hacen casi siempre incapaces de las grandes.
FRANÇOIS DE LA ROCHEFOUCAULD *(1613-1680), escritor francés.*

4257. **No basta con tener grandes cualidades,**
es necesario saber emplearlas.
FRANÇOIS DE LA ROCHEFOUCAULD *(1613-1680), escritor francés.*

4258. **Pocos hombres son lo suficientemente sabios como para preferir la censura que les hace justicia, a la alabanza que los traiciona.**
FRANÇOIS DE LA ROCHEFOUCAULD *(1613-1680), escritor francés.*

4259. **El desprecio de las riquezas era, entre los filósofos, un deseo oculto de vengar su mérito de la injusticia de la fortuna, despreciando los propios bienes de que los privaba; era un secreto para garantizarse contra el envilecimiento de la pobreza; era un camino desviado para alcanzar la consideración que no podían obtener mediante la riqueza.**
FRANÇOIS DE LA ROCHEFOUCAULD *(1613-1680), escritor francés.*

4260. **La mayoría de la gente no juzga a sus semejantes sino por su buena o mala fama, o por su buena o mala fortuna.**
FRANÇOIS DE LA ROCHEFOUCAULD *(1613-1680), escritor francés.*

4261. **Cuando los grandes hombres se dejan abatir por la duración de sus infortunios dejan ver que no los soportaban sino por la fuerza de su ambición, y no por la de su alma, y que, vanidad grande más o menos, los héroes están hechos como los demás hombres.**
FRANÇOIS DE LA ROCHEFOUCAULD *(1613-1680), escritor francés.*

Arte y libros

4262. Todos los que escriben en los periódicos deben tributo a Satanás.
JEAN DE LA FONTAINE *(1621-1695), escritor francés.*

4263. Es una extraña empresa ésta, la de hacer reír a las buenas gentes.
JEAN-BAPTISTE POQUELIN, *MOLIÈRE (1622-1673), escritor francés.*

4264. Hace más de cuarenta años que hablo en prosa y no me había dado cuenta.
JEAN-BAPTISTE POQUELIN, *MOLIÈRE (1622-1673), escritor francés.*

4265. ¡Qué cosa tan vana es la pintura, que suscita admiración por su semejanza con cosas que no admiramos en el original!
BLAISE PASCAL *(1623-1662), escritor, matemático, físico y filósofo francés.*

4266. Cuanto más talento tiene el hombre más se inclina a creer en el ajeno.
BLAISE PASCAL *(1623-1662), escritor, matemático, físico y filósofo francés.*

4267. El Arte puede errar; la Naturaleza, no.
JOHN DRYDEN *(1631-1700), poeta y dramaturgo inglés.*

4268. Ya que alabáis sus versos, al menos despreciad los míos.
NICHOLAS BOILEAU DESPRÉAUX *(1636-1711), poeta, gramático y crítico francés.*

Boileau fue uno de los poetas más importantes de principios del XVIII y su influencia se extendió por toda Europa hasta finales de siglo, cuando los alemanes y los ingleses variaron sustancialmente el concepto del arte e introdujeron las ideas románticas. Boileau fue considerado, sobre todo, preceptista, y su *Arte poética*, enraizada en el clasicismo, es en la actualidad lo más apreciado de su obra. No obstante, en su época era muy estimado por las crueles sátiras con que fustigaba a sus contrarios. La cita alude a un oscuro poeta, llamado Saint Aulaire, cuyos poemas fueron valorados muy positivamente en la Academia francesa. Boileau (o Despreaux, como se le llamó durante todo el siglo XVIII) no creía que el pobre Saint Aulaire mereciera los honores académicos. La Academia, por supuesto, también ensalzaba los versos de Boileau, pero éste no podía soportar que los eruditos franceses equiparasen sus versos con los de Saint Aulaire. Si la poesía de Boileau era elogiada, por fuerza la de Saint Aulaire sería denostada; y, al revés: si Boileau alcanzaba la gloria, necesariamente su contrincante debería ser humillado. De todos modos, Boileau se comportaba así siempre, y con casi todos sus contemporáneos, excepto con los poderosos.

4269. **Antes de escribir, aprended a pensar.**
NICHOLAS BOILEAU DESPRÉAUX *(1636-1711), poeta, gramático y crítico francés.*

4270. **Quien no sabe limitarse, nunca ha sabido escribir. [...]
Añadid algunas veces, pero suprimid casi siempre.**
NICHOLAS BOILEAU DESPRÉAUX *(1636-1711), poeta, gramático y crítico francés.*

4271. **Toma mi buena decisión: olvida todos los libros.**
NICHOLAS BOILEAU DESPRÉAUX *(1636-1711), poeta, gramático y crítico francés.*

4272. **No hay serpiente ni monstruo odioso que el arte no sea capaz de hacer grato a los ojos.**
NICHOLAS BOILEAU DESPRÉAUX *(1636-1711), poeta, gramático y crítico francés.*

4273. **Dichosos aquellos que en sus versos saben pasar de la voz ligera a la voz grave o dulce, de la placentera a la severa.**
NICHOLAS BOILEAU DESPRÉAUX *(1636-1711), poeta, gramático y crítico francés.*

4274. **Es poco ser poeta: basta con estar enamorado.**
NICHOLAS BOILEAU DESPRÉAUX *(1636-1711), poeta, gramático y crítico francés.*

4275. **Joven: hay que pensar siempre en la gloria; yo siempre la tuve presente, y nunca he oído alabar a alguien, aunque fuera un zapatero, sin que sintiera un poco de envidia.**
NICHOLAS BOILEAU DESPRÉAUX *(1636-1711), poeta, gramático y crítico francés.*

4276. **La poesía está muerta, o se arrastra sin vigor:
el poeta no es más que un orador tímido,
un frío historiador de una fábula insípida.**
NICHOLAS BOILEAU DESPRÉAUX *(1636-1711), poeta, gramático y crítico francés.*

4277. **Cada edad tiene su propia moda, en los placeres, en el ingenio y en los modales.**
NICHOLAS BOILEAU DESPRÉAUX *(1636-1711), poeta, gramático y crítico francés.*

4278. **Que escriba el que quiera:
eso es cosa de él,
pero se pueden echar a perder
la tinta y el papel.**
NICHOLAS BOILEAU DESPRÉAUX *(1636-1711), poeta, gramático y crítico francés.*

4279. **La crítica es fácil, el arte difícil.**
NICHOLAS BOILEAU DESPRÉAUX *(1636-1711), poeta, gramático y crítico francés.*

Arte y libros

4280. La lectura es de gran utilidad, si se medita lo que se lee.

NICOLAS DE MALEBRANCHE *(1638-1715), filósofo francés.*

4281. La imaginación es la loca de la casa.

NICOLAS DE MALEBRANCHE *(1638-1715), filósofo francés.*

4282. La principal regla es agradar y conmover: todas las demás no están hechas más que para alcanzar esta primera.

JEAN RACINE *(1639-1699), dramaturgo francés.*

Estas palabras son un clásico dentro del estudio del arte. Aparecieron al frente de la tragedia Bérénice, de Jean Racine, y respondían a una tradición muy popular entre poetas y dramaturgos. El *movere* latino (conmover) se hizo dueño del teatro durante el siglo XVII francés y, en parte, es el origen del sentimentalismo inglés y del posterior delirio romántico. Las tragedias se componían para aterrorizar y asombrar al público, aunque la finalidad continuaba siendo fundamentalmente didáctica: se trataba de moralizar, enseñar al pueblo virtudes sociales, religiosas, éticas; y sólo un siglo después los románticos desestimarían la opinión del espectador para ofrecer piezas donde lo importante eran las efusiones del corazón.

En este mismo sentido puede entenderse la frase clásica *Si vis me flere...* («Si quieres que yo llore...»). La teoría suponía que para hacer llorar al público en el teatro, para conmoverlo, la poesía debería ser creíble: debería inspirar compasión, lástima, piedad, terror. El origen de esta fructífera tradición estaba en el *Ars poetica* de Aristóteles:

> *Non satis est pulchra esse poemata; dulcia sunto*
> *et quocumque volent animum auditoris agunto.*
> *[...] Si vis me flere, dolendum est*
> *primum ipsi tibi.*

Horacio primero recogió esta teoría, y Quintiliano después: «El principal requisito para mover el sentimiento de los demás es que nosotros mismos estemos conmovidos».

4283. No es necesario que haya sangre y muertos en una tragedia: basta con que la acción sea grande, que los personajes sean heroicos, que se exciten las pasiones, y que todo esté envuelto en esa tristeza majestuosa en que consiste todo el placer de la tragedia.

JEAN RACINE *(1639-1699), dramaturgo francés.*

4284. **Cuando una lectura os eleva el espíritu, y os inspira sentimientos nobles y valerosos, no busquéis otra regla para juzgar la obra: es buena, y ha nacido en buenas manos.**

JEAN DE LA BRUYÈRE *(1645-1696), escritor francés.*

4285. **Para hacer un libro es necesario tener oficio, como para hacer un péndulo; se requiere algo más que ingenio para ser autor.**

JEAN DE LA BRUYÈRE *(1645-1696), escritor francés.*

4286. **Entre el genio y el talento existe la proporción del todo con la parte.**

JEAN DE LA BRUYÈRE *(1645-1696), escritor francés.*

4287. **Hay tres cosas que siempre he amado y nunca he compartido: la pintura, la música y las mujeres.**

BERNARD LE BOUVIER DE FONTENELLE *(1657-1757), escritor francés.*

4288. **Siempre he sentido una veneración sagrada por las personas que prestan poca atención a su indumentaria, suponiendo en ellas un poeta o un filósofo.**

JONATHAN SWIFT *(1667-1745), escritor irlandés.*

4289. **La más cumplida manera de manejar los libros hoy en día tiene dos procedimientos. El primero es hacer con ellos lo que se hace con los grandes señores: aprender exactamente sus títulos y luego jactarse de que se les conoce; el segundo, que en verdad es el más excelente, profundo y correcto, consiste en dirigir una mirada escudriñadora en el índice, por el que todo libro se rige y mueve, igual que el pez, por la cola. Porque entrar en el palacio de la sabiduría por la puerta grande requiere un gasto muy considerable de tiempo y ceremonias, por lo cual las personas que tienen mucha prisa y pocas ganas de ceremonial se contentan con meterse dentro por la puerta trasera.**

JONATHAN SWIFT *(1667-1745), escritor irlandés.*

4290. **En la verdadera belleza, como en el valor, hay algo que las almas mezquinas no pueden atreverse a admirar.**

WILLIAM CONGREVE *(1670-1729), dramaturgo inglés.*

4291. **Se llama genio la aptitud que un hombre ha recibido de la naturaleza para hacer bien y con facilidad cosas que los otros sólo podrían hacer muy mal, incluso con gran esfuerzo.**

P. DUBOS *(1670-1742), ensayista francés.*

Arte y libros

4292. **Cuando leo las obras de un genio que escribe sin método, yo me imagino hallarme en un bosque donde abundan las maravillas, que surgen aquí y allá en la mayor confusión y desorden. Pero cuando leo un discurso bien ponderado, me veo en un jardín bien cultivado, donde puedo situarme en los distintos lugares y desde donde puedo contemplar el espectáculo de los paseos y las alamedas bien dispuestos. Por el primero puedo vagar durante todo el día y descubrir a cada momento un lugar distinto; pero al final, no tendré sino una impresión confusa e imperfecta del lugar. En el segundo, mis ojos dominan toda la perspectiva y me dan una idea clara que difícilmente se borrará de mi memoria.**

JOSEPH ADDISON *(1672-1719), periodista y escritor inglés.*

Joseph Addison fue toda una personalidad intelectual en Inglaterra y, un siglo después de su muerte, en toda Europa se pronunciaba su nombre con admiración y respeto. Sus artículos en *The Spectator* se coleccionaban, se traducían y se comentaban, y, desde luego, no había en el continente una persona medianamente informada que no hubiera leído sus reflexiones sobre la imaginación y la fantasía. Incluso en España, tradicionalmente aislada del mundo cultural europeo, las obras de Addison fueron bien conocidas y los lectores de los costumbristas españoles habrán visto más de una vez su nombre impreso.

Pero el motivo de este comentario no es Addison, que merecería un libro para él solo, sino los jardines de los que habla en la cita transcrita. Por aquel tiempo hubo mucha polémica en torno a los jardines y cómo debían ser éstos. El clasicismo era partidario del jardín formal, al estilo de Versalles o Schönbrunn; fueron los ingleses los que comenzaron a variar el concepto del jardín al introducir en el paisaje algunos elementos llamados chinescos, como cataratas, grutas, ruinas o templetes. Los alemanes, por su parte, preferían las grandes extensiones de bosques naturales. Mediado el siglo ilustrado, entraron en liza los paisajistas, verdaderos arquitectos de la naturaleza, que intentaban construir jardines en los que no se notara la mano del hombre. La paz, la tranquilidad, el largo paseo eran las finalidades de este jardín. Finalmente, llegaron los románticos, que esperaban un parque con grutas y ruinas, agreste y salvaje como las poesías que escribían.

Addison, como es natural, estaba a favor de la razón y de la verdad de su siglo, y esperaba en la literatura (y en los jardines) una amplia perspectiva desde la que pudiera observar el mundo.

4293. **La música, el bien más grande que los mortales conocen, y todo lo que del cielo podremos conseguir.**
JOSEPH ADDISON *(1672-1719), periodista y escritor inglés.*

4294. **Una tragedia perfecta es la producción más noble que puede surgir de la naturaleza humana.**
JOSEPH ADDISON *(1672-1719), periodista y escritor inglés.*

4295. **Es imposible que sea hermoso un pensamiento que no sea justo y no se funde en la naturaleza de las cosas, porque la base de todo ingenio es la verdad: y ninguna idea tiene valor si no está sustentada por el buen juicio.**
JOSEPH ADDISON *(1672-1719), periodista y escritor inglés.*

4296. **Un buen libro es un regalo precioso que el autor hace a la humanidad.**
JOSEPH ADDISON *(1672-1719), periodista y escritor inglés.*

4297. **La tarea del poeta no es observar al individuo, sino a la especie: observar las propiedades generales y las apariencias en conjunto. No se numeran los pétalos del tulipán, ni se describen los diferentes matices del verde en un bosque.**
JOSEPH ADDISON *(1672-1719), periodista y escritor inglés.*

4298. **La lectura es a la inteligencia lo que el ejercicio es al cuerpo.**
RICHARD STEELE *(1672-1729), escritor y periodista irlandés.*

4299. **Los ignorantes son los encargados de cuidar los libros, como los eunucos son los guardianes de las mujeres hermosas.**
EDWARD YOUNG *(1683-1765), poeta inglés.*

4300. **Basta emborronar un libro con notas y observaciones para adquirir el título de «hombre de letras».**
ALEXANDER POPE *(1688-1744), poeta inglés.*

4301. **Por lo que he publicado, sólo puedo tener esperanzas de ser perdonado; pero por lo que he quemado, merezco ser alabado.**
ALEXANDER POPE *(1688-1744), poeta inglés.*

4302. **El verdadero ingenio es la Naturaleza hermosamente vestida. Lo que fue pensado muchas veces, pero nunca tan bien expresado.**
ALEXANDER POPE *(1688-1744), poeta inglés.*

Arte y libros

4303. Toda la Naturaleza no es sino Arte, desconocido para ti.
ALEXANDER POPE *(1688-1744), poeta inglés.*

4304. Cuando falta el mérito verdadero, no sirve de nada haber sido estimulado por los grandes, alabado por los eminentes y favorecido por el público en general.
ALEXANDER POPE *(1688-1744), poeta inglés.*

4305. En conjunto, un mal autor merece mejor trato que un mal crítico.
ALEXANDER POPE *(1688-1744), poeta inglés.*

4306. Un almacén de libros en la cabeza: estar siempre leyendo para no ser nunca leído.
ALEXANDER POPE *(1688-1744), poeta inglés.*

4307. La pasión de la mayoría de los franceses es tener ingenio; y la pasión de los que quieren tener ingenio es escribir libros.
CHARLES LOUIS DE SECONDAT, BARÓN DE MONTESQUIEU *(1689-1755), escritor y filósofo francés.*

4308. Nada pudo imaginarse de peor manera: parecía que la naturaleza había dispuesto que las tonterías de los hombres fueran pasajeras, pero los libros las hacen inmortales.
CHARLES LOUIS DE SECONDAT, BARÓN DE MONTESQUIEU *(1689-1755), escritor y filósofo francés.*

4309. Amar la lectura es cambiar las horas de aburrimiento que uno tiene en la vida, por las horas más deliciosas.
CHARLES LOUIS DE SECONDAT, BARÓN DE MONTESQUIEU *(1689-1755), escritor y filósofo francés.*

4310. El estudio ha sido para mí el remedio completo contra los disgustos de la vida; no he tenido jamás una hora de tristeza que una lectura no haya disipado.
CHARLES LOUIS DE SECONDAT, BARÓN DE MONTESQUIEU *(1689-1755), escritor y filósofo francés.*

4311. El talento es un don que Dios nos ha dado en secreto y que nosotros revelamos sin darnos cuenta.
CHARLES LOUIS DE SECONDAT, BARÓN DE MONTESQUIEU *(1689-1755), escritor y filósofo francés.*

4312. **No conviene que, en una obra, la ironía sea continua: deja de sorprender.**
CHARLES LOUIS DE SECONDAT, BARÓN DE MONTESQUIEU *(1689-1755), escritor y filósofo francés.*

4313. **Las traducciones son como las monedas de cobre, que tienen realmente la equivalencia en el valor de una moneda de oro, y tienen incluso una mayor utilidad para el pueblo; pero son de inferor consistencia y de mala ley.**
CHARLES LOUIS DE SECONDAT, BARÓN DE MONTESQUIEU *(1689-1755), escritor y filósofo francés.*

4314. **Podéis encontrar ingenio y buen sentido entre los españoles, pero no lo busquéis en sus libros. Ved una de sus bibliotecas: las novelas, a un lado; las escolásticas, al otro. Diríais que las partes han sido hechas y el conjunto reunido por algún enemigo secreto de la razón humana.**
CHARLES LOUIS DE SECONDAT, BARÓN DE MONTESQUIEU *(1689-1755), escritor y filósofo francés.*

4315. **Considero que mientras uno no haya leído todos los libros antiguos, no tiene razón alguna para leer los modernos.**
CHARLES LOUIS DE SECONDAT, BARÓN DE MONTESQUIEU *(1689-1755), escritor y filósofo francés.*

4316. **La cultura se adquiere leyendo libros; pero el conocimiento del mundo, que es mucho más necesario, sólo se alcanza leyendo a los hombres y estudiando las diversas ediciones que de ellos existen.**
PHILIP DORMER STANHOPE, LORD CHESTERFIELD *(1694-1773), político inglés.*

4317. **Lleva tu cultura discretamente, como llevas el reloj en el bolsillo sin sacarlo a cada instante para demostrar que lo tienes. Si te preguntan qué hora es, dilo; pero no lo proclames continuamente y sin que te lo pregunten, como hace el sereno.**
PHILIP DORMER STANHOPE, LORD CHESTERFIELD *(1694-1773), político inglés.*

4318. **Cualquier género literario es bueno, excepto el género aburrido.**
FRANÇOIS-MARIE AROUET, *VOLTAIRE (1694-1778), escritor francés.*

4319. **Un libro, si es malo, nadie lo puede excusar;
si es bueno, ni los reyes lo pueden aplastar.**
FRANÇOIS-MARIE AROUET, *VOLTAIRE (1694-1778), escritor francés.*

Arte y libros

4320. **Las traducciones aumentan los defectos de una obra y ensombrecen sus bellezas.**

François-Marie Arouet, *Voltaire (1694-1778), escritor francés.*

4321. **Aquella noble arquitectura era toda simplicidad; cada ornamento, colocado en su propio lugar, parecía ocuparlo como obedeciendo a una necesidad.**

François-Marie Arouet, *Voltaire (1694-1778), escritor francés.*

4322. **¡Cuántas veces la necesidad de decir algo nuevo ha hecho decir cosas extravagantes!**

François-Marie Arouet, *Voltaire (1694-1778), escritor francés.*

4323. **Los periódicos son los archivos de las bagatelas.**

François-Marie Arouet, *Voltaire (1694-1778), escritor francés.*

4324. **La parte más filosófica de la historia consiste en dar a conocer las necedades humanas.**

François-Marie Arouet, *Voltaire (1694-1778), escritor francés.*

4325. **Todo arte aspira constantemente a tener la condición de la música.**

Walter Pater *(1695-1736), pintor francés.*

4326. **Si no quieres que te olviden tan pronto como hayas muerto y seas enterrado, escribe cosas que puedan leerse, o haz cosas que deban escribirse.**

Benjamin Franklin *(1706-1790), científico y político estadounidense.*

4327. **¡Qué extraño es que un hombre que tiene suficiente ingenio para escribir una sátira, sea tan necio que se atreva a publicarla!**

Benjamin Franklin *(1706-1790), CIENTÍFICO Y POLÍTICO ESTADOUNIDENSE.*

4328. **En su propio país un genio es como el oro en la mina.**

Benjamin Franklin *(1706-1790), científico y político estadounidense.*

4329. **Un periódico consta siempre del mismo número de palabras, haya noticias o no las haya.**

Henry Fielding *(1707-1754), escritor inglés.*

4330. **Los que escriben como hablan, por muy bien que hablen, escriben muy mal.**

Georges-Louis Léclerc, conde de Buffon *(1707-1788), naturalista francés.*

4331. **La lengua es el vestido del pensamiento.**
SAMUEL JOHNSON *(1709-1784), escritor inglés.*

4332. **Cualquiera puede escribir un libro si se empeña.**
SAMUEL JOHNSON *(1709-1784), escritor inglés.*

4333. **Es siempre un deber del escritor procurar mejorar el mundo, y la justicia es una virtud independiente del tiempo y el lugar.**
SAMUEL JOHNSON *(1709-1784), escritor inglés.*

4334. **Podemos tomar a la fantasía como compañera, pero debemos seguir como guía a la razón.**
SAMUEL JOHNSON *(1709-1784), escritor inglés.*

4335. **Lo que se escribe sin esfuerzo generalmente se lee sin gusto.**
SAMUEL JOHNSON *(1709-1784), escritor inglés.*

4336. **Los libros ejercen siempre una secreta influencia sobre el entendimiento; no podemos borrar a nuestro gusto las ideas. El que lee libros científicos, aunque sin ánimo determinado de aprovecharse de ellos, crecerá en sabiduría; el que se entretiene en tratados morales o religiosos, imperceptiblemente se verá adelantar en el camino de la virtud. Las ideas que se ofrecen a menudo al espíritu encuentran finalmente un instante propicio en que aquél está dispuesto a recibirlas.**
SAMUEL JOHNSON *(1709-1784), escritor inglés.*

4337. **No tengo ningún interés en conversar con un hombre que haya escrito más libros de los que ha leído.**
SAMUEL JOHNSON *(1709-1784), escritor inglés.*

4338. **Prefiero ver el retrato de un perro conocido, a todas las pinturas alegóricas del mundo.**
SAMUEL JOHNSON *(1709-1784), escritor inglés.*

4339. **Mientras fui ignorado del público, fui querido de cuantos me conocieron, mas luego que tuve fama, perdí los amigos.**
JEAN-JACQUES ROUSSEAU *(1712-1778), filósofo ginebrino.*

4340. **Para que una cosa sea bella según las reglas del gusto, es necesario que sea elegante, acabada, trabajada sin parecerlo: para ser propia del genio, es necesario a veces que sea descuidada, que tenga aspecto irregular, escarpado, salvaje.**
DENIS DIDEROT *(1713-1784), filósofo francés.*

Arte y libros

4341. **La mayoría de los hombres veneran las letras como se veneran la religión y la virtud, es decir: como una cosa que no se puede ni conocer, ni practicar, ni amar.**
LUC DE CLAPIERS, MARQUÉS DE VAUVENARGUES *(1715-1747), moralista francés.*

4342. **La primera mirada quizá no te descubra más que una piedra informe, pero si logras penetrar en los misterios del arte, verás una de sus maravillas, al contemplar esta obra con mirada serena. Entonces se te aparecerá Hércules como en medio de todos sus trabajos, y en esta pieza se harán a la vez visibles el héroe y el dios. Allí donde han terminado los poetas, ha empezado el artista.**
JOACHIM WINCKELMANN *(1717-1768), pensador alemán.*

4343. **Ossián no escribió, como los poetas modernos, para gustar a los lectores y los críticos. Cantó movido por el amor a la poesía y al canto.**
HUGH BLAIR *(1718-1800), ensayista escocés.*

4344. **Un retrato que no es parecido, es falso.**
JOSHUA REYNOLDS *(1723-1792), pintor inglés.*

4345. **El arte tiene sus límites, pero la imaginación no tiene ninguno.**
JOSHUA REYNOLDS *(1723-1792), pintor inglés.*

4346. **La sencillez, cuando se presenta tan libre de artificios que parece escapar las dificultades del arte, es una virtud muy sospechosa.**
JOSHUA REYNOLDS *(1723-1792), pintor inglés.*

4347. **Las obras de aquellos que han soportado la prueba de los siglos, tienen derecho a un respeto y una veneración que los modernos no pueden pretender.**
JOSHUA REYNOLDS *(1723-1792), pintor inglés.*

4348. **¡Es tan cómodo ser menor de edad! Si tengo un libro que piensa por mí, un director espiritual que reemplaza mi conciencia moral, un médico que me prescribe la dieta, etc, entonces no necesito esforzarme.**
IMMANUEL KANT *(1724-1804), filósofo alemán.*

Esta cita pertenece a un breve ensayo titulado *¿Qué es la ilustración?* Bien puede entenderse que Kant es el fundador del pensamiento filosófico moderno. Aunque su formación estaba basada en la ciencia escolástica, como puede observarse en sus primeros escritos, pronto su inmensa capacidad de análisis se resolverá en la *Crítica de la razón pura* y en la *Críti-*

ca de la razón práctica, en las que se ofrece un cambio sustancial en el modo de comprender el mundo interior y el mundo exterior. No cabe aquí un análisis de estos prodigios del entendimiento: bástenos con saber que Kant traslada el mundo exterior al centro del conocimiento humano: todo cuanto existe está en el Hombre y existe porque el Hombre es. Así es como el fruto del racionalismo se convertirá en romanticismo, otorgando al individuo una libertad y un poder desconocidos hasta entonces.

La frase transcrita debe entenderse como una ironía. He aquí el texto completo: «La pereza y la cobardía son las causas de que una gran parte de los hombres permanezca, gustosamente, en minoría de edad a lo largo de la vida, a pesar de que hace ya tiempo que la naturaleza los liberó de la dirección ajena; y por eso es tan fácil para otros hombres el erigirse en sus tutores. ¡Es tan cómodo ser menor de edad! Si tengo un libro que piensa por mí, un director espiritual que reemplaza mi conciencia moral, un médico que me prescribe la dieta, etc., entonces no necesito esforzarme. Si puedo pagar, no tengo necesidad de pensar; otros asumirán por mí tan fastidiosa tarea». El grito del *Sapere aude!* («Atrévete a saber») es todo un reto, una apuesta por la libertad.

4349. **Sapere aude! (Atrévete a saber). ¡Ten valor para servirte de tu propio entendimiento! He aquí el lema de la Ilustración.**

IMMANUEL KANT *(1724-1804), filósofo alemán.*

4350. **La música va unida a cierta falta de urbanidad, porque daña la libertad de los demás.**

INMANUEL KANT *(1724-1804), filósofo alemán.*

4351. **No importa tanto leer mucho, como ser regular en la lectura.**

OLIVER GOLDSMITH *(1728-1774), escritor inglés.*

4352. **Yo le enseñé que los libros son dulces e irreprochables amigos para el hombre miserable, y que si no pueden hacernos la vida feliz, al menos nos ayudan a soportarla.**

OLIVER GOLDSMITH *(1728-1774), escritor inglés.*

4353. **Un niño aprende más de la verdadera sabiduría en una escuela pública durante un año, que en cinco de educación privada.**
No es por los maestros, sino por sus compañeros cómo la juventud aprende el conocimiento del mundo.

OLIVER GOLDSMITH *(1728-1774), escritor inglés.*

Arte y libros

4354. **El único defecto imperdonable de un poeta trágico es dejarnos fríos.**
GOTTHOLD EPHRAIM LESSING *(1729-1781), escritor alemán.*

4355. **Ninguna obra de arte puede ser grande sino en la medida en que engaña: ser otra cosa sólo es prerrogativa de la naturaleza.**
EDMUND BURKE *(1729-1797), escritor y político irlandés.*

4356. **La poesía es la lengua materna del género humano.**
JOHANN GEORG HAMANN *(1730-1785), pensador alemán.*

4357. **Hoy día, lo que no vale la pena ser dicho, se canta.**
PIERRE-AUGUSTIN CARON, BARÓN DE BEAUMARCHAIS *(1732-1799), dramaturgo francés.*

4358. **Todo acaba en canciones.**
PIERRE-AUGUSTIN CARON, BARÓN DE BEAUMARCHAIS *(1732-1799), dramaturgo francés.*

4359. **Hay personas que piensan para escribir,
y otras que escriben para no pensar.**
KARL JOSEPH, PRÍNCIPE DE LIGNE *(1735-1814), militar austriaco.*

4360. **Un buen libro es un buen amigo.**
JACQUES-HENRI BERNARDIN DE SAINT-PIERRE *(1737-1814), escritor francés.*

4361. **Los españoles escriben la mitad de lo que imaginan; los franceses, la mitad de lo que piensan, por la calidad de su estilo; los alemanes lo dicen todo, pero de manera que la mitad no se les entiende; los ingleses escriben para sí solos.**
JOSÉ CADALSO *(1741-1782), escritor español.*

4362. **La mayoría de los libros actuales tienen el aspecto de haber sido escritos en un solo día, copiando libros leídos la víspera.**
NICOLAS-SÉBASTIEN ROCH, *NICOLAS DE CHAMFORT (1741-1794), escritor francés.*

4363. **La mayoría de los lectores meten sus libros en la biblioteca; la mayor parte de los escritores meten su biblioteca en sus libros.**
NICOLAS-SÉBASTIEN ROCH, *NICOLAS DE CHAMFORT (1741-1794), escritor francés.*

4364. **La mayor parte de los recopiladores de versos o de citas se parecen a aquellos que comen ostras o cerezas: comienzan por escoger sólo las mejores y, al final, se las comen todas.**
NICOLAS-SÉBASTIEN ROCH, *NICOLAS DE CHAMFORT (1741-1794), escritor francés.*

4365. **El sabio, en vez de estudiar sólo y profundamente su especialidad o dedicarse totalmente al objeto sobre el que escribe, se ocupa a la vez, por mor de la sociedad, de las novedades de la literatura popular y común y, con ello, gasta mucho tiempo en lecturas que no le sirven para otra cosa que para poder hablar en sociedad con otros sabios, cuando tiene lugar un debate.**

CHRISTIAN CARVE *(1742-1798), pensador alemán.*

4366. **Los malos escritores son los que intentan expresar sus débiles ideas en el lenguaje de los buenos.**

GEORG C. LICHTENBERG *(1742-1799), escritor y científico alemán.*

4367. **No es posible vivir sin libros.**

THOMAS JEFFERSON *(1743-1826), político estadounidense.*

4368. **Uno debe ser capaz de mirar cada libro como si fuera la huella de un alma humana viviente.**

JOHANN GOTTFRIED HERDER *(1744-1803), historiador y pensador alemán.*

4369. **El lenguaje natural de todas las criaturas, poetizado por el entendimiento en el sonido, un diccionario de las almas, una constante creación de fábulas, llena de pasión e interés: esto es el lenguaje en su origen, y ¿qué otra cosa es la poesía?**

JOHANN GOTTFRIED HERDER *(1744-1803), historiador y pensador alemán.*

4370. **El gobierno no debe considerar el teatro solamente como una diversión pública, sino como un espectáculo capaz de instruir o extraviar el espíritu, y de perfeccionar o corromper el corazón de los ciudadanos.**

GASPAR MELCHOR DE JOVELLANOS *(1744-1811), escritor y ensayista español.*

4371. **La fantasía, aislada de la razón, sólo produce monstruos imposibles. Unida a ella, en cambio, es la madre del arte y fuente de sus deseos.**

FRANCISCO DE GOYA *(1746-1828), pintor español.*

4372. **Escribir es un ocio muy cansado.**

JOHANN WOLFANG VON GOETHE *(1749-1832), escritor alemán.*

4373. **El talento se nutre mejor en la soledad.**

JOHANN WOLFANG VON GOETHE *(1749-1832), escritor alemán.*

4374. **Lo primero y lo último que se le pide al genio es amor a la verdad.**

JOHANN WOLFANG VON GOETHE *(1749-1832), escritor alemán.*

Arte y libros

4375. **Nunca se muestra uno satisfecho del retrato de una persona a la que conocemos.**
JOHANN WOLFANG VON GOETHE *(1749-1832), escritor alemán.*

4376. **El mayor problema de todo arte es el de producir, por medio de simples apariencias, la ilusión de una realidad más sublime.**
JOHANN WOLFANG VON GOETHE *(1749-1832), escritor alemán.*

4377. **La propiedad de la expresión es el principio y el fin de todo arte.**
JOHANN WOLFANG VON GOETHE *(1749-1832), escritor alemán.*

4378. **Quien es lo suficientemente inteligente para conocer sus limitaciones, está ya cerca de la perfección.**
JOHANN WOLFANG VON GOETHE *(1749-1832), escritor alemán.*

4379. **Todo lo bueno ya lo han pensado anteriormente otros. Aun así, deberíamos intentar pensar nuevamente en ello.**
JOHANN WOLFANG VON GOETHE *(1749-1832), escritor alemán.*

4380. **El mundo es en sí mismo hermoso y es hermoso mirarlo, pero más hermoso es verlo como lo ven los poetas.**
JOHANN WOLFANG VON GOETHE *(1749-1832), escritor alemán.*

4381. **Sólo parte del arte puede ser aprendida, pero el artista necesita todo el arte. Quien lo conoce a medias, se equivoca siempre y habla mucho; quien lo posee totalmente gusta de hacer y habla poco.**
JOHANN WOLFANG VON GOETHE *(1749-1832), escritor alemán.*

4382. **Todos los hombres, cada día, deberían escuchar una canción, leer una hermosa poesía, admirar una buena pintura y, si fuera posible, decir unas cuantas palabras sensatas.**
JOHANN WOLFANG VON GOETHE *(1749-1832), escritor alemán.*

4383. **Por más ridículo que sea el estilo retumbante, siempre habrá necios que lo aplaudan, sólo por la razón de que se quedan sin entenderlo.**
TOMÁS DE IRIARTE *(1750-1791), escritor español.*

Tomás de Iriarte, preceptista y fabulista del siglo XVIII era también uno de los más fervientes defensores del estilo neoclásico, limpio y puro; y en muchas ocasiones, como la que dio lugar a esta cita, entabló violentas disputas con otros autores, partidarios de seguir la corriente barroca que, en España, se extendió hasta los límites del siglo XIX. El texto escogido es el subtítulo de una de sus más conocidas fábulas («El gato, el lagarto y el grillo»), en la cual el autor arremete contra la pedantería de algunos poetas. Para hacer más hiriente su diatriba, Iriarte rima todos sus versos con palabras esdrújulas, imitando el aire pomposo y científico de los falsos eruditos. Un gato teórico y pedantísimo habla con un lagarto en su vano estilo («Quiero por mis turgencias semihidrópicas chupar el zumo de hojas heliotrópicas»); el grillo, que oye tal conversación, hizo elogios del gato, al que calificó de sabio y diestro en el lenguaje, aunque en realidad nada había comprendido.

Sí; que hay quien tiene la hinchazón por mérito,
y el hablar liso y llano por demérito.

4384. **No escriba quien no sepa**
unir la utilidad con el deleite.
TOMÁS DE IRIARTE *(1750-1791), escritor español.*

4385. **Guarde para su regalo**
esta sentencia un autor:
si el sabio no aprueba, malo;
si el necio aplaude, peor.
TOMÁS DE IRIARTE *(1750-1791), escritor español.*

4386. **Pero a fe que hay bastante diferencia**
de un censor útil a un censor maligno.
TOMÁS DE IRIARTE *(1750-1791), escritor español.*

4387. **Los periódicos, señor, son la cosa más villana, licenciosa, abominable, infernal... No es que yo los haya leído nunca... no; me hice el propósito de no leer jamás un diario.**
RICHARD BRINSLEY SHERIDAN *(1751-1816), político y dramaturgo inglés.*

4388 **A medida que el espíritu adquiere más luces,**
el corazón adquiere más sensibilidad.
ENCICLOPEDIA FRANCESA (1752).

4389. **Cuando se escribe con facilidad, siempre se cree tener más talento del que en realidad se tiene.**
JOSEPH JOUBERT *(1754-1824), moralista francés.*

4390. **El mayor defecto de los libros nuevos es que nos impiden leer**
los libros viejos.
JOSEPH JOUBERT *(1754-1824), moralista francés.*

Arte y libros

4391. **En literatura, nada es capaz de convertir con tanta facilidad en imprudentes y atrevidos a los espíritus, como la ignorancia de la antigüedad y el desprecio de los libros antiguos.**
JOSEPH JOUBERT *(1754-1824), moralista francés.*

4392. **Para escribir un buen libro, son necesarias tres cosas: talento, arte y oficio; es decir, naturaleza, industria y hábito.**
JOSEPH JOUBERT *(1754-1824), moralista francés.*

4393. **El teatro debe divertir noblemente, pero sólo divertir. Pretender hacer de él una escuela de moral es corromper a la vez la moral y el arte.**
JOSEPH JOUBERT *(1754-1824), moralista francés.*

4394. **Desde el *Evangelio* hasta el *Contrato social*, son los libros los que han hecho las revoluciones.**
LOUIS GABRIEL AMBROISE DE BONALD *(1754-1840), filósofo francés.*

4495. **La belleza no es más que una trampa que la naturaleza tiende a la razón.**
PIERRE MARC GASTON, DUQUE DE LEVIS *(1755-1830), escritor francés.*

4396. **Sólo el arte proporciona un goce que no requiere ningún esfuerzo apreciable, que no cuesta ningún sacrificio y que no necesitamos retribuir con arrepentimiento.**
JOHANN CHRISTOPH FRIEDRICH VON SCHILLER *(1759-1805), escritor alemán.*

4397. **El arte es difícil y su recompensa es fugaz.**
JOHANN CHRISTOPH FRIEDRICH VON SCHILLER *(1759-1805), escritor alemán.*

4398. **En una obra de arte verdaderamente bella el contenido no es nada; la forma lo es todo. Porque la forma es lo único que actúa sobre el hombre entero, mientras que el contenido actúa sobre algunas potencias en particular.**
JOHANN CHRISTOPH FRIEDRICH VON SCHILLER *(1759-1805), escritor alemán.*

4399. **Haciendo el bien, cultivas la planta divina de la humanidad; creando algo bello, siembras el germen de la divinidad.**
JOHANN CHRISTOPH FRIEDRICH VON SCHILLER *(1759-1805), escritor alemán.*

4400. **La verdad es para el sabio; la belleza para el corazón sensible.**
JOHANN CHRISTOPH FRIEDRICH VON SCHILLER *(1759-1805), escritor alemán.*

4401. **La libertad existe sólo en el reino de los sueños, y la belleza únicamente florece en la poesía.**
JOHANN CHRISTOPH FRIEDRICH VON SCHILLER *(1759-1805), escritor alemán.*

4402. **La música redobla la idea que tenemos de nuestras facultades del alma; cuando la oímos, nos sentimos capaces de los más nobles esfuerzos.**
GERMAINE NECKER, MADAME DE STAËL *(1766-1817), escritora francesa.*

4403. **Nada nos muestra el pasado como la música; pero hace aún más que mostrarnos el pasado: cuando ella nos lo evoca, nos aparecen también las sombras de nuestros seres queridos, revestidos de un velo misterioso y melancólico.**
GERMAINE NECKER, MADAME DE STAËL *(1766-1817), escritora francesa.*

4404. **Saber y sentir: he aquí toda la educación.**
GERMAINE NECKER, MADAME DE STAËL *(1766-1817), escritora francesa.*

4405. **Entre un pensador y un erudito hay la misma diferencia que entre un libro y un índice de materias.**
JEAN BAPTISTE SAY *(1767-1832), economista francés.*

4406. **La profesión de escritor es, según se ejercite, una infamia, un menester de jornalero, un oficio, un arte, una ciencia o una virtud.**
AUGUST WILHEIM SCHLEGEL *(1767-1845), poeta y ensayista alemán.*

4407. **Recórrase la galería del Louvre, y decid luego, si posible es decirlo, que el genio del cristianismo es poco favorable a las Bellas Artes.**
RENÉ DE CHATEAUBRIAND *(1768-1848), escritor francés.*

La obra del vizconde François-René de Chateaubriand ha merecido juicios bien distintos, y mientras Stendhal despreciaba su prosa por falsa, en las razones o en los sentimientos, otros como Baudelaire o Proust han sabido ver en ella valores más perdurables. Marcel Proust afirmaba que Chateaubriand era un grito; un grito que nos dice que nada hay en la tierra, que todo morirá, que el olvido lo sepultará todo... pero este terrible pensamiento, que debería entristecernos, nos encanta.

Una de las obras más importantes de Chateaubriand es *El genio del cristianismo* (1802), a la cual pertenecen las palabras transcritas. Se trata de un largo ensayo sobre la influencia de la mentalidad cristiana en las artes. La extensión y aridez de su lectura no ha favorecido su popularidad y, en general, los editores han preferido publicar hermosas historias románticas, como *Atala y René*.

4408. **Aquiles sólo existe por Homero. Suprimid de este mundo el arte de escribir; es probable que suprimáis la gloria.**
RENÉ DE CHATEAUBRIAND *(1768-1848), escritor francés.*

4409. **El escritor original no es aquel que no imita a nadie, sino aquel a quien nadie puede imitar.**
RENÉ DE CHATEAUBRIAND *(1768-1848), escritor francés.*

4410. **No creo que el arte de citar esté al alcance de todos esos espíritus pequeños que, no encontrando nada en sí mismos, todo lo tienen que tomar de otros.**
RENÉ DE CHATEAUBRIAND *(1768-1848), escritor francés.*

4411. **Los grandes escritores son hombres desatinados que gozan de consideración.**
NAPOLEÓN BONAPARTE *(1769-1821), emperador francés.*

4412. **Al levantar la vista tengo que suspirar, pues lo que veo es contra mi religión, y desprecio el mundo porque ignora que la música es la revelación más alta de toda ciencia o filosofía. Ella es el sino que engendra creaciones nuevas, y yo soy el Baco que pisa la uva para embriagar los espíritus de los hombres con este vino precioso.**
LUDWIG VAN BEETHOVEN *(1770-1827), compositor alemán.*

4413. **Dichoso aquel que sabe triunfar de todas las pasiones y pone su energía en el cumplimiento de su deber, que la vida le impone, sin inquietarse por el resultado.**
LUDWIG VAN BEETHOVEN *(1770-1827), compositor alemán.*

4414. **Hay momentos en los que creo que el lenguaje no sirve absolutamente para nada.**
LUDWIG VAN BEETHOVEN *(1770-1827), compositor alemán.*

4415. **La música es realmente la mediadora entre la vida de los sentidos y el espíritu.**
LUDWIG VAN BEETHOVEN *(1770-1827), compositor alemán.*

4416. **La música debe hacer saltar fuego en el corazón del hombre, y lágrimas en los ojos de la mujer.**
LUDWIG VAN BEETHOVEN *(1770-1827), compositor alemán.*

4417. **Sólo el pedernal del espíritu humano puede arrancar fuego de la música.**
LUDWIG VAN BEETHOVEN *(1770-1827), compositor alemán.*

4418. **La cultura de las artes y de las ciencias ha sido siempre, y será, el más bello eslabón de unión entre los pueblos, aun los más distantes.**
LUDWIG VAN BEETHOVEN *(1770-1827), compositor alemán.*

4419. **Los músicos se toman todas las libertades que pueden.**

LUDWIG VAN BEETHOVEN *(1770-1827), compositor alemán.*

4420. **¡El arte! ¿Quién lo comprende? ¿Con quién puede uno consultar acerca de esta gran diosa?**

LUDWIG VAN BEETHOVEN *(1770-1827), compositor alemán.*

4421. **Aún no se han levantado los muros que le digan al genio: «De aquí no pasarás».**

LUDWIG VAN BEETHOVEN *(1770-1827), compositor alemán.*

4422. **Al estudiar las obras de arte, el espíritu se ocupa de sí mismo, de lo que procede de sí, de lo que en él está.**

GEORG WILHELM FRIEDRICH HEGEL *(1770-1831), filósofo alemán.*

4423. **El mundo del arte es más verdadero que el de la naturaleza y el de la historia.**

GEORGE WILHELM FRIEDRICH HEGEL *(1770-1831), filósofo alemán.*

4424. **Lo que permanece, lo hacen los poetas.**

FRIEDRICH HÖLDERLIN *(1770-1843), poeta alemán.*

4425. **Aunque somos como el polvo, el espíritu inmortal crece como la armonía en la música...**

WILLIAM WORDSWORTH *(1770-1850), poeta inglés.*

4426. **Es el objeto del artista, en una palabra... comunicar, tanto como los colores y las palabras puedan hacerlo, las mismas sublimes sensaciones que han dictado su propia composición.**

WALTER SCOTT *(1771-1832), novelista escocés.*

4427. **Toda ciencia se convierte en poesía, después de haberse convertido en filosofía.**

FRIEDRICH VON HARDENBERG, *NOVALIS (1772-1801), poeta alemán.*

4428. **Todo autor genuino escribe o para nadie, o para todos. Quien escribe para que le lean éste o aquél no merece ser leído.**

FRIEDRICH SCHLEGEL *(1772-1829), pensador alemán.*

4429. **En lo que se denomina filosofía del arte falta habitualmente uno de ambos: o la filosofía o el arte.**

FRIEDRICH SCHLEGEL *(1772-1829), pensador alemán.*

Arte y libros

4430. ¡Hay tanta poesía y, sin embargo, nada más raro que un poema! De ahí la profusión de esbozos, estudios, fragmentos, tendencias, ruinas y materiales poéticos.

FRIEDRICH SCHLEGEL *(1772-1829), pensador alemán.*

4431. Las novelas son los diálogos socráticos de nuestro tiempo. En esta forma liberal se ha buscado refugio la sabiduría de la vida huyendo de la sabiduría de la escuela.

FRIEDRICH SCHLEGEL *(1772-1829), pensador alemán.*

4432. Artista es aquel para quien el fin y el medio de la existencia es cultivar su sensibilidad.

FRIEDRICH SCHLEGEL *(1772-1829), pensador alemán.*

4433. Ni el arte ni las obras hacen al artista, sino la sensibilidad y el entusiasmo y el impulso.

FRIEDRICH SCHLEGEL *(1772-1829), pensador alemán.*

4434. Se llama artistas a muchos que, en realidad, son obras de arte de la naturaleza.

FRIEDRICH SCHLEGEL *(1772-1829), pensador alemán.*

4435. Será artista solamente aquel que tenga una religión propia, una idea original del infinito.

FRIEDRICH SCHLEGEL *(1772-1829), pensador alemán.*

4436. Prosa: palabras en el orden más adecuado. Poesía: las mejores palabras en el mejor orden.

SAMUEL TAYLOR COLERIDGE *(1772-1834), poeta inglés.*

4437. Ningún hombre llegó a ser gran poeta sin ser al mismo tiempo un profundo filósofo.

SAMUEL TAYLOR COLERIDGE *(1772-1834), poeta inglés.*

4438. Si pudieran darse reglas al arte, la poesía cesaría de ser poesía y caería en arte mecánica. Las reglas de la imaginación son las verdaderas fuerzas de la creación artística.

SAMUEL TAYLOR COLERIDGE *(1772-1834), poeta inglés.*

4439. El principio de la arquitectura gótica es la infinitud hecha imaginable.

SAMUEL TAYLOR COLERIDGE *(1772-1834), poeta inglés.*

4440. **Las melodías oídas son dulces, pero las no oídas son aún más dulces...**
WILHELM HEINRICH WACKENRODER *(1773-1798), poeta alemán.*

4441. **Si la poesía es un sueño, el negocio de la vida es bastante parecido. Si es una ficción, hecha de lo que querríamos que las cosas fueran, y nos hacemos la ilusión de que lo son porque así las queremos, no hay otra realidad mejor.**
WILLIAM HAZLITT *(1773-1830), ensayista inglés.*

4442. **Correggio, Miguel Ángel, Rembrandt, hicieron lo que hicieron sin premeditación o esfuerzo: sus obras salieron de sus mentes como un nacimiento natural. Si les hubierais preguntado por qué adoptaron tal o cual estilo, os hubieran respondido: «No podíamos evitarlo».**
WILLIAM HAZLITT *(1773-1830), ensayista inglés.*

4443. **Lo primero que hay que pintar es lo que uno ve en sí mismo.**
CASPAR DAVID FRIEDRICH *(1774-1840), pintor alemán.*

4444. **La palabra exacta empleada en su lugar exacto rara vez deja algo que desear en cuanto a armonía.**
WALTER SAVAGE LANDOR *(1775-1864), escritor inglés.*

4445. **Cuando un escritor es elogiado en su propia época, puede estar seguro de que será poco estimado en las edades futuras.**
WALTER SAVAGE LANDOR *(1775-1864), escritor inglés.*

4446. **He tomado este modo de poesía de los griegos, que sacaban de las antiguas tradiciones sentencias morales y políticas, presentándolas no al raciocinio de los lectores, sino a la fantasía y al corazón.**
UGO FOSCOLO *(1778-1827), poeta italiano.*

4447. **Ciertamente la belleza es una especie de armonía visible que penetra muy suavemente en los corazones humanos.**
UGO FOSCOLO *(1778-1827), poeta italiano.*

4448. **El arte no consiste en representar cosas nuevas, sino en representar con novedad.**
UGO FOSCOLO *(1778-1827), poeta italiano.*

4449. **El espectáculo de la belleza basta para adormecer en nosotros, tristes mortales, todos los dolores.**
UGO FOSCOLO *(1778-1827), poeta italiano.*

Arte y libros

4450. **Las ciencias y la literatura llevan en sí la recompensa de los trabajos y de las vigilias que se les consagran.**
ANDRÉS BELLO *(1781-1865), poeta y político venezolano.*

4451. **Divina poesía,**
tú, de la soledad habitadora,
a consultar tus cantos enseñada
con el silencio de la selva umbría;
tú, a quien la verde gruta fue morada
y el eco de los montes compañía:
tiempo es que dejes ya la culta Europa,
que tu nativa rustiquez desama,
y dirijas el vuelo a donde abre
el mundo de Colón su grande escena.
ANDRÉS BELLO *(1781-1865), poeta y político venezolano.*

4452. **Como no tengo nada que leer, escribo. Es la misma clase de placer, pero con más intensidad.**
HENRI BEYLE, *STENDHAL (1783-1842), escritor francés.*

4453. **Se necesita tanta valentía en el escritor como en el guerrero; ni aquél debe pensar en los periodistas, ni éste en el hospital.**
HENRI BEYLE, *STENDHAL (1783-1842), escritor francés.*

4454. **Todos los grandes escritores han sido románticos en su tiempo.**
HENRI BEYLE, *STENDHAL (1783-1842), escritor francés.*

4455. **Una novela es como un arco musical; la caja del violín que emite los sonidos es el alma del lector.**
HENRI BEYLE, *STENDHAL (1783-1842), escritor francés.*

4456. **El autor de teatro no puede pintar las cosas más que un tanto burdas; no es necesario que tenga más inteligencia que los espectadores.**
HENRI BEYLE, *STENDHAL (1783-1842), escritor francés.*

4457. **La buena música no se confunde, y va directamente al fondo del alma en busca de la pena que nos devora.**
HENRI BEYLE, *STENDHAL (1783-1842), escritor francés.*

4458. **En las artes, sólo vive lo que da continuamente placer.**
HENRI BEYLE, *STENDHAL (1783-1842), escritor francés.*

4459. **Los versos se invocaron para ayudar a la memoria. Conservarlos en el arte dramático es rendir tributo a la barbarie.**

HENRI BEYLE, *STENDHAL (1783-1842), escritor francés.*

4460. **La belleza no es más que la promesa de la felicidad.**

HENRI BEYLE, *STENDHAL (1783-1842), escritor francés.*

4461. **A quien diga que la poesía está fundada en la imaginación y en el sentimiento, y que la reflexión la enfría, se le puede responder que cuanto más se adentra uno en el corazón humano para descubrir la verdad, más verdadera poesía encuentra.**

ALESSANDRO MANZONI *(1785-1873), escritor italiano.*

4462. **La vida sería una continua amargura si no fuese por la poesía. Ésta nos da lo que la naturaleza nos niega: una edad de oro que jamás envejece, una primavera en continua floración, una felicidad sin nubes, una juventud eterna.**

LÖB BARUCH, *LUDWIG BÖRNE (1786-1837), escritor y político alemán.*

4463. **Ciertamente, es muy agradable ver el propio nombre escrito en letras de imprenta: al fin, un libro es un libro, aunque no haya nada dentro.**

GEORGE GORDON, *LORD BYRON (1788-1824), poeta inglés.*

4464. **Las lenguas, especialmente las muertas; las ciencias, particularmente las abstractas; y las artes, a lo menos aquellas que no tienen ninguna aplicación en los usos ordinarios de la vida, en todo eso era él extremadamente versado.**

GEORGE GORDON, *LORD BYRON (1788-1824), poeta inglés.*

4465. **¡La pluma: esa poderosa arma de los hombres insignificantes!**

GEORGE GORDON, *LORD BYRON (1788-1824), poeta inglés.*

4466. **Las obras de teatro no hacen a la humanidad ni mejor ni peor.**

GEORGE GORDON, *LORD BYRON (1788-1824), poeta inglés.*

4467. **La música es como una metafísica hecha sensible.**

ARTHUR SCHOPENHAUER *(1788-1860), filósofo alemán.*

4468. **Si pudiéramos dar una explicación cierta, completa y acabada de la música, esto es, si pudiéramos encerrarla en un concepto particular, ésta sería una explicación del mundo, y por lo tanto, la verdadera filosofía.**

ARTHUR SCHOPENHAUER *(1788-1860), filósofo alemán.*

Arte y libros

4469. La naturaleza cubre todas sus obras con un barniz de belleza.

ARTHUR SCHOPENHAUER *(1788-1860), filósofo alemán.*

4470. La madre de las artes prácticas es la necesidad; la de las bellas artes es el lujo. El padre de las primeras es la inteligencia, y el de las segundas, el genio, que es de por sí una especie de lujo.

ARTHUR SCHOPENHAUER *(1788-1860), filósofo alemán.*

4471. Si el mundo como representación es sólo la imagen de la voluntad, el arte consiste entonces en encontrar esa imagen, la cámara oscura que muestra más puros los objetos y permite captarlos y reunirlos del mejor modo posible: el arte es el teatro en el teatro, la escena de Hamlet en Hamlet.

ARTHUR SCHOPENHAUER *(1788-1860), filósofo alemán.*

4472. La arquitectura es una música congelada.

ARTHUR SCHOPENHAUER *(1788-1860), filósofo alemán.*

4473. Estoy harto de museos, esos cementerios de las artes.

ALPHONSE DE LAMARTINE *(1790-1869), escritor francés.*

4474. Lo sublime cansa, lo bello engaña; sólo lo patético es infalible en el arte: el que sabe conmover, lo sabe todo.

ALPHONSE DE LAMARTINE *(1790-1869), historiador, político y poeta francés.*

4475. La poesía es la pintura que se mueve y la música que piensa.

ÉMILE DESCHAMPS *(1791-1871), poeta francés.*

4476. Estas palabras son ineficaces y metafóricas. La mayoría de las palabras son así... ¡No hay remedio!

PERCY BYSSHE SHELLEY *(1792-1822), poeta inglés.*

4477. He enviado allí los libros y la música,
y todos aquellos instrumentos
con los cuales los altos espíritus
llaman al futuro, desde su cuna,
y al pasado desde su tumba...

PERCY BYSSHE SHELLEY *(1792-1822), poeta inglés.*

4478. La poesía es un espejo que torna bello aquello que ha sido torcido.

PERCY BYSSHE SHELLEY *(1792-1822), poeta inglés.*

4479. **La poesía es un recuerdo de los mejores y más felices momentos, y de los mejores y más felices ingenios.**

PERCY BYSSHE SHELLEY *(1792-1822), poeta inglés.*

4480. **Un poema es la imagen misma de la vida expresada en su eterna verdad.**

PERCY BYSSHE SHELLEY *(1792-1822), poeta inglés.*

4481. **¿Dónde están la belleza, la verdad y el amor que perseguimos, si no es en nuestro propio espíritu?**

PERCY BYSSHE SHELLEY *(1792-1822), poeta inglés.*

4482. **Una cosa bella es un placer eterno. Su hermosura siempre va en aumento; jamás tornará a la nada, antes al contrario, guardará siempre para nosotros un reposo lleno de sueños placenteros, un saludable bienestar y un sosegado alentar para nuestro pueblo.**

JOHN KEATS *(1795-1821), poeta inglés.*

Algunos autores consideran a John Keats el mejor poeta entre los románticos ingleses, pero entre Wordsworth, Coleridge, Byron, Shelley y el mismo Keats puede entablarse una discusión sin fin: cada cual tiene valores sorprendentes y, no cabe duda, cada uno puede ser considerado el mejor en su estilo. La cita transcrita es el comienzo del largo poema *Endymion* (1818), que José María Valverde ha traducido así:

Un poco de belleza es gozo para siempre:
su encanto aumenta: nunca pasará hacia la nada;
sino que guardará un rincón de verdor
en paz para nosotros, y un tiempo de dormir
lleno de dulces sueños, salud y aliento de paz.

La leyenda dice que la muerte del poeta se precipitó cuando, estando en Roma, pudo leer las severas críticas impresas en el periódico *Quarterly Review*. Con este motivo, Byron escribió un epigrama que decía: «¿Quién mató a John Keats? Yo, dice el Quarterly: ésa fue una de mis grandes hazañas salvajes». En la tumba de este joven poeta, muerto a los veintiséis años, puede leerse: «Aquí yace el que escribió su nombre en el agua».

4483. **¡Oh, no te preocupes por el conocimiento!**
Yo no tengo ninguno
y todavía el atardecer me escucha.

JOHN KEATS *(1795-1821), poeta inglés.*

Arte y libros

4484. La belleza es verdad; la verdad, belleza: eso es todo lo que sabéis en la tierra y todo lo que necesitáis saber.
JOHN KEATS *(1795-1821), poeta inglés.*

4485. Jamás la poesía de la tierra se extingue.
JOHN KEATS *(1795-1821), poeta inglés.*

4486. ¡Ah, feliz, feliz rama!, que no puedes dejar caer tus hojas, ni decir adiós a la primavera; y feliz del músico tranquilo, siempre cantando versos nuevos...
JOHN KEATS *(1795-1821), poeta inglés.*

4487. ¿Dónde están las canciones de la primavera? ¿Eh, dónde están? No pienses en ellas: tú tienes tu música también.
JOHN KEATS *(1795-1821), poeta inglés.*

4488. Lo que molesta al virtuoso filósofo, encanta al camaleónico poeta.
JOHN KEATS *(1795-1821), poeta inglés.*

4489. Puede que incluso ahora no esté hablando desde mí mismo, sino desde algún personaje cuya alma estoy ocupando.
JOHN KEATS *(1795-1821), poeta inglés.*

4490. Un arroyo en el bosque; la muerte de un poeta.
JOHN KEATS *(1795-1821), poeta inglés.*

4491. Un poeta es lo más antipoético de todas las cosas del mundo; porque no tiene identidad: está continuamente sustituyendo y ocupando otros cuerpos.
JOHN KEATS *(1795-1821), poeta inglés.*

4492. Verso, fama y belleza son intensos, seguro, pero la muerte es aún más intensa: la muerte es el premio más alto de la vida.
JOHN KEATS *(1795-1821), poeta inglés.*

4493. En verdad, el arte de escribir es la cosa más milagrosa de cuantas el hombre ha imaginado.
THOMAS CARLYLE *(1795-1881), filósofo, crítico e historiador inglés.*

4494. La poesía es Pensamiento Musical.
THOMAS CARLYLE *(1795-1881), filósofo, crítico e historiador inglés.*

4495. Una vida bien escrita es casi tan rara como una vida bien vivida.
THOMAS CARLYLE *(1795-1881), filósofo, crítico e historiador inglés.*

4496. **El mérito de la originalidad no está en la novedad; está en la sinceridad.**
THOMAS CARLYLE *(1795-1881), filósofo, crítico e historiador inglés.*

4497. **El mejor efecto de cualquier libro es que incite a su lector a la acción.**
THOMAS CARLYLE *(1795-1881), filósofo, crítico e historiador inglés.*

4498. **Algunos libros se leen en la cocina; otros en el salón. Un verdadero buen libro se lee en cualquier sitio.**
THOMAS CHANDLER HALIBURTON *(1796-1865), escritor canadiense.*

4499. **Cuando la poesía se mezcla con la vida real es una mala ama de llaves.**
CECILIA BÖHL DE FABER, *FERNÁN CABALLERO (1796-1877), escritora española.*

4500. **La poesía, a fin de cuentas, no es más que un bello accesorio.**
HEINRICH HEINE *(1797-1856), poeta alemán.*

4501. **Donde se quiere a los libros también se quiere a los hombres.**
HEINRICH HEINE *(1797-1856), poeta alemán.*

4502. **Hace poco me paré con un amigo ante la catedral de Amiens, y éste me preguntó por qué no construíamos ya monumentos semejantes; a lo cual le contesté: «Querido Alfonso: los hombres de aquellos tiempos tenían convicciones; nosotros, los modernos, no tenemos más que opiniones, y para elevar una catedral gótica se necesita algo más que una opinión».**
HEINRICH HEINE *(1797-1856), poeta alemán.*

4503. **¡Poesía! ¡Oh, tesoro! Perla del pensamiento.**
ALFRED DE VIGNY *(1797-1863), escritor francés.*

En general, la crítica moderna ha sido muy dura con Alfred de Vigny (la crítica moderna ha sido dura con todos los románticos porque no suele soportarse lo que no se comprende). Alfred de Vigny era un hombre callado, taciturno, solitario: «La soledad es santa», escribió en su diario. Tenía aspiraciones gloriosas, acaso morir en una batalla, pero el destino no lo quiso. En su imaginación romántica sólo pretendía pasar por este mundo habiendo hecho algo más que mirarse el ombligo, como los académicos con los que compartía aburridas sesiones en París. Pretendió amar más allá de las fuerzas humanas a su esposa enferma, a Mary Dorval, a Louise Colet y a Alexandrine, pero éstas no eran más que mujeres condenadas en *La cólera de Sansón*. Un cáncer de estómago lo mató: «sufriendo y muriendo sin hablar»; y a su funeral sólo acudió una sombra, mitad hombre mitad demonio, llamado Charles Baudelaire.

La cita, recogida habitualmente en los compendios literarios, pertenece a *La casa del pastor*, publicado en 1844 en la *Revue des Deux Mondes*. El largo poema está dedicado a Eva, cuya identidad ha generado numerosos comentarios. La segunda parte de *La casa del pastor* comienza con la frase transcrita. La segunda estrofa habla del poder y la esencia de la poesía, la llama dolorosa y cruel:

Los espíritus débiles temen el ardor puro
y el fuego los acobarda. Pero, ¿por qué huir del fuego?
Más abrasadora es la vida entre las llamas.
Otros infiernos divinos nos consumen:
como el Sol del cielo, o el Amor, o la Vida.
Y sin embargo, ¿quién ha querido apagarlos jamás?
Maldecimos su ardor sin dejar de amarlos.

4504. El único momento hermoso de una obra es aquel en que se escribe.
ALFRED DE VIGNY *(1797-1863), escritor francés.*

4505. Yo puedo crear mi pequeño mundo.
THOMAS LOWELL BEDDOES *(1798-1851), poeta inglés.*

4506. La música es la voluptuosidad de la imaginación.
EUGÈNE DELACROIX *(1798-1863), pintor francés.*

4507. El primer mérito de un cuadro es ser una fiesta para la vista.
EUGÈNE DELACROIX *(1798-1863), pintor francés.*

4508. La verdadera grandeza del artista es superar el arte, hacer más de lo que quiere, atravesar lo posible, y ver todavía más allá.
JULES MICHELET *(1798-1874), historiador francés.*

4509. El genio más íntimo de cada pueblo, su alma profunda, está sobre todo en su lengua.
JULES MICHELET *(1798-1874), historiador francés.*

4510. La Historia no es un arte, es una ciencia pura.
JULES MICHELET *(1798-1874), historiador francés.*

4511. Los pintores sólo deben meditar con los pinceles en la mano.
HONORÉ DE BALZAC *(1799-1850), escritor francés.*

4512. La misión del arte no es copiar la naturaleza, sino expresarla.
HONORÉ DE BALZAC *(1799-1850), escritor francés.*

4513. **El periodismo es una inmensa catapulta puesta en movimiento por pequeños odios.**
HONORÉ DE BALZAC *(1799-1850), escritor francés.*

4514. **Un libro hermoso es una victoria ganada en todos los campos de batalla del pensamiento humano.**
HONORÉ DE BALZAC *(1799-1850), escritor francés.*

4515. **Lo que el genio tiene de bello es que se parece a todo el mundo y nadie se le parece.**
HONORÉ DE BALZAC *(1799-1850), escritor francés.*

4516. **Las obras maestras son, afortunadamente, siempre jóvenes.**
HONORÉ DE BALZAC *(1799-1850), escritor francés.*

4517. **No hay escritorzuelo, por malo y zafio que sea, que no crea ser y valer algo.**
WILHEIM HAUFF *(1802-1827), escritor alemán.*

4518. **La música es el vapor del arte. Es a la poesía lo que el ensueño es al pensamiento, lo que el fluido es al líquido, lo que el océano de las nubes es al océano de las olas. Es lo indefinido de este infinito.**
VICTOR HUGO *(1802-1885), escritor francés.*

4519. **La música es un ruido que piensa.**
VICTOR HUGO *(1802-1885), escritor francés.*

4520. **La música está en todo. Un himno sale del mundo.**
VICTOR HUGO *(1802-1885), escritor francés.*

4521. **El fin del arte es casi divino: resucitar, si trata la historia; crear, si hace poesía.**
VICTOR HUGO *(1802-1885), escritor francés.*

4522. **La obra maestra es una variedad del milagro.**
VICTOR HUGO *(1802-1885), escritor francés.*

4523. **Para un artista escrupuloso, la obra realizada, cualquiera que pueda ser su valor, nunca es más que la escoria de su sueño.**
JOSÉ MARÍA DE HEREDIA *(1803-1839), escritor cubano.*

4524. **El Arte necesita de la soledad, de la miseria o de la pasión. Es una flor que nace entre las rocas, que pide vientos fuertes y terrenos duros.**
ALEXANDRE DUMAS (PADRE) *(1803-1870), escritor francés.*

Arte y libros

4525. **La magia del lenguaje es el más peligroso de los encantos.**
EDWARD GEORGE BULWER LYTTON *(1803-1873), escritor inglés.*

4526. **El que escribe en prosa edifica su templo a la Fama con desechos. El que escribe en verso edifica con granito.**
EDWARD GEORGE BULWER LYTTON *(1803-1873), escritor inglés.*

4527. **El genio hace lo que debe; el talento lo que puede.**
EDWARD GEORGE BULWER LYTTON *(1803-1873), escritor inglés.*

4528. **La cultura corrige la teoría del éxito.**
RALPH WALDO EMERSON *(1803-1882), escritor y político estadounidense.*

4529. **Tal vez el espíritu humano saldría ganando si todos los escritores mediocres desaparecieran.**
RALPH WALDO EMERSON *(1803-1882), escritor y político estadounidense.*

4530. **Nuestra admiración por el arte antiguo no es admiración por lo viejo, sino por lo natural.**
RALPH WALDO EMERSON *(1803-1882), escritor y político estadounidense.*

4531. **El arte clásico fue el arte de lo necesario; el arte romántico moderno lleva el sello de lo caprichoso y de lo accidental.**
RALPH WALDO EMERSON *(1803-1882), escritor y político estadounidense.*

4532. **Un buen lector hace un libro bueno.**
RALPH WALDO EMERSON *(1803-1882), escritor y político estadounidense.*

4533. **La belleza no tiene más razón de ser que ella misma.**
RALPH WALDO EMERSON *(1803-1882), escritor y político estadounidense.*

4534. **La biblioteca de un hombre es una especie de harén, y todo lector con sensibilidad siente un gran pudor cuando muestra sus libros a un extraño.**
RALPH WALDO EMERSON *(1803-1882), escritor y político estadounidense.*

4535. **La mayor virtud de un libro es que se pueda leer.**
RALPH WALDO EMERSON *(1803-1882), escritor y político estadounidense.*

4536. **El talento absorbe la substancia del hombre.**
RALPH WALDO EMERSON *(1803-1882), escritor y político estadounidense.*

4537. **El secreto de la fealdad consiste, no en la irregularidad, sino en que no suscita interés.**
RALPH WALDO EMERSON *(1803-1882), escritor y político estadounidense.*

4538. **Emplea el lenguaje que quieras: nunca podrás expresar sino lo que eres.**
RALPH WALDO EMERSON *(1803-1882), escritor y político estadounidense.*

4539. **Odio las citas. Dime lo que sabes.**
RALPH WALDO EMERSON *(1803-1882), escritor y político estadounidense.*

4540. **En muchas ocasiones la lectura de un libro ha hecho la fortuna de un hombre, decidiendo el curso de su vida.**
RALPH WALDO EMERSON *(1803-1882), escritor y político estadounidense.*

4541. **El secreto de la educación está en el respeto al alumno.**
RALPH WALDO EMERSON *(1803-1882), escritor y político estadounidense.*

4542. **Nunca leas un libro acabado de publicar. Espera, por lo menos, un año; y si entonces todavía se habla del libro, decide si leerlo o no.**
RALPH WALDO EMERSON *(1803-1882), escritor y político estadounidense.*

4543. **La modernidad perpetua constituye la medida del mérito en toda obra de arte.**
RALPH WALDO EMERSON *(1803-1882), escritor y político estadounidense.*

4544. **El arte es el camino del creador a su obra.**
RALPH WALDO EMERSON *(1803-1882), escritor y político estadounidense.*

4545. **Madrid es para mí un libro inmenso, un teatro animado, en que cada día encuentro nuevas páginas que leer, nuevas y curiosas escenas que observar.**
RAMÓN DE MESONERO ROMANOS *(1803-1882), escritor español.*

Ciertamente el título de «escritor» se le queda corto a don Ramón de Mesonero Romanos. Su actividad literaria comenzó en 1822 pero fue en *Cartas Españolas* donde aparecieron sus primeros artículos de costumbres. Él mismo fundó en 1836 el fantástico *Semanario Pintoresco Español*, que supuso un cambio esencial en el modo de entender el periodismo literario. Aún sorprende la magnífica calidad de los grabados, cuya técnica fue importada desde Europa, en los que participaron los mejores artistas románticos. No desmerecen las piezas literarias y, desde luego, no es posible entender el romanticismo español sin tener en cuenta este semanario que se alargó en el tiempo durante más de veinte años.

Mesonero Romanos es el máximo representante del costumbrismo madrileño (la vocación y los intereses de Larra eran bien distintos); pero lo que más llama la atención es su pasión por la ciudad de Madrid, a la que dedicó muchas horas de su vida: estaba interesado, especialmente, en eliminar de la capital los rasgos que hacían de ella un pueblucho semiderruido y convertirla en una ciudad moderna, como París y Londres. Este interés puede comprobarse en *Mis ratos perdidos o ligero bosquejo de Madrid* de 1820, en *Manual de Madrid* y en *El antiguo Madrid*. Sus espléndidos retratos costumbristas se recogen en *Panorama matritense* y la edición definitiva de *Escenas matritenses*.

La cita pertenece al artículo «Madrid a la luna», publicado por vez primera en el *Semanario Pintoresco Español* el 12 de noviembre de 1837.

4546. **Me felicito más y más de no haber pensado en dejar a la posteridad mi retrato, ¿para qué? ¿Para presidir un baile, para excitar suspiros, para habitar entre mapas, canarios y campanillas? ¿Para sufrir golpes de pelota? ¿Para criar chinches? ¿Para tapar ventanas? ¿Para ser embigotado y restaurado después, empeñado y manoseado, y vendido en las ferias por dos pesetas...?**

RAMÓN DE MESONERO ROMANOS *(1803-1882), escritor español.*

4547. **Como todo el mundo es artista, los artistas no tienen qué comer, o se comen unos a otros.**

RAMÓN DE MESONERO ROMANOS *(1803-1882), escritor español.*

4548. **En lo antiguo había pintores, escultores, arquitectos, comediantes y aficionados. Hoy sólo hay artistas.**

RAMÓN DE MESONERO ROMANOS *(1803-1882), escritor español.*

4549. **Y a la verdad ¿qué es un literato, meramente literato, en nuestra España? Una planta exótica a quien ningún árbol presta su sombra; ave que pasa sin anidar; espíritu sin forma ni color; llama que se consume por alumbrar a los demás; astro, en fin, desprendido del cielo en una tierra ingrata que no conoce su valor.**

RAMÓN DE MESONERO ROMANOS *(1803-1882), escritor español.*

4550. **Quien no encuentra en la poesía o en los cuadros más de lo que el artista ha puesto en ellos no debería jamás leer un poema ni mirar un cuadro.**

NATHANIEL HAWTHORNE *(1804-1864), escritor estadounidense.*

4551. **El teatro es, generalmente, la literatura de las gentes mundanas que no tienen tiempo para leer.**

CHARLES A. SAINT-BEUVE *(1804-1869), crítico y escritor francés.*

4552. **Cuanto más se extiende nuestro conocimiento de los buenos libros, tanto más se reduce el círculo de los hombres cuya compañía nos es grata.**
LUDWIG FEUERBACH *(1804-1872), filósofo alemán.*

4553. **Los libros son como ovejas solitarias que el hombre recoge en una región pintoresca y romántica de la vida, en sus lugares más elevados y bellos, a los que se encamina no sólo a causa del maravilloso panorama, sino especialmente para recogerse un poco lejos de las distracciones del mundo y dirigir sus pensamientos hacia una existencia distinta de la puramente material.**
LUDWIG FEUERBACH *(1804-1872), filósofo alemán.*

4554. **Un buen pintor debe tener estas cuatro cosas: un corazón sensible, un ojo certero, una mano hábil y un pincel siempre limpio.**
LUDWIG FEUERBACH *(1804-1872), filósofo alemán.*

4555. **Para ver un cuadro se requieren muchas cosas; la primera de ellas, una silla.**
LUDWIG FEUERBACH *(1804-1872), filósofo alemán.*

4556. **La sabiduría de los sabios y la experiencia de los siglos pueden ser conservadas en las citas.**
BENJAMIN DISRAELI *(1804-1881), político y escritor inglés.*

4557. **Cuando necesito leer un libro, lo escribo.**
BENJAMIN DISRAELI *(1804-1881), político y escritor inglés.*

4558. **El autor que habla de sus propios libros es peor que la madre que sólo habla de sus hijos.**
BENJAMIN DISRAELI *(1804-1881), político y escritor inglés.*

4559. **Guárdate del hombre de un solo libro.**
BENJAMIN DISRAELI *(1804-1881), político y escritor inglés.*

4560. **¿Sabéis quiénes son los críticos? Hombres que fracasaron en la literatura y en las artes.**
BENJAMIN DISRAELI *(1804-1881), político y escritor inglés.*

4561. **Leo, no para instruirme, sino para educarme.**
EUGÉNIE DE GUÉRIN *(1805-1848), escritora francesa.*

4562. **La música es la fe de un mundo en que la poesía no es sino alta filosofía.**
GIUSEPPE MAZZINI *(1805-1872), político y escritor italiano.*

Arte y libros

4563. **El arte no sabe consolar, quiere ya consolados.**
ERNEST VON FEUCHSTERSLEBEN *(1806-1849), escritor alemán.*

4564. **Todo lo que es bello, vuelve.**
ERNEST VON FEUCHSTERSLEBEN *(1806-1849), escritor alemán.*

4565. **El poeta habla aunque nadie lo escuche, porque sus sentimientos no le permiten quedarse callado.**
JOHN STUART MILL *(1806-1873), filósofo inglés.*

4566. **En la actualidad comenzamos a sentir que el periodismo es para la Europa moderna lo que la oratoria política era para Atenas y Roma y que, para ser como debería, el periodismo debería estar en manos de la misma clase de hombres.**
JOHN STUART MILL *(1806-1873), filósofo inglés.*

4567. **El genio sólo puede respirar libremente en una atmósfera de libertad.**
JOHN STUART MILL *(1806-1873), filósofo inglés.*

4568. **Los libros son los sepulcros del pensamiento.**
HENRY WADSWORTH LONGFELLOW *(1807-1882), poeta estadounidense.*

4569. **Si comprendes el carácter de un autor, comprender sus obras te resultará fácil.**
HENRY WADSWORTH LONGFELLOW *(1807-1882), poeta estadounidense.*

4570. **Tal vez la lección más importante que los escritores nos han dejado acerca de su vida se podría encerrar en la siguiente palabra: «¡Espera!».**
HENRY WADSWORTH LONGFELLOW *(1807-1882), poeta estadounidense.*

4571. **En el gran ejército de las letras, los críticos son los centinelas, apostados en los rincones de periódicos y revistas, para echar el alto a cualquier escritor novel.**
HENRY WARDSWORTH LONGFELLOW *(1807-1882), poeta estadounidense.*

4572. **¡Oh, belleza, tan antigua y tan nueva siempre! ¡Voz eterna y verbo interior!**
JOHN GREENLEAF WHITTIER *(1807-1892), poeta estadounidense.*

4573. **... y el oído**
palabra tras palabra colocada,
con versos regalar sin decir nada.
JOSÉ DE ESPRONCEDA *(1808-1842), poeta español.*

4574. Los periódicos son los ferrocarriles de la mentira.
JULES D'AUREVILLY *(1808-1889), escritor francés.*

4575. Una nota musical es un ala puesta al pie de un verso.
ALPHONSE KARR *(1808-1890), novelista francés.*

4576. No queremos esa literatura reducida a las galas del decir, al son de la rima, a entonar sonetos y odas de circunstancias, que concede todo a la expresión y nada a la idea, sino una literatura hija de la experiencia y de la historia y faro por tanto del porvenir, estudiosa, analizadora, filosófica, profunda, pensándolo todo, diciéndolo todo en prosa, en verso, al alcance de la multitud ignorante aún; apostólica y de propaganda; enseñando verdades a aquellos a quienes interesa saberlas, mostrando al hombre, no como debe ser, sino como es, para conocerle; literatura, en fin, expresión toda de la ciencia de la época, del progreso intelectual del siglo.
MARIANO JOSÉ DE LARRA *(1809-1837), escritor y periodista español.*

4577. El escritor satírico es por lo común, como la luna, un cuerpo opaco destinado a dar luz, y es acaso el único de quien con razón se puede decir que da lo que no tiene.
MARIANO JOSÉ DE LARRA *(1809-1837), escritor y periodista español.*

4578. Por grandes y profundos que sean los conocimientos de un hombre, el día menos pensado encuentra en el libro que menos valga a sus ojos, alguna frase que le enseña algo que ignora.
MARIANO JOSÉ DE LARRA *(1809-1837), escritor y periodista español.*

4579. Las teorías, las doctrinas, los sistemas se explican; los sentimientos se sienten.
MARIANO JOSÉ DE LARRA *(1809-1837), escritor y periodista español.*

4580. Escribir en Madrid es llorar, es buscar voz sin encontrarla, como en una pesadilla abrumadora y violenta.
MARIANO JOSÉ DE LARRA *(1809-1837), escritor y periodista español.*

4581. La belleza de cualquier clase, en su manifestación suprema, excita invariablemente el alma sensitiva hasta hacerle derramar lágrimas.
EDGAR ALLAN POE *(1809-1849), escritor estadounidense.*

4582. Todas las obras de arte deben empezar... por el final.
EDGAR ALLAN POE *(1809-1849), escritor estadounidense.*

Arte y libros

4583. Se ha considerado, tácita o expresamente, directa o indirectamente, que el objetivo último de toda poesía es la verdad. Todo poema, se dice, debe inculcar una moral; y por esta moral se medirá el mérito poético de la obra. Pero la verdad es que, si consentimos en analizar nuestras propias almas, enseguida descubriremos que bajo el sol no existe ni puede existir obra más altamente dignificada, más soberanamente noble que este verdadero poema, este poema que es poema y nada más: este poema escrito únicamente por el gusto del poema.

EDGAR ALLAN POE *(1809-1849), escritor estadounidense.*

4584. Lo que el mundo llama genio es el estado de enfermedad mental que nace del predominio indebido de algunas de las facultades. Las obras de tales genios no son nunca sanas en sí mismas, y reflejan siempre la demencia mental general.

EDGAR ALLAN POE *(1809-1849), escritor estadounidense.*

4585. Los hombres de genio abundan mucho más de lo que se supone. En realidad, para apreciar plenamente la obra de lo que llamamos genio hace falta poseer todo el genio que necesitó para producir la obra.

EDGAR ALLAN POE *(1809-1849), escritor estadounidense.*

4586. En la música es acaso donde el alma se acerca más al gran fin por el que lucha cuando se siente inspirada por el sentimiento poético: la creación de la belleza sobrenatural.

EDGAR ALLAN POE *(1809-1849), escritor estadounidense.*

4587. Un escritor tiene derecho a hablar de un manzano cargado de manzanas de oro; pero le está prohibido describir un sauce cargado de peras.

NICOLAI VASILIEVICH GOGOL *(1809-1852), escritor ruso.*

4588. La música despierta en nosotros diversas emociones, pero no las más terribles, sino más bien los sentimientos dulces de ternura y amor.

CHARLES ROBERT DARWIN *(1809-1882), científico inglés.*

4589. En la lectura debe cuidarse de dos cosas: escoger bien los libros y leerlos bien.

JAIME BALMES *(1810-1848), filósofo español.*

4590. Para mí, la música sigue siendo el lenguaje que me permite comunicarme con el más allá.

ROBERT SCHUMANN *(1810-1856), compositor alemán.*

4591. La poesía es el más dulce de los pesares.

LOUIS CHARLES ALFRED DE MUSSET *(1810-1857), escritor francés.*

4592. Es la música lo que me ha hecho creer en Dios.

LOUIS CHARLES ALFRED DE MUSSET *(1810-1857), escritor francés.*

4593. La perfección no existe; llegar a comprenderla es el triunfo de la inteligencia humana; desear poseerla es la más peligrosa de las locuras.

LOUIS CHARLES ALFRED DE MUSSET *(1810-1857), escritor francés.*

4594. No hay más verdad que la belleza; sin belleza nada es verdadero.

LOUIS CHARLES ALFRED DE MUSSET *(1810-1857), escritor francés.*

4595. El artista es un comerciante, y el arte, un simple oficio.

LOUIS CHARLES ALFRED DE MUSSET *(1810-1857), escritor francés.*

4596. La música es el más caro y más desagradable de los ruidos.

PIERRE JULES THÉOPHILE GAUTIER *(1811-1872), escritor francés.*

4597. Se pinta con el corazón y la cabeza, más que con las manos.

PIERRE JULES THÉOPHILE GAUTIER *(1811-1872), escritor francés.*

4598. Si los escritores se hubiesen esforzado en no escribir sino aquello que todavía no estaba escrito, las bibliotecas serían menos grandes y más útiles; y la vida del hombre, tan corta, casi hubiera bastado para leer y saber todas las cosas buenas. En cambio, para encontrar algo pasable es necesario leer cien mil cosas que no valen nada, o que ya hemos leído infinidad de veces en otros lugares, y que nos hacen perder el tiempo inútilmente.

PIERRE JULES THÉOPHILE GAUTIER *(1811-1872), escritor francés.*

4599. ¡Belleza, único bien que no se adquiere, inaccesible para siempre a cuantos la poseen ya; flor efímera y frágil que crece sin haber sido sembrada; puro don del cielo! ¡Oh, belleza, la más radiante diadema con que el azar puede coronar una frente, eres admirable y preciosa, como todo lo que está fuera del alcance del hombre, como el azul del firmamento, como el oro de la estrella, como el perfume del lirio seráfico! ¿Quién podría dejar de arrodillarse ante ti, pura personificación del pensamiento de Dios?

PIERRE JULES THÉOPHILE GAUTIER *(1811-1872), escritor francés.*

Arte y libros

4600. Todo pasa. Únicamente el arte sólido posee la eternidad.
PIERRE JULES THÉOPHILE GAUTIER *(1811-1872), escritor francés.*

4601. Esculpe, lima, cincela; que tu flotante ensueño quede fijado en el duro bloque.
PIERRE JULES THÉOPHILE GAUTIER *(1811-1872), escritor francés.*

4602. No hay nada verdaderamente bello sino con la condición de que no sirva para nada. Todo lo que tiene alguna utilidad es feo, porque es la expresión de alguna necesidad, y las del hombre son muy innobles y repelentes, como su pobre y enferma naturaleza.
PIERRE JULES THÉOPHILE GAUTIER *(1811-1872), escritor francés.*

4603. La música es el corazón de la vida. Por ella habla el amor; sin ella no hay bien posible y con ella todo es hermoso.
FRANZ LISZT *(1811-1886), compositor austriaco.*

4604. El conocimiento de las lenguas muertas es, sobre todo, un lujo.
JOHN BRIGHT *(1811-1889), político inglés.*

4605. Los libros no se han hecho para servir de adorno; sin embargo, nada hay que embellezca tanto como ellos el interior de un hogar.
HARRIET BEECHER-STOWE *(1811-1896), escritora estadounidense.*

4606. Hay cuerdas en el corazón humano que mejor sería no hacerlas vibrar.
CHARLES DICKENS *(1812-1870), escritor inglés.*

4607. Únicamente aquellos pueblos que hacen descubrimientos son dueños del futuro de la civilización.
BERTHOLD AUERBACH *(1812-1882), escritor y ensayista alemán.*

4608. He escrito tres libros acerca del alma, demostrando cuán absurdo es todo lo anteriormente escrito al respecto y volviendo las cosas a su primer estado de ignorancia.
ROBERT BROWNING *(1812-1889), poeta inglés.*

4609. Inscribe sobre todas las obras humanas esta palabra, la maldición obsesiva del artista: «¡Inacabado!».
ROBERT BROWNING *(1812-1889), poeta inglés.*

4610. El que escucha música siente que su soledad se puebla al instante.
ROBERT BROWNING *(1812-1889), poeta inglés.*

4611. Los hombres se arremolinan en torno al poeta y le dicen: «¡Canta, canta!» Es como si le dijeran: «¡Ojalá que nuevos sufrimientos entristezcan tu alma! ¡Ojalá que tus labios sigan siendo los de antes! Porque los gritos nos aterrorizarían, ¡pero la música nos encanta!».

SOREN A. KIERKEGAARD *(1813-1855), filósofo danés.*

Esta cita está extraída de *Diapsálmata*, una colección de aforismos de Soren Aabye Kierkegaard. Su extensa obra no permite clasificaciones ni definiciones rígidas, precisamente por su interés en «hacerlo todo difícil». Su vida, una perpetua angustia por la certeza de una muerte temprana, se desarrolla a lo largo de más de cuarenta títulos, minuciosamente elaborados y editados, en su mayoría, por él mismo. Su principal interés intelectual radicó en el análisis del cristianismo, pero al final de su vida comprendió que la religión acaso estaba al margen del ser humano: «El verdadero problema es el de amar al prójimo», escribió. Sus últimos años reflejan toda la confusión de un hombre que ha pasado la vida nadando contra corriente, en una lucha encarnizada contra la Iglesia, contra el cristianismo y contra sí mismo. Eso le valió el olvido hasta bien entrado el siglo XX.

Acaso convenga, para comprender mejor las ideas que sobre el arte y la poesía tenía, reproducir íntegro el párrafo que Soren Aabye Kierkegaard dedica a los poetas:

«¿Qué es un poeta? Es un hombre desgraciado que oculta profundas penas en su corazón, pero cuyos labios están hechos de tal suerte que los gemidos y los gritos suenan como una hermosa música. Al poeta le acontece como a los pobres infelices que eran quemados a fuego lento en el interior del toro de Falaris, eso es, que sus gritos no llegaban a los oídos del tirano causándole espanto, sino que le sonaban como la más dulce música. Y sin embargo, los hombres se arremolinan en torno al poeta y le dicen: "¡Canta, canta!" Es como si le dijeran: "¡Ojalá que nuevos sufrimientos entristezcan tu alma! ¡Ojalá que tus labios sigan siendo los de antes! Porque los gritos nos aterrorizarían, ¡pero la música nos encanta!". Y también los críticos entran a formar parte del coro y dicen: "¡Muy bien, puesto que así lo ordenan los cánones de estética!". Claro que un crítico se parece muchísimo a un poeta, con la sola diferencia que no tiene penas en el corazón ni música en los labios.»

4612. El hombre es una estupidez, y lo es con ayuda del lenguaje.

SOREN A. KIERKEGAARD *(1813-1855), filósofo danés.*

Arte y libros

4613. **Me gustaría fundar una orden del Silencio, como la orden de Trapa; no con fines religiosos, sino estéticos: para acabar de una vez por todas con estas charlas.**
SOREN A. KIERKEGAARD *(1813-1855), filósofo danés.*

4614. **Que existan editores, es decir, hombres cuya existencia entera expresa que los libros son una mercancía y el autor un mercader, indica una situación absolutamente inmoral.**
SOREN A. KIERKEGAARD *(1813-1855), filósofo danés.*

4615. **Yo prefiero hablar con los niños, pues de ellos se puede esperar que lleguen a ser inteligentes algún día. Pero de los que ya lo son... ¡Dios nos libre!**
SOREN A. KIERKEGAARD *(1813-1855), filósofo danés.*

4616. **Dios creó al hombre a su imagen *(Génesis*, 1,27), y le dotó también con el don de la palabra, pues era su intención que el hombre hablara al hombre como a su prójimo, el amado con la amante, el amigo con el amigo, y los hombres entre sí. Pero ¿de qué?**
SOREN A. KIERKEGAARD *(1813-1855), filósofo danés.*

4617. **El artista, el poeta, el científico, pueden vivir rodeados de admiración toda su vida: sólo por casualidad alguno de ellos se ve perseguido y escarnecido.**
SOREN A. KIERKEGAARD *(1813-1855), filósofo danés.*

4618. **En la literatura, una obra de valor no tendrá crítica ni mención alguna; en tanto, los libros que tratan de mediocridades tendrán publicidad en todos los periódicos. Pero la obra de valor será objeto de envidia secreta.**
SOREN A. KIERKEGAARD *(1813-1855), filósofo danés.*

4619. **Por todo esto, antes que ser poeta e incomprendido de los hombres, yo preferiría ser porquero junto al puente de Amager y acaso sería más fácil que los cerdos llegasen a comprenderme.**
SOREN A. KIERKEGAARD *(1813-1855), filósofo danés.*

4620. **En arte, el hijo instruye al padre; la obra, al maestro.**
CHRISTIAN FRIEDRICH HEBBEL *(1813-1863), escritor alemán.*

4621. **Hay libros que se leen con el sentimiento de una limosna que se hace al autor.**
CHRISTIAN FRIEDRICH HEBBEL *(1813-1863), escritor alemán.*

4622. **Yo no soy capaz de concebir que un hombre verdaderamente feliz pueda pensar alguna vez en el arte. Vivir verdaderamente es poseer la plenitud. ¿Acaso el arte es otra cosa que un reconocimiento de nuestra impotencia?**

RICHARD WAGNER *(1813-1883), compositor alemán.*

4623. **Mi destino, la soledad; mi vida, el trabajo.**

RICHARD WAGNER *(1813-1883), compositor alemán.*

4624. **Para escribir en prosa es absolutamente necesario tener algo que decir; para escribir en verso, esto no es indispensable.**

MADAME ANCKERMANN *(1813-1890), escritora alemana.*

4625. **Volvamos a lo antiguo.**

GIUSEPPE VERDI *(1813-1901), compositor italiano.*

4626. **El arte no es imitación, sino ilusión.**

CHARLES READE *(1814-1884), novelista y dramaturgo inglés.*

4627. **Las demás gentes están hambrientas, pero el alma de un artista está eternamente sedienta.**

IMMANUEL GEIBEL *(1815-1894), poeta alemán.*

4628. **El periodista es un hombre que se ha equivocado de carrera.**

OTTO VON BISMARCK *(1815-1898), estadista prusiano.*

4629. **La prensa no es la opinión pública.**

OTTO VON BISMARCK *(1815-1898), estadista prusiano.*

4630. **Poetas son aquellos que aman, que sienten grandes verdades y las dicen.**

PHILIP JAMES BAILEY *(1816-1902), poeta inglés.*

4631. **Si eres escritor, escribe como si tus días estuviesen contados; porque, en verdad, lo están para la mayoría.**

HENRY DAVID THOREAU *(1817-1862), escritor estadounidense.*

4632. **La lectura es a veces una estratagema para eludir pensar.**

ARTHUR HELPS *(1817-1875), historiador inglés.*

4633. **Debemos recordar, en cualquier caso, que ficción no significa falsedad.**

ARTHUR HELPS *(1817-1875), historiador inglés.*

Arte y libros

4634. **Que el poeta, en su misión**
sobre la tierra que habita,
es una planta maldita
con frutos de bendición.
JOSÉ ZORRILLA *(1817-1893), poeta y dramaturgo español.*

4635. **Mejor es construir aulas para el niño que celdas y patíbulos para el hombre.**
ELIZA COOK *(1818-1889), poetisa inglesa.*

4636. **Los libros son las abejas que llevan el polen de una inteligencia a otra.**
JAMES RUSSELL LOWELL *(1819-1891), escritor estadounidense.*

4637. **Los libros son más que libros. Son la vida, el verdadero corazón y centro de las edades pasadas, la razón por la que los hombres han vivido y trabajado y por lo que han muerto; la esencia y quintaesencia de sus vidas.**
JAMES RUSSELL LOWELL *(1819-1891), escritor estadounidense.*

4638. **Todo hombre nace con el germen de la obra que ha de cumplir.**
JAMES RUSSELL LOWELL *(1819-1891), escritor estadounidense.*

4639. **La literatura está llena de aromas.**
WALT WHITMAN *(1819-1892), poeta estadounidense.*

4640. **Los libros tienen su orgullo. Cuando se prestan no vuelven nunca.**
THEODOR FONTANE *(1819-1898), escritor alemán.*

4641. **El libro que no vale mucho, no vale nada.**
JOHN RUSKIN *(1819-1900), sociólogo inglés.*

4642. **Todos los libros pueden dividirse en dos clases: libros del momento y libros de todo momento.**
JOHN RUSKIN *(1819-1900), sociólogo inglés.*

4643. **Hablamos del alimento del espíritu, igual que del alimento del cuerpo. Pues bien, un buen libro contiene, sin agotarse nunca, ese alimento: es una provisión para toda la vida y para la mejor parte de nosotros.**
JOHN RUSKIN *(1819-1900), sociólogo inglés.*

4644. **Los artistas se envidian siempre lo bastante unos a otros.**
JOHN RUSKIN *(1819-1900), sociólogo inglés.*

4645. El arte grande no es de verdadera utilidad para nadie, salvo para el gran artista que viene detrás. Para la gente en general es completamente invisible.

JOHN RUSKIN *(1819-1900), sociólogo inglés.*

4646. La escultura no consiste en el simple labrado de la forma de una cosa, sino el labrado de su efecto.

JOHN RUSKIN *(1819-1900), sociólogo inglés.*

4647. Podemos vivir sin arquitectura y practicar el culto sin ella; pero no podemos recordar sin su auxilio.

JOHN RUSKIN *(1819-1900), sociólogo inglés.*

4648. Si vuestra obra de arte es buena, si es verdadera, encontrará su eco y se hará su lugar... dentro de seis meses, de seis años, o después de nuestra muerte. ¿Qué más da?

JOHN RUSKIN *(1819-1900), sociólogo inglés.*

4649. Arte bello es aquel en que la mano, la cabeza y el corazón marchan juntos.

JOHN RUSKIN *(1819-1900), sociólogo inglés.*

4650. Cuantas veces las facultades del hombre llegan a su plenitud, deben expresarse por medio del arte.

JOHN RUSKIN *(1819-1900), sociólogo inglés.*

4651. No se debe hablar de ciencia antes de saber. De arte no se hablará antes de practicarlo. De literatura no se debe hablar antes de pensar.

JOHN RUSKIN *(1819-1900), sociólogo inglés.*

4652. Leer equivale a ver por poderes.

HERBERT SPENCER *(1820-1903), filósofo y sociólogo inglés.*

4653. Cuando uno quiere realizar una obra artística, es preciso que se eleve por encima de los elogios y de las críticas. Cuando se tiene delante un ideal claro y preciso, hay que empeñarse en dirigirse hacia él en línea recta, sin distraerse con lo que se encuentra en el camino.

GUSTAVE FLAUBERT *(1821-1880), escritor francés.*

4654. No puedo comprender que una mano pura pueda tocar un periódico sin estremecerse de disgusto.

GUSTAVE FLAUBERT *(1821-1880), escritor francés.*

Arte y libros

4655. En toda mujer de letras hay un hombre fracasado.
GUSTAVE FLAUBERT *(1821-1880), escritor francés.*

4656. Lo bello es siempre raro.
GUSTAVE FLAUBERT *(1821-1880), escritor francés.*

4657. Es doloroso comprobar que encontramos errores semejantes en dos escuelas opuestas: la burguesa y la socialista. ¡Moralicemos, moralicemos!, exclaman ambas con fiebre misionera. Naturalmente, una predica la moral burguesa, y la otra, la socialista. Entendido así, el arte no es más que una cuestión de propaganda.
GUSTAVE FLAUBERT *(1821-1880), escritor francés.*

4658. ¡La música me absorbe como un mar!
GUSTAVE FLAUBERT *(1821-1880), escritor francés.*

4659. Lo que no es ligeramente deforme presenta un aspecto inservible. La irregularidad, lo inesperado, la sorpresa, lo asombroso, constituye una parte esencial y característica de la belleza.
GUSTAVE FLAUBERT *(1821-1880), escritor francés.*

4660. La literatura de nuestro tiempo es como un caldero rajado en el que golpeamos melodías para hacer bailar a los osos, cuando querríamos enternecer a las estrellas.
GUSTAVE FLAUBERT *(1821-1880), escritor francés.*

4661. ¡Madame Bovary soy yo!
GUSTAVE FLAUBERT *(1821-1880), escritor francés.*

4662. Me da asco el realismo; aunque digan que soy su máximo representante.
GUSTAVE FLAUBERT *(1821-1880), escritor francés.*

4663. Ama el arte. De todas las mentiras es la menos falaz.
GUSTAVE FLAUBERT *(1821-1880), escritor francés.*

4664. El arte es la búsqueda de lo inútil.
GUSTAVE FLAUBERT *(1821-1880), escritor francés.*

4665. El arte no es la realidad.
GUSTAVE FLAUBERT *(1821-1880), escritor francés.*

4666. El autor en su obra debe estar como Dios en el Universo: presente en todos los lugares y visible en ninguna parte.
GUSTAVE FLAUBERT *(1821-1880), escritor francés.*

4667. **La poesía siempre es lo lejano.**
HENRI-FRÉDÉRIC AMIEL *(1821-1881), filósofo suizo.*

4668. **El arte revela la naturaleza interpretando sus intenciones y formulando sus deseos. El gran artista es el simplificador.**
HENRI-FRÉDERIC AMIEL *(1821-1881), escritor suizo.*

4669. **Lo inacabado no es nada.**
HENRI-FRÉDÉRIC AMIEL *(1821-1881), filósofo suizo.*

4670. **Mira dos veces para ver lo justo. No mires más que una vez para ver lo bello.**
HENRI-FRÉDÉRIC AMIEL *(1821-1881), filósofo suizo.*

4671. **Saber envejecer es la obra maestra de la cordura y una de las partes más difíciles del gran arte de vivir.**
HENRI-FRÉDÉRIC AMIEL *(1821-1881), filósofo suizo.*

4672. **El pensamiento sin poesía, y la vida sin infinito, es como un paisaje sin cielo: nos ahogamos.**
HENRI-FRÉDÉRIC AMIEL *(1821-1881), filósofo suizo.*

4673. **Tengo un plan nuevo: volverme loco.**
FIODOR MIJAILOVICH DOSTOIEVSKI *(1821-1881), escritor ruso.*

Junto a Tolstoi, el autor de *Crimen y castigo*, *El idiota* y *Los hermanos Karamazov* es uno de los grandes escritores de la literatura rusa. Su vida, parcialmente retratada en su obra, es ya digna de una novela: su padre, un libertino impenitente, fue asesinado por los criados; en 1849 sufre persecución y es encarcelado porque, al parecer, ocupaba su vida en conspiraciones; sufrió un juicio sumarísimo y fue condenado a muerte, aunque finalmente fue indultado, pasando antes por el preceptivo destierro en Siberia. La muerte de sus seres queridos, la enfermedad, la miseria, la perdición espiritual... todo confluye en este hombre y en su literatura. Ha sido llamado «poeta de los pobres»; en sus novelas las habitaciones son opresivas, las gentes se hablan a gritos, los más bajos instintos surgen a cada paso, el hambre y el vicio dominan las páginas. Y sobre todo, una tortura psicológica que acaba por destruir a sus protagonistas.

Mucho antes de escribir la terrible novela *Crimen y castigo*, cuando contaba sólo con diecisiete años, ya tenía esbozado el gran plan de su vida y de su obra. En una carta a su hermano puede leerse: «Tengo un nuevo plan: volverme loco. Ése es el camino: que la gente pierda la cabeza, y luego se cure y vuelva a la razón». Su vida literaria consistió, precisamente, en llevar a cabo este plan: un intento supremo por curar la enfermedad humana. Suele decirse que este loco genial estaba verdaderamente enfermo y, sin embargo, ¿qué clase de locura es la que pretende informarnos de nuestras miserias?

4674. **Entre todas las figuras hermosas de la literatura cristiana, la de don Quijote es la más perfecta. Pero don Quijote es hermoso precisamente porque al mismo tiempo es ridículo.**
FIODOR MIJAILOVICH DOSTOIEVSKI *(1821-1881), escritor ruso.*

4675. **¿Qué puede ser más inverosímil que la realidad?**
FIODOR MIJAILOVICH DOSTOIEVSKI *(1821-1881), escritor ruso.*

4676. **El áspid de la vanidad literaria infiere a veces mordeduras muy hondas y hasta incurables, particularmente en los individuos de pocos alcances.**
FIODOR MIJAILOVICH DOSTOIEVSKI *(1821-1881), escritor ruso.*

4677. **La humanidad descubrirá poco a poco que tenemos que recurrir a la poesía para interpretar la vida, para consolarnos, para sostenernos.**
MATTHEW ARNOLD *(1822-1888), poeta inglés.*

4678. **Tan sólo se debe escribir de lo que se ama.**
JOSEPH ERNEST RENAN *(1823-1892), filósofo e historiador francés.*

4679. **El poeta es un monarca irresponsable, allá en los reinos que él mismo crea.**
JUAN VALERA *(1824-1905), escritor y diplomático español.*

4680. **Es posible que las ciencias físicas permitan algún día a nuestros descendientes establecer las concomitancias y condiciones físicas exactas de la extraña emoción llamada belleza. Pero si ese día llega, la emoción subsistirá lo mismo que ahora fuera del radio de acción del mundo físico.**
THOMAS HENRY HUXLEY *(1825-1895), fisiólogo inglés.*

4681. **Apenas puede encontrarse una vida humana que no hubiera sido diferente de haber sido distinta la idea de la belleza en el espíritu del hombre que la ha vivido.**
WALTER BAGEHOT *(1826-1877), economista, periodista y crítico literario inglés.*

4682. Comprender la belleza significa poseerla.
WILHELM LUBKE *(1826-1893), crítico de arte alemán.*

4683. ¿Cuál es el primero y principal deber de un director de periódico? ¿No será el de estar de común acuerdo siempre con sus lectores?
HENRIK IBSEN *(1828-1906), dramaturgo noruego.*

4684. No hay artistas gordos, dichosos o satisfechos de sí mismos.
LEV NIKOLAEVICH TOLSTOI *(1828-1910), escritor ruso.*

4685. Poeta: un hombre que sube a una estrella con escala de cuerda y tocando el violín.
JULES DE GONCOURT *(1830-1870), escritor francés.*

4686. El hombre busca a veces la verdad en los libros; la mujer busca en ellos las ilusiones.
JULES DE GONCOURT *(1830-1870), escritor francés.*

4687. Un libro no es nunca una obra maestra; llega a serlo.
JULES DE GONCOURT *(1830-1870), escritor francés.*

4688. El que más necedades oye en el mundo es quizá un cuadro de museo.
JULES DE GONCOURT *(1830-1870), escritor francés.*

4689. El más largo aprendizaje de todas las artes es aprender a ver.
JULES DE GONCOURT *(1830-1870), escritor francés.*

4690. La música expresa nuestros sentimientos, pero los expresa en una voz demasiado alta.
JULES DE GONCOURT *(1830-1870), escritor francés.*

4691. No hay mejor barco que un libro para llevarnos a tierras lejanas.
EMILY DICKINSON *(1830-1886), poetisa estadounidense.*

4692. Si siento físicamente como si se me saltase la tapa de los sesos, sé que eso es poesía.
EMILY DICKINSON *(1830-1886), poetisa estadounidense.*

4693. Si sale, sale. Si no sale, hay que volver a empezar. Todo lo demás son fantasías.
ÉDOUARD MANET *(1832-1883), pintor francés.*

4694. Un buen libro es aquel que se abre con expectación y se cierra con provecho.
LOUISE MAY ALCOTT *(1832-1888), escritora estadounidense.*

Arte y libros

4695. Lo ideal, sentido con profundidad y expresado con belleza: he ahí el arte.

EMILIO CASTELAR *(1832-1899), político español.*

4696. Componer no es difícil, lo complicado es dejar caer bajo la mesa las notas superfluas.

JOHANNES BRAHMS *(1833-1897), compositor alemán.*

4697. ¡Ah!, si en el teatro social viviéramos todos entre bastidores, ¡cómo nos despreciaríamos los unos a los otros!

JOSÉ ECHEGARAY *(1833-1916), escritor español.*

4698. Hay dos clases de escritores geniales: los que piensan y los que hacen pensar.

JOSEPH ROUX *(1834-1886), moralista francés.*

4699. Algo debe ir mal en el arte, pues la alegría de la vida sufre alguna enfermedad en el hogar de la civilización.

WILLIAM MORRIS *(1834-1896), escritor y pensador inglés.*

4700. El arte es la expresión que encarna el interés del hombre por la vida; surge del placer que el hombre halla en su vida.

WILLIAM MORRIS *(1834-1896), escritor y pensador inglés.*

4701. El arte ha enfermado debido a esa superstición de que el comercio es un fin en sí mismo; de que el hombre está hecho para el comercio, y no el comercio para el hombre.

WILLIAM MORRIS *(1834-1896), escritor y pensador inglés.*

4702. En nuestros días –lo he dicho y lo repito– todo el pueblo se halla despreocupado e ignora el arte; el instinto innato de la belleza está siempre reprimido o frustrado.

WILLIAM MORRIS *(1834-1896), escritor y pensador inglés.*

4703. Es algo bien sabido que todo lo que elabora la mano del hombre hoy día es francamente horroroso.

WILLIAM MORRIS *(1834-1896), escritor y pensador inglés.*

4704. El arte y la literatura son el resultado moral de una civilización, la irradiación espiritual de los pueblos.

GIOSUE CARDUCCI *(1835-1907), poeta italiano.*

4705. **Mis libros son agua; los de los genios son vino. No me importa: todo el mundo bebe agua.**

SAMUEL LANGHORNE CLEMENS, *MARK TWAIN (1835-1910), escritor estadounidense.*

4706. **El oficio de crítico literario, de música o de teatro es el más rastrero de todos los oficios.**

SAMUEL LANGHORNE CLEMENS, *MARK TWAIN (1835-1910), escritor estadounidense.*

4707. **¿Qué es poesía? dices mientras clavas**
en mi pupila tu pupila azul.
¿Qué es poesía? ¿Y tú me lo preguntas?
Poesía... eres tú.

GUSTAVO ADOLFO BÉCQUER *(1836-1870), poeta español.*

Esta poesía, como todos los estudiantes saben, es la rima XXI de Bécquer. Habitualmente se entiende este pequeño poema como un cumplido amoroso, como un requiebro o un galanteo. Así se ha ido transmitiendo de generación en generación y pocos adolescentes han reprimido la tentación de enviarle un billete a su joven amante con estas palabras («Escribir poesía cuando se es joven es bien fácil,» –decía Rilke–» aunque no tenga mucho valor). Tal vez a los apasionados de Bécquer les interese conocer algo más acerca de estos famosos versos.

El siglo XIX es, primero, el siglo romántico; y después, el siglo realista y positivista. La tradición había hecho de la mujer un verdadero animal pasional, puro instinto, irreflexivo, sanguíneo, vital. Algunos románticos la dignificaron y muchas mujeres (Staël o Austen, por ejemplo) demostraron más cordura y razón que la mayoría de los hombres. El positivismo, sin embargo, añadió más leña al fuego, y la mujer se representó, más que nunca, como un ser dominado por los sentimientos. Como la Fortunata de Galdós o doña Anita, de Clarín. Pues bien, esto y no otra cosa es lo que pensaba Bécquer de la mujer. Cuando trata de explicar esta rima (en *Cartas literarias*), el poeta escribe: «La poesía eres tú, te he dicho, porque la poesía es el sentimiento, y el sentimiento es la mujer». La poesía, como la mujer, es la inconsciencia, la ausencia de razón, la pasión.

4708. **La poesía es al saber de la humanidad**
lo que el amor es a las otras pasiones.

GUSTAVO ADOLFO BÉCQUER *(1836-1870), poeta español.*

Arte y libros

4709. La poesía popular es la síntesis de la poesía.
GUSTAVO ADOLFO BÉCQUER *(1836-1870), poeta español.*

4710. Podrá no haber poetas; pero siempre habrá poesía.
GUSTAVO ADOLFO BÉCQUER *(1836-1870), poeta español.*

4711. Mientras haya esperanzas y recuerdos ¡habrá poesía!
GUSTAVO ADOLFO BÉCQUER *(1836-1870), poeta español.*

4712. Todo el mundo siente. Sólo a algunos seres les es dado el guardar como un tesoro la memoria viva de lo que han sentido. Yo creo que éstos son los poetas.
GUSTAVO ADOLFO BÉCQUER *(1836-1870), poeta español.*

4713. De Dios la voz secreta
de la abstracción entre el silencio mudo
coloquios dulces con el hombre entabla,
y al artista, lo mismo que al profeta,
sólo tras largas penitencias habla.
VICENTE WENCESLAO QUEROL *(1836-1889), poeta español.*

4714. Leer es multiplicar y enriquecer la vida interior.
NICOLÁS DE AVELLANEDA *(1837-1885), político y periodista argentino.*

4715. Nada en la educación es tan asombroso como la cantidad de ignorancia que acumula en forma de datos inútiles.
HENRY BROOKS ADAMS *(1838-1919), historiador estadounidense.*

4716. Literatura: la más seductora, la más mentirosa, la más peligrosa de las profesiones.
JOHN MORLEY, VIZCONDE DE BLACKBURN *(1838-1923), político y crítico literario inglés.*

4717. Cuando el color está en su riqueza, la forma está en su plenitud.
PAUL CÉZANNE *(1839-1906), pintor francés.*

4718. En arte se es revolucionario o plagiario.
PAUL CÉZANNE *(1839-1906), pintor francés.*

4719. Para tener entendimiento, basta con nacer con él; para tener memoria o paciencia, ejercitarlas; mas para educar en su plenitud la inteligencia, es absolutamente indispensable educar por entero todo el hombre.
FRANCISCO GINER DE LOS RÍOS *(1839-1915), filósofo y ensayista español.*

4720. Todo hombre genial es en cierta medida hombre, mujer y niño al mismo tiempo.

HENRY HAVELOCK *(1840-1871), escritor inglés.*

4721. Los poetas son los hombres que han conservado sus ojos de niño.

ALPHONSE DAUDET *(1840-1897), escritor francés.*

4722. ¡Cuánto hay en la biblioteca sobre lo cual podría escribirse «Para uso externo», como en los frascos de farmacia!

ALPHONSE DAUDET *(1840-1897), escritor francés.*

4723. Una obra de arte es un rincón de la creación vista a través de un temperamento.

ÉMILE ZOLA *(1840-1902), novelista francés.*

4724. La belleza es un estado de ánimo.

ÉMILE ZOLA *(1840-1902), novelista francés.*

4725. Una lengua es una lógica.

ÉMILE ZOLA *(1840-1902), novelista francés.*

4726. Mi arte es una afirmación del individuo fuera de todas reglas y de todas las necesidades sociales.

ÉMILE ZOLA *(1840-1902), novelista francés.*

4727. Arte es contemplación. Es el placer reservado al espíritu que penetra dentro de la naturaleza y adivina en ella el alma de que él mismo está animado. Es la misión más sublime del hombre, puesto que consiste en un empeño de la inteligencia por comprender y hacer comprender el mundo.

AUGUSTE RODIN *(1840-1917), escultor francés.*

4728. Nada es tan hermoso como las ruinas de una cosa hermosa.

AUGUSTE RODIN *(1840-1917), escultor francés.*

4729. Los verdaderos artistas son casi los únicos hombres que realizan su trabajo con placer.

AUGUSTE RODIN *(1840-1917), escultor francés.*

4730. Los museos son una bagatela; en ellos se pierde el tiempo; no conviene adquirir nada de segunda mano.

PIERRE AUGUSTE RENOIR *(1841-1919), pintor francés.*

Arte y libros

4731. **¿Sabéis lo que es escribir? Una antigua y muy vaga, pero celosa práctica, cuyo sentido yace en el misterio del corazón.**
STÉPHANE MALLARMÉ *(1842-1898), poeta francés.*

4732. **Un poeta es la persona que se asombra por todo.**
STÉPHANE MALLARMÉ *(1842-1898), poeta francés.*

4733. **Todo, en el mundo, existe para acabar convirtiéndose en un libro.**
STÉPHANE MALLARMÉ *(1842-1898), poeta francés.*

4734. **El hombre puede ser demócrata; el artista se desdobla y debe seguir siendo aristócrata.**
STÉPHANE MALLARMÉ *(1842-1898), poeta francés.*

4735. **Éstas son las prerrogativas del genio: saber sin haber aprendido; extraer conclusiones justas de premisas ignoradas; discernir el alma de las cosas.**
AMBROSE BIERCE *(1842-1914), escritor estadounidense.*

4736. **Un tren que parte es la cosa del mundo más parecida a un libro que se acaba.**
BENITO PÉREZ GALDÓS *(1843-1920), escritor español.*

4737. **Por más que se diga, el artista podrá estar más o menos oculto, pero no desaparece nunca, ni acaban de esconderlo los bastidores del retablo, por bien construidos que estén.**
BENITO PÉREZ GALDÓS *(1843-1920), escritor español.*

4738. **La música ante todo.**
PAUL VERLAINE *(1844-1896), poeta francés.*

4739. **El arte, antes que nada, debe ser y parecer sincero y claro, absolutamente; es la ley necesaria y dura ¿no es así, jóvenes?**
PAUL VERLAINE *(1844-1896), poeta francés.*

4740. **—Pero ¿por qué escribes entonces?**
—Bueno, amigo, en confianza: no he encontrado hasta ahora un medio mejor de quitarme de encima mis propios pensamientos.
FRIEDRICH NIETZSCHE *(1844-1900), filósofo alemán.*

4741. **Tenemos el arte para no morir de la verdad.**
FRIEDRICH NIETZSCHE *(1844-1900), filósofo alemán.*

4742. **El poeta pasea triunfalmente sus ideas en el carro del ritmo, ordinariamente porque no es capaz de marchar por su pie.**
FRIEDRICH NIETZSCHE *(1844-1900), filósofo alemán.*

4743. **En el teatro falta la soledad... Y lo perfecto no consiente testigos: en el teatro se vuelve uno vulgo, rebaño...**
FRIEDRICH NIETZSCHE *(1844-1900), filósofo alemán.*

4744. **Merced a la música las pasiones gozan de sí mismas.**
FRIEDRICH NIETZSCHE *(1844-1900), filósofo alemán.*

4745. **Sin la música, la vida sería un error.**
FRIEDRICH NIETZSCHE *(1844-1900), filósofo alemán.*

4746. **En la arquitectura, el orgullo del hombre, su triunfo sobre la gravedad, su voluntad de poder, asumen una forma visible.**
FRIEDRICH NIETZSCHE *(1844-1900), filósofo alemán.*

4747. **La belleza en sí es una simple palabra; ni siquiera es un concepto. Al juzgar lo bello, el hombre se considera a sí mismo como el modelo de perfección. Una especie no tiene otra alternativa que afirmarse a sí misma de esta manera.**
FRIEDRICH NIETZSCHE *(1844-1900), filósofo alemán.*

4748. **Todo lo feo debilita y deprime al hombre. Le sugiere la decadencia, el peligro, la impotencia.**
FRIEDRICH NIETZSCHE *(1844-1900), filósofo alemán.*

4749. **Los genios son una materia explosiva en la que se halla acumulada una cantidad inmensa de potencia. Se debe a que durante largos siglos ha ido reuniéndose y atesorándose la energía para su uso sin que tuviera lugar ninguna explosión.**
FRIEDRICH NIETZSCHE *(1844-1900), filósofo alemán.*

4750. **En todo hablar hay un punto de desprecio. El lenguaje parece inventado sólo para lo corriente, lo mediato, lo trasmisible.**
FRIEDRICH NIETZSCHE *(1844-1900), filósofo alemán.*

4751. **No basta la ciencia para comprender el lenguaje de la naturaleza. Para mucha gente, el arte y la poesía son los intérpretes más inteligibles.**
FRIEDRICH RATZEL *(1844-1904), geógrafo alemán.*

Arte y libros

4752. **Todos los libros cansan. Hasta los libros predilectos, los que uno relee, cansan. No leer sería una tendencia aprovechable, si se pudiera hacer otra cosa.**
ANATOLE-FRANÇOIS THIBAULT, *ANATOLE FRANCE (1844-1924), escritor francés.*

4753. **El arte es todo para el hombre; lo demás es pura fantasmagoría.**
ANATOLE-FRANÇOIS THIBAULT, *ANATOLE FRANCE (1844-1924), escritor francés.*

4754. **El artista debe amar la vida y convencernos de que es bella: sin él, dudaríamos.**
ANATOLE-FRANÇOIS THIBAULT, *ANATOLE FRANCE (1844-1924), escritor francés.*

4755. **El buen crítico es el que narra las aventuras de su alma en medio de las obras maestras.**
ANATOLE-FRANÇOIS THIBAULT, *ANATOLE FRANCE (1844-1924), escritor francés.*

4756. **El arte es un compendio de la naturaleza formado por la imaginación.**
JOSÉ MARIA EÇA DE QUEIROZ *(1845-1900), escritor portugués.*

4757. **¡Pobre de mí! Nunca podré lograr la nota de realidad eterna, como el divino Balzac, o la nota justa de la realidad pasajera, como el gran Flaubert.**
JOSÉ MARIA EÇA DE QUEIROZ *(1845-1900), escritor portugués.*

4758. **Nada está dicho. Aunque hace más de siete mil años que hay hombres, llegamos demasiado pronto.**
ISIDORE-LUCIEN DUCASSE, CONDE DE LAUTRÉAMONT *(1846-1870), escritor francés.*

4759. **Una casa sin libros es una casa sin dignidad.**
EDMUNDO D'AMICIS *(1846-1908), escritor italiano.*

4760. **El destino de muchos hombres dependió de tener o no una biblioteca en su hogar paterno.**
EDMUNDO D'AMICIS *(1846-1908), escritor italiano.*

4761. **En la escuela es donde empezamos a dejar nuestra propia personalidad.**
ACHILE TOURNIER *(1847-1906), historiador francés.*

4762. **Algunas escritoras lanzarán un día, sin duda, la idea de que debe permitirse a los hombres y las mujeres verse mutuamente dormidos antes de declararse o prometerse.**
ABRAHAM (BRAM) STOKER *(1847-1912), escritor inglés.*

4763. **El placer que se busca al leer es el placer de pensar.**
ÉMILE AUGUSTE FAGUET *(1847-1916), escritor y crítico francés.*

4764. La música es el único arte que permite escaparse por completo de la vida. Es la expresión misma del sueño.

ÉMILE AUGUSTE FAGUET *(1847-1916), escritor y crítico francés.*

4765. La gente confunde mérito y éxito, dos cosas que, en justicia, conviene distinguir.

MADAME DARDENNE, *PHILIPH GERFAUT (1847-1919), escritora francesa.*

4766. El genio es un uno por ciento de inspiración y un noventa y nueve por ciento de perspicacia.

THOMAS ALVA EDISON *(1847-1931), físico estadounidense.*

4767. Verdaderamente, cuando pienso en ello veo que la literatura no tiene más que una razón de ser: salvar a quien la hace del disgusto de vivir.

JORIS-KARL HUYSMANS *(1848-1907), escritor francés.*

4768. El acto de poner un libro a la venta significa la aceptación de las deshonrosas familiaridades del primero que llega. Es la violación consentida de lo poco que uno vale.

JORIS-KARL HUYSMANS *(1848-1907), escritor francés.*

4769. El Arte es, en cierta manera, una crítica de la realidad.

ARTURO GRAF *(1848-1913), escritor italiano.*

4770. El Arte no es siervo de las multitudes.

ARTURO GRAF *(1848-1913), escritor italiano.*

4771. Tanto vale el Arte, cuanto el concepto de la vida que lo inspira.

ARTURO GRAF *(1848-1913), escritor italiano.*

4772. La originalidad es una soledad del espíritu.

ARTURO GRAF *(1848-1913), escritor italiano.*

4773. ¡Oh, jovenzuelos superficiales! Hablad con más respeto de los antiguos, porque a ellos se lo debéis todo: de los griegos recibisteis el arte; de los romanos la política; hasta la religión, que os la enseñaron los judíos.

ARTURO GRAF *(1848-1913), escritor italiano.*

4774. El mejor maestro es aquel que, enseñando poco, hace nacer en el alumno un gran deseo de aprender.

ARTURO GRAF *(1848-1913), escritor italiano.*

4775. La cultura no es un sustituto de la vida, pero es la clave de la vida.

WILLIAM HURREL MALLOCK *(1849-1908), sociólogo inglés.*

4776. Guardaos de aquellas ideas que llenan la memoria sin que produczcan otras nuevas ideas, como las fechas, etc.

CARLO ALBERTO PISANI, *CARLO DOSSI (1849-1910), escritor italiano.*

4777. Otras veces, se hace un tremendo esfuerzo con los libros de teología y de filosofía para entender que todo cuanto se ha llegado a entender no valía la pena entenderlo.

CARLO ALBERTO PISANI, *CARLO DOSSI (1849-1910), escritor italiano.*

4778. La crítica no ha de ser el microscopio que aplicado a la cara de una hermosa muestra una burda epidermis; más bien el telescopio que muestra mundos donde los ojos de todos sólo ven oscuridad.

JOAQUÍN M. BARTRINA *(1850-1880), poeta español.*

4779. Los grandes artistas son los que imponen a la humanidad sus ilusiones particulares.

GUY DE MAUPASSANT *(1850-1893), escritor francés.*

4780. No hay hombre cultivado, sólo hay hombres que se cultivan.

FERDINAND FOCH *(1851-1929), militar francés.*

4781. El artista es mediocre cuando razona en vez de sentir.

GUSTAVE LE BON *(1851-1931), médico y escritor belga.*

4782. Una de las mayores amarguras del crítico es tener que estar muchas veces de acuerdo con los envidiosos.

LEOPOLDO ALAS, *CLARÍN (1852-1901), escritor español.*

4783. Una obra semejante debe ser el reflejo de un largo período; cuanto más largo sea el período, más bella será la obra. Es preciso que el espíritu de la obra prevalezca, pero su existencia debe depender de las generaciones precedentes, alentadas por aquél y al que transmitirán su ideal... La obra de un solo hombre es forzosamente mezquina y muerta apenas nacida.

ANTONI GAUDÍ I CORNET *(1852-1926), arquitecto español.*

(A propósito de la construcción de la Sagrada Familia, en Barcelona.)

4784. La vanidad nos persigue hasta en el lecho de muerte. La soportamos con entereza porque deseamos superar su terrible grandeza y cautivar la admiración de los espectadores.

SANTIAGO RAMÓN Y CAJAL *(1852-1934), científico español.*

4785. **El arte no es nada sin espíritu. El pensamiento es a la literatura como la luz a la pintura.**
PAUL BOURGET *(1852-1935), novelista y crítico francés.*

4786. **Entre los colores y los sonidos hay una gran relación. El cornetín de pistón produce sonidos amarillos; la flauta suele tener sonidos azules y anaranjados; el fagot y el violín dan sonidos de color de castaña y azul de Prusia, y el silencio, que es la ausencia de sonidos, el color negro. El blanco lo produce el oboe.**
JOSÉ MARTÍ *(1853-1895), político y escritor cubano.*

4787. **La madre del decoro, la savia de la libertad, el mantenimiento de la república, y el remedio de sus vicios es, sobre todo lo demás, la propagación de la cultura.**
JOSÉ MARTÍ *(1853-1895), político y escritor cubano.*

4788. **Un grano de poesía es suficiente para perfumar un siglo.**
JOSÉ MARTÍ *(1853-1895), político y escritor cubano.*

4789. **El escritor debe tomar la pluma como un instrumento sagrado que Dios puso en sus manos para ennoblecer la vida.**
ARMANDO PALACIO VALDÉS *(1853-1938), escritor español.*

4790. **La literatura atrae y fascina a una buena parte de los hombres, no solamente porque significa la celebridad con poco esfuerzo, sino porque realmente todos sentimos la belleza y nos creemos aptos para expresarla.**
ARMANDO PALACIO VALDÉS *(1853-1938), escritor español.*

4791. **La oratoria política es el arte de decir vulgaridades con corrección y propiedad.**
ARMANDO PALACIO VALDÉS *(1853-1938), escritor español.*

4792. **Toda música, en el fondo, no es más que la expresión de un sentimiento religioso.**
ARMANDO PALACIO VALDÉS *(1853-1938), escritor español.*

4793. **Cuando un escritor principia a comerciar con su ingenio, no tarda en suspender los pagos.**
ARMANDO PALACIO VALDÉS *(1853-1938), escritor español.*

4794. **Los hombres de genio en el mundo son aquellos que ven con extraña y maravillosa intensidad una parte de la verdad.**
ARMANDO PALACIO VALDÉS *(1853-1938), escritor español.*

Arte y libros

4795. Ahora puedo decir que el arte es una necedad.
ARTHUR RIMBAUD *(1854-1891), poeta francés.*

4796. La belleza es la única cosa que el tiempo no puede dañar. Las filosofías se dispersarán como arena, las creencias se sucederán unas a otras como hojas marchitas del otoño; pero lo que es bello representa un gocc para todas las estaciones y una posesión para toda la eternidad.
OSCAR WILDE *(1854-1900), escritor irlandés.*

4797. La Belleza tiene tantos significados como el hombre tiene estados de ánimo. La Belleza es el símbolo de los símbolos. La Belleza lo revela todo, porque no expresa nada.
OSCAR WILDE *(1854-1900), escritor irlandés.*

4798. Es mejor ser bello que ser bueno, pero es mejor ser bueno que ser feo.
OSCAR WILDE *(1854-1900), escritor irlandés.*

4799. No hay libros morales ni libros inmorales. Hay sólo libros bien escritos y libros mal escritos. Eso es todo.
OSCAR WILDE *(1854-1900), escritor irlandés.*

4800. Los libros que el mundo llama inmorales son libros que muestran al mundo su propia vergüenza.
OSCAR WILDE *(1854-1900), escritor irlandés.*

4801. Los biógrafos son la peste de nuestros tiempos, ni más ni menos. Todos los grandes hombres tienen sus discípulos, mas siempre es Judas el que escribe su biografía.
OSCAR WILDE *(1854-1900), escritor irlandés.*

4802. Cualquiera puede hacer historia, pero sólo un gran hombre puede escribirla.
OSCAR WILDE *(1854-1900), escritor irlandés.*

4803. La diferencia entre la literatura y el periodismo es que el periodismo es ilegible y la literatura no se lee.
OSCAR WILDE *(1854-1900), escritor irlandés.*

4804. Escribir en los periódicos arruina el estilo.
OSCAR WILDE *(1854-1900), escritor irlandés.*

4805. [La música] es el arte más cercano a las lágrimas y a los recuerdos.
OSCAR WILDE *(1854-1900), escritor irlandés.*

4806. **Cuando se oye mala música, el deber de uno es ahogarla con su conversación.**
OSCAR WILDE *(1854-1900), escritor irlandés.*

4807. **Cuando se toca buena música la gente no escucha, y cuando se toca mala música, la gente no habla.**
OSCAR WILDE *(1854-1900), escritor irlandés.*

4808. **Los músicos son absurdos. Siempre quieren que se vuelva uno mudo, precisamente cuando uno desearía quedarse sordo.**
OSCAR WILDE *(1854-1900), escritor irlandés.*

4809. **Todo retrato que se pinta con alma es un retrato, no del modelo, sino del artista.**
OSCAR WILDE *(1854-1900), escritor irlandés.*

4810. **No hay objeto tan feo que, en determinadas condiciones de luz y sombra o de proximidad con otras cosas, no parezca bello. No hay objeto tan bello que en determinadas condiciones no parezca feo.**
OSCAR WILDE *(1854-1900), escritor irlandés.*

4811. **Los buenos artistas lo entregan todo a su arte, y, por consiguiente, no tienen ellos mismos nada de interesante.**
OSCAR WILDE *(1854-1900), escritor irlandés.*

4812. **Ningún gran artista ve las cosas como son en realidad, si lo hiciera, dejaría de ser artista.**
OSCAR WILDE *(1854-1900), escritor irlandés.*

4813. **Las buenas intenciones pueden tener valor en un sistema ético; pero en arte, no. No basta tener buenas intenciones: se ha de realizar la obra.**
OSCAR WILDE *(1854-1900), escritor irlandés.*

4814. **Las mujeres nos inspiran el deseo de ejecutar obras maestras, y después nos impiden llevarlas a cabo.**
OSCAR WILDE *(1854-1900), escritor irlandés.*

4815. **El fin del arte no es la verdad, sino la belleza.**
OSCAR WILDE *(1854-1900), escritor irlandés.*

4816. **El secreto de la vida está en el arte.**
OSCAR WILDE *(1854-1900), escritor irlandés.*

Arte y libros

4817. El arte no se expresa más que a sí mismo. Tiene una vida independiente, como el pensamiento, y se desarrolla en un sentido que es suyo propio. Lejos de ser la creación de su época, está, por lo general, en oposición directa con ella. Pasar del arte de una época a la época misma es el error más garrafal de todos los historiadores. A veces, la época no llega ni a comprender el arte que produce.

OSCAR WILDE *(1854-1900), escritor irlandés.*

4818. El arte es la ciencia de la belleza, como las matemáticas son la ciencia de la verdad.

OSCAR WILDE *(1854-1900), escritor irlandés.*

4819. El arte jamás ha de intentar ser popular. El público es el que ha de intentar ser artista.

OSCAR WILDE *(1854-1900), escritor irlandés.*

4820. El significado de toda creación bella reside tanto en el alma de quien la contempla como en el alma de quien la creó.

OSCAR WILDE *(1854-1900), escritor irlandés.*

4821. Mentir, decir cosas inciertas maravillosamente, es la finalidad adecuada del arte.

OSCAR WILDE *(1854-1900), escritor irlandés.*

4822. El realismo, como método, es un completo fracaso. La vida imita al arte más que el arte a la vida.

OSCAR WILDE *(1854-1900), escritor irlandés.*

4823. La estética es superior a la ética.

OSCAR WILDE *(1854-1900), escritor irlandés.*

4824. El público es maravillosamente tolerante. Todo lo perdona menos el genio.

OSCAR WILDE *(1854-1900), escritor irlandés.*

4825. Es el amor un sacramento que debería escribirse de rodillas.

OSCAR WILDE *(1854-1900), escritor irlandés.*

4826. Amad el arte por sí mismo y entonces todo lo demás se os dará por añadidura.

OSCAR WILDE *(1854-1900), escritor irlandés.*

4827. **Sólo la realidad tiene derecho a ser inverosímil. El Arte, nunca. He ahí por qué el Arte no debe confundirse con la vida.**
ÉMILE VERHAEREN *(1855-1916), poeta belga.*

4828. **¡Qué lástima morirse, cuando me queda tanto que leer!**
MARCELINO MENÉNDEZ Y PELAYO *(1856-1912), erudito español.*

4829. **Desde luego, es más cómodo saber poco que saber mucho.**
MARCELINO MENÉNDEZ Y PELAYO *(1856-1912), erudito español.*

4830. **Mi ideal sobre materia de estilo es no tenerlo.**
MARCELINO MENÉNDEZ Y PELAYO *(1856-1912), erudito español.*

4831. **Debo advertir a mis lectores que mis ataques van dirigidos contra ellos mismos, no contra mis personajes.**
GEORGE BERNARD SHAW *(1856-1950), escritor irlandés.*

4832. **Cuando un escritor es elogiado en vida más allá de sus merecimientos, puede estar seguro de que en el futuro será estimado muy por debajo de ellos.**
GEORGE BERNARD SHAW *(1856-1950), escritor irlandés.*

4833. **Cuando leas una biografía ten en cuenta que la verdad nunca es publicable.**
GEORGE BERNARD SHAW *(1856-1950), escritor irlandés.*

4834. **¿No esperarás que hable de una obra de teatro cuando no sé quién es su autor, verdad? Si es un buen autor, es una buena obra. Eso está claro.**
GEORGE BERNARD SHAW *(1856-1950), dramaturgo irlandés.*

4835. **La música es rayo de sol y agua para el espíritu humano; pero si lo ocupa y lo cubre durante demasiado tiempo, lo debilita y lo corrompe.**
GEORGE BERNARD SHAW *(1856-1950), escritor irlandés.*

4836. **Aunque soy hombre de letras, no debéis suponer que no haya intentado ganarme la vida honradamente.**
GEORGE BERNARD SHAW *(1856-1950), escritor irlandés.*

4837. **El genio es siempre de su siglo, pero lo supera siempre; los mediocres pertenecen íntegramente a su siglo, están siempre a la temperatura de su ambiente, al nivel de su público.**
GUSTAVE LANSON *(1857-1939), historiador y ensayista francés.*

Arte y libros

4838. Saber lo que todo el mundo sabe, eso no es saber. El saber comienza allí donde comienza lo que el mundo ignora. La verdadera ciencia también está situada más allá de la ciencia.

RÉMY DE GOURMONT *(1858-1915), crítico y escritor francés.*

4839. La condición fundamental de una buena prosa es que sea natural y rítmica como el movimiento respiratorio.

RÉMY DE GOURMONT *(1858-1915), crítico y escritor francés.*

4840. Repetir cosas ya dichas y hacer creer a las gentes que las leen por primera vez. En esto consiste el arte de escribir.

RÉMY DE GOURMONT *(1858-1915), crítico y escritor francés.*

4841. El Arte existe como objeto del sentimiento y no del entendimiento. Así, cuantas veces se pretende hablar del Arte poniendo en acción la inteligencia, no se dicen más que tonterías.

RÉMY DE GOURMONT *(1858-1915), crítico y escritor francés.*

4842. Admitir el arte porque puede servir para moralizar al individuo o a las masas, es como admitir las rosas porque se extrae de ellas un remedio útil para los ojos.

RÉMY DE GOURMONT *(1858-1915), crítico y escritor francés.*

4843. Raramente los escritores escriben lo que piensan. Simplemente escriben lo que piensan que otras personas piensan que ellos piensan.

ELBERT HUBBARD *(1859-1915), ensayista estadounidense.*

4844. El Arte no es una cosa, sino un camino.

ELBERT HUBBARD *(1859-1915), ensayista estadounidense.*

4845. A veces me pregunto si la literatura es para la generalidad de los lectores algo más que un cuento de hadas.

JEROME KLAPKA, *JEROME K.(1859-1927), escritor inglés.*

4846. Escribimos con el corazón en la mano. Preguntamos a nuestra propia conciencia: ¿es justo poner así al descubierto los secretos de nuestra alma? El lector no se percata de que escribimos con la sangre de nuestro corazón; para él escribimos simplemente con tinta. No cree que ponemos al descubierto los secretos de nuestra alma; supone que estamos simulando.

JEROME KLAPKA, *JEROME K.(1859-1927), escritor inglés.*

4847. **El genio es un rayo cuyo trueno se prolonga durante siglos.**

KNUT HAMSUN *(1859-1952), escritor noruego.*

4848. **Es necesario que en el teatro todo sea tan complejo y tan sencillo como en la vida. La gente está almorzando..., y mientras tanto puede decidirse su futura felicidad, o sus vidas pueden estar a punto de desmoronarse... La gente no está a cada momento ahorcándose, ni enamorándose, ni lanzando dichos inteligentes. Casi todo el tiempo lo pasan comiendo, bebiendo, persiguiendo a las mujeres o a los hombres, y hablando de tonterías. Por tanto, es necesario que todo eso se muestre en escena.**

ANTON PAVLOVICH CHEJOV *(1860-1904), escritor ruso.*

4849. **Las obras se dividen en dos categorías: las que me agradan y las que no me agradan. Yo no conozco ningún otro criterio.**

ANTON PAVLOVICH CHEJOV *(1860-1904), escritor ruso.*

4850. **Los hombres inteligentes quieren aprender; los demás, enseñar.**

ANTON PAVLOVICH CHEJOV *(1860-1904), escritor ruso.*

4851. **Una traducción es siempre, como observa un autor, como el revés de un bordado. Allí están, ciertamente, todos los hilos, pero no la sutilidad del color y del dibujo.**

OKAKURA KAZUKO *(1860-1913), escritor japonés.*

4852. **El pueblo hace la crítica de la pintura con el oído.**

OKAKURA KAZUKO *(1860-1913), escritor japonés.*

4853. **Las tres cosas más deplorables del mundo son: una juventud hermosa echada a perder por una educación equivocada, bellas pinturas degradadas por la admiración del vulgo, y ver derrochar tanto té de calidad por causa de una manipulación imperfecta.**

OKAKURA KAZUKO *(1860-1913), escritor japonés.*

4854. **El gran arte es lo instantáneo detenido para la eternidad.**

JAMES GIBBON HUNEKER *(1860-1921), crítico estadounidense.*

4855. **La literatura llega a su apogeo cuando es mitad arte, mitad comercio.**

WILLIAM RALPH INGE *(1860-1954), escritor francés.*

4856. **La sabiduría del sabio consiste en un sentido común fuera de lo común.**

WILLIAM RALPH INGE *(1860-1954), escritor francés.*

Arte y libros

4857. El verdadero modernismo es la libertad de espíritu y no la esclavitud del gusto.

RABINDRANATH TAGORE *(1861-1941), escritor hindú.*

4858. La música es la aritmética de los sonidos, como la óptica es la geometría de la luz.

CLAUDE DEBUSSY *(1862-1918), compositor francés.*

4859. El arte es la más bella de las mentiras.

CLAUDE DEBUSSY *(1862-1918), compositor francés.*

4860. El hallazgo afortunado de un buen libro puede cambiar el destino de un alma.

MARCEL PRÉVOST *(1862-1941), novelista francés.*

4861. Piensa y di en este momento cosas que te parezcan demasiado bellas para ser verdaderas en ti; serán verdaderas mañana si hoy has conseguido pensarlas y decirlas.

MAURICE MAETERLINCK *(1862-1949), escritor belga.*

4862. Gracias a la instrucción hay menos analfabetos y más imbéciles.

ALBERT GUINON *(1863-1923), periodista y dramaturgo francés.*

4863. Arte = Naturaleza – x.

ARNO HOLZ *(1863-1929), poeta alemán.*

4864. El vestido de todas las grandes esperanzas es la belleza.

GABRIELE D'ANNUNZIO *(1863-1938), escritor italiano.*

4865. En arte, la tesis debe transformarse en idea espontánea, en sentimiento.

KONSTANTIN STANISLAVSKI *(1863-1938), director y teórico teatral ruso.*

4866. El escepticismo es la castidad del pensamiento.

GEORGE SANTAYANA *(1863-1952), filósofo estadounidense.*

4867. Nada hay tan pobre y triste como el arte que se interesa en sí mismo y no en su objeto.

GEORGE SANTAYANA *(1863-1952), filósofo estadounidense.*

4868. La cultura se halla en este dilema: si debe ser profunda y noble acabará por ser elitista; si debe ser popular, acabará siendo mezquina.

GEORGE SANTAYANA *(1863-1952), filósofo estadounidense.*

4869. **El primer deber de un literato nuevo es hacerse interesante. El derecho de ser aburrido sólo le corresponde a los escritores célebres.**
ÉMILE BERR *(1863-1954), filósofo e historiador francés.*

4870. **El oficio de las letras es, a pesar de todo, el único en el que se puede no ganar dinero sin hacer el ridículo.**
JULES RENARD *(1864-1910), escritor francés.*

4871. **En literatura sólo hay bueyes. Los genios son los más fuertes, los que aguantan dieciocho horas al día trabajando de una manera infatigable.**
JULES RENARD *(1864-1910), escritor francés.*

4872. **Los autores sólo aceptan los elogios, y además exigen que sólo les digamos la verdad. ¿Cómo nos las arreglaremos?**
JULES RENARD *(1864-1910), escritor francés.*

4873. **Escribir es un modo de hablar sin que te interrumpan.**
JULES RENARD *(1864-1910), escritor francés.*

4874. **La claridad es la cortesía del hombre de letras.**
JULES RENARD *(1864-1910), escritor francés.*

4875. **La literatura es un oficio en el que, incesantemente, hay que volver a demostrar que se tiene talento a la gente que no lo tiene.**
JULES RENARD *(1864-1910), escritor francés.*

4876. **Para ser originales basta con imitar a los autores que ya no están de moda.**
JULES RENARD *(1864-1910), escritor francés.*

4877. **Nuestra opinión sobre una obra es el término medio entre lo que le decimos al autor y lo que les decimos a nuestros amigos.**
JULES RENARD *(1864-1910), escritor francés.*

4878. **Sobre nuestros contemporáneos nos equivocamos siempre; lo mejor es, pues, no leerlos.**
JULES RENARD *(1864-1910), escritor francés.*

4879. **Cuanto más se lee, menos se imita.**
JULES RENARD *(1864-1910), escritor francés.*

4880. **El sabio generaliza; el artista individualiza.**
JULES RENARD *(1864-1910), escritor francés.*

Arte y libros

4881. Un buen estilo puede ser una obra de romanos de la que nadie se dé cuenta.

JULES RENARD *(1864-1910), escritor francés.*

4882. Un viaje de un año o dos al Polo dan celebridad a un hombre. Hacen falta veinte años para que un artista puro obtenga algún renombre.

JULES RENARD *(1864-1910), escritor francés.*

4883. Todo es bello, o tiene su belleza. Hay que hablar de un cerdo como de una flor.

JULES RENARD *(1864-1910), escritor francés.*

4884. Siempre se confunde al hombre con el artista bajo el pretexto de que el azar los ha reunido en el mismo cuerpo.

JULES RENARD *(1864-1910), escritor francés.*

4885. Escribir buenos editoriales es contar a la gente lo que ellos piensan, no lo que uno piensa.

ARTHUR BRISBANE *(1864-1936), escritor y periodista estadounidense.*

4886. Leer mucho es uno de los caminos de la originalidad; uno es tanto más original y propio cuanto mejor enterado está de lo que han dicho los demás.

MIGUEL DE UNAMUNO *(1864-1936), escritor español.*

4887. La lengua no es la envoltura del pensamiento, sino el pensamiento mismo.

MIGUEL DE UNAMUNO *(1864-1936), escritor español.*

4888. Las lenguas, como las religiones, viven de herejías.

MIGUEL DE UNAMUNO *(1864-1936), escritor español.*

4889. Gracias al desarrollo del barbarismo, del neologismo y del solecismo en el bajo latín, pudieron brotar los romances; del antiguo latín clásico jamás habrían surgido.

MIGUEL DE UNAMUNO *(1864-1936), escritor español.*

4890. La sangre de mi espíritu es mi lengua. Y mi patria es allí donde resuena.

MIGUEL DE UNAMUNO *(1864-1936), escritor español.*

4891. Nada que no sea verdad puede ser de veras poético.

MIGUEL DE UNAMUNO *(1864-1936), escritor español.*

4892. **Hay veces en que me pongo a dudar si convendrá que los obreros sepan leer, en vista de las cosas que leen.**
MIGUEL DE UNAMUNO *(1864-1936), escritor español.*

4893. **¿De cuándo acá ha de ser el autor de un libro el que mejor lo entienda?**
MIGUEL DE UNAMUNO *(1864-1936), escritor español.*

4894. **Los que escribimos para el público debemos ser sufridos.**
MIGUEL DE UNAMUNO *(1864-1936), escritor español.*

4895. **No es obligación del escritor ponerse al alcance del público, sino obligación del público ponerse al alcance del escritor.**
MIGUEL DE UNAMUNO *(1864-1936), escritor español.*

4896. **Cuanto menos se lee hace más daño lo que se lee. Cuantas menos ideas tenga uno y más pobres sean, más esclavo será de esas pobres y pocas ideas. Las ideas se compensan, contrastan, contrapesan y hasta se destruyen unas a otras.**
MIGUEL DE UNAMUNO *(1864-1936), escritor español.*

4897. **Es bueno todo libro que nos sugiere reflexiones, aunque sean contrarias a las ideas del autor; que así nos hace viajar por nuestros propios reinos interiores.**
MIGUEL DE UNAMUNO *(1864-1936), escritor español.*

4898. **Sólo el que sabe es libre y más libre el que más sabe [...]. Sólo la cultura da la libertad [...]. No proclaméis la libertad de volar, sino dad alas; no la de pensar, sino dad pensamiento. La libertad que hay que dar al pueblo es la cultura.**
MIGUEL DE UNAMUNO *(1864-1936), escritor español.*

4899. **Han sido siempre poetas, hombres enamorados de la gloria, los que han cantado la vanidad de ella.**
MIGUEL DE UNAMUNO *(1864-1936), escritor español.*

4900. **El hambre hace salir al lobo del bosque, y al escritor, del arte.**
FERNAND VANDEREM *(1864-1939), escritor francés.*

4901. **¿Para qué sirve un pensador? Para suministrar pensamientos a aquellos que no piensan. Se puede decir que la industria del pensamiento será siempre próspera.**
FERNAND VANDEREM *(1864-1939), escritor francés.*

4902. **La crítica, sin que sea absolutamente necesaria, responde en cierta medida a las necesidades de tres clases de ciudadanos: los lectores, a los que ofrece información; los autores, a los que sirve de reclamo; y a los propios críticos, a los que da motivo para escribir un artículo. Así considerada, la profesión que ejercen los críticos es, si no de primera necesidad, sí una de las más respetables. Lo ridículo comienza cuando algunos quieren hacer de este oficio un sacerdocio.**
FERNAND VANDEREM *(1864-1939), escritor francés.*

4903. **La educación es el proceso de pasar un conjunto de prejuicios por el gaznate.**
MARTIN H. FISCHER *(1865-1940), escritor estadounidense.*

4904. **La síntesis de un país es su arte.**
ÁNGEL GANIVET *(1865-1898), escritor y pensador español.*

4905. **Nuestros centros docentes son edificios sin alma: dan, a lo sumo, el saber; pero no infunden el amor al saber.**
ÁNGEL GANIVET *(1865-1898), escritor y pensador español.*

4906. **Aunque protestes, tú que crees que se ha exagerado la parte del amor en las artes, hay que reconocer que yéndose Dulcinea, nos quedamos sin don Quijote.**
ÁNGEL GANIVET *(1865-1898), escritor y pensador español.*

4907. **De no haber remedio humano para nuestras flaquezas artísticas, preferible es que seamos alternativamente geniales y tontos, que no que fuéramos constantemente correctos y mediocres.**
ÁNGEL GANIVET *(1865-1898), escritor y pensador español.*

4908. **La belleza intelectual no está en saber mucho: está en saber lo que conviene; la belleza sentimental, no en la violencia de las pasiones, sino en su naturalidad; la belleza plástica, no en la perfección exterior, según los tipos escultóricos, sino en la concordancia de las formas con los hechos que constituyen la vida propia de la mujer.**
ÁNGEL GANIVET *(1865-1898), escritor y pensador español.*

4909. **Crear es matar a la muerte.**
ROMAIN ROLLAND *(1866-1944), escritor francés.*

4910. **Yo no entiendo nada de arte, pero sé lo que me gusta.**
FRANK GELLET BURGESS *(1866-1951), escritor estadounidense.*

4911. **La vida es un enigma; el arte es su revelación. ¿Nos dice la verdad? No. ¿Para qué? Nos hace olvidarla.**
JACINTO BENAVENTE *(1866-1954), dramaturgo español.*

4912. **Hay muchas obras que están bien porque todo está bien en ellas, y otras que están bien a pesar de todo lo que está mal en ellas.**
JACINTO BENAVENTE *(1866-1954), dramaturgo español.*

4913. **Cuando la mujer es poesía, el hombre, por vulgar que sea, es poeta.**
JACINTO BENAVENTE *(1866-1954), dramaturgo español.*

4914. **El artista que sólo pretende ser entendido por los inteligentes corre el peligro de no ser tan admirado por éstos como por los que quieren parecer inteligentes con admirarle.**
JACINTO BENAVENTE *(1866-1954), dramaturgo español.*

4915. **El autor ha de vivir la vida de todos sus personajes y ha de ser capaz de todas las virtudes y de todos los vicios. No va desencaminada la vulgar opinión cuando ante un personaje odioso se revuelve contra el autor como si fuera él quien pensara o sintiera como su personaje. Para evitar esto, el autor introduce un personaje que es como el coro de la tragedia griega, un intérprete entre el autor y el público, y por su mediación se advierte al público a cada paso que para nada es responsable el autor de lo que hacen o dicen sus personajes.**
JACINTO BENAVENTE *(1866-1954), dramaturgo español.*

4916. **En España sería millonario cualquier escritor si le leyeran todos los que le admiran y la mitad siquiera de los que le odian.**
JACINTO BENAVENTE *(1866-1954), dramaturgo español.*

4917. **Los artistas han convenido en que lo más pintoresco y característico de cada pueblo es la roña, sea material o espiritual.**
JACINTO BENAVENTE *(1866-1954), dramaturgo español.*

4918. **Los libros son como los amigos: no siempre es el mejor el que más nos gusta.**
JACINTO BENAVENTE *(1866-1954), dramaturgo español.*

4919. **El verdadero artista no hace obras para el público; prefiere hacer público para sus obras.**
JACINTO BENAVENTE *(1866-1954), dramaturgo español.*

Arte y libros

4920. **Es condición primordial del autor dramático una simpatía universal por todo lo humano, una curiosidad de contemplador desinteresado, que ha de llegar a la más perfecta amoralidad, es decir: a desentenderse del fin moral al considerar sus personajes.**
JACINTO BENAVENTE *(1866-1954), dramaturgo español.*

4921. **La cultura es la buena educación del entendimiento.**
JACINTO BENAVENTE *(1866-1954), dramaturgo español.*

4922. **Toda construcción nueva está hecha con escombros, y nada hay nuevo en este mundo sino las formas.**
MARCEL SCHWOB *(1867-1905), novelista francés.*

4923. **¿Quién que es no es romántico?**
FÉLIX RUBÉN GARCÍA SARMIENTO, *RUBÉN DARÍO (1867-1916), escritor nicaragüense.*

4924. **El libro es fuerza, es valor,**
es poder, es alimento;
antorcha del pensamiento
y manantial del amor.
FÉLIX RUBÉN GARCÍA SARMIENTO, *RUBÉN DARÍO (1867-1916), escritor nicaragüense.*

4925. **Una teoría artística ayuda a la crítica, no a la creación.**
PAUL-JEAN TOULET *(1867-1920) escritor francés.*

4926. **Un objeto puede causar placer por sí mismo, por la diversidad de sensaciones que gradualmente suscita en nosotros mediante una percepción armoniosa; pero, más frecuentemente, el deleite que los objetos nos procuran, no proviene de ellos en sí mismos. La fantasía los embellece poniendo a su alrededor y como haciendo irradiar de ellos las imágenes más queridas. En los objetos, en suma, amamos lo que de nosotros mismos hemos puesto en ellos.**
LUIGI PIRANDELLO *(1867-1936), escritor italiano.*

4927. **Para gozar del favor del público no ayuda tanto tener un par de ojos propios como estar provisto de un par de lentes ajenos, que hagan ver los hombres y la vida de una cierta manera y de un determinado color, como quiere y exige la moda y el gusto corriente del público.**
LUIGI PIRANDELLO *(1867-1936), escritor italiano.*

4928. **No se trata de pintar la vida, se trata de hacer viva la pintura.**
PIERRE BONNARD *(1867-1947), pintor francés.*

4929. **Un cuadro es un microcosmos que debe bastarse a sí mismo.**
PIERRE BONNARD *(1867-1947), pintor francés.*

4930. **Los escritores que cuentan la vida tal como la ven, tomándolo todo de la realidad, inventan, hasta sin darse cuenta, una realidad distinta, puesto que nada saben de la realidad interior, inconfesada, de los protagonistas de sus relatos.**
MAKSIM GORKI *(1868-1936), escritor ruso.*

4931. **La acción de escribir me parece la más favorable de todas para regular nuestos locos pensamientos y darles consistencia.**
ÉMILE-AUGUSTE CHARTIER, *ALAIN (1868-1951), filósofo y escritor francés.*

4932. **El buen poeta es espectador de la propia obra, y el primer sorprendido al verla realizada.**
ÉMILE-AUGUSTE CHARTIER, *ALAIN (1868-1951), filósofo y escritor francés.*

4933. **El escritor inventa mientras escribe; lo que ya ha escrito se le convierte en objeto y le obliga a insistir en el mismo tema.**
ÉMILE-AUGUSTE CHARTIER, *ALAIN (1868-1951), filósofo y escritor francés.*

4934. **La rima es un procedimiento musical, maravillosamente extraño a la razón.**
ÉMILE-AUGUSTE CHARTIER, *ALAIN (1868-1951), filósofo y escritor francés.*

4935. **Poner en verso lo que previamente se ha pensado en prosa, es ingenioso, pero no es poesía.**
ÉMILE-AUGUSTE CHARTIER, ALAIN *(1868-1951), filósofo y escritor francés.*

4936. **Todas las bellas artes halagan el espíritu y le satisfacen; pero sólo la literatura lo alimenta. Ésta es la gran diferencia.**
ÉMILE-AUGUSTE CHARTIER, *ALAIN (1868-1951), filósofo y escritor francés.*

4937. **El actor que conoce bien su oficio lanza siempre el gesto por delante, y en vez de acomodar el gesto a la palabra, acomoda la palabra al gesto.**
ÉMILE-AUGUSTE CHARTIER, *ALAIN (1868-1951), filósofo y escritor francés.*

4938. **El artista es incapaz de juzgar su obra. Es él el que es juzgado por ella.**
ÉMILE-AUGUSTE CHARTIER, *ALAIN (1868-1951), filósofo y escritor francés.*

Arte y libros

4939. **El artista no busca una idea rara, sino una manera rara, única, que le sea propia, de expresar una idea común, de tal modo que todos los hombres la entiendan.**
ÉMILE-AUGUSTE CHARTIER, *ALAIN (1868-1951), filósofo y escritor francés.*

4940. **La inspiración es un movimiento de la naturaleza que sobrepasa nuestra esperanza. Y el artista es el hombre en quien la realización lleva ventaja sobre la imaginación, facultad únicamente mental, que promete mucho y cumple poco.**
ÉMILE-AUGUSTE CHARTIER, *ALAIN (1868-1951), filósofo y escritor francés.*

4941. **El secreto de la obra de arte consiste, para el creador, en esgrimir y exprimir los dones naturales, y hacer de una vida fácil, una vida difícil.**
ÉMILE-AUGUSTE CHARTIER, *ALAIN (1868-1951), filósofo y escritor francés.*

4942. **El lector que no admira un libro bueno es que lo ha leído mal, y se le pueden citar pasajes admirables que, indudablemente, desconoce.**
ÉMILE-AUGUSTE CHARTIER, *ALAIN (1868-1951), filósofo y escritor francés.*

4943. **El fin de la crítica es hallar las ideas que tiene la obra; no hallar en la obra las ideas del crítico.**
ÉMILE-AUGUSTE CHARTIER, *ALAIN (1868-1951), filósofo y escritor francés.*

4944. **Los grandes escritores nunca han surgido para soportar la ley de los gramáticos, sino para imponérsela.**
PAUL CLAUDEL *(1868-1955), poeta y diplomático francés.*

4945. **Tira mi libro; piensa que ahí sólo hay una de las mil posturas posibles frente a la vida. Busca la tuya.**
ANDRÉ GIDE *(1869-1951), escritor francés.*

4946. **Recuerdo haber dicho que se necesitaba mucho talento para hacer soportable un poco de genio.**
ANDRÉ GIDE *(1869-1951), escritor francés.*

4947. **Yo he escrito y estoy dispuesto a volver a escribir esto, que me parece una verdad evidente: «Es con los buenos sentimientos con lo que se hace la mala literatura». Nunca he dicho, ni pensado, que sólo se haga buena literatura con malos sentimientos.**
ANDRÉ GIDE *(1869-1951), escritor francés.*

4948. **¡Hay tantos que escriben y tan pocos que leen!**
ANDRÉ GIDE *(1869-1951), escritor francés.*

4949. **Ante ciertos libros uno se pregunta: «¿Quién los leerá?»
Y ante ciertas personas uno se pregunta: «¿Qué leerán?»
Y al final esos libros y esas personas acaban por encontrarse.**
ANDRÉ GIDE *(1869-1951), escritor francés.*

4950. **La obra de arte es una exageración.**
ANDRÉ GIDE *(1869-1951), escritor francés.*

4951. **No admito más que una cosa que no sea natural: la obra de arte.**
ANDRÉ GIDE *(1869-1951), escritor francés.*

4952. **No está bien alentar a los artistas. Los verdaderos, los únicos que necesitamos son aquellos que no se dejarán desanimar por nada; aquellos que, como decíamos, toman apoyo en las resistencias; cuya energía ante los obstáculos se contrae y se apronta a saltar. Ésos no tienen ninguna necesidad de que se les anime.**
ANDRÉ GIDE *(1869-1951), escritor francés.*

4953. **En arte, lo que al público le gusta es, sobre todo, lo que reconoce.**
ANDRÉ GIDE *(1869-1951), escritor francés.*

4954. **Un pintor no tiene más enemigos serios que sus malos cuadros.**
HENRI MATISSE *(1869-1954), pintor francés.*

4955. **Si no hubiera poetas, artistas, seres contemplativos, a la naturaleza le faltaría quien la contemplara con amor.**
AMADO NERVO *(1870-1919), escritor mexicano.*

4956. **Todos los escritores son admirables en algunas cosas, como lo son todos los paisajes y todas las almas.**
PIERRE LOUIS, *PIERRE LOUŸS (1870-1925), escritor francés.*

4957. **Todos los que escriben tienen alguna cosa que decir y la dicen. En ella se muestran admirables. Pero a veces para dar con la sentencia de un escritor hay que leer todos sus volúmenes. Todo es paja, menos la sentencia.**
PIERRE LOUIS, *PIERRE LOUŸS (1870-1925), escritor francés.*

4958. **Somos paralíticos con ojos de fuego; hombres grandes en el espíritu e insignificantes en el poder. Sentimos las alas en nuestra espalda, pero las cadenas nos sujetan a la tierra.**
LARISA KOSACH-KVITKA, *LESIA UKRAÏNKA (1871-1913), poetisa ucraniana.*

4959. **Los verdaderos libros deben ser hijos, no de la luz del día y de la conversación, sino de la oscuridad y del silencio.**
MARCEL PROUST *(1871-1922), escritor francés.*

4960. **Sólo los románticos saben leer las obras clásicas, porque las leen como se escribieron: románticamente.**
MARCEL PROUST *(1871-1922), escritor francés.*

4961. **La música es quizás el ejemplo de lo único que habría podido ser la comunicación de las almas si no hubiera existido la invención del lenguaje, la formación de las palabras, el análisis de las ideas.**
MARCEL PROUST *(1871-1922), escritor francés.*

4962. **El artista que renuncia a una hora de trabajo por una hora de charla con un amigo, sabe que sacrifica una realidad por algo que no existe.**
MARCEL PROUST *(1871-1922), escritor francés.*

4963. **La pintura permite ver las cosas en tanto en cuanto han sido contempladas con amor.**
PAUL AMBROISE VALÉRY *(1871-1945), poeta francés.*

Degas, ya anciano, reprendía a Paul Valéry: «Usted tiene un grave defecto, Valéry: quiere comprenderlo todo». Así era, en parte, al menos. Valéry se interesaba por la poesía en la misma medida que se interesaba por la música o la pintura: no en vano, entre sus amigos se pueden contar a los magníficos pintores impresionistas Renoir, Monet y el propio Degas; un músico como Debussy; y otros escritores de la época: Mallarmé y Gide. Como ha sucedido en muchas ocasiones a lo largo de la Historia, el poeta es un intento de filósofo y todo su afán es pensarse a sí mismo y descubrir qué hay detrás, aun corriendo el riesgo de no encontrar absolutamente nada. Valéry solía bromear con la máxima de Descartes («Pienso, luego existo»), y escribía: «A veces pienso, a veces existo». En fin, su concepción del arte es, sobre todo, un acto intelectual: «El hecho de escribir demanda siempre un cierto sacrificio del intelecto». La poesía, la obra toda de Valéry, es un viaje por las revueltas del cerebro: algunos críticos le achacan que su verso no se inmutara en el transcurso de medio siglo, a pesar de dos guerras mundiales. Pero Valéry permanecía ajeno al hombre porque ya sabía que el mundo y el ser humano habían sido un lamentable error de Dios:

Cansado de su propio espectáculo puro,
Dios mismo ha quebrado el obstáculo
de su perfecta eternidad:
se ha convertido en Aquel que se disuelve
su Principio en consecuencias,
y su Unidad, en estrellas.

De la obra de Válery puede destacarse *La velada con el señor Teste* (1896), *La joven Parca* (1917) y muy especialmente *Charmes* (1922), donde se incluye el famosísimo poema «El cementerio marino».

4964. **No hay que llamar ciencia más que al conjunto de fórmulas que siempre tienen éxito. Todo el resto es literatura.**
PAUL AMBROISE VALÉRY *(1871-1945), poeta francés.*

4965. **El pintor no debe llevar al lienzo lo que se ve, sino lo que se verá.**
PAUL AMBROISE VALÉRY *(1871-1945), poeta francés.*

4966. **Cuanto más se escribe, menos se piensa.**
PAUL AMBROISE VALÉRY *(1871-1945), poeta francés.*

4967. **Los libros tienen los mismos enemigos que el hombre: el fuego, la humedad, los animales, el tiempo y su propio contenido.**
PAUL AMBROISE VALÉRY *(1871-1945), poeta francés.*

4968. **Un poema nunca está acabado, solamente abandonado.**
PAUL AMBROISE VALÉRY *(1871-1945), poeta francés.*

4969. **El secreto de un hombre inteligente es menos secreto que el secreto de un imbécil.**
PAUL AMBROISE VALÉRY *(1871-1945), poeta francés.*

4970. **Un libro vale por el número y la novedad de los problemas que crea, anima o reanima.**
PAUL AMBROISE VALÉRY *(1871-1945), poeta francés.*

4971. **El profundo objetivo del artista es dar más de lo que posee.**
PAUL AMBROISE VALÉRY *(1871-1945), poeta francés.*

4972. **La grandeza de los poetas consiste en captar intensamente con sus palabras lo que no han conseguido entrever sino débilmente en su espíritu.**
PAUL AMBROISE VALÉRY *(1871-1945), poeta francés.*

4973. **Nada entra más difícilmente en el espíritu de la gente, y hasta en el de la crítica, que la incompetencia del autor con relación a su obra, una vez realizada.**

PAUL AMBROISE VALÉRY *(1871-1945), poeta francés.*

4974. **Un peligro del espíritu: no pensar sino de forma polémica, como si estuviéramos delante de un público, como si estuviéramos frente al enemigo.**

PAUL AMBROISE VALÉRY *(1871-1945), poeta francés.*

4975. **La literatura está llena de individuos que no saben claramente qué quieren decir, pero que se amparan en su necesidad de escribir.**

PAUL AMBROISE VALÉRY *(1871-1945), poeta francés.*

4976. **La mayoría de los hombres tienen una idea tan vaga de la poesía, que esta misma vaguedad de su vida constituye para ellos la definición de la poesía.**

PAUL AMBROISE VALÉRY *(1871-1945), poeta francés.*

4977. **La obra mejor es la que se realiza sin las impaciencias del éxito inmediato; y el más glorioso esfuerzo es el que pone las esperanzas más allá del horizonte visible; y la abnegación más pura es la que niega en lo presente, no ya la compensación del lauro y el honor ruidoso, sino aun la voluptuosidad moral que se solaza en la contemplacion de la obra consumada y el término seguro.**

JOSÉ ENRIQUE RODÓ *(1872-1917), político uruguayo.*

4978. **Lo bello nace de la muerte de lo útil; lo útil se convierte en bello cuando ha caducado su utilidad.**

JOSÉ ENRIQUE RODÓ *(1872-1917), político uruguayo.*

4979. **Me acomete el deseo de escribir lo ocurrido, pero la blancura del papel hace que me olvide de lo que voy a decir, y me produce un dulce deslumbramiento en que se funde toda la precisión de mis recuerdos.**

HENRI BARBUSSE *(1872-1935), escritor francés.*

4980. **Arte: el espíritu de las cosas reflejado en el espíritu del hombre.**

PÍO BAROJA *(1872-1956), escritor español.*

4981. **Cuando se hace uno viejo le gusta más releer que leer.**

PÍO BAROJA *(1872-1956), escritor español.*

4982. **Yo creo que para ser escritor basta con tener algo que decir con frases propias o ajenas.**

Pío Baroja *(1872-1956), escritor español.*

4983. **La música es un arte que está fuera de los límites de la razón, lo mismo puede decirse que está por debajo como que se encuentra por encima de ella.**

Pío Baroja *(1872-1956), escritor español.*

4984. **Los aficionados a la música son, en su mayoría, gente un poco vil, amargados y sometidos.**

Pío Baroja *(1872-1956), escritor español.*

4985. **Los pintores modernos han llegado a convencer a la gente de que su trabajo es algo trascendental, no desde un punto de vista artístico, sino psicológico.**

Pío Baroja *(1872-1956), escritor español.*

4986. **Ni el político ni el escritor pueden ser el centro de una reunión social. El político es aburrido fuera de sus círculos y de sus tópicos. El escritor es agrio y malévolo.**

Pío Baroja *(1872-1956), escritor español.*

4987. **Yo soy un fauno reumático que ha leído un poco a Kant.**

Pío Baroja *(1872-1956), escritor español.*

4988. **Yo, ciertamente, no creo que sea despreciable la gente extremista. La mayoría de los escritores pertenecemos, en parte, a ella. Son un fermento social a veces hasta útil. Tienen un fondo morboso, pero ¿quién no lo tiene? Sólo el hombre completamente estúpido es perfectamente normal.**

Pío Baroja *(1872-1956), escritor español.*

4989. **Los artistas son, por regla general, menos felices que los hombres de ciencia.**

Bertrand Arthur William Russell *(1872-1970), filósofo y matemático inglés.*

4990. **Nos enfrentamos con el hecho paradójico de que la educación ha llegado a ser uno de los principales obstáculos de la inteligencia y de la libertad de pensamiento.**

Bertrand Arthur William Russell *(1872-1970), filósofo y matemático inglés.*

Arte y libros

4991. **Lope escribía atropelladamente; si se examina técnicamente una obra suya [...] se ve enseguida la trapacería. No creo que limitándose Lope a unas pocas obras, escritas con cuidado, hubiera podido escribir algo importante. Se tiene o no se tiene el instinto de escribir: se nace o no se nace con el amor al arte. Y yo creo que [...] Lope no estimaba el arte.**

JOSÉ MARTÍNEZ RUIZ, *AZORÍN (1873-1967), escritor español.*

Esta cita, al igual que otras que también aparecen en este libro como por ejemplo la de Antonio Machado sobre la poesía de Góngora, muestran bien a las claras cómo unos magníficos escritores, cada cual en su estilo y a su modo, no son necesariamente unos buenos críticos. En particular estas dos mencionadas, son muy reveladores, porque ni don Antonio Machado ni Azorín parecen comprender en absoluto a Góngora y a Lope. En el caso de Lope, el teatro era para él un medio de ganar dinero y fama, lo cual no significa que no estimara la creación artística. Su portentosa creatividad, la perfección formal, la aparente sencillez de su poesía lo hace indiscutiblemente uno de los grandes literatos universales. Y, por cierto, aún se está esperando que algún poeta posterior a él, a Góngora y a Quevedo escriba un soneto que se iguale a éste (por ejemplo):

Ir y quedarse, y con quedar partirse;
partir sin alma, y con alma ajena;
oír la dulce voz de una sirena
y no poder del árbol desasirse;

arder como la vela y consumirse
haciendo torres sobre tierna arena;
caer de un cielo, y ser demonio en pena,
y de serlo jamás arrepentirse;

hablar entre las mudas soledades;
pedir prestada, sobre fe, paciencia,
y lo que es temporal llamar eterno;

creer sospechas y negar verdades,
es lo que llaman en el mundo ausencia,
fuego en el alma y en la vida infierno.

4992. **La gramática, como «arte de hablar correctamente», ya no se lleva; los gramáticos y las gramáticas son antiguallas de chamarilero.**

JOSÉ MARTÍNEZ RUIZ, *AZORÍN (1873-1967), escritor español.*

4993. **No cambiaría una prosa llena de barbarismos e impropiedades en que alentara la vida, por otra, sin vida, en que la pureza y la propiedad fueran intachables.**
JOSÉ MARTÍNEZ RUIZ, *AZORÍN (1873-1967), escritor español.*

4994. **Lo inacabado tiene un profundo encanto. Esa fuerza rota, ese impulso interrumpido, ese vuelo detenido, ¿qué hubieran podido ser y adónde hubieran podido llegar?**
JOSÉ MARTÍNEZ RUIZ, *AZORÍN (1873-1967), escritor español.*

4995. **No hay poeta grande sin emoción. Podrá darnos el artista la visión de la naturaleza, o la expresión de la muerte, o el sentido de lo infinito, o las esperanzas o desesperanzas del amor; pero si en sus versos no pone su espíritu y nos hace sentir y nos hace sufrir y nos hace pensar y nos hace amar, por perfecto, sereno y maravilloso que sea en la forma, no habrá logrado nada.**
JOSÉ MARTÍNEZ RUIZ, *AZORÍN (1873-1967), escritor español.*

4996. **¿Qué sería un escritor sin esa traba que le obliga a sutiles vueltas y revueltas para decir lo que no se puede decir? La técnica literaria sale ganando.**
JOSÉ MARTÍNEZ RUIZ, *AZORÍN (1873-1967), escritor español.*

4997. **Sólo los artistas y los niños ven la vida tal como es.**
HUGO VON HOFFMANNSTHAL *(1874-1929), dramaturgo austriaco.*

4998. **Una buena novela nos dice la verdad acerca de su héroe; pero una mala novela nos dice la verdad acerca de su autor.**
GILBERT KEITH CHESTERTON *(1874-1936), escritor inglés.*

4999. **Ningún hombre debería escribir, a no ser que estuviera convencido de que él está en posesión de la verdad y otros hombres están en el error.**
GILBERT KEITH CHESTERTON *(1874-1936), escritor inglés.*

5000. **La única educación eterna es ésta: estar lo bastante seguro de una cosa para decírsela a un niño.**
GILBERT KEITH CHESTERTON *(1874-1936), escritor inglés.*

5001. **Hay una gran diferencia entre el hombre ávido que pide leer un libro y el hombre cansado que pide un libro para leer.**
GILBERT KEITH CHESTERTON *(1874-1936), escritor inglés.*

5002. El periodismo es el arte de llenar columnas impresas al dorso de los anuncios.

Gilbert Keith Chesterton *(1874-1936), escritor inglés.*

5003. El gran público no prefiere especialmente la mala literatura, pero prefiere cierta clase de literatura, aun siendo mala, a otra clase, aun siendo buena.

Gilbert Keith Chesterton *(1874-1936), escritor inglés.*

5004. El lenguaje no es aya, sino madre del pensamiento.

Karl Kraus *(1874-1936), escritor austriaco.*

5005. Hay rostros de mujer que no se pueden pintar porque su belleza está hecha de imponderables.

Maurice Baring *(1874-1945), escritor inglés.*

5006. Es una necedad pretender que un artista ame a una sola persona. Puede querer a doce a la vez y ninguna de ellas lo poseerá jamás, porque siempre hallará manera de evadirse, de escapar. Su verdadero amante es y será siempre su arte.

Maurice Baring *(1874-1945), escritor inglés.*

5007. Todas las experiencias del artista, hasta las más sórdidas y las más sublimes, han de pasar por el crisol y salir convertidas en obras buenas o malas. Moraleja: no améis jamás a un artista.

Maurice Baring *(1874-1945), escritor inglés.*

5008. Un literato sólo soporta la conversación de los que se interesan por la literatura; pero no de los profesionales, sino de los laicos. Los de su misma profesión le aburren.

Maurice Baring *(1874-1945), escritor inglés.*

5009. ¡... que ser feliz y artista no lo permite Dios!

Manuel Machado *(1874-1947), poeta español.*

5010. El artista es, fatalmente, un lobo solitario y su camino es un camino aislado. Para su bien, el camino que sigue debe llevarlo a la selva virgen.

William Somerset Maugham *(1874-1965), escritor inglés.*

5011. El artista se diferencia de los otros mortales en que él ofrece al escarnio público no sólo su físico y su moral, sino su obra.

William Somerset Maugham *(1874-1965), escritor inglés.*

5012. **El estilo es, en gran parte, el refugio de los escritores mediocres. Los cuatro más grandes novelistas del mundo, Balzac, Tolstoi, Dickens y Dostoievski, escriben en sus respectivas lenguas con total indiferencia por el estilo. El estilo es algo de más, que, si se abusa, enseguida se ve que está de más.**

WILLIAM SOMERSET MAUGHAM *(1874-1965), escritor inglés.*

5013. **El escritor no necesita comerse un cordero para decir a qué sabe la carne de cordero; le basta comer una chuleta. Pero la chuleta ha de comerla.**

WILLIAM SOMERSET MAUGHAM *(1874-1965), escritor inglés.*

5014. **La lectura no da sabiduría al hombre; le da únicamente conocimientos.**

WILLIAM SOMERSET MAUGHAM *(1874-1965), escritor inglés.*

5015. **Las personas no son más que nuestra materia prima. Somos nosotros los que damos significado a sus vidas. Nos apoderamos de sus tontas y leves emociones y las transformamos en arte, extraemos toda la belleza de ellos, y su única significación radica en que constituyen el auditorio que necesitamos para realizarnos a nosotros mismos. Son los instrumentos en que tocamos. Y un instrumento no es nada sin alguien que lo toque.**

WILLIAM SOMERSET MAUGHAM *(1874-1965), escritor inglés.*

5016. **Nadie es original intentando serlo. El artista original lo es por «genio», haciendo las cosas tal como le salen.**

WILLIAM SOMERSET MAUGHAM *(1874-1965), escritor inglés.*

5017. **Si tu diario vivir te parece pobre, no lo culpes a él, sino a ti mismo, de no ser lo bastante poeta para lograr descubrir sus riquezas y gozarlas. Para un espíritu creador no hay pobreza, ni hay lugar alguno que le parezca pobre o le sea indiferente.**

RAINER MARIA RILKE *(1875-1926), poeta checo.*

5018. **El hombre que ya tiene obra hecha no procura que las revistas se interesen por sus trabajos, pues ve en ellos su más preciada y natural riqueza, trozo y voz de su propia vida.**

RAINER MARIA RILKE *(1875-1926), poeta checo.*

5019. **Para tomar contacto con una obra de arte, nada resulta menos acertado que el lenguaje de los críticos, en el que todo se reduce siempre a unos equívocos más o menos felices.**

RAINER MARIA RILKE *(1875-1926), poeta checo.*

Arte y libros

5020. **¡Oh, vieja maldición de los poetas,
que se quejan cuando deben hablar,
que siempre opinan sobre sus sentimientos
en lugar de formarlos, y suponen
que lo que en ellos es triste o gozoso
sabrían y podrían en poemas
llorarlo o festejarlo! Como enfermos,
convierten en lamento su lenguaje,
para decir dónde les duele, en vez
de transformarse, duros, en palabras,
como el cantero de una catedral
se transforma en la calma de la piedra.**

RAINER MARIA RILKE *(1875-1926), poeta checo.*

5021. **Hacer versos es muy poca cosa cuando éstos se han hecho de joven. No debería tenerse ninguna prisa, habría que acumular significación y dulzura durante toda una vida, y, a ser posible una larga vida, y entonces, al final, quizá fuéramos capaces de escribir dos líneas buenas.**

RAINER MARIA RILKE *(1875-1926), poeta checo.*

5022. **Las obras de arte viven en medio de una soledad infinita, y por nada son tan poco accesibles como por la crítica. Sólo el amor alcanza a comprenderlas y hacerlas suyas.**

RAINER MARIA RILKE *(1875-1926), poeta checo.*

5023. **Carga con tu destino y llévalo con su peso y su grandeza, sin preguntar nunca por el premio que puede venir de fuera. Pues el hombre creador debe ser un mundo aparte, independiente, y hallarlo todo dentro de sí y en la naturaleza, a la que se siente unido.**

RAINER MARIA RILKE *(1875-1926), poeta checo.*

5024. **Aunque el gongorismo sea una estupidez, Góngora era un poeta: porque hay en su obra, en toda su obra, ráfagas de verdadera poesía. Con esas ráfagas por metro habéis de medirle.**

ANTONIO MACHADO *(1875-1939), escritor español.*

Como ya comentamos al tratar una cita de Azorín sobre la obra de Lope de Vega, muchas veces escritores extraordinarios son pésimos críticos, probablemente influenciados por el momento histórico en que vivieron, épocas convulsas que influenciaron sobre su percepción y visión de autores y obras que en otras circunstancias su probada sensibilidad no habrían pasado por alto. Y en este caso, como cualquier aficionado a la poesía puede entender, ni Góngora escribía a ráfagas ni Lope, como decía Azorín, dejaba de amar el arte. En primer lugar, es bien cierto que el gongorismo (las secuelas del culteranismo de Góngora) no dieron muchos frutos en la literatura española, sobre todo porque la capacidad intelectual, cultural y artística de don Luis de Góngora aparece una o dos veces por milenio. Pero, como dice el escritor, Góngora sí era un poeta, y no sólo a ráfagas, sino en toda su obra, pulida, puramente verbal, puramente poética. Así lo entendieron los integrantes de la llamada Generación del 27 unos años más tarde, a quienes no les pasó por alto la gran maestría del poeta cordobés, y cuya definición como grupo procede precisamente del acto realizado por sus integrantes en el Ateneo de Sevilla con motivo de la celebración del tercer centenario de su muerte.

5025. **Los grandes poetas son metafísicos fracasados. Los grandes filósofos son poetas que creen en la realidad de sus poemas.**
ANTONIO MACHADO *(1875-1939), escritor español.*

5026. **La poesía moderna, que, a mi entender, arranca, en parte al menos, de Edgar [Allan] Poe, viene siendo hasta nuestros días la historia del gran problema que al poeta plantean estos dos imperativos, en cierto modo contradictorios: esencialidad y temporalidad.**
ANTONIO MACHADO *(1875-1939), escritor español.*

5027. **Siempre que tengo noticia de la muerte de un poeta se me ocurre pensar: «¡Cuántas veces, por razón de su oficio, habrá este hombre mentado a la muerte, sin creer en ella! ¿Y qué habrá pensado ahora, al verla salir como figura final de su propia caja de sorpresas?».**
ANTONIO MACHADO *(1875-1939), escritor español.*

5028. **Y pensé que la misión del poeta era inventar nuevos poemas de lo eterno humano, historias animadas que, siendo suyas, viviesen, no obstante, por sí mismas. Me pareció el romance la suprema expresión de la poesía.**
ANTONIO MACHADO *(1875-1939), escritor español.*

5029. **Le parece a usted que sentir con todos es convertirse en multitud, en masa anónima. Es precisamente lo contrario.**
ANTONIO MACHADO *(1875-1939), escritor español.*

Arte y libros

5030. Se conoce el gusto de un escritor por el número de sus correcciones.
MAX JACOBS *(1876-1944), escritor francés.*

5031. El arte es un juego. ¡Tanto peor para quien lo considera como un deber!
MAX JACOBS *(1876-1944), escritor francés.*

5032. El arte es a la vida lo que el esperma a la sangre.
LÉON PAUL FARGUE *(1876-1947), escritor francés.*

5033. Yo no creo en el sufrimiento creador. La misión del arte es crear la alegría.
CONSTANTIN BRANCUSI *(1876-1959), pintor rumano.*

5034. Todos los órganos humanos se cansan alguna vez, salvo la lengua.
KONRAD ADENAUER *(1876-1967), político alemán.*

5035. Esas cosas tan tristes que algunos llaman versos...
FRANCISCO VILLAESPESA *(1877-1936), poeta y dramaturgo español.*

5036. La lectura es el viaje de los que no pueden tomar el tren.
FRANCIS DE CROISSET, *FRANCIS WIENER (1877-1937), dramaturgo francés.*

**5037. Los libros me enseñaron a pensar,
y el pensamiento me hizo libre.**
RICARDO LEÓN *(1877-1943), escritor español.*

**5038. Hacer versos malos depara mucha más felicidad
que leer los más bellos.**
HERMANN HESSE *(1877-1962), escritor alemán.*

5039. ¿El secreto de mi éxito? Yo pinto siempre a las mujeres más delgadas de lo que son, y sus joyas, más grandes.
KEES VAN DONGES *(1877-1968), pintor holandés.*

5040. Muchas veces se ha dicho que el arte es la vida y también se ha dicho que es lo contrario de la vida, pero de veras no es más que una deformación sistemática de la realidad, un giro voluntario que se le da por puro idealismo.
EDMOND JALOUX *(1878-1949), escritor y crítico francés.*

5041. La vida, la naturaleza, la humanidad, sólo son bellas cuando son transfiguradas por un cerebro creador. Todo lo demás es mentira.
EDMOND JALOUX *(1878-1949), escritor y crítico francés.*

5042. Yo y el color somos uno: soy pintor.
PAUL KLEE *(1879-1940), pintor suizo.*

5043. El arte no reproduce lo visible, sino que hace visible lo que no siempre lo es.
PAUL KLEE *(1879-1940), pintor suizo.*

5044. El escritor es un ingeniero del alma.
JOSIP VISSARIONOVICH YUGACHVILI, *JOSEF STALIN (1879-1953), político ruso.*

5045. El arte más importante del maestro es provocar la alegría en la acción creadora y el conocimiento.
ALBERT EINSTEIN *(1879-1955), físico y matemático alemán.*

5046. El fundamento de la ciencia no es otra cosa que el refinamiento del pensar cotidiano.
ALBERT EINSTEIN *(1879-1955), físico y matemático alemán.*

5047. El arte es el presentimiento de la verdad.
ALEXANDER BLOK *(1880-1921), poeta ruso.*

5048. Se ha dicho que hace falta poseer muchas lenguas para poder pensar conscientemente en la propia. No hay nada más exacto. Cada idioma es una visión del mundo.
HERMANN ALEXANDER VON KEYSERLING *(1880-1946), filósofo alemán.*

5049. La lengua, tal como se habla, sólo está adaptada a un plano del ser que, por otra parte, es muy superficial.
HERMANN ALEXANDER VON KEYSERLING *(1880-1946), filósofo alemán.*

5050. Los artistas que generalmente creen en ideales falsos son desagradables en su trato.
HERMANN ALEXANDER VON KEYSERLING *(1880-1946), filósofo alemán.*

5051. Los que creemos, creamos.
HERMANN ALEXANDER VON KEYSERLING *(1880-1946), filósofo alemán.*

5052. Si un hombre cualquiera, incluso vulgar, supiese narrar su propia vida, escribiría una de las más grandes novedades que se hayan escrito jamás.
GIOVANNI PAPINI *(1881-1956), escritor italiano.*

5053. Si los escritores no leyesen, y si los lectores no escribiesen, los asuntos de la literatura marcharían infinitamente mejor.
GIOVANNI PAPINI *(1881-1956), escritor italiano.*

5054. **El poeta que estuviera satisfecho del mundo en que vive, no sería poeta.**
GIOVANNI PAPINI *(1881-1956), escritor italiano.*

5055. **Cuando era joven leía casi siempre para aprender; hoy, a veces, leo para olvidar.**
GIOVANNI PAPINI *(1881-1956), escritor italiano.*

5056. **En todos los grandes hombres de ciencia existe el soplo de la fantasía.**
GIOVANNI PAPINI *(1881-1956), escritor italiano.*

5057. **El arte aún sigue siendo la única forma soportable de la vida, el mayor goce y el que más lentamente se agota.**
VALÉRY LARBAUD *(1881-1957), escritor francés.*

5058. **El poema debe ser como una estrella, que es un mundo y parece un diamante.**
JUAN RAMÓN JIMÉNEZ *(1881-1958), poeta español.*

5059. **Ser breve, en arte, es suprema moralidad.**
JUAN RAMÓN JIMÉNEZ *(1881-1958), poeta español.*

5060. **Un cuadro sólo vive a través de quien lo contempla.**
PABLO RUIZ PICASSO *(1881-1973), pintor español.*

5061. **Un pintor es un hombre que pinta lo que vende; un artista, en cambio, es un hombre que vende lo que pinta.**
PABLO RUIZ PICASSO *(1881-1973), pintor español.*

5062. **¿Qué es el arte? Si lo supiera tendría buen cuidado de no revelarlo.**
PABLO RUIZ PICASSO *(1881-1973), pintor español.*

5063. **Buscar no significa nada en el arte. Lo que cuenta es encontrar. Yo no busco, encuentro.**
PABLO RUIZ PICASSO *(1881-1973), pintor español.*

5064. **En el arte no hay pasado ni futuro. El arte que no está en el presente no existirá nunca.**
PABLO RUIZ PICASSO *(1881-1973), pintor español.*

5065. **El arte tiene don de lenguas.**
JAMES JOYCE *(1882-1941), escritor irlandés.*

5066. **Es verdad que en todo tema, sea un abrigo o un ser humano, cuanto más se indaga, más cosas se descubren. La tarea del escritor es elegir una de estas cosas y decirla de veinte maneras distintas.**
VIRGINIA WOOLF *(1882-1941), escritora inglesa.*

5067. **El verdadero placer es escribir; ser leído no es más que un placer superficial.**
VIRGINIA WOOLF *(1882-1941), escritora inglesa.*

5068. **Las novelas que se escriban en el futuro han de asumir algunas de las funciones de la poesía. Han de mostrarnos las relaciones del hombre con la naturaleza, con el destino; sus imágenes, sus sueños. Pero la novela ha de mostrarnos también la risa burlona, el contraste, la duda, la intimidad y la complejidad de la vida.**
VIRGINIA WOOLF *(1882-1941), escritora inglesa.*

5069. **Los escritores deformes son la conciencia diabólica del mundo.**
JEAN GIRAUDOUX *(1882-1944), dramaturgo y novelista francés.*

5070. **Un libro, como un viaje, se comienza con inquietud y se termina con melancolía.**
JOSÉ DE VASCONCELOS *(1882-1959), político y escritor mexicano.*

5071. **Cultura es poesía de la conducta y música del espíritu, según la fe del cristiano.**
JOSÉ DE VASCONCELOS *(1882-1959), político y escritor mexicano.*

5072. **El jarrón da forma al vacío, y la música al silencio.**
GEORGES BRAQUE *(1882-1963), pintor francés.*

5073. **No deseo copiar la naturaleza. Me interesa más la posibilidad de ponerme a su altura.**
GEORGES BRAQUE *(1882-1963), pintor francés.*

5074. **El arte está hecho para perturbar. La ciencia tranquiliza.**
GEORGES BRAQUE *(1882-1963), pintor francés.*

5075. **En el arte sólo vale una cosa: la que no se puede explicar.**
GEORGES BRAQUE *(1882-1963), pintor francés.*

5076. **Si el libro que leemos no nos despierta con un puñetazo en la cabeza, ¿para qué leerlo? Un libro tiene que ser el hacha que rompa nuestra mar congelada.**
FRANZ KAFKA *(1883-1924), escritor checo.*

Arte y libros

5077. **Porque bailar es eso: elevarse del suelo**
prendido a unas pupilas febriles de mujer;
sentirse ilusionados argonautas del cielo,
retar a los sentidos y saberlos vencer.
EMILIANO RAMÍREZ ÁNGEL *(1883-1928), periodista y escritor español.*

5078. **El arte es y ha de ser impopular; el cine, no; ésta es la diferencia. Y no significa esto que el cine no pueda ser arte, sino que el pueblo no busca arte en el cine.**
JOSÉ ORTEGA Y GASSET *(1883-1955), filósofo español.*

5079. **El Arte es incapaz de soportar el paso de nuestra vida. Cuando lo intenta, fracasa, perdiendo su gracia esencial.**
JOSÉ ORTEGA Y GASSET *(1883-1955), filósofo español.*

5080. **En arte, toda repetición es nula.**
JOSÉ ORTEGA Y GASSET *(1883-1955), filósofo español.*

5081. **Es funesto que nos acostumbremos a reconocer como ejemplos de suma belleza obras de arte –por ejemplo, las clásicas– que acaso son objetivamente muy valiosas, pero que no nos causan deleite.**
JOSÉ ORTEGA Y GASSET *(1883-1955), filósofo español.*

5082. **He aquí por qué el arte nuevo divide al público en dos clases de individuos: los que lo entienden y los que no lo entienden; esto es, los artistas y los que no lo son. El arte nuevo es un arte artístico.**
JOSÉ ORTEGA Y GASSET *(1883-1955), filósofo español.*

5083. **Sorprenderse, extrañarse, es comenzar a entender.**
JOSÉ ORTEGA Y GASSET *(1883-1955), filósofo español.*

5084. **Para el escritor hay una cuestión de honor intelectual en no escribir nada susceptible de prueba sin poseer antes ésta.**
JOSÉ ORTEGA Y GASSET *(1883-1955), filósofo español.*

5085. **Considero que es la filosofía la ciencia general del amor.**
JOSÉ ORTEGA Y GASSET *(1883-1955), filósofo español.*

5086. **La ciencia, el arte, la justicia, la cortesía, la religión son órbitas de la realidad que no invaden bárbaramente nuestra persona como hace el hambre o el frío; sólo existen para quien tiene voluntad de ellas.**
JOSÉ ORTEGA Y GASSET *(1883-1955), filósofo español.*

5087. **La filosofía no progresa hacia adelante, por ensanche, como la ciencia, sino hacia abajo, en profundidad.**
José Ortega y Gasset *(1883-1955), filósofo español.*

5088. **La metafísica es soledad.**
José Ortega y Gasset *(1883-1955), filósofo español.*

5089. **A Baroja no le parece una idea digna de ser pensada si no contiene una impertinencia: esto es, si no es una idea contra algo o contra alguien.**
José Ortega y Gasset *(1883-1955), filósofo español.*

5090. **En Biarritz suelo leer a Confucio, y mi corazón vacila siempre entre Buda y Gengis Khan.**
José Ortega y Gasset *(1883-1955), filósofo español.*

5091. **Ser original, muy bien; pretender serlo, muy mal.**
Alain Chauvilliers *(1884-1953), escritor francés.*

5092. **Cuando se lee un libro según en qué estados de ánimo, sólo se encuentran en ese libro interpretaciones de ese estado.**
Georges Duhamel *(1884-1966), escritor francés.*

5093. **Es necesario poseer un poder muy grande, y no utilizarlo casi nunca. He ahí el misterio del arte.**
Georges Duhamel *(1884-1966), escritor francés.*

5094. **Para trabajar, para realizar tranquilamente una obra, una gran obra, sería necesario no ver a nadie, no interesarse por nadie, no amar a nadie; pero, entonces, ¿qué objeto tendría hacer una obra?**
Georges Duhamel *(1884-1966), escritor francés.*

5095. **Las obras maestras del arte tienen a los ricos como esposos y a los pobres como amantes.**
Abel Bonnard *(1884-1968), escritor francés.*

5096. **Sería necesario que, de vez en cuando, un poeta poseyera una fortuna, para mostrar a los ricos lo que se puede hacer con dinero.**
Abel Bonnard *(1884-1968), escritor francés.*

5097. **Sólo los poetas y las mujeres tratan el dinero como éste se merece.**
Abel Bonnard *(1884-1968), escritor francés.*

5098. **Deshaced ese verso.**
Quitadle los caireles de la rima,
el metro, la cadencia
y hasta la idea misma.
Aventad las palabras
y si después queda algo todavía,
eso será la poesía.

FELIPE CAMINO GALLEGO, *LEÓN FELIPE (1884-1968), poeta español.*

5099. **El escritor debe a sus privaciones lo mejor de su arte.**

JACQUES CHARDONNE *(1884-1968), escritor francés.*

5100. **El verdadero escritor es aquel que sabe encontrar lectores, como el verdadero vendedor es el que sabe encontrar clientes. ¿De qué puede servir, qué sentido tiene ser un verdadero literato y no ser leído por nadie? Muchos de estos verdaderos literatos, de los puros, como ellos dicen, se parecen a un señor a quien se le ha escapado el último tren.**

DAVID HERBERT LAWRENCE *(1885-1930), escritor inglés.*

5101. **Cuando se acaba de escuchar un fragmento de Mozart, el silencio que le sigue es aún de él.**

ALEXANDRE SACHA GUITRY *(1885-1957), escritor y cineasta francés.*

5102. **No debe leerse nunca a un mal escritor, ni aun para desdeñarlo. Siempre hay un grumo de tontería que se pega. Es como estar junto a una persona que tiene un estribillo. Se comprende que es una abominable manía, pero termina uno aceptándola.**

WENCESLAO FERNÁNDEZ FLÓREZ *(1885-1964), escritor y periodista español.*

5103. **En literatura, como en genética, los cruces son saludables.**

ÉMILE HERZOG, *ANDRÉ MAUROIS (1885-1967), novelista y ensayista francés.*

5104. **Es muy difícil convivir con un artista. Necesita escapar al mundo imaginario, y para esto exige que el mundo real calle y desaparezca. Los más pequeños ruidos le molestan; no tolera las preguntas más insignificantes que le obligan a distraerse.**

ÉMILE HERZOG, *ANDRÉ MAUROIS (1885-1967), novelista y ensayista francés.*

5105. **La lectura de un buen libro es un diálogo incesante, es el libro el que habla y el alma quien contesta.**

ÉMILE HERZOG, *ANDRÉ MAUROIS (1885-1967), novelista y ensayista francés.*

5106. **Un escritor adocenado describe los tipos de la realidad; pero un escritor de talento describe los tipos que la sociedad desea, no aquellos que produce.**

ÉMILE HERZOG, *ANDRÉ MAUROIS (1885-1967), novelista y ensayista francés.*

5107. **Cultura es lo que queda después de haber olvidado lo que se aprendió.**

ÉMILE HERZOG, *ANDRÉ MAUROIS (1885-1967), novelista y ensayista francés.*

5108. **Escribir es recordar. Pero leer también es recordar.**

FRANÇOIS MAURIAC *(1885-1970), escritor francés.*

5109. **¡El artista es mentiroso, pero el arte es verdad!**

FRANÇOIS MAURIAC *(1885-1970), escritor francés.*

5110. **De la mayoría de los libros que se escriben se podría decir esto: que no era necesario escribirlos.**

FRANÇOIS MAURIAC *(1885-1970), escritor francés.*

5111. **El novelista es, de todos los hombres, el que más se parece a Dios: es el mono de Dios.**

FRANÇOIS MAURIAC *(1885-1970), escritor francés.*

5112. **Los artistas son las antenas de la raza.**

EZRA POUND *(1885-1972), poeta estadounidense.*

5113. **En arte no hay malos motivos; hay motivos mal empleados.**

RICARDO GÜIRALDES *(1886-1927), escritor argentino.*

5114. **Menos es más.**

LUDWIG MIES VAN DER ROHE (1886-1969), *arquitecto y diseñador francés considerado como el fundador del minimalismo.*

5115. **Para que lo que se escribe pueda denominarse literatura es necesario que produzca en el lector un placer, no sólo por lo que se dice sino por la manera de decirlo.**

RUPERT BROOKE *(1887-1915), poeta inglés.*

5116. **No hay cosa que diferencie tanto a los hombres en castas como la cultura. Quien tiene la divina fiebre del refinamiento, ante las exaltaciones sudorosas del pueblo, no puede sentir sino las más vehementes ansias de alejarse.**

RAMÓN DE BASTERRA *(1887-1930), diplomático y escritor español.*

Arte y libros

5117. **Un actor de variedades pronunciaba tres oraciones: una, arrebatando a un público de obreros; otra, elogiando en un pésame la memoria de un muerto ilustre; otra, deseando felicidad a unos recién casados. Y decía siempre las mismas palabras: sólo variaba el tono y el gesto.**
GREGORIO MARAÑÓN *(1887-1960), médico y ensayista español.*

5118. **El tenerse que ganar la vida es condición esencial para conocerla, y sin conocer la vida se puede escribir, como se pueden hacer pajaritas de papel, pero sin aspirar a una obra duradera.**
GREGORIO MARAÑÓN *(1887-1960), médico y ensayista español.*

5119. **Contra toda opinión, no son los pintores sino los espectadores quienes hacen los cuadros.**
MARCEL DUCHAMP *(1887-1968), pintor francés.*

5120. **Hay millones de artistas que crean; sólo unos cuantos miles son aceptados, o, siquiera, discutidos por el espectador; y de ellos, muchos menos todavía llegan a ser consagrados por la posteridad.**
MARCEL DUCHAMP *(1887-1968), pintor francés.*

5121. **El arte es, para mí, la expresión de un pensamiento a través de una emoción o, en otros términos, de una verdad general a través de una mentira particular.**
FERNANDO PESSOA *(1888-1935), poeta portugués.*

5122. **Una revista debe ser un órgano de documentación. Una colección de números aparecidos durante una década debe representar la evolución de la sensibilidad más penetrante y del pensamiento más destacado.**
T. S. ELIOT *(1888-1965), escritor estadounidense.*

5123. **La grandeza de la Literatura no puede determinarse solamente por raseros literarios, aunque debemos recordar que, el que sea Literatura o no, sólo puede determinarse por raseros literarios.**
T. S. ELIOT *((1888-1965), escritor estadounidense.*

5124. **No se pueden escribir historias sobre los ricos, porque no tienen instintos.**
T. S. ELIOT *(1888-1965), escritor estadounidense.*

5125. **Escribir es pelearse con la tinta para hacerse entender.**
JEAN COCTEAU *(1889-1963), escritor francés.*

5126. **La poesía es indispensable, pero me gustaría saber para qué.**
JEAN COCTEAU *(1889-1963), escritor francés.*

5127. **¡Confusa época esta, en la que los museos se convierten en iglesias y las iglesias en museos!**

JEAN COCTEAU *(1889-1963), escritor francés.*

5128. **Vivimos en una época tal de individualismo que ya no se habla de discípulos; se habla de ladrones.**

JEAN COCTEAU *(1889-1963), escritor francés.*

5129. **A los artistas se nos exigen demasiados milagros: yo me conformo con hacer oír a un ciego.**

JEAN COCTEAU *(1889-1963), escritor francés.*

5130. **A Picasso, hasta los que le detestan, le soportan, porque nunca usa el talento. Sólo usa el genio. Sus obras nunca son pensamientos. Son actos.**

JEAN COCTEAU *(1889-1963), escritor francés.*

5131. **Escribir es un acto de amor. Si no lo es, no es más que escritura.**

JEAN COCTEAU *(1889-1963), escritor francés.*

5132. **Una obra maestra es una batalla ganada a la muerte.**

JEAN COCTEAU *(1889-1963), escritor francés.*

5133. **Una obra de arte debe satisfacer a todas las musas. Es lo que yo llamo la prueba del nueve.**

JEAN COCTEAU *(1889-1963), escritor francés.*

5134. **Un artista no puede esperar ninguna idea de sus semejantes.**

JEAN COCTEAU *(1889-1963), escritor francés.*

5135. **Las palabras son baratas. La cosa más grande que se puede decir es «elefante».**

CHARLES CHAPLIN, *CHARLOT (1889-1977), actor y director de cine inglés.*

5136. **Odio el teatro; pero también odio la vista de la sangre y la llevo en las venas.**

CHARLES CHAPLIN, *CHARLOT (1889-1977), actor y director de cine inglés.*

5137. **Todos somos aficionados; la vida es tan corta que no da para más.**

CHARLES CHAPLIN, *CHARLOT (1889-1977), actor y director de cine inglés.*

5138. **El auténtico creador desdeña la técnica entendida como un fin y no como un medio.**

CHARLES CHAPLIN, *CHARLOT (1889-1977), actor y director de cine inglés.*

Arte y libros

5139. El arte consiste en ocultar el artificio.
CHARLES CHAPLIN, *CHARLOT (1889-1977), actor y director de cine inglés.*

5140. La vida es una tragedia si se ve en un plano corto, pero resulta una comedia si se ve en panorámica.
CHARLES CHAPLIN, *CHARLOT (1889-1977), actor y director de cine inglés.*

5141. El periodismo es un oficio fácil. Cuestión de escribir lo que dicen los demás.
HOWARD P. LOVECRAFT *(1890-1937), escritor estadounidense.*

5142. Todo arte, incluso el arte trágico, es un relato sobre la felicidad de existir.
BORIS PASTERNAK *(1890-1960), poeta ruso.*

5143. Un libro debe construirse como un reloj y venderse como un salchichón.
OLIVERIO GIRONDO *(1891-1967), poeta argentino.*

5144. ¿De qué sirven los libros si no nos hacen volver a la vida; si no consiguen hacernos beber en ella con más avidez?
HENRY MILLER *(1891-1980), escritor estadounidense.*

5145. El individuo se posee a sí mismo, se conoce, expresando lo que lleva dentro, y esa expresión sólo se cumple por medio del lenguaje.
PEDRO SALINAS *(1892-1951), poeta español.*

5146. Los poetas pueden definirse como los seres que saben decir mejor que nadie dónde les duele.
PEDRO SALINAS *(1892-1951), poeta español.*

5147. Es lo que yo digo: guarda un diario y un día él te guardará a ti.
MAE WEST *(1892-1980), actriz estadounidense.*

5148. El poeta es un pequeño Dios.
VICENTE HUIDOBRO *(1893-1948), poeta chileno.*

5149. El arte es una forma de catarsis.
DOROTHY PARKER *(1893-1967), escritora estadounidense.*

5150. Vivimos en una época en la que el conocimiento ha superado a la sabiduría.
CHARLES MORGAN *(1894-1958), escritor inglés.*

5151. En el fondo de todas las músicas hay que oír el aire sin notas, hecho para nosotros: el aire de la muerte.
LOUIS-FERDINAND CÉLINE *(1894-1961), escritor francés.*

5152. **Una orgía real nunca es tan excitante como un libro pornográfico.**
LEONARD ALDOUS HUXLEY *(1894-1963), escritor inglés.*

5153. **Después del silencio, lo que más se acerca a expresar lo inexpresable es la música.**
LEONARD ALDOUS HUXLEY *(1894-1963), escritor inglés.*

5154. **Escribir un mal libro representa tanto trabajo como escribir uno bueno. Nace, con igual sinceridad, del alma del autor.**
LEONARD ALDOUS HUXLEY *(1894-1963), escritor inglés.*

5155. **La más odiosa de las traiciones la comete el artista que se pasa al bando de los ángeles.**
LEONARD ALDOUS HUXLEY *(1894-1963), escritor inglés.*

5156. **La única diferencia entre la crítica hostil y la favorable es que la primera dice brutalmente y con muchas palabras lo que la otra expresa implícitamente con un cumplido paternalista.**
LEONARD ALDOUS HUXLEY *(1894-1963), escritor inglés.*

5157. **Escribir: la única manera de conmover a otros sin ser incomodados por su cara.**
JEAN ROSTAND *(1894-1977), biólogo y ensayista francés.*

5158. **Los intelectuales son gentes que creen que las ideas son más importantes que los valores. Es decir, sus propias ideas y los valores de los demás.**
GERALD BRENAN *(1894-1987), historiador inglés.*

5159. **No puede haber enemistad entre quienes componen música juntos, al menos mientras dure esta música.**
PAUL HINDEMITH *(1895-1963), compositor alemán.*

5160. **Mi poema favorito es uno que comienza: «Treinta días tiene septiembre...» Es el único que te dice algo actualmente.**
«GROUCHO» MARX *(1895-1977), humorista y actor estadounidense.*

5161. **Estuve tan ocupado escribiendo la crítica que nunca pude sentarme a leer el libro.**
«GROUCHO» MARX *(1895-1977), humorista y actor estadounidense.*

5162. **La verdad es que me parto de risa con tu libro. A ver si tengo tiempo y lo leo.**
«GROUCHO» MARX *(1895-1977), humorista y actor estadounidense.*

Arte y libros

5163. **Toda forma de arte es una tentativa para racionalizar un conflicto de emociones en el espíritu.**
ROBERT R. GRAVES *(1895-1985), escritor inglés.*

5164. **Jamás nadie ha escrito, o pintado, esculpido, modelado, construido, inventado, más que para salir en realidad del infierno.**
ANTONIN ARTAUD *(1896-1948), escritor francés.*

5165. **La belleza será convulsiva o no será nada.**
ANDRÉ BRETON *(1896-1966), poeta francés.*

5166. **La poesía es el lenguaje incorruptible.**
GERARDO DIEGO *(1896-1987), poeta español.*

5167. **La literatura es un asunto importante para un país; es, a fin de cuentas, su semblante.**
LOUIS ARAGON *(1897-1982), poeta francés.*

5168. **Creía que un drama era cuando llora el actor, pero la verdad es que es cuando llora el público.**
FRANK CAPRA *(1897-1991), director de cine estadounidense.*

5169. **La creación poética es un misterio indescifrable, como el misterio del nacimiento del hombre. Se oyen voces, no se sabe de dónde, y es inútil preocuparse de dónde vienen.**
FEDERICO GARCÍA LORCA *(1898-1936), poeta español.*

5170. **Si es verdad que soy poeta por la gracia de Dios –o del demonio–, también lo es que lo soy por la gracia de la técnica y del esfuerzo, y de darme cuenta en absoluto de lo que es un poema.**
FEDERICO GARCÍA LORCA *(1898-1936), poeta español.*

5171. **La poesía no quiere adeptos, quiere amantes.**
FEDERICO GARCÍA LORCA *(1898-1936), poeta español.*

5172. **El placer del espectador, en el teatro, se debe a la sensación de encontrarse ante un mundo que se puede soñar; y esto, dado lo contradictorio y mal conocido del mundo real, le complace.**
BERTOLT BRECHT *(1898-1956), dramaturgo alemán.*

5173. **El hombre no debe seguir tal como es; es necesario verlo en el teatro como podría ser y acostumbrarlo a esta visión.**
BERTOLT BRECHT *(1898-1956), dramaturgo alemán.*

5174. **La literatura está hecha para los ricos, que son los que compran libros. Los que se atreven a escribir para los pobres están mal vistos.**
CURCIO MALAPARTE *(1898-1957), escritor italiano.*

5175. **Todos los buenos libros tienen en común que son más verdaderos que si hubieran sucedido realmente.**
ERNEST HEMINGWAY *(1898-1961), escritor estadounidense.*

5176. **La papelera es el primer mueble en el estudio de un escritor.**
ERNEST HEMINGWAY *(1898-1961), escritor estadounidense.*

5177. **Los artistas nunca son auténticos refugiados, porque al huir se llevan siempre el mejor de sus bienes: a sí mismos.**
ERNEST HEMINGWAY *(1898-1961), escritor estadounidense.*

5178. **Escribir es una cosa pesada y como que el autor quiere que el lector le comprenda, no ahorra palabras para convencerlo. A mí me gustaría mucho poder leer alguna cosa escrita por el lector. Y espero que él será conmigo tan indulgente como yo sería con él.**
ERNEST HEMINGWAY *(1898-1961), escritor estadounidense.*

5179. **La amistad es innecesaria, como la filosofía o como el arte... No tiene valor para la supervivencia; más bien es una de aquellas cosas que dan valor a la supervivencia.**
C. S. LEWIS *(1898-1963), filólogo y escritor inglés.*

5180. **Todo arte está basado en el inconformismo.**
BEN SHAHN *(1898-1969), pintor estadounidense.*

5181. **La poesía tiene que ser humana. Si no es humana no es poesía.**
VICENTE ALEIXANDRE *(1898-1984), poeta español.*

5182. **Aunque no sea exacto lo que decía Kant: «No se aprende filosofía, sólo se aprende a filosofar», resulta absolutamente cierto que sólo se aprende filosofía poniéndose a filosofar.**
XABIER ZUBIRI *(1898-1987), filósofo español.*

5183. **El prólogo es la parte más importante de un libro. Incluso los críticos leen los prólogos.**
PHILIPH GUEDALLA *(1899-1944), escritor inglés.*

5184. **No ser músico es una lástima.**
MARCEL ACHARD *(1899-1974), dramaturgo y humorista francés.*

Arte y libros

5185. El trabajo del novelista es hacer visible lo invisible con palabras.

MIGUEL ÁNGEL ASTURIAS *(1899-1977), escritor guatemalteco.*

5186. Que otros se jacten de las páginas que han escrito; a mí me enorgullecen las que he leído.

JORGE LUIS BORGES *(1899-1986), escritor argentino.*

5187. Es supersticiosa y vana costumbre la de buscar sentido en los libros, equiparable a buscarlo en los sueños o en las líneas caóticas de las manos.

JORGE LUIS BORGES *(1899-1986), escritor argentino.*

5188. La literatura no es otra cosa que un sueño dirigido.

JORGE LUIS BORGES *(1899-1986), escritor argentino.*

5189. La poesía nace del dolor

JORGE LUIS BORGES *(1899-1986), escritor argentino.*

5190. Yo creo que todo escritor que vale es una figura solitaria.

JORGE LUIS BORGES *(1899-1986), escritor argentino.*

5191. A cada época, su arte; y a cada arte, su libertad.

LEMA DE LOS ARTISTAS VIENESES DEL JUGENDSTIL *(finales del XIX).*

Los cafés de Austria, de Viena sobre todo, eran a comienzos del siglo XX los lugares donde se debatían la política y las artes. Tanto era así que el señor Bronstein (después se haría llamar León Trotski y fue uno de los grandes inspiradores de la revolución rusa) por ejemplo, vivía prácticamente en uno de ellos, el Café Central.

Entre revolucionarios, espías, criminales y otras gentes de mal vivir, había algunos artistas e intelectuales. Allí, por ejemplo, estaban Freud, los arquitectos Otto Wagner y Adolf Loos, y los escritores Kraus y Schnitzler. Respecto a las tendencias artísticas, estos hombres reaccionaron contra el clasicismo de los Habsburgo y dieron forma al *Jugendstil* (el modernismo vienés), cuyo lema hemos transcrito. Este movimiento cultural dio origen a la *Secession* de 1896, donde los nuevos artistas se levantaron contra el estilo dominante: el pintor Gustav Klimt fue su principal valedor. La revolución artística acompañó a la revolución política y Carlos I se vio obligado a abdicar en 1918. Tras la Primera Guerra Mundial, Austria adoptó el régimen republicano. De este modo, las artes influyen en el pensamiento de los pueblos y modifican la Historia.

5192. **Eres responsable por lo que has cautivado. Eres responsable de tu rosa.**
ANTOINE MARIE DE SAINT- EXUPÉRY *(1900-1944), escritor francés.*

5193. **El pensamiento vuela y las palabras van a pie: éste es el drama de cualquier escritor.**
JULIEN GREEN *(1900-1964), escritor francés.*

5194. **Si me propusieran quemar todas mis películas, lo haría sin pensarlo un momento. A mí no me interesa el arte, sino la gente.**
LUIS BUÑUEL *(1900-1983), director de cine español.*

5195. **El deseo de dejar una huella de lo efímero de la vida es lo que provoca la creación artística.**
G. HALASZ BRASSÄI *(1900-1984), fotógrafo rumano.*

5196. **El teatro es un gran medio de educar al público; el que hace teatro educativo, se encuentra siempre sin público al que poder educar.**
ENRIQUE JARDIEL PONCELA *(1901-1952), escritor español.*

5197. **Lo único que no puede ser una obra teatral es aburrida. Lo que aburre no es arte. Ningún gran artista es aburrido. Ningún arte produce sueño.**
ENRIQUE JARDIEL PONCELA *(1901-1952), escritor español.*

5198. **Mucho de lo que se lee sin ningún esfuerzo, ha sido escrito con un gran esfuerzo.**
ENRIQUE JARDIEL PONCELA *(1901-1952), escritor español.*

5199. **La televisión es el único somnífero que se toma por los ojos.**
VITTORIO DE SICA *(1901-1974), actor y director de cine italiano.*

5200. **El museo transforma la obra en objeto.**
ANDRÉ MALRAUX *(1901-1976), escritor francés.*

5201. **La Gioconda sonríe porque todos los que le han puesto bigotes han muerto.**
ANDRÉ MALRAUX *(1901-1976), escritor francés.*

5202. **El arte es un modo que tiene el hombre de rescatar su propia grandeza oculta.**
ANDRÉ MALRAUX *(1901-1976), escritor francés.*

5203. **Es artista aquel para quien el arte es necesario.**
ANDRÉ MALRAUX *(1901-1976), escritor francés.*

Arte y libros

5204. No voy al cine, y de la televisión sólo veo los informativos; quizá porque no hay nada mejor que ver.

MARLENE DIETRICH *(1901-1992), actriz alemana.*

5205. La música es una forma de soñar.

JAIME TORRES BODET *(1902-1974), escritor mexicano.*

5206. La guitarra es sólo un ataúd para las canciones.

JORGE CARRERA ANDRADE *(1902-1978), poeta ecuatoriano.*

5207. La publicidad no es más que el ruido de un palo golpeando un caldero.

ERIC BLAIR, *GEORGE ORWELL (1903-1950), escritor inglés.*

5208. Las novelas nunca las han escrito más que los que son incapaces de vivirlas.

ALEJANDRO CASONA *(1903-1965), dramaturgo español.*

5209. En nuestra época la novela devora todos los demás géneros. Una se ve obligada a utilizarla si quiere escribir algo.

MARGUERITE YOURCENAR *(1903-1987), escritora francesa.*

5210. El humor y la sabiduría son las grandes esperanzas de nuestra cultura.

KONRAD ZACHARIAS LORENZ *(1903-1989), psicólogo y etnólogo austríaco.*

5211. Creo haber encontrado el eslabón intermedio entre el animal y el *homo sapiens*: somos nosotros.

KONRAD ZACHARIAS LORENZ *(1903-1989), psicólogo y etnólogo*

5212. Todo lo que es hermoso tiene su instante, y pasa.

LUIS CERNUDA *(1904-1964), poeta español.*

5213. La belleza es la imperfección.

WITOLD GROMBROWICZ *(1904-1969), escritor polaco.*

5214. «Oda al libro»
Libro, cuando te cierro
abro la vida.

NEFTALÍ RICARDO REYES, *PABLO NERUDA (1904-1973), poeta chileno.*

5215. Los mundos nuevos deben ser vividos antes de ser explicados.

ALEJO CARPENTIER *(1904-1980), escritor cubano.*

5216. El mejor cine es aquel que puede percibirse con los ojos cerrados.

SALVADOR DALÍ *(1904-1989), pintor español.*

5217. **El individualismo es –en mi modesto sentir– una de las primeras virtudes que deben exigirse al artista creador.**
MANUEL DE FALLA *(1904-1989), compositor español.*

5218. **Escribir es defender la soledad en la que vivo.**
MARÍA ZAMBRANO *(1904-1991), escritora y filósofa española.*

5219. **La ambición de escribir disimula una renuncia a vivir.**
JEAN PAUL SARTRE *(1905-1980), escritor y filósofo francés.*

5220. **Quiero ser leído por gentes que disfrutan leyendo mis libros, no por coleccionistas de famosos.**
JEAN PAUL SARTRE *(1905-1980), escritor y filósofo francés (en su negativa a recibir el Nobel, en 1964).*

5221. **Los libros nunca son demasiado cortos, porque hay la solución de leerlos dos veces: pero cuando son demasiado largos, no hay ninguna solución.**
NOEL CLARASÓ *(1905-1985), escritor español.*

5222. **Entre el lenguaje hablado y el escrito sólo hay una diferencia; que el lenguaje hablado no se escribe y el escrito no se habla.**
NOEL CLARASÓ *(1905-1985), escritor español.*

5223. **Admirar a los clásicos es un gran acierto, y escribir como ellos, un gran error.**
NOEL CLARASÓ *(1905-1985), escritor español.*

5224. **Yo escribo para despejar mi mente, no para embotar la de otro.**
LOUIS SCUTENAIRE *(1905-1987), escritor y crítico de arte belga.*

5225. **No puedo comprender por qué en televisión siempre se excusan las interrupciones pero nunca la programación normal.**
OTTO PREMINGER *(1906-1986), director de cine estadounidense.*

5226. **En una sociedad dominada por las masas, si acaso puede haber un gran arte, no será sino un arte popular.**
FRANCISCO AYALA *(1906), escritor y académico español.*

5227. **La patria del escritor es su lengua.**
FRANCISCO AYALA *(1906), escritor y académico español.*

5228. **El verdadero ejercicio intelectual no consiste en seguir modas, sino en encararse con las dificultades de la propia época.**
FRANCISCO AYALA *(1906), escritor y académico español.*

Arte y libros

5229. **No hay poeta que desee ser el único de la historia, pero casi todos desean ser los únicos vivos, y muchos sinceramente creen que su deseo les ha sido concedido.**

WYSTAN HUGH AUDEN *(1907-1973), poeta estadounidense.*

5230. **Shakespeare: la cosa más parecida a la encarnación del ojo de Dios.**

LAURENCE OLIVIER *(1907-1989), actor británico.*

5231. **La poesía es el sentimiento que le sobra al corazón y te sale por la mano.**

CARMEN CONDE *(1907-1996), poeta y ensayista española.*

5232. **Los filósofos son como dentistas, que taladran agujeros sin poderlos rellenar.**

GIOVANNI GUARESCHI *(1908-1968), escritor italiano.*

5233. **Olvidemos un tanto la ironía. Es buena la broma, pero la vida no es una broma.**

ALFREDO PAREJA DIEZCANSECO *(1908-1993), escritor e historiador ecuatoriano.*

5234. **La literatura es mentir bien la verdad.**

JUAN CARLOS ONETTI *(1909-1994), escritor uruguayo.*

5235. **El teatro es la forma de expresión más completa. Se puede poner más violencia y más sensualidad en el teatro que en el cine. Sé que la mayoría de la gente va al teatro sólo a distraerse. Pero con todo, a través de la distracción se les puede interesar en algo que esté más allá de un espectáculo para matar el tiempo. Lo que no me gusta es que desde los escenarios se les diga a las gentes cómo deben vivir.**

TENNESSEE WILLIAMS *(1911-1983), dramaturgo estadounidense.*

5236. **A veces unos puntos suspensivos a tiempo resultan más profundos que un verso archipensado.**

GABRIEL CELAYA *(1911-1991), poeta español.*

5237. **Hay que reivindicar el valor de la palabra, poderosa herramienta que puede cambiar nuestro mundo aun en esta época de satélites y ordenadores.**

WILLIAM GOLDING *(1911-1993), escritor inglés.*

5238. **Escribo para que la muerte no tenga la última palabra.**

ODYSSEUS ELYTIS *(1911-1996), poeta griego.*

5239. **Las modas son legítimas en las cosas menores, como en el vestido. En el pensamiento y en el arte son abominables.**

ERNESTO SÁBATO *(1911), escritor argentino.*

5240. **Pintar es autodescubrirse. Todo buen artista pinta lo que él es.**

JACKSON CHANNING POLLOCK *(1912-1956), pintor estadounidense.*

5241. **El crítico es un cojo que enseña a correr.**

JACKSON CHANNING POLLOCK *(1912-1956), pintor estadounidense.*

5242. **Desconfío de los autores que, en una obra de teatro, se proponen demostrar alguna cosa.**

EUGÈNE IONESCO *(1912-1976), dramaturgo francés.*

5243. **Hay que escribir para uno mismo; sólo así podemos llegar a los demás.**

EUGÈNE IONESCO *(1912-1976), dramaturgo francés.*

5244. **El escritor es aquel que dice en voz alta lo que los demás se murmuran a sí mismos en voz baja.**

EUGÈNE IONESCO *(1912-1976), dramaturgo francés.*

5245. **El gran arte en literatura es la exaltación del pudor; no decir nada directamente y no dejar de decir nada.**

ALBERT CAMUS *(1913-1960), escritor francés.*

5246. **Los artistas piensan según las palabras, y los filósofos según las ideas; ésta es la diferencia.**

ALBERT CAMUS *(1913-1960), escritor francés.*

5247. **Si el mundo fuera obvio, el arte no existiría. El arte nos ayuda a penetrar la opacidad del mundo.**

ALBERT CAMUS *(1913-1960), escritor francés.*

5248. **Los que me juzguen por mis libros se equivocarán. He tardado años en lograr un corazón sin amargura. Y toda la amargura que había en mí la he encerrado en un par de libros. Así, me juzgarán por esa amargura que ya no existe. Pero este precio había que pagarlo.**

ALBERT CAMUS *(1913-1960), escritor francés.*

5249. **No es difícil tener éxito, lo difícil es merecerlo.**

ALBERT CAMUS *(1913-1960), escritor francés.*

Arte y libros

5250. **En literatura no hay buenos temas y malos temas: solamente hay un buen o un mal tratamiento del tema.**

JULIO CORTÁZAR *(1914-1984), escritor argentino.*

5251. **Yo sé que vivo entre dos paréntesis.**

OCTAVIO PAZ *(1914-1998), escritor mexicano.*

5252. **Cada vez doy más importancia al estudio de la Literatura. Ha sido, y sigue siendo, por presencia o ausencia, el factor decisivo que ha determinado el interés de los hombres hacia determinados temas.**

JULIÁN MARÍAS *(1914), filósofo y ensayista español.*

5253. **La televisión nos proporciona temas sobre los que pensar, pero no nos deja tiempo para hacerlo.**

GILBERTE LESBRON *(1915-1979), escritor francés.*

5254. **Toda negación del lenguaje es una muerte.**

ROLAND BARTHES *(1915-1980), escritor francés.*

5255. **Toda literatura sabe bien que, como Orfeo, no puede, bajo pena de muerte, volverse hacia lo que ve: está condenada a la mediación, es decir, en algún sentido está condenada a la mentira.**

ROLAND BARTHES *(1915-1980), escritor francés.*

5256. **Lo peor es cuando has terminado un capítulo y la máquina de escribir no aplaude.**

ORSON GEORGE WELLES *(1915-1985), actor y director de cine estadounidense.*

5257. **La más noble función de un escritor es dar testimonio, como con acta notarial y como fiel cronista, del tiempo que le ha tocado vivir.**

CAMILO JOSÉ CELA *(1916-2002), escritor español.*

5258. **La verdad del escritor no coincide con la verdad de quienes reparten el oro.**

CAMILO JOSÉ CELA *(1916-2002), escritor español.*

5259. **No hay forma más alta de pertenencia a un pueblo que escribir en su lengua.**

HEINRICH BÖLL *(1917-1985), escritor alemán.*

5260. **El objetivo final del arte es mostrar los tejidos internos del alma.**

MANUEL VIOLA *(1917-1987), pintor español.*

5261. **Ningún estado puede apreciar a los artistas, salvo que digan lo que éste desea oír. Lo cual es la negación del arte.**
ANTHONY BURGESS *(1917-1993), escritor inglés.*

5262. **Sin libertad no hay obra de arte.**
FRANCISCO JAVIER SÁENZ DE OIZA *(1918-2000), arquitecto español.*

5263. **Condenar la televisión sería tan ridículo como excomulgar la electricidad o la teoría de la gravedad.**
FEDERICO FELLINI *(1920-1993), director de cine italiano.*

5264. **La televisión es el espejo en donde se refleja la derrota de todo nuestro sistema cultural.**
FEDERICO FELLINI *(1920-1993), director de cine italiano.*

5265. **Un buen vino es como una buena película: dura un instante y te deja en la boca un sabor a gloria; es nuevo en cada sorbo y, como ocurre con las películas, nace y renace en cada saboreador.**
FEDERICO FELLINI *(1920-1993), director de cine italiano.*

5266. **Los lectores volverían gustosos a las librerías siempre y cuando no hallaran sólo mostradores con los últimos *best-sellers* internacionales (porque de los penúltimos nadie se acuerda).**
MARIO BENEDETTI *(1920), escritor uruguayo.*

5267. **Pretendí trasladar a las páginas todos los derechos de los muertos para informar la conducta de los vivos.**
MIGUEL DELIBES *(1920), periodista y escritor español.*

5268. **Nada tiene que ver el arte con la verdad.**
WOLFGANG BORCHERT *(1921-1947), escritor alemán.*

5269. **Un artista es un prisionero de su misma necesidad de comunicarse.**
CARMEN LAFORET *(1921-2004), escritora española.*

5270. **El arte es el único lenguaje que no está corrompido.**
ROBERT RAUSCHENBERG *(1922), pintor estadounidense.*

5271. **El talento no es un don celestial ni un milagro caído del cielo, sino el fruto del desarrollo sistemático de unas cualidades especiales.**
JOSÉ MARÍA RODERO *(1922-1991), actor español.*

5272. **El teatro no se hace para contar las cosas sino para cambiarlas.**
VITTORIO GASSMAN *(1922-1999), actor italiano.*

Arte y libros

5273. **La poesía se escribe cuando ella quiere.**
José Hierro *(1922-2002), poeta español.*

5274. **Tú que sigues el vuelo de la belleza, acaso**
nunca jamás pensaste cómo la muerte ronda
ni cómo vida y muerte –agua y fuego– hermanadas
van socavando nuestra roca. [...]
Y que el cantar que hoy cantas será apagado un día
por la música de otras olas.
José Hierro *(1922-2002), poeta español.*

5275. **Estoy convencido de que escribir prosa no debería ser muy diferente de escribir poesía. En ambos casos es una cuestión de buscar la expresión única, una que sea concisa, concentrada y memorable.**
Italo Calvino *(1923-1985), escritor italiano.*

5276. **La literatura es la Tierra Prometida, en la cual el lenguaje llega a ser lo que en realidad debería ser.**
Italo Calvino *(1923-1985), escritor italiano.*

5277. **Toda obra de arte es necesariamente ambigua.**
Lindsay Anderson *(1923-1994), escritora británica.*

5278. **El arte es la única fuerza capaz de reconquistar al ser humano sometido al poder político o a la tecnología.**
Nadine Gordimer *(1923), escritora sudafricana.*

5279. **Apuesto por los sentimientos. El público está harto de tanto sexo sin sentido y de tanta violencia gratuita.**
Richard Attenborough *(1923), actor y director de cine inglés.*

5280. **El poeta juega muchas veces al ajedrez sin tablero y por eso no entendemos sus movimientos.**
Fernando Lázaro Carreter *(1923-2004), filólogo español.*

5281. **Victor Hugo es surrealista, cuando no es un imbécil.**
Manifiesto surrealista *(1924).*

5282. **La televisión es la violación de las multitudes.**
Jean-François Revel, *Ricard (1924), escritor francés.*

5283. **El hogar es donde tienes los libros.**
Richard Burton *(1925-1984), actor estadounidense.*

5284. **Mi vida es la música. Y a través de la música comparto mi vida.**
MARÍA DOLORES (FERNÁNDEZ) PRADERA *(1925), cantante española.*

5285. **He leído mucho, pero no me parezco a nadie.**
ANA MARÍA MATUTE *(1925), escritora española.*

5286. **Es muy difícil escribir sencillo, al menos a mí me cuesta mucho dar la apariencia de sencillez, pero los lectores lo agradecen.**
ANA MARÍA MATUTE *(1925), escritora española.*

5287. **Escribo para ser libre.**
ANA MARÍA MATUTE *(1925), escritora española.*

5288. **No hay que pensar nunca que los niños son tontos, para ellos escribo con amor: sé que me entienden.**
ANA MARÍA MATUTE *(1925), escritora española.*

5289. **No es buena idea pedir la opinión a los editores; podrían sentirse orgullosos de ello.**
GORE VIDAL *(1925), escritor estadounidense.*

5290. **Soy como un hombre con poesía dentro, pero no soy un poeta.**
NORMA JEAN MORTENSON (O BAKER), *MARILYN MONROE (1926-1962), actriz estadounidense.*

5291. **La literatura, pues, no sirve para nada, y sin embargo para quien lo disfruta es, como dice el mismo Proust, la verdadera vida, la posesión más honda de sus días y de su mundo.**
JOSÉ MARÍA VALVERDE *(1926-1996), poeta español.*

5292. **En algunos casos, el arte es, no sólo un medio de escapar de la vulgaridad ambiental, sino, al mismo tiempo, una manera de vengarse del hecho de que el escritor debe llevar una vida o ejercer una profesión que no llena sus anhelos.**
JOSÉ ALSINA *(1926), profesor y ensayista español.*

5293. **La calidad literaria es inversamente proporcional al número de lectores.**
JUAN BENET *(1927-1993), escritor español.*

5294. **Incluso los libros malos son libros, y por tanto, sagrados.**
GÜNTER GRASS *(1927), escritor alemán.*

Arte y libros

5295. **El baile es una forma de llegar a la belleza, de dominar cada músculo y lanzarlo a la felicidad.**
MAURICE BÉJART *(1928), bailarín y coreógrafo francés.*

5296. **El sexo es más excitante en el cine y entre las páginas de un libro que entre las sábanas.**
ANDY WARHOL *(1930-1988), pintor estadounidense.*

5297. **El pintor es el artista que toma más decisiones por segundo mientras trabaja.**
ANTONIO SAURA *(1930-1998), pintor español.*

5298. **Si usted cree que la educación es cara, pruebe con la ignorancia.**
DEREK CURTIS BOK *(1930), escritora sueca.*

5299. **Yo no busco un gran número de lectores, sino un cierto número de relectores.**
JUAN GOYTISOLO *(1931), escritor español.*

5300. **El arte sólo ofrece alternativas a quien no está prisionero de los medios de comunicación de masas.**
UMBERTO ECO *(1932), semiólogo y escritor italiano.*

5301. **Nada es más nocivo para la creatividad que el furor de la inspiración.**
UMBERTO ECO *(1932), semiólogo y escritor italiano.*

5302. **El mundo está lleno de libros preciosos que nadie lee.**
UMBERTO ECO *(1932), semiólogo y escritor italiano.*

5303. **No hay sitio para los genios en nuestra actual situación.**
ADOLFO SUÁREZ *(1932), político español.*

5304. **La creatividad es, simplemente, un nombre más de la actividad humana normal [...]. Cualquier actividad se torna creativa cuando se procura hacerla bien, o mejor.**
JOHN UPDIKE *(1932), escritor estadounidense.*

5305. **El arte es seducción, no rapto.**
SUSAN SONTAG *(1933), escritora y directora de cine francesa.*

5306. **No hay un solo tema científico que no pueda ser explicado a nivel popular.**
CARL SAGAN *(1934), astrónomo estadounidense.*

5307. **El arte es un combate con las sombras perdiendo de antemano.**
GONZALO SUÁREZ *(1934), escritor y director de cine español.*

5308. **El lenguaje es innato, pero el llanto es adquirido.**
WOODY ALLEN *(1935), actor y director de cine estadounidense.*

5309. **No quiero alcanzar la inmortalidad mediante mi trabajo, sino simplemente no muriéndome.**
WOODY ALLEN *(1935), actor y director de cine estadounidense.*

5310. **Sólo hay dos cosas que de verdad puede uno controlar en la vida: el arte y la masturbación.**
WOODY ALLEN *(1935), actor y director de cine estadounidense.*

5311. **Aprender música leyendo teoría musical es como hacer el amor por correo.**
LUCIANO PAVAROTTI *(1935), tenor italiano.*

5312. **Yo el diccionario de la Academia no lo consulto, porque me estropearía el estilo.**
FRANCISCO UMBRAL *(1935), escritor español.*

5313. **El lenguaje literario es un lenguaje que ha perdido la memoria colectiva.**
FRANCISCO UMBRAL *(1935), escritor español.*

5314. **Tengo memoria, que es el talento de los tontos.**
FRANCISCO UMBRAL *(1935), escritor español.*

5315. **El talento, en buena medida, es una cuestión de insistencia.**
FRANCISCO UMBRAL *(1935), escritor español.*

5316. **La literatura nace del paso entre lo que el hombre es y lo que le gustaría ser.**
MARIO VARGAS LLOSA *(1936), escritor peruano.*

5317. **El periodista musical es una persona que no sabe entrevistar a gente que no sabe hablar para gente que no sabe leer.**
FRANK ZAPPA *(1940-1993), músico estadounidense.*

5318. **El arte... esa nueva y tiránica religión que se sitúa por encima del bien y del mal, y es indiferente al hombre, al placer, al dolor, a la moral, a la vida y a la muerte.**
GIL BEJES SAMPAO *(1940), escritor español.*

5319. **A veces el arte, y no sólo el plástico, está en los críticos. Ellos inventan el arte.**
ALFONSO GUERRA *(1940), político español.*

5320. **El arte de hoy, controlado por el incentivo del beneficio, no puede desempeñar la función social que siempre ha tenido.**
LUIS RACIONERO *(1940), escritor español.*

5321. **Los libros son productos de moda. Las listas de autores más vendidos son un reflejo de la moda. Los best sellers son una fabricación comercial.**
GAO XINGJIAN *(1940), escritor chino.*

5322. **Tengo un sueño grandioso. Quiero escribir una novela en la que el único protagonista sea la obra de arte.**
GAO XINGJIAN *(1940), escritor chino.*

5323. **La especialización es un hecho inevitable si no queremos reducirnos a charlas de juegos florales.**
ANDRÉS AMORÓS *(1941), crítico español.*

5324. **La respuesta, amigo mío, está volando con el viento.**
ROBERT ZIMMERMAN DYLAN, *BOB DYLAN (1941), músico estadounidense.*

5325. **Escribir es para mí como hacer ganchillo: siempre temo que se me vaya a escapar un punto.**
ISABEL ALLENDE *(1942), escritora chilena.*

5326. **Donde funciona un televisor hay alguien que no está leyendo.**
JOHN IRVING *(1942), escritor estadounidense.*

5327. **El espacio que separa un aforismo de otro es una invitación a olvidar.**
EUGENIO TRÍAS *(1942), ensayista español.*

5328. **Se canta para no estar demasiado solo.**
LUIS EDUARDO AUTE *(1943), músico español.*

5329. **Cuando la televisión informa sobre algún hecho marginal, en ese momento deja de serlo.**
CARL BERSTEIN *(1944), periodista estadounidense.*

5330. **En España la danza es, de toda la vida, el pariente tonto y pobre de la cultura.**
CRISTINA HOYOS *(1946), bailarina española.*

5331. **Hacia los veinte años de edad, a todos se nos da a elegir entre ser estrictamente contemporáneos o tontos; por lo que fuera, yo elegí tonto.**
JOSÉ LUIS CUERDA *(1947), director de cine español.*

5332. **La música es un esperanto sonoro.**
EMMANUEL LÉVY *(1947), sociólogo estadounidense.*

5333. **Sería absurdo pensar que un libro puede provocar revoluciones.**
SALMAN RUSHDIE *(1947), escritor hindú.*

5334. **La literatura está llena de cosas inútiles absolutamente necesarias.**
ROSA MONTERO *(1951), periodista española.*

5335. **La lista de escritores odiosos es larguísima. A decir verdad, creo que es bastante más difícil encontrar un autor adorable que diez insoportables.**
ROSA MONTERO *(1951), periodista española.*

5336. **El arte es presente, reflexión sobre el pasado, presentimiento del futuro.**
JUAN MANUEL BONET *(1953), escritor y crítico de arte español.*

5337. **La gente suele decir que la cámara no miente, les encanta decir eso, sobre todo a los cinéfilos y directores de cine. Pero eso es precisamente lo que hace la cámara: mentir.**
JOHN MALKOVICH *(1953), actor estadounidense.*

5338. **Un bailarín entiende, quizá mejor que nadie, que es muy fácil cavar su propia tumba con los dientes.**
SYLVIE GUILLEM *(1954), bailarina francesa.*

5339. **Ganar veinte millones de dólares por cada película es ridículo, asombroso. No puedo creer que me paguen eso. La verdad es que me incomoda la cantidad de dinero que gano.**
TOM HANKS *(1956), actor estadounidense.*

5340. **Todo lo que más le importa a uno, lo que disfruta más honda y soberanamente, lo ha aprendido muy despacio: empezó de niño y seguirá aprendiéndolo cuando se le acabe la vida.**
ANTONIO MUÑOZ MOLINA *(1956), escritor español.*

5341. **Los dos únicos espectáculos que han crecido con el siglo XX han sido el cine y el fútbol. Y la hija loca del cine, que es la televisión.**
JORGE VALDANO *(1956), ex futbolista y empresario argentino.*

Arte y libros

5342. **Pienso en la música como en un menú. No puedo comer lo mismo todos los días.**
CARLOS SANTANA *(1959), músico estadounidense.*

5343. **Yo soy una gran lectora y tengo una buena biblioteca. Tengo, por lo menos, quince libros.**
SONIA MOLDES, *modelo y empresaria española contemporánea.*

5344. **En el teatro produzco tal catarsis que los espectadores me llaman hijo de puta.**
PEDRO RUIZ, *humorista español contemporáneo.*

5345. **Las cartas y los dados son los libros y los huesos del diablo.**
ANÓNIMO.

5346. **Escribir para comer, ni es escribir ni es comer.**
ANÓNIMO.

5347. **Teatro: la literatura de las gentes que no tienen tiempo de leer.**
ANÓNIMO.

5348. **La crítica: arte de hacerse pasar por hombre de gusto a fuerza de no gustarle a uno nada.**
ANÓNIMO.

5349. **Un libro es un cerebro que habla; cerrado, es un amigo que espera; olvidado, un alma que perdona; destruido, un corazón que llora...**
PROVERBIO HINDÚ.

5350. **El que bien lee evita muchos errores.**
PROVERBIO LATINO.

Índice de autores

A

ABD ALLAH (siglo XI), rey de Granada y escritor. SOCIEDAD: 2745.

ABRAMS, PETER (1919), escritor sudafricano. MUNDO INTERIOR: 2496.

ABRIL, VICTORIA (1960), actriz española. MUNDO INTERIOR: 2550.

ACHARD, MARCEL (1899-1974), dramaturgo y humorista francés. AMOR: 1128. MUNDO INTERIOR: 2413. ARTE Y LIBROS: 5184.

ADAMS, HENRY BROOKS (1838-1919), historiador estadounidense. ARTE Y LIBROS: 4715.

ADDISON, JOSEPH (1672-1719), periodista y escritor inglés. AMOR: 463. MUNDO INTERIOR: 1741, 1742. SOCIEDAD: 3178. ARTE Y LIBROS: 4292-7297.

ADENAUER, KONRAD (1876-1967), político alemán. ARTE Y LIBROS: 5034.

ADJANI, ISABELLE (1956), actriz francesa. MUNDO INTERIOR: 2547.

ADORNO, THEODOR W. (1903-1969), filósofo alemán. AMOR: 1144.

AGUILO, MARIANO (1815-1897), poeta español. SOCIEDAD: 3526.

AGUSTÍN, SAN (354-430), teólogo y Padre de la Iglesia cristiana. AMOR: 106-112. MUNDO INTERIOR: 1455-1468. SOCIEDAD: 2731, 2732. ARTE Y LIBROS: 4130, 4131.

ALAIN; ver CHARTIER, ÉMILE-AUGUSTE.

ALAS, LEOPOLDO; *CLARÍN* (1852-1901), escritor español. MUNDO INTERIOR: 2209, 2210. ARTE Y LIBROS: 4782.

ALBERTO MAGNO (h. 1200-1280), filósofo y alquimista francés. ARTE Y LIBROS: 4141.

ALBORCH, CARMEN (1947), político española. SOCIEDAD: 4021.

ALCALÁ ZAMORA, NICETO (1877-1949), político español. AMOR: 1025. MUNDO INTERIOR: 2313.

ALCÁZAR, BALTASAR DE (1530-1606), poeta español. SOCIEDAD: 3019.

ALCMEÓN (siglo VII a.C.), poeta griego. ARTE Y LIBROS: 4066.

ALCOTT, LOUISE MAY (1832-1888), escritora estadounidense. ARTE Y LIBROS: 4694.

ALDA, ALAN (1936), actor y director de cine estadounidense. AMOR: 1208.

ALDANA, FRANCISCO DE (1537-1578), militar y poeta español. MUNDO INTERIOR: 1596.

ALEMÁN, MATEO (1547-1614), escritor español. AMOR: 215, 216. MUNDO INTERIOR: 1602-1610. SOCIEDAD: 3031-3033.

ALEXANDRE, LIBRO DE (siglo XIII). SOCIEDAD: 2758, 2759.

ALEIXANDRE, VICENTE (1898-1984), poeta español. ARTE Y LIBROS: 5181.

ALFIERI, VITTORIO (1749-1803), escritor italiano. MUNDO INTERIOR: 1846.

Índice de autores

ARENAL, CONCEPCIÓN (1820-1893), escritora española. AMOR: 762-766. MUNDO INTERIOR: 2119-2124. SOCIEDAD: 3549-3551.

ARETINO, PIETRO (1492-1556), escritor italiano. AMOR: 180.

ARGENSOLA, LUPERCIO LEONARDO DE (1559-1613), poeta español. MUNDO INTERIOR: 1623.

ARJONA, MANUEL MARÍA DE (1771-1820), poeta español. AMOR: 566.

ARNOLD, MATTHEW (1822-1888), poeta inglés. ARTE Y LIBROS: 4677.

ARISTÓFANES DE ATENAS (H. 448-H. 386 A. C.), poeta griego. MUNDO INTERIOR: 1317. SOCIEDAD: 2605.

ARISTÓTELES (384-322 A. C), filósofo griego. AMOR: 35, 36. MUNDO INTERIOR: 1323-1336. SOCIEDAD: 2618-2630. ARTE Y LIBROS:
4079-4085.

AROLAS, JUAN (1805-1849), poeta español. AMOR: 690.

AROUET, FRANÇOIS MARIE; *VOLTAIRE* (1694-1778), escritor francés. MUNDO INTERIOR: 1780-1798. SOCIEDAD: 2618-2630. ARTE Y LIBROS: 4079-4085.

ARNOULD, SOFÍA (1744-1802), actriz francesa. AMOR: 527.

ARRÉAT, JEAN-LUCIEN (1841-1922), filósofo francés. SOCIEDAD: 3603.

ARTAUD, ANTONIN (1896-1948), escritor francés. ARTE Y LIBROS: 5164.

ASCHNEIDER-ARNO, J., escritor alemán contemporáneo. AMOR: 1248.

ASTURIAS, MIGUEL ÁNGEL (1899-1977), escritor guatemalteco. ARTE Y LIBROS: 5185.

ATENÁGORAS DE ATENAS (siglo II), filósofo griego. AMOR: 58.

ATTENBOROUGH, RICHARD (1923), actor y director de cine inglés. ARTE Y LIBROS: 5279.

AUDEN, WYSTAN HUGH (1907-1973), poeta estadounidense. AMOR: 1167. MUNDO INTERIOR: 2465. ARTE Y LIBROS: 5227.

AUERBACH, BERTHOLD (1812-1882), escritor y ensayista alemán. ARTE Y LIBROS: 4607.

AUGIER, GUILLAUME (1820-1889), escritor francés. AMOR: 761.

AUGUEZ, PAUL (1792-1864), moralista francés. MUNDO INTERIOR: 1967.

AUREVILLY, JULES D' (1808-1889), escritor francés. ARTE Y LIBROS: 4574.

AUSTEN, JANE (1775-1817), escritora inglesa. MUNDO INTERIOR: 1912-1914. SOCIEDAD: 3389.

AUTE, LUIS EDUARDO (1943), músico español. AMOR: 1221. ARTE Y LIBROS: 5328.

AVELLANEDA, NICOLÁS DE (1837-1885), político y periodista argentino. ARTE Y LIBROS: 4714.

AVERROES (1126-1198), filósofo, astrónomo y jurisconsulto árabe. AMOR: 118. MUNDO INTERIOR: 1488.

AXELOS, KOSTAS, sociólogo griego contemporáneo. AMOR: 1194.

AYALA, FRANCISCO (1906), escritor y académico español. ARTE Y LIBROS: 5226-5228.

AZAÑA, MANUEL (1880-1940), político y escritor español. SOCIEDAD: 3802.

AZORÍN; ver MARTÍNEZ RUIZ, JOSÉ.

AZEGLIO, MASSIMO D' (1778-1866), político y escritor italiano. MUNDO INTERIOR: 2000. SOCIEDAD: 3392.

Índice de autores

(1770-1836), escritora francesa. AMOR: 565.

BASTERRA, RAMÓN DE (1887-1930), diplomático y escritor español. ARTE Y LIBROS: 5116.

BATAILLE, HENRI (1872-1970), poeta, dramaturgo y pintor inglés. MUNDO INTERIOR: 2289.

BAUDELAIRE, CHARLES (1821-1867), poeta francés. AMOR: 767-769. MUNDO INTERIOR: 2125, 2126.

BAUM, VICKI (1888-1960), escritora austriaca. AMOR: 1094, 1095. MUNDO INTERIOR: 2369, 2370.

BAZIN, JEAN PIERRE HERVÉ (1911-1996), novelista francés. MUNDO INTERIOR: 2479.

BEAU, MARIE JEANNE; CONDESA DE BERRY (1743-1793), dama francesa. SOCIEDAD: 3302.

BEAUMARCHAIS, BARÓN DE; ver CARON, PIERRE AGOUSTIN.

BEAUVOIR, SIMONE DE (1908-1985), escritora francesa. AMOR: 1171. MUNDO INTERIOR: 2469. SOCIEDAD: 3944.

BÉCQUER, GUSTAVO ADOLFO (1836-1870), poeta español. AMOR: 825-827. MUNDO INTERIOR: 2165, 2166. SOCIEDAD: 3600, 3601.

BEDDOES, THOMAS LOWELL (1798-1851), poeta inglés. ARTE Y LIBROS: 4505.

BEECHER, HENRY WARD (1813-1887), escritor inglés. SOCIEDAD: 3520.

BEECHER-STOWE, HARRIET (1811-1896), escritora estadounidense. ARTE Y LIBROS: 4605.

BEETHOVEN, LUDWIG VAN (1770-1827), compositor alemán. AMOR: 564. MUNDO INTERIOR: 1885, 1886. SOCIEDAD: 3380, 3381. ARTE Y LIBROS: 4412-4421.

BÉJART, MAURICE (1928), bailarín y coreógrafo francés. ARTE Y LIBROS: 5295.

BEJES SAMPAO, GIL (1940), escritor español. ARTE Y LIBROS: 5318.

BELDA, JOAQUÍN (1880-1935), novelista español. AMOR: 1031.

BELLAY, JOACHIM DU (1515-1560), poeta francés. SOCIEDAD: 3014.

BELLO, ANDRÉS (1781-1865), poeta y político venezolano. ARTE Y LIBROS: 4450-4452.

BENAVENTE, JACINTO (1866-1954), dramaturgo español. AMOR: 931-951. MUNDO INTERIOR: 2264-2270. SOCIEDAD: 3715. ARTE Y LIBROS: 4911-4921.

BENEDETTI, MARIO (1920), escritor uruguayo. MUNDO INTERIOR: 2498. ARTE Y LIBROS: 5266.

BENET, JUAN (1927-1993), escritor español. MUNDO INTERIOR: 2510. ARTE Y LIBROS: 5293.

BENÍTEZ REYES, FELIPE (1960), poeta español. AMOR: 1244.

BENNETT, ARNOLD D. (1867-1931), novelista inglés. SOCIEDAD: 3722.

BENOIT, PIERRE (1885-1962), novelista francés. SOCIEDAD: 3827, 3828.

BENSO, CAMILO; CONDE DE CAVOUR (1810-1861), político italiano. SOCIEDAD: 3510.

BERGMAN, INGRID (1915-1982), actriz sueca. MUNDO INTERIOR: 2488.

BERKELEY, GEORGE (1685-1753), filósofo irlandés. MUNDO INTERIOR: 1751.

BERNARD, PAUL TRISTAN (1866-1947), escritor francés. MUNDO INTERIOR: 2263.

BERNARDO, SAN (1090-1153), Doctor francés de la iglesia cristiana. AMOR: 117. MUNDO INTERIOR: 1482-1487. SOCIEDAD: 2744.

Índice de autores

ARTE Y LIBROS: 4137, 4138.

BERNHARDT, O. K. (1800-1875), escritor alemán. AMOR: 653-654.

BERNIS, FRANÇOIS JOACHIM (1715-1794), político francés. SOCIEDAD: 3262.

BERR, ÉMILE (1863-1954), filósofo e historiador francés. ARTE Y LIBROS: 4869.

BERRY, CONDESA DE; ver BEAU , MARIE JEANNE.

BERSTEIN, CARL (1944), periodista estadounidense. ARTE Y LIBROS: 5329.

BERTHET, A. (1818-1888), escritor francés. AMOR: 756.

BETTI, UGO (1892-1953), dramaturgo italiano. MUNDO INTERIOR: 2381. SOCIEDAD: 3860.

BEYLE, HENRY; *STENDHAL* (1783-1842), escritor francés. AMOR: 575-582. MUNDO INTERIOR: 1941-1943. ARTE Y LIBROS: 4452-4460.

BIBLIA, LA. AMOR: 80-93. MUNDO INTERIOR: 1418-1423. SOCIEDAD: 2693-2695. ARTE Y LIBROS: 4117.

BIAS DE PRIENA (fin siglo VI-principio siglo V a. C.), uno de los siete sabios de Grecia. MUNDO INTERIOR: 1305.

BIERCE, AMBROSE (1842-1914), escritor estadounidense. SOCIEDAD: 3608. ARTE Y LIBROS: 4735.

BILLINGS, JOSH (1842-1914), humanista estadounidense. MUNDO INTERIOR: 2176.

BINI, CARLO (1806-1842), escritor italiano. AMOR: 692. MUNDO INTERIOR: 2058-2061.

BION DE ABDERA (h. 300 a. C.), filósofo griego. MUNDO INTERIOR: 1341.

BISMARCK, OTTO VON (1815-1898), estadista prusiano. SOCIEDAD: 3527-3532. ARTE Y LIBROS: 4628, 4629.

BLACKBURN, VIZCONDE DE; ver MORLEY, JOHN.

BLAIR, HUGH (1718-1800), ensayista escocés. SOCIEDAD: 3905, 3906. ARTE Y LIBROS: 4343.

BLAIR, ERIC; *GEORGE ORWELL* (1903-1950), escritor inglés. SOCIEDAD: 3905. ARTE Y LIBROS: 5207.

BLAKE, WILLIAM (1757-1827), poeta inglés. MUNDO INTERIOR: 1863-1866.

BLANCHAR, PIERRE (1896-1963), actor francés. MUNDO INTERIOR: 2396.

BLASCO IBÁÑEZ, VICENTE (1867-1928), escritor español. AMOR: 960.

BLOK, ALEXANDER (1880-1921), poeta simbolista ruso. MUNDO INTERIOR: 2321. ARTE Y LIBROS: 5047.

BLUM, LEON (1872-1950), político francés. SOCIEDAD: 3742.

BOCCACCIO, GIOVANNI (1313-1375), escritor italiano. AMOR: 136. MUNDO INTERIOR: 1519, 1520. SOCIEDAD: 2761, 2762.

BODENSTEDT, FRIEDRICH (1819-1892), escritor alemán. SOCIEDAD: 3545.

BOECIO, SEVERINO ANICIO MANLIO (450-524), filósofo y político romano. AMOR: 113. MUNDO INTERIOR: 1469-1471.

BÖHL DE FABER, CECILIA; *FERNÁN CABALLERO* (1796-1877), escritora española. AMOR: 616. MUNDO INTERIOR: 1980-1983. ARTE Y LIBROS: 4499.

BOHN, HENRY GEORGE (1796-1884), editor inglés. MUNDO INTERIOR: 1984. SOCIEDAD: 3430.

BOILEAU DESPRÉAUX, NICHOLAS (1636-1711), poeta, gramático y crítico francés. MUNDO INTERIOR: 1718. SOCIEDAD: 3154-3156. ARTE Y LIBROS: 4268.

BOK, DEREK CURTIS (1930), escritora sueca. ARTE Y LIBROS: 5298.

BÖLL, HEINRICH (1917-1985), escritor alemán. ARTE Y LIBROS: 5259.

BONALD, LOUIS GABRIEL AMBROISE DE (1754-1840), filósofo francés. MUNDO INTERIOR: 1860. SOCIEDAD: 3342. ARTE Y LIBROS: 4394.

BONAPARTE, NAPOLEÓN (1769-1821), emperador francés. AMOR: 566-563. MUNDO INTERIOR: 1880-1884. SOCIEDAD: 3363-3378. ARTE Y LIBROS: 4411.

BONET, JUAN MANUEL (1953), escritor y crítico de arte español. ARTE Y LIBROS: 5336.

BONHEUR, GABRIELLE; *COCÓ CHANEL* (1883-1971), diseñadora francesa. MUNDO INTERIOR: 2341. SOCIEDAD: 3818.

BONNARD, PIERRE (1867-1947), pintor francés. ARTE Y LIBROS: 4928, 4929.

BONNARD, ABEL (1884-1968), escritor francés. SOCIEDAD: 3820, 3821. ARTE Y LIBROS: 5095-5097.

BONO, EDWARD DE (1933), escritor inglés. SOCIEDAD: 3994.

BORCHERT, WOLFGANG (1921-1947), escritor alemán. ARTE Y LIBROS: 5268.

BORDEAUX, HENRY (1870-1963), escritor francés. MUNDO INTERIOR: 2283.

BORGES, JORGE LUIS (1899-1986), escritor argentino. AMOR: 1129, 1130. MUNDO INTERIOR: 2416-2419. SOCIEDAD: 3892-3895. ARTE Y LIBROS: 5186-5190.

BORGHESE, GIUSEPPE ANTONIO (1882-1952), escritor italiano. SOCIEDAD: 3811.

BÖRNE, LUDWIG; ver BARUCH, LÖB.

BORRAJO, MONCHO (1950), humorista español. AMOR: 1232.

BORROW, GEORGE (1803-1881), escritor inglés. SOCIEDAD: 3463.

BOSCÁN, JUAN (h. 1495-1542), poeta español. AMOR: 181.

BOSCO, MARÍA ANGÉLICA, escritora italiana contemporánea. AMOR: 1249.

BOSÉ, MIGUEL (1956), músico español. MUNDO INTERIOR: 2548.

BOUFLERS, JEAN STANISLAS; MARQUÉS DE BOUFLERS (1738-1815), escritor y político francés. AMOR: 516.

BOUFLERS, MARQUÉS DE; ver BOUFLERS, JEAN STANISLAS

BOURDALONE, LOUIS (1632-1704), teólogo francés. AMOR: 444.

BOURDEILLES, PIERRE DE; *BRANTOME* (1540-1614), escritor francés. MUNDO INTERIOR: 1597.

BOURGET, PAUL (1852-1935), novelista y crítico francés. AMOR: 867, 868. SOCIEDAD: 3651. ARTE Y LIBROS: 4785.

BOUVIER, JACQUELINE; *JACKIE KENNEDY* (1931-1994), primera dama estadounidense. AMOR: 1201

BRADLEY, OMAR NELSON (1893-1981), militar estadounidense. SOCIEDAD: 3866.

BRAHMS, JOHANNES (1833-1897), compositor alemán. ARTE Y LIBROS: 4696.

BRANCATTI, VITALIANO (1907-1954), escritor italiano. MUNDO INTERIOR: 2463.

BRANCUSI, CONSTANTIN (1876-1959), pintor rumano. ARTE Y LIBROS: 5033.

BRANDES, GEORGES (1842-1927), escritor danés. SOCIEDAD: 3610.

BRANTOME; ver BOURDEILLES, PIERRE DE.

BRAQUE, GEORGES (1882-1963), pintor francés. ARTE Y LIBROS: 5072-5075.

BRATHWAITE, RICHARD (1588-1673), poeta inglés. SOCIEDAD: 3091.

BRECHT, BERTOLD (1898-1956), dramaturgo

alemán. MUNDO INTERIOR: 2404, 2405. SOCIEDAD: 3884-3888. ARTE Y LIBROS: 5172, 5173.

BRENAN, GERALD (1894-1987), historiador británico. AMOR: 1116, 1117. ARTE Y LIBROS: 5158.

BRETON, ANDRÉ (1896-1966), poeta francés. MUNDO INTERIOR: 2397. ARTE Y LIBROS: 5165.

BRETÓN DE LOS HERREROS, MANUEL (1796-1873), escritor español. AMOR: 614, 615. SOCIEDAD: 3429.

BRIGHT, JOHN (1811-1889), político inglés. ARTE Y LIBROS: 4604.

BRILLANT-SAVARIN, ANSELMO (1755-1826), literato francés. SOCIEDAD: 3343, 3344.

BRISBANE, ARTHUR (1864-1936), escritor y periodista estadounidense. ARTE Y LIBROS: 4885.

BRONTË, EMILY (1810-1848), escritora inglesa. MUNDO INTERIOR: 2098.

BROOKE, RUPERT (1887-1915), poeta inglés. ARTE Y LIBROS: 5115.

BROWNE, SIR THOMAS (1605-1682), médico y filósofo inglés. MUNDO INTERIOR: 1677-1679.

BROWNING, ELIZABETH BARRET (1806-1861), poetisa inglesa. AMOR: 693. MUNDO INTERIOR: 2062.

BROWNING, ROBERT (1812-1889), poeta inglés. MUNDO INTERIOR: 2104, 2105. ARTE Y LIBROS: 4608-4610.

BRUDZINSKY, WIESLAW (1920), escritor polaco. SOCIEDAD: 3970.

BUCK, PEARL S. (1892-1973), escritora estadounidense. MUNDO INTERIOR: 2382, 2383. SOCIEDAD: 3861.

BUDA; ver SAKYAMUNI,

BUFFON, CONDE DE; ver LÉCLERC, GEORGES LOUIS

BULWER LYTTON, EDWARD GEORGE (1803-1873), escritor inglés.

BUNGE, CARLOS OCTAVIO (1875-1918), escritor argentino. SOCIEDAD: 3771.

BUNIN, IVAN ALEXEIVICH (1870-1953), escritor ruso. AMOR: 979.

BUÑUEL, LUIS (1900-1983), director de cine español. SOCIEDAD: 3898. ARTE Y LIBROS: 5194.

BUONARROTI, MICHELANGELO; *MIGUEL ÁNGEL* (1475-1564), pintor, escultor y arquitecto italiano. AMOR: 166,167. MUNDO INTERIOR: 1552. ARTE Y LIBROS: 4158-4161.

BURDETTE, ROBERT JONES (1844-1914) humorista estadounidense. MUNDO INTERIOR: 2181.

BURGESS, FRANK GELLET (1866-1951), escritor estadounidense. ARTE Y LIBROS: 4910.

BURGESS, ANTHONY (1917-1993), escritor inglés. ARTE Y LIBROS: 5261.

BURKE, EDMUND (1729-1797), escritor y político irlandés. AMOR: 509. MUNDO INTERIOR: 1822. SOCIEDAD: 3280-3285. ARTE Y LIBROS: 4355.

BURTON, ROBERT (1577-1640), humanista inglés. AMOR: 318.

BURTON, RICHARD (1925-1984), actor estadounidense. ARTE Y LIBROS: 5283.

BUSCH, WILHEIM (1832-1896), poeta alemán. SOCIEDAD: 3589.

BUTLER, SAMUEL (1612-1680), poeta inglés. ARTE Y LIBROS: 4251.

BYRON, LORD; ver. GORDON, GEORGE.

C

CABALLÉ, MONTSERRAT (1933), soprano española. MUNDO INTERIOR: 2522.

CABALLERO, FERNÁN ; ver BÖHL DE FABER, CECILIA.

CADALSO, JOSÉ (1741-1782), escritor español. AMOR: 518. MUNDO INTERIOR: 1828, 1829. ARTE Y LIBROS: 4361.

CALDERÓN DE LA BARCA, PEDRO (1600-1681), dramaturgo español. AMOR: 340-350. MUNDO INTERIOR: 1656-1669. SOCIEDAD: 3106-3110.

CALINO DE ÉFESO (siglo VII a. C.), orador y poeta lírico griego. MUNDO INTERIOR: 1280.

CALVINO, ITALO (1923-1985), escritor italiano. ARTE Y LIBROS: 5275, 5276.

CAMBA, FRANCISCO (1885-1948), escritor y periodista español. AMOR: 1063.

CAMDEN, WILLIAM (1551-1623), historiador inglés. AMOR: 243.

CAMINO GALICIA, FELIPE; *LEÓN FELIPE* (1884-1968), poeta español. SOCIEDAD: 3822. ARTE Y LIBROS: 3822.

CAMÕENS, LUIS DE (1524-1580), poeta portugués. AMOR: 194-196.

CAMPBELL, THOMAS (1777-1844), poeta, biógrafo e historiador escocés. MUNDO INTERIOR: 1922, 1923.

CAMPOAMOR, RAMÓN DE (1817-1901), poeta español. AMOR: 744-755. MUNDO INTERIOR: 2110.

CAMUS, ALBERT (1913-1960), escritor francés. AMOR: 1179. MUNDO INTERIOR: 2485, 2486. SOCIEDAD: 3957. ARTE Y LIBROS: 5245-5249.

CANETTI, ELÍAS (1905-1994), escritor búlgaro. MUNDO INTERIOR: 2460.

CÁNOVAS DEL CASTILLO, ANTONIO (1828-1897), político español. MUNDO INTERIOR: 2142. SOCIEDAD: 3566-3569.

CANTONI, ALBERTO (1841-1904), novelista italiano. MUNDO INTERIOR: 2174.

CANTÚ, CESARE (1804-1895), historiador italiano. MUNDO INTERIOR: 2053, 2054.

CAÑIZARES, JOSÉ DE (1676-1750), escritor español. AMOR: 1744.

CAPRA, FRANK (1897-1991), director de cine estadounidense. ARTE Y LIBROS: 5168.

CAPUS, ALFRED (1858-1922), periodista francés. AMOR: 899-902.

CARDUCCI, GIOSUE (1835-1907), poeta italiano. ARTE Y LIBROS: 4704.

CARLOS I (1500-1558), rey de España y emperador de Alemania (CARLOS V). SOCIEDAD: 3013. ARTE Y LIBROS: 4166.

CARLOS IX (1550-1574), rey de Francia. ARTE Y LIBROS: 4200.

CARLYLE, THOMAS (1795-1881), filósofo, crítico e historiador inglés. AMOR: 612. MUNDO INTERIOR: 1970-1979. SOCIEDAD: 3421-3427. ARTE Y LIBROS: 4493-4497.

CARON, PIERRE AGOUSTIN; BEAUMARCHAIS, BARÓN DE (1732-1799), dramaturgo francés. AMOR: 511-513. MUNDO INTERIOR: 1823. ARTE Y LIBROS: 4357, 4378.

CARPENTIER, ALEJO (1904-1980), ESCRITOR CUBANO. ARTE Y LIBROS: 5215.

CARREL, ALEXIS (1873-1944), médico y escritor francés. AMOR: 994-996. SOCIEDAD: 3751, 3752.

CARRERA ANDRADE, JORGE (1902-1978), poeta ecuatoriano. ARTE Y LIBROS: 5206.

CARVE, CHRISTIAN (1742-1798), pensador alemán. ARTE Y LIBROS: 4365.

Índice de autores

CASANOVA, GIOVANNI GIACOMO (1725-1798), aventurero italiano. AMOR: 504.

CASONA, ALEJANDRO (1903-1965), dramaturgo español. AMOR: 1142, 1143. MUNDO INTERIOR: 2432-2434. SOCIEDAD: 3907.

CASTELAR, EMILIO (1832-1899), político español. MUNDO INTERIOR: 2156. ARTE Y LIBROS: 4695.

CASTI, GIOVANNI BAUTISTA (1721-1803), POETA ITALIANO. SOCIEDAD: 3267.

CASTIGLIONE, BALTASAR DE (1478-1529), escritor y político italiano. AMOR: 168, 169. MUNDO INTERIOR: 1553, 1554. SOCIEDAD: 3003.

CASTRO, CRISTÓBAL DE (1879-1953), escritor español. AMOR: 1028.

CASTRO, FIDEL (1927), político cubano. SOCIEDAD: 3981.

CASTRO, ROSALÍA DE (1837-1885), poetisa española. AMOR: 828. MUNDO INTERIOR: 2167.

CATALINA, SEVERO (1832-1871), escritor y político español. AMOR: 814-819. SOCIEDAD: 3587, 3588.

CATALINA DE SIENA, SANTA (1347-1380), religiosa italiana. AMOR: 140, 141.

CATÓN DE ÚTICA (95-46 a.C.), político latino. AMOR: 59.

CATULO, CAYO VALERIO (h. 87-54 a.C.), poeta latino. AMOR: 60. MUNDO INTERIOR: 1361.

CAVOUR, CONDE DE; ver BENSO, CAMILO.

CEBRIÁN, JUAN LUIS (1944), periodista español. SOCIEDAD: 4016.

CEJADOR, JULIO (1864-1927), filólogo español. AMOR: 920.

CELA, CAMILO JOSÉ (1916), escritor español. MUNDO INTERIOR: 2491, 2492. ARTE Y LIBROS: 5257, 5258.

CELAYA, GABRIEL (1911-1991), poeta español. SOCIEDAD: 3952. ARTE Y LIBROS: 5236.

CÉLINE, LOUIS FERDINAND (1894-1961), escritor francés. MUNDO INTERIOR: 2384. SOCIEDAD: 3867, 3868. ARTE Y LIBROS: 5151.

CERNUDA, LUIS (1904-1964), poeta español. ARTE Y LIBROS: 5212.

CERVANTES SAAVEDRA, MIGUEL DE (1547-1616), escritor español. AMOR: 217-242. MUNDO INTERIOR: 1611-1618. SOCIEDAD: 3034-3048. ARTE Y LIBROS: 4183-4199.

CÉZANNE, PAUL (1839-1906), pintor francés. ARTE Y LIBROS: 4717, 4718.

CHALMERS, THOMAS (1780-1842), teólogo inglés. MUNDO INTERIOR: 1936.

CHAMBERLAIN, NEVILLE (1869-1940), político inglés. SOCIEDAD: 3728.

CHAMBLAIN DE MARIVAUX, PIERRE-CARLET DE (1688-1763), escritor francés. MUNDO INTERIOR: 1764, 1765.

CHAMFORT, NICOLAS SÉBASTIEN DE; ver ROCH, NICOLAS SÉBASTIEN.

CHANEL, COCO; ver BONHEUR, GABRIELLE.

CHAPLIN, CHARLES; *CHARLOT* (1889-1977), actor y director de cine inglés. MUNDO INTERIOR: 2374-2377. ARTE Y LIBROS: 5135-5140.

CHARDONNE, JACQUES (1884-1968), escritor francés. AMOR: 1061, 1062. ARTE Y LIBROS: 5099.

CHARLOT; ver CHAPLIN, CHARLES.

CHARTIER, ÉMILE-AUGUSTE; *ALAIN* (1868-1951), filósofo y escritor francés. AMOR: 965. MUNDO INTERIOR: 2276. SOCIEDAD: 3725-3727. ARTE Y LIBROS: 4931-4943.

CHATEAUBRIAND, RENÉ DE (1768-1848), escritor francés. AMOR: 556-559. MUNDO

INTERIOR: 1879. SOCIEDAD: 3361, 3362. ARTE Y LIBROS: 4407-4410.

CHÂTELET, MARQUESA DE; ver LE TONNELIER DE BRETEUIL, EMILIE.

CHAUCER, GEOFFREY (h. 1340-h. 1400), poeta inglés. AMOR: 137-139. SOCIEDAD: 2763-2766.

CHAUSSÉE; ver NIVELLE DE LA, PIERRE CLAUDE.

CHAUVILLIERS, ALAIN (1884-1953), escritor francés. ARTE Y LIBROS: 5091.

CHAZAL, MALCOLM DE (1902-1981), poeta de Isla Mauricio. MUNDO INTERIOR: 2431.

CHEJOV, ANTON PAVLOVICH (1860-1904), escritor ruso. MUNDO INTERIOR: 2230-2232. ARTE Y LIBROS: 4848-4850.

CHENIER, ANDRÉ (1762-1794), militar y poeta francés. MUNDO INTERIOR: 1876.

CHESTERFIELD, LORD; ver STANHOPE, PHILIP DORMER.

CHESTERTON, GILBERT KEITH (1874-1936), escritor inglés. AMOR: 999-1002. MUNDO INTERIOR: 2295. SOCIEDAD: 3756-3759. ARTE Y LIBROS: 4998.-5003.

CHILÓN DE LACEDEMONIA (siglo IV a. C.), sabio griego. SOCIEDAD: 2637.

CHOMSKI, NOAM (1928), pensador y filólogo estadounidense. SOCIEDAD: 3984.

CHOPIN, FRÉDÉRIC (1810-1849), compositor polaco. MUNDO INTERIOR: 2099. SOCIEDAD: 3505, 3506.

CHRISTIE, AGATHA (MARY CLARISSA) (1891-1976), escritora inglesa. AMOR: 1103. MUNDO INTERIOR: 2380.

CHUMY CHÚMEZ; ver GONZÁLEZ, JOSÉ M.

CHURCHILL, WINSTON LEONARD SPENCER (1874-1965), político inglés. MUNDO INTERIOR: 2300. SOCIEDAD: 3765-3770.

CICCONE, LOUISE VERÓNICA; *MADONNA* (1958), cantante y actriz estadounidense. AMOR: 1241.

CICERÓN, MARCO TULIO (106-43 a. C.), político, orador, filósofo y literato romano. AMOR: 50-57. MUNDO INTERIOR: 1347-1357. SOCIEDAD: 2643-2654. ARTE Y LIBROS: 4091-4099.

CIORAN, ÉMILE M. (1911-1995), ensayista rumano. AMOR: 117. MUNDO INTERIOR: 2478.

CLAPIERS, LUC DE; MARQUÉS DE VAN VENARGUES (1715-1747), moralista francés. MUNDO INTERIOR: 1812. ARTE Y LIBROS: 4341.

CLARASÓ, NOEL (1905-1985), escritor español. AMOR: 1154-1163. MUNDO INTERIOR: 2447-2455. SOCIEDAD: 3925-3935. ARTE Y LIBROS: 5221-5223.

CLARÍN; ver ALAS, LEOPOLDO

CLAUDEL, PAUL (1868-1955), poeta y diplomático francés. MUNDO INTERIOR: 2277, 2278. ARTE Y LIBROS: 4944.

CLAUSEWITZ, CARL VON (1780-1831), historiador, general y tratadista prusiano. SOCIEDAD: 3393-3396.

CLEMENCEAU, GEORGES (1841-1929), político y periodista francés. SOCIEDAD: 3604-3606.

CLEMENS, SAMUEL LANGHORNE; *MARK TWAIN* (1835-1910), escritor estadounidense. AMOR: 824. MUNDO INTERIOR: 2164. SOCIEDAD: 3596, 3597. ARTE Y LIBROS: 4705, 4706.

CLEÓBULO (siglo VI a.C.), sabio griego. AMOR: 11.

COBBETT, WILLIAM (1762-1835), político y periodista inglés. SOCIEDAD: 3352, 3353.

Índice de autores

COCTEAU, JEAN (1889-1963), escritor francés. MUNDO INTERIOR: 2373. SOCIEDAD: 3854. ARTE Y LIBROS: 5125-5134.

COEUILHE, ÉTIENNE (1697-1749), escritor francés. AMOR: 476.

COHEN, LEONARD (1934), compositor canadiense. AMOR: 1202.

COIGNY, AIMÉE; MADAME DE COIGNY (1776-1820), dama francesa. AMOR: 570.

COKE, EDWARD (1552-1634), jurisconsulto inglés. SOCIEDAD: 3052.

COLERIDGE, SAMUEL TAYLOR (1772-1834), poeta inglés. MUNDO INTERIOR: 1895-1904. SOCIEDAD: 3382-3385. ARTE Y LIBROS: 4436-4439.

COLETTE, ver SIDONIE, GABRIELLE (1873-1954), ESCRITORA FRANCESA.

COLL, JOSÉ LUIS (1931), humorista español. SOCIEDAD: 3991, 3992.

COLTON, CHARLES CALEB (1780-1832), poeta inglés. MUNDO INTERIOR: 1934, 1935. SOCIEDAD: 3397-3403.

COMMERSON, JEAN LOUIS AUGUSTE (1802-1879), escritor francés. AMOR: 656.

COMTE, AUGUSTE (1798-1857), filósofo francés. AMOR: 627, 628. MUNDO INTERIOR: 1996-1999.

CONAN, LAURE (1845-1924), escritora canadiense. AMOR: 852.

CONDE, CARMEN (1907-1996), poeta y ensayista española. ARTE Y LIBROS: 5231.

CONFUCIO (h. 551-h. 479 a. C.), filósofo chino. AMOR: 8. MUNDO INTERIOR: 1284-1293. SOCIEDAD: 2586-2589. ARTE Y LIBROS: 4068, 4069.

CONGREVE, WILLIAM (1670-1729), dramaturgo inglés. ARTE Y LIBROS: 4290.

CONRAD, JOSEPH (1857-1924), escritor inglés. SOCIEDAD: 3690.

CONSTANT, BENJAMIN (1767-1830), escritor y político suizo. AMOR: 555. SOCIEDAD: 3357.

COOK, ELIZA (1818-1889), poetisa inglesa. ARTE Y LIBROS: 4635.

COOPER, GARY (1901-1961), actor estadounidense. MUNDO INTERIOR: 2426.

CORÁN (siglo VII). AMOR: 114. MUNDO INTERIOR: 1476-1479. SOCIEDAD: 2741-2743.

CORNEILLE, PIERRE (1606-1684), dramaturgo francés. ARTE: 355-357. MUNDO INTERIOR: 1680. SOCIEDAD: 3118. ARTE Y LIBROS: 4247.

CORNEILLE, THOMAS (1625-1709), dramaturgo francés. MUNDO INTERIOR: 1713, 1714.

CORONADO, JOSÉ (1947), actor español. AMOR: 1227.

CORSINI, BARTOLOMEO (1606-1673), escritor italiano. AMOR: 354.

CORTÁZAR, JULIO (1914-1984), escritor argentino. AMOR: 1180. ARTE Y LIBROS: 5250.

CORTÉS, HERNÁN (1485-1547), conquistador español. AMOR: 175.

CORVINUS, JAKOB; ver RAABE, WILHELM.

COSTA, JOAQUÍN (1846-1911), político y escritor español. SOCIEDAD: 3633.

COURTY, PIERRE (1840-1892), poeta y periodista francés. MUNDO INTERIOR: 2171.

COWARD, NOEL (1899-1973), escritor inglés. AMOR: 1127.

COWLEY, ABRAHAM (1618-1667), poeta inglés. SOCIEDAD: 3138.

COWPER, WILLIAM (1731-1800), poeta inglés. SOCIEDAD: 3286.

CRAIGIE, MRS.; VER RICHARDS, PEARL MARY TERESA; *JOHN OLIVER HOBBES.*

CRANE, STEPHEN (1871-1900), escritor estadounidense. AMOR: 980. SOCIEDAD: 3736.

CRANE, HAROLD HART (1899-1932), poeta estadounidense. MUNDO INTERIOR: 2412.

CRISTINA DE SUECIA (1626-1689), reina de Suecia. AMOR: 437. MUNDO INTERIOR: 1715.

CROISSET, FRANCIS DE; *FRANCIS WIENER* (1877-1937), dramaturgo francés. AMOR: 1023. ARTE Y LIBROS: 5036.

CROWNE, JOHN (1640-1703), escritor inglés. AMOR: 450.

CUERDA, JOSÉ LUIS (1947), director de cine español. ARTE Y LIBROS: 5331.

CUETO, JUAN (1945), periodista español. SOCIEDAD: 4019.

CURCIO (siglo I), historiador romano. MUNDO INTERIOR: 1444.

CURIE, MARIE (1867-1934), científica polaca. AMOR: 961. MUNDO INTERIOR: 2272.

CURTIS, CYRUS H. K. (1850-1933), escritor estadounidense. MUNDO INTERIOR: 2207.

D

DALÍ, SALVADOR (1904-1988), pintor español. MUNDO INTERIOR: 2435-2437. ARTE Y LIBROS: 5216.

DANA, CARLOS ANDERSON (1819-1897), periodista estadounidense. SOCIEDAD: 3547.

DANDÚ, LEÓN (1905-1985), escritor español. AMOR: 1164, 1165. MUNDO INTERIOR: 2456-2458. SOCIEDAD: 3936-3938.

DANIEL, SAMUEL (1562-1619), historiador inglés. MUNDO INTERIOR: 1628.

DARDENNE, MADAME; *PHILIPPE GERFAUT* (1847-1919), escritora francesa. AMOR: 855. ARTE Y LIBROS: 4765.

DARÍO, RUBÉN; ver GARCÍA SARMIENTO, FÉLIX RUBÉN;

DARWIN, CHARLES ROBERT (1809-1882), científico inglés. ARTE Y LIBROS: 4588.

DAUDET, ALPHONSE (1840-1897), escritor francés. MUNDO INTERIOR: 2172. ARTE Y LIBROS: 4721, 4722.

DAVIS, BETTE (1908-1989), actriz estadounidense. SOCIEDAD: 3945.

DEBS, EUGENE V. (1855-1926), político estadounidense. SOCIEDAD: 3672.

DEBUSSY, CLAUDE (1862-1918), compositor francés. ARTE Y LIBROS: 4858, 4859.

DECOURCELLE, ADRIANO (1821-1892), dramaturgo francés. AMOR: 781. SOCIEDAD: 3563.

DEFOE, DANIEL (1660-1731), escritor inglés. SOCIEDAD: 3168-3170.

DELACROIX, EUGÈNE (1798-1863), pintor francés. ARTE Y LIBROS: 4506, 4507.

DELIBES, MIGUEL (1920), periodista y escritor español. MUNDO INTERIOR: 2499. SOCIEDAD: 3971. ARTE Y LIBROS: 5267.

DELONEY, THOMAS (1543-1607), compositor inglés. MUNDO INTERIOR: 1601.

DEMÓCRITO DE ABDERA (h. 460-361 a. C.), filósofo griego. AMOR: 26, 27.

DEMONSTIER, CHARLES ALBERT (1780-1801), poeta y dramaturgo francés. AMOR: 5573.

DEMÓSTENES (384-322 a. C.), orador y político griego. SOCIEDAD: 2631, 2632.

DENG XIAOPING (1904-1997), político chino. SOCIEDAD: 3919.

Índice de autores

DENEUVE, CATHERINE (1943), actriz francesa. SOCIEDAD: 4014.

DESCARTES, RENÉ (1596-1650), matemático y filósofo francés. SOCIEDAD: 3104, 3105. ARTE Y LIBROS: 4234-4237.

DESCHAMPS, ÉMILE (1791-1871), poeta francés. ARTE Y LIBROS: 4475.

DETINGER, ROY, periodista estadounidense contemporáneo. SOCIEDAD: 4029.

DIB, MOHAMED (1920), escritor argelino. MUNDO INTERIOR: 2500.

DICKENS, CHARLES (1812-1870), escritor inglés. AMOR: 726. MUNDO INTERIOR: 2103. SOCIEDAD: 3517. ARTE Y LIBROS: 4606.

DICKINSON, EMILY (1830-1886), poetisa estadounidense. AMOR: 805. ARTE Y LIBROS: 4691, 4692.

DIDEROT, DENIS (1713-1784), escritor francés. AMOR: 493. MUNDO INTERIOR: 1810, 1811. SOCIEDAD: 3255-3261. ARTE Y LIBROS: 4340.

DIEGO, GERARDO (1896-1987), poeta español. AMOR: 1121. ARTE Y LIBROS: 5166.

DIETRICH, MARLENE (1901-1992), actriz alemana. ARTE Y LIBROS: 5204.

DIÓGENES LAERCIO (primera mitad del siglo III a. C.), historiador griego. AMOR: 44, 45. MUNDO INTERIOR: 1344.

DIONISIO DE HALICARNASO (h. 68-h. 8 a. C.), retórico e historiador griego. SOCIEDAD: 2657.

DIOS PEZA, JUAN DE (1851-1909), poeta mexicano. MUNDO INTERIOR: 2208.

DISRAELI, BENJAMIN (1804-1881), político y escritor inglés. AMOR: 686-689. MUNDO INTERIOR: 2049-2052. SOCIEDAD: 3473-3478. ARTE Y LIBROS: 4556-4560.

DONGES, KEES VAN (1877-1968), pintor holandés. ARTE Y LIBROS: 5039.

DONNE, JOHN (1572-1631), poeta inglés. AMOR: 316. MUNDO INTERIOR: 1642-1646.

DONOSO CORTÉS, JUAN MARÍA (1809-1853), político y académico español. AMOR: 709.

DOS PASSOS, JOHN (1896-1970), novelista estadounidense. MUNDO INTERIOR: 2398.

DOSSI, CARLO; ver PISANI, CARLO ALBERTO.

DOSTOIEVSKI, FIODOR MIJAILOVICH (1821-1881), escritor ruso. AMOR: 776-780. MUNDO INTERIOR: 2137. SOCIEDAD: 3561, 3562. ARTE Y LIBROS: 4673-4676.

DRYDEN, JOHN (1631-1700), poeta y dramaturgo inglés. AMOR: 440-443. MUNDO INTERIOR: 1716, 1717.

DUBOS, P. (1670-1742), ensayista francés. ARTE Y LIBROS: 4291.

DUCASSE, ISIDORE-LUCIEN; CONDE DE LAUTRÉAMONT (1846-1870), escritor francés. ARTE Y LIBROS: 4758.

DUCHAMP, MARCEL (1887-1968), pintor francés. ARTE Y LIBROS: 5119, 5120.

DUCLOS, CHARLES PINOT (1704-1772), escritor francés. AMOR: 479.

DUHAMEL, GEORGES (1884-1966), escritor francés. AMOR: 1060. ARTE Y LIBROS: 5092-5094.

DUMAS, ALEXANDRE (PADRE) (1803-1870), escritor francés. AMOR: 669-670. MUNDO INTERIOR: 2029-2032. ARTE Y LIBROS: 4524.

DUMAS, ALEXANDRE (HIJO) (1824-1895), escritor francés. AMOR: 787-789.

DUMUR, LOUIS (1863-1933), escritor suizo. SOCIEDAD: 3698.

DUNCAN, ISADORA (1877-1927), bailarina estadounidense. AMOR: 1020.

DUNE, EDMUND (1914), escritor luxemburgués. SOCIEDAD: 3959.

DUPIN, AURORE; *GEORGE SAND* (1804-1876), escritora francesa. AMOR: 678-685. MUNDO INTERIOR: 2048.

DURAS, MARGUERITE (1914-1996), escritora francesa. AMOR: 1181.

DYLAN, BOB; ver ZIMMERMAN DYLAN, ROBERT.

E

EBUER-ESCHENBACH, MARIE (1830-1916), escritora austríaca. SOCIEDAD: 3586.

EÇA DE QUEIROZ, JOSÉ MARÍA (1845-1900), escritor portugués. SOCIEDAD: 3631. ARTE Y LIBROS: 4756, 4757.

ECO, UMBERTO (1932), escritor italiano. ARTE Y LIBROS: 5300-5302.

ECHEGARAY, JOSÉ (1832-1916), escritor español. AMOR: 820-822. MUNDO INTERIOR: 2157. ARTE Y LIBROS: 4697.

ECHEVARRÍA, ESTEBAN (1805-1851), poeta argentino. MUNDO INTERIOR: 2056.

EDISON, THOMAS ALVA (1847-1931), físico estadounidense. ARTE Y LIBROS: 4766.

EGUILAZ, LUIS DE (1830-1874), escritor español. AMOR: 804.

EINSTEIN, ALBERT (1879-1955), físico alemán. AMOR: 1029. SOCIEDAD: 3794-3799. ARTE Y LIBROS: 5045, 5046.

ELIOT, GEORGE; ver EVANS, MARY ANN.

ELIOT, T. S. (1888-1965), escritor estadounidense. ARTE Y LIBROS: 5122-5124.

ÉLUARD, PAUL (1895-1952), poeta francés. MUNDO INTERIOR: 2392.

ELYTIS, ODYSSEUS (1911-1996), poeta griego. ARTE Y LIBROS: 5238.

EMERSON, RALPH WALDO (1803-1882), escritor y político estadounidense. AMOR: 673, 674. MUNDO INTERIOR: 2036-2041. SOCIEDAD: 3464-3472. ARTE Y LIBROS: 4528-4544.

EMMERICH, KURT; ver BAMM, PETER.

ENCICLOPEDIA FRANCESA (1752). ARTE Y LIBROS: 4388.

ENCINA, JUAN DEL (1468-1529), poeta y músico español. AMOR: 157.

ENGELS, FRIEDRICH (1820-1895), filósofo alemán. SOCIEDAD: 3552.

ENZENSBERGER, HANS MAGNUS (1929), escritor alemán. SOCIEDAD: 3989.

EPICTETO DE FRIGIA (h. 50-h.120), filósofo latino. AMOR: 100, 101. MUNDO INTERIOR: 1431-1436. SOCIEDAD: 2701-2704.

EPICURO DE SAMOS (341-270 a. C.), filósofo griego. MUNDO INTERIOR: 1340. SOCIEDAD: 2634-2636.

ERASMO DE ROTTERDAM (1466-1536), humanista holandés. AMOR: 154-156. MUNDO INTERIOR: 1537-1541. SOCIEDAD: 2778-2783.

ERCILLA, ALONSO DE (1533-1594), poeta español. AMOR: 207. SOCIEDAD: 3029. ARTE Y LIBROS: 4180.

ESOPO (620-560 a.C.), fabulista griego.

ESPERT, NURIA (1936), actriz española. SOCIEDAD: 4002.

ESPINEL, VICENTE (1550-1624), poeta y músico español. SOCIEDAD: 3049-3051. ARTE Y LIBROS: 4201, 4202.

ESPRIU, SALVADOR (1915-1986), escritor español. SOCIEDAD: 3960.

ESPRONCEDA, JOSÉ DE (1808-1842), poeta español. AMOR: 694-697. MUNDO INTERIOR: 2074, 2075. ARTE Y LIBROS: 4573.

Índice de autores

ESQUILO DE ELEUSIS (525-456 a. C.), poeta trágico griego. AMOR: 10. MUNDO INTERIOR: 1296-1299. ARTE Y LIBROS: 4070.

ESQUINES (h. 393-h. 314 a. C.), orador griego. MUNDO INTERIOR: 2616.

EURÍPIDES DE SALAMINA (480-406 a. C.), poeta trágico griego. AMOR: 19-25. MUNDO INTERIOR: 1308-1313. SOCIEDAD: 2595-2599.

EVANS, MARY ANN; *GEORGE ELIOT* (1819-1880), escritora inglesa. AMOR: 757, 758. MUNDO INTERIOR: 2111-2114. SOCIEDAD: 3541, 3542.

EYCHEM, MICHEL D'; SEÑOR DE MONTAIGNE (1533-1592), ensayista francés. AMOR: 201-206. MUNDO INTERIOR: 1581-1594. SOCIEDAD: 3020-3028. ARTE Y LIBROS: 4173-4179.

F

FABRE, JEAN HENRI CASIMIR (1823-1915), entomólogo y escritor francés. MUNDO INTERIOR: 2140.

FAGUET, ÉMILE AUGUSTE (1847-1916), escritor y crítico francés. ARTE Y LIBROS: 4763, 4764.

FALLA, MANUEL DE (1904-1989), compositor español. SOCIEDAD: 3917. ARTE Y LIBROS: 5217.

FARGUE, LÉON PAUL (1876-1947), escritor francés. ARTE Y LIBROS: 5032.

FARQUHAR, GEORGE (1678-1707), dramaturgo irlandés. SOCIEDAD: 3179.

FARRÈRE, CLAUDE ; ver BARGONE, FRÉDÉRIC CHARLES

FASSBINDER, RAINER WERNER (1946-1982), actor, director y productor de cine y teatro alemán. AMOR: 1223.

FAULKNER, WILLIAM (1897-1962), novelista estadounidense. AMOR: 1122. MUNDO INTERIOR: 2399.

FEDERICO II, EL GRANDE (1712-1786), emperador de Prusia. SOCIEDAD: 3254.

FEDRO (10 a. C.-70 d. C.), fabulista latino. MUNDO INTERIOR: 1389, 1390. SOCIEDAD: 2675, 2676.

FELIPE, LEÓN; ver CAMINO GALICIA, FELIPE.

FELLINI, FEDERICO (1920-1993), director de cine italiano. MUNDO INTERIOR: 2497. ARTE Y LIBROS: 5263-5265.

FÉNELON; ver SALIGNAC DE LA MOTHE, FRANÇOIS DE.

FERNÁNDEZ FLÓREZ, WENCESLAO (1885-1964), escritor y periodista español. ARTE Y LIBROS: 5102.

FERNÁNDEZ DE MORATÍN, LEANDRO (1760-1828), dramaturgo español. MUNDO INTERIOR: 1873-1875. SOCIEDAD: 3350.

FERNÁNDEZ PRADERA, MARÍA DOLORES (1925), cantante española. ARTE Y LIBROS: 5284.

FERRERO, GUGLIELMO (1871-1942), sociólogo e historiador italiano. SOCIEDAD: 3737.

FERRETIS, JORGE, novelista mexicano contemporáneo. AMOR: 1250.

FEUCHSTERSLEBEN, ERNEST VON (1806-1849), escritor alemán. ARTE Y LIBROS: 4563, 4564.

FEUERBACH, LUDWIG (1804-1872), filósofo alemán. AMOR: 677. MUNDO INTERIOR: 2046. ARTE Y LIBROS: 4552-4555.

FEUILLERE, EDWINGE (1907-1962), actriz francesa. MUNDO INTERIOR: 2464.

FICHTE, JOHANN GOTLIEB (1762-1814), filósofo alemán. AMOR: 552. SOCIEDAD: 3351.

FIELDING, HENRY (1707-1754), escritor inglés. MUNDO INTERIOR: 1820. SOCIEDAD: 3235. ARTE Y LIBROS: 4329.

FIGUEROA Y TORRES, ÁLVARO DE; CONDE DE ROMANONES (1863-1950), político español. SOCIEDAD: 3700.

FISCHER, AUGUST CHRISTIAN (1771-1829), escritor alemán. AMOR: 567.

FISCHER, MARTIN H. (1865-1940), escritor estadounidense. ARTE Y LIBROS: 4903

FISCHER, ROBERT (1943), jugador de ajedrez estadounidense. AMOR: 1222.

FLAUBERT, GUSTAVE (1821-1880), escritor francés. AMOR: 770. MUNDO INTERIOR: 2127-2129. SOCIEDAD: 3557-3560. ARTE Y LIBROS: 4653-4666.

FLETCHER, JOHN PHINEAS (1579-1625), escritor inglés. AMOR: 320. MUNDO INTERIOR: 1648.

FOCH, FERDINAND (1851-1929), militar francés. ARTE Y LIBROS: 4780.

FONDA, HENRY (1905-1982), actor estadounidense. MUNDO INTERIOR: 2446.

FONDA, JANE (1937), actriz estadounidense. MUNDO INTERIOR: 2527.

FONTANE, THEODOR (1819-1898), escritor alemán. ARTE Y LIBROS: 4640.

FONTENELLE, BERNARD LE BOUVIER DE (1657-1757), escritor francés. MUNDO INTERIOR: 1735-1737. ARTE Y LIBROS: 4287.

FOSCOLO, UGO (1778-1827), poeta italiano. MUNDO INTERIOR: 1924-1932. SOCIEDAD: 3391. ARTE Y LIBROS: 4446-4449.

FRAGA IRIBARNE, MANUEL (1922), político español. AMOR: 1189. SOCIEDAD: 3975, 3976.

FRANCE, ANATOLE; ver THIBAULT, FRANÇOIS-ANATOLE.

FRANCO, LUIS L. (1898-1973), poeta argentino. MUNDO INTERIOR: 2409.

FRANKLIN, BENJAMIN (1706-1790), científico y político estadounidense. AMOR: 480-482. MUNDO INTERIOR: 1799-1801. SOCIEDAD: 3217-3234. ARTE Y LIBROS: 4326-4328.

FREUD, SIGMUND (1856-1939), médico austriaco. AMOR: 890. MUNDO INTERIOR: 2219.

FRIEDAM, BETTY (1921), escritora estadounidense. MUNDO INTERIOR: 2501.

FRIEDRICH, CASPAR DAVID (1774-1840), pintor alemán. ARTE Y LIBROS: 4443.

FROMM, ERICH (1900-1989), psicoanalista y escritor alemán. AMOR: 1134.

FULLER, THOMAS (1609-1661), escritor inglés. AMOR: 365-372. MUNDO INTERIOR: 1683-1686. SOCIEDAD: 3122-3129. ARTE Y LIBROS: 4248-4250.

G

GABOR, ZSA ZSA (1923-1995), actriz estadounidense. AMOR: 1190, 1191. MUNDO INTERIOR: 2505.

GABRIEL Y GALÁN, JOSÉ MARÍA (1870-1905), poeta español. AMOR: 971-973.

GALA, ANTONIO (1937), escritor español. AMOR: 1209-1212. MUNDO INTERIOR: 2528. SOCIEDAD: 4005-4006.

GALILEI, GALILEO (1564-1642), astrónomo italiano. ARTE Y LIBROS: 4225-4227.

GALLEGO, JUAN NICASIO (1777-1853), poeta y político español. AMOR: 572.

GALSWORTHY, JOHN (1867-1933), escritor

escritor alemán. Amor: 530-537. Mundo interior: 1847-1853. Sociedad: 3328-3332. Arte y libros: 4372-4382.

Gogol, Nicolai Vasilievich (1809-1852), novelista ruso. Mundo interior: 2084. Sociedad: 3493. Arte y libros: 4587.

Golding, William (1911-1993), escritor inglés. Arte y libros: 5237.

Goldoni, Carlo (1707-1793), dramaturgo italiano. Amor: 483, 484. Sociedad: 3236.

Goldsmith, Oliver (1728-1774), escritor inglés. Amor: 505. Mundo interior: 1819. Arte y libros: 4351-4353.

Goliárdico, canto (siglo xiii). Sociedad: 2760.

Gómez de Avellaneda, Gertrudis (1814-1873), escritora hispano-cubana. Amor: 737.

Gómez de la Serna, Ramón (1888-1963), escritor español. Amor: 1096, 1097. Mundo interior: 2371. Sociedad: 3839-3849.

Gómez Rodríguez, Víctor Manuel; *Samael Aun Weor* (1917-1977), escritor mexicano. Amor: 1184.

Goncourt, Edmond (1822-1896), escritor francés. Amor: 782-785.

Goncourt, Jules (1830-1870), escritor francés. Amor: 782-785. Arte y libros: 4685-4690.

Góngora y Argote, Luis de (1561-1627), poeta español. Amor: 251-255. Arte y libros: 4213.

González, José M.; *Chumy Chúmez* (1927), humorista español. Sociedad: 3982, 3983.

González Márquez, Felipe (1942), político español. Sociedad: 4013.

Gordimer, Nadine(1923), escritora sudafricana. Arte y libros: 5278.

Gordon, George; lord Byron (1788-1824), poeta inglés. Amor: 589-597. Mundo interior: 1947-1953. Sociedad: 3407-3410. Arte y libros: 4463-4466.

Gorki, Maksim (1869-1936), escritor ruso. Amor: 966. Arte y libros: 4930.

Gourmont, Rémy de (1858-1915), crítico y escritor francés. Amor: 898. Sociedad: 3691-3693. Arte y libros: 4838-4842.

Goya, Francisco de (1746-1828), pintor español. Arte y libros: 4371.

Goytisolo, Juan (1931), escritor español. Arte y libros: 5299.

Gozzi, Gasparo (1713-1786), escritor y periodista italiano. Amor: 494.

Gracián, Baltasar (1601-1658), escritor español. Amor: 351, 352. Mundo interior: 1670-1676. Sociedad: 3111-3116. Arte y libros: 4241-4246.

Graf, Arturo (1848-1913), escritor italiano. Mundo interior: 2189-2196. Sociedad: 3634. Arte y libros: 4769-4774.

Grandes, Almudena (1960), escritora española. Amor: 1245.

Grandmontagne, Francisco (1866-1936), periodista español. Mundo interior: 2262.

Grass, Günter (1927), escritor alemán. Arte y libros: 5294.

Graves, Robert (1895-1985), escritor inglés. Amor: 1120. Arte y libros: 5163.

Green, Julien (1900-1964), escritor francés. Mundo interior: 2421. Arte y libros: 5193.

Greene, Graham (1904-1991), novelista y dramaturgo inglés. Amor: 1149-1151.

MUNDO INTERIOR: 2438.

GREGORIO VII, SAN (1024-1085), Papa de la Iglesia cristiana. AMOR: 115

GROMBROWICZ, WITOLD (1904-1969), escritor polaco. ARTE Y LIBROS: 5213.

GROSSE, JULIUS (1828-1902), poeta alemán. AMOR: 793.

GRUTER, JAN (1560-1627), escritor alemán. MUNDO INTERIOR: 1624.

GUARESCHI, GIOVANNI (1908-1968), escritor italiano. ARTE Y LIBROS: 5232.

GUEDALLA, PHILIPH (1899-1944), escritor inglés. ARTE Y LIBROS: 5183.

GUÉRIN, EUGÉNIE DE (1805-1848), escritora francesa. MUNDO INTERIOR: 2055. ARTE Y LIBROS: 4561.

GUERRA, ALFONSO (1940), político español. SOCIEDAD: 4010. ARTE Y LIBROS: 5319.

GUEVARA, FRAY ANTONIO DE (1480-1545), político y moralista español. AMOR: 170, 171. MUNDO INTERIOR: 1555-1562. SOCIEDAD: 3004-3006. ARTE Y LIBROS: 4162.

GUICCIARDINI, FRANCESCO (1483-1540), historiador italiano. SOCIEDAD: 3007.

GUICHARD, JEAN FRANÇOIS (1731-1811), escritor francés. AMOR: 510.

GUILLEM, SYLVIE (1954), bailarina francesa. ARTE Y LIBROS: 5338.

GUILLERMO II (1859-1921), emperador de Prusia y de Alemania. SOCIEDAD: 3694.

GUILLET, PERNETTE DE (1520-1545), poetisa francesa. MUNDO INTERIOR: 1570.

GUINON, ALBERT (1863-1923), periodista y dramaturgo francés. AMOR: 914. MUNDO INTERIOR: 2247, 2248. SOCIEDAD: 3695-3697. ARTE Y LIBROS: 4862.

GÜIRALDES, RICARDO (1886-1927), escritor argentino. ARTE Y LIBROS: 5113.

GUITRY, ALEXANDRE SACHA (1885-1957), escritor y cineasta ruso. AMOR: 1071-1073. MUNDO INTERIOR: 2343, 2344. SOCIEDAD: 3826. ARTE Y LIBROS: 5101.

GUTIÉRREZ MELLADO, MANUEL (1912-1995), militar español. SOCIEDAD: 3956.

GUYAU, JEAN MARIE (1854-1888), filósofo francés. SOCIEDAD: 3652.

H

HALASZ BRASSÄI, G. (1900-1984), fotógrafo rumano. ARTE Y LIBROS: 5195.

HALIBURTON, THOMAS CHANDLER (1796-1865), escritor canadiense. ARTE Y LIBROS: 4498.

HAMANN, JOHANN GEORG (1730-1785), pensador alemán. ARTE Y LIBROS: 4356.

HAMERLING, ROBERT; ver RUPERT, JOHANN.

HAMILTON, WILLIAM (1788-1856), filósofo escocés. MUNDO INTERIOR: 1954.

HAMMARSKJOLD, HJALMAR AGNECARL (1905-1961), político sueco. SOCIEDAD: 3920.

HAMSUN, KNUT (1859-1952), escritor noruego. ARTE Y LIBROS: 4847.

HANKS, TOM (1956), actor estadounidense. MUNDO INTERIOR: 2549. ARTE Y LIBROS: 5339.

HARDENBERG, FRIEDRICH VON; *NOVALIS* (1772-1801), poeta alemán. AMOR: 569. MUNDO INTERIOR: 1895-1898. ARTE Y LIBROS: 4427.

HARDY, THOMAS (1840-1928), escritor inglés. AMOR: 830, 831.

HARTZENBUSCH, JUAN EUGENIO DE (1806-1880), dramaturgo español. MUNDO

INTERIOR: 2068, 2069.

HAUFF, WILHEIM (1802-1827), escritor alemán. ARTE Y LIBROS: 4517.

HAUSHOFER, MAX (1811-1866), pintor y escritor inglés. MUNDO INTERIOR: 2100.

HAVELOCK, HENRY (1840-1871), escritor inglés. ARTE Y LIBROS: 4720.

HAWTHORNE, NATHANIEL (1804-1864), novelista estadounidense. MUNDO INTERIOR: 2042. ARTE Y LIBROS: 4550.

HAY, JOHN (1832-1905), escritor estadounidense. SOCIEDAD: 3590.

HAZLITT, WILLIAM (1773-1830), ensayista inglés. MUNDO INTERIOR: 1905-1908. SOCIEDAD: 3386-3388. ARTE Y LIBROS: 4441, 4442.

HEBBEL, CHRISTIAN FRIEDRICH (1813-1863), escritor alemán. AMOR: 731, 732. MUNDO INTERIOR: 2106-2108. ARTE Y LIBROS: 4620, 4621.

HEGEL, GEORG WILHELM FRIEDRICH (1770-1831), filósofo alemán. ARTE Y LIBROS: 4422, 4423.

HEINE, HEINRICH (1797-1856), poeta alemán. AMOR: 618-621. ARTE Y LIBROS: 4500-4502.

HELPS, ARTHUR (1817-1875), historiador inglés. ARTE Y LIBROS: 4632, 4633.

HELVETIUS, CLAUDE ADRIEN (1715-1771), poeta alemán. AMOR: 495. MUNDO INTERIOR: 1813.

HEMINGWAY, ERNEST (1898-1961), novelista estadounidense. MUNDO INTERIOR: 2408. SOCIEDAD: 3889. ARTE Y LIBROS: 5175-5178.

HENRY, PATRICK (1736-1799), político estadounidense. MUNDO INTERIOR: 1825.

HEPBURN, KATHARINE (1907-2003), actriz estadounidense. AMOR: 1169.

HERÁCLITO DE ÉFESO (540-475 a. C.), filósofo griego. MUNDO INTERIOR: 1294, 1295. SOCIEDAD: 2590, 2591.

HERBERT, GEORGE (1593-1633), poeta galés. MUNDO INTERIOR: 1655. SOCIEDAD: 3098-3102.

HERDER, JOHANN GOTTFRIED (1744-1803), historiador y pensador alemán. ARTE Y LIBROS: 4368, 4369.

HEREDIA, JOSÉ MARÍA DE (1803-1839), escritor cubano. ARTE Y LIBROS: 4523.

HERNÁNDEZ, JOSÉ (1834-1886), poeta argentino. MUNDO INTERIOR: 2161.

HERRERA, FERNANDO DE (1534-1597), poeta español. AMOR: 208. MUNDO INTERIOR: 1595.

HERZOG, ÉMILE ;*ANDRÉ MAUROIS* (1885-1967), novelista y ensayista francés. AMOR: 1074-1083. MUNDO INTERIOR: 2346-2363. SOCIEDAD: 3829-3832. ARTE Y LIBROS: 5103-5107.

HESIODO DE ASERA (siglo VIII a. C.), poeta griego. AMOR: 2. MUNDO INTERIOR: 1276.

HESSE, HERMANN (1877-1962), escritor alemán. AMOR: 1026. MUNDO INTERIOR: 2314. SOCIEDAD: 3790. ARTE Y LIBROS: 5038.

HEUMER, F., escritor alemán contemporáneo. AMOR: 1251.

HIERRO, JOSÉ (1922-2002), poeta español. ARTE Y LIBROS: 5273.

HINDEMITH, PAUL (1895-1963), compositor alemán. ARTE Y LIBROS: 5159.

HIPÓCRATES (494-399 a.C.), médico griego. SOCIEDAD: 2594. ARTE Y LIBROS: 4073.

HIRDCHFELD, MAGNUS (1868-1935), sexólogo alemán. AMOR: 964.

Índice de autores

HITA, ARCIPRESTE DE; ver RUIZ, JUAN.

HITLER, ADOLF (1889-1945), dictador alemán. SOCIEDAD: 3851-3853.

HOBBES, JOHN OLIVER; ver RICHARDS, PEARL MARY TERESA.

HOBBES, THOMAS (1588-1679), filósofo inglés. MUNDO INTERIOR: 1651, 1652. SOCIEDAD: 3092-3097. ARTE Y LIBROS: 3503.

HOFFMANNSTHAL, HUGO VON (1874-1929), dramaturgo austriaco. ARTE Y LIBROS: 4997.

HÖLDERLIN, FRIEDRICH (1770-1843), poeta alemán. ARTE Y LIBROS: 4424.

HOLMES, OLIVER WENDELL (1809-1894), escritor estadounidense. AMOR: 712. MUNDO INTERIOR: 2088, 2089. SOCIEDAD: 3503.

HOLZ, ARNO (1863-1929), poeta alemán. ARTE Y LIBROS: 4863.

HOMERO (siglo VIII a. C.), poeta griego. AMOR: 3. MUNDO INTERIOR: 1273-1275. SOCIEDAD: 2582, 2583.

HOPE, BOB; ver TOWNES HOPE, LESLIE

HOPKINS, ANTHONY (1937), actor galés. MUNDO INTERIOR: 2529.

HORACIO FLACO, QUINTO (65 a. C.-8 d.C.), poeta latino. AMOR: 64. MUNDO INTERIOR: 1365-1378. SOCIEDAD: 2658-2665. ARTE Y LIBROS: 4100-4109.

HOYOS, CRISTINA (1946), bailarina española. ARTE Y LIBROS: 5330.

HUARTE DE SAN JUAN, JUAN (1529-1589), filósofo y científico español. MUNDO INTERIOR: 1578-1580.

HUBBARD, ELBERT (1859-1915), ensayista estadounidense. MUNDO INTERIOR: 2229. ARTE Y LIBROS: 4843, 4844.

HUGO, VICTOR (1802-1885), escritor francés. AMOR: 657-668. MUNDO INTERIOR: 2020-2028. SOCIEDAD: 3450-3459. ARTE Y LIBROS: 4518-4523.

HUIDOBRO, VICENTE (1893-1948), poeta chileno. ARTE Y LIBROS: 5148.

HUMBOLDT, KARL WILHELM VON (1767-1835), filólogo y político alemán. SOCIEDAD: 3358-3360.

HUME, DAVID (1711-1776), filósofo e historiador escocés. MUNDO INTERIOR: 1805. SOCIEDAD: 3242, 3243.

HUNEKER, JAMES GIBBON (1860-1921), crítico estadounidense. ARTE Y LIBROS: 4854.

HUXLEY, THOMAS HENRY (1825-1895), fisiólogo inglés. ARTE Y LIBROS: 4680.

HUXLEY, LEONARD ALDOUS (1894-1963), escritor inglés. AMOR: 1107, 1108. MUNDO INTERIOR: 2385-2389. SOCIEDAD: 3869-3873. ARTE Y LIBROS: 5152-5156.

HUYSMANS, JORIS-KARL (1848-1907), escritor francés. AMOR: 856, 857. ARTE Y LIBROS: 4767, 4768.

I

IBSEN, HENRIK (1828-1906), dramaturgo noruego. AMOR: 794-796. MUNDO INTERIOR: 2143, 2144. SOCIEDAD: 3571-3577. ARTE Y LIBROS: 4683.

IGNACIO DE LOYOLA, SAN (1491-1556), religioso español. AMOR: 178. SOCIEDAD: 3010.

INGE, WILLIAM RALPH (1860-1954), escritor francés. ARTE Y LIBROS: 4855, 4856.

INGERSOLL, ROBERT GREEN (1833-1899), abogado y escritor estadounidense. SOCIEDAD: 3592.

IONESCO, EUGÈNE (1912-1976), dramaturgo francés. MUNDO INTERIOR: 2481. SOCIEDAD: ARTE Y LIBROS: 5242-5244.

IRIARTE, TOMÁS DE (1750-1791), escritor español. ARTE Y LIBROS: 4383-4386.

IRVING, WASHINGTON (1783-1859), escritor estadounidense. AMOR: 583. SOCIEDAD: 3404.

IRVING, JOHN (1942), escritor estadounidense. ARTE Y LIBROS: 5326.

ISIDORO DE SEVILLA, SAN (560-636), escritor hispano-romano. MUNDO INTERIOR: 1473, 1474.ARTE Y LIBROS: 4133-4136.

J

JACOBS, MAX (1876-1944), escritor francés. ARTE Y LIBROS: 5030, 5031.

JAGGER, MICK P. (1943), músico inglés. MUNDO INTERIOR: 2536.

JALOUX, EDMUND (1878-1949), escritor y crítico francés. MUNDO INTERIOR: 2315-2317. SOCIEDAD: 3791, 3792. ARTE Y LIBROS: 5040, 5041.

JAMES, WILLIAM (1842-1910), filósofo estadounidense. MUNDO INTERIOR: 2175. SOCIEDAD: 3607.

JARDIEL PONCELA, ENRIQUE (1901-1952), escritor español. AMOR: 1135-1138. MUNDO INTERIOR: 1840-1843. SOCIEDAD: 3899-3904. ARTE Y LIBROS: 5196-5198.

JARNÉS, BENJAMÍN (1888-1935), escritor español. MUNDO INTERIOR: 2367.

JEFFERSON, THOMAS (1743-1826), político estadounidense. AMOR: 525, 526. MUNDO INTERIOR: 1840-1843. SOCIEDAD: 3303-3321. ARTE Y LIBROS: 4367.

JENOFONTE DE ATENAS (h. 430-h. 355 a. C.), historiador y político griego. SOCIEDAD: 2607-2609.

JEROME K.; ver KLAPKA, JEROME.

JERÓNIMO, SAN (347-420), Padre y Doctor de la Iglesia cristiana. MUNDO INTERIOR: 1452-1454. ARTE Y LIBROS: 4129.

JIMÉNEZ, JUAN RAMÓN (1881-1958), poeta español. AMOR: 1040-1042. ARTE Y LIBROS: 5058, 5059.

JOHNSON, SAMUEL (1709-1784), escritor inglés. AMOR: 486-489. MUNDO INTERIOR: 1803, 1804. SOCIEDAD: 3237-3241. ARTE Y LIBROS: 4331-4338.

JONSON, BENJAMIN (1572-1637), poeta y dramaturgo inglés. AMOR: 317. MUNDO INTERIOR: 1647. ARTE Y LIBROS: 4228.

JORROLD, WILLIAM DOUGLAS (1803-1857), escritor y humorista inglés. SOCIEDAD: 3460.

JOSEPH, KARL; PRÍNCIPE DE LIGNE (1735-1814), militar austriaco. ARTE Y LIBROS: 4359.

JOUBERT, JOSEPH (1754-1824), moralista francés. AMOR: 540-543. MUNDO INTERIOR: 1858, 1859. SOCIEDAD: 3341. ARTE Y LIBROS: 4389-4393.

JOUHANDEAU, MARCEL HENRI (1888-1979), escritor francés. AMOR: 1100.

JOVELLANOS, GASPAR MELCHOR DE (1744-1811), escritor y ensayista español. AMOR: 528. MUNDO INTERIOR: 1844. SOCIEDAD: 3323. ARTE Y LIBROS: 4370.

JOWETT, BENJAMIN (1817-1893), ensayista inglés. SOCIEDAD: 3535.

JOYCE, JAMES (1882-1941), escritor irlandés. ARTE Y LIBROS: 5065.

JUAN DE LA CRUZ, SAN (1542-1591), poeta místico español. AMOR: 210-213. MUNDO

INTERIOR: 1598-1600. ARTE Y LIBROS: 4181.

JUAN MANUEL, INFANTE DON (1282-1348), escritor español. MUNDO INTERIOR: 1503-1505. SOCIEDAD: 2757. ARTE Y LIBROS: 4147.

JUGENDSTIL (finales del XIX). ARTE Y LIBROS: 5191.

JULIO CÉSAR (100-44 a. C.), emperador romano. MUNDO INTERIOR: 1358. SOCIEDAD: 2655.

JUVENAL, DECIMUS IUNIUS (h. 60-h. 140), poeta latino. AMOR: 103-105. MUNDO INTERIOR: 1441, 1442. SOCIEDAD: 2712-2717. ARTE Y LIBROS: 4123.

K

KAFKA, FRANZ (1883-1924), escritor checo. AMOR: 1046, 1047. ARTE Y LIBROS: 5076.

KANT, IMMANUEL (1724-1804), filósofo alemán. AMOR: 498-502. MUNDO INTERIOR: 1816-1818. SOCIEDAD: 3269-3279. ARTE Y LIBROS: 4348-4350.

KARINTHY, FRIGJES (1887-1938), escritora húngara. MUNDO INTERIOR: 2364.

KARR, ALPHONSE (1808-1890), escritor francés. AMOR: 700-705. MUNDO INTERIOR: 2076-2078. SOCIEDAD: 3484-3487. ARTE Y LIBROS: 4575.

KAZUKO, OKAKURA (1860-1913), escritor japonés. ARTE Y LIBROS: 4851-4853.

KEATS, JOHN (1795-1821), poeta inglés. MUNDO INTERIOR: 1968, 1969. ARTE Y LIBROS: 4482-4492.

KELLOG, PACTO (1928), Pacto Internacional Antibélico. SOCIEDAD: 3985.

KEMPIS, THOMAS A. (1379-1471), teólogo flamenco. MUNDO INTERIOR: 1522-1526. ARTE Y LIBROS: 4151.

KENNEDY, JACKIE; ver BOUVIER, JACQUELINE;

KENNEDY, JOHN FITZGERALD (1917-1963), político estadounidense. SOCIEDAD: 3962-3965.

KENNEDY, EDWARD (1932), político estadounidense. SOCIEDAD: 3993.

KEYNES, JOHN MAYNARD (1883-1946), economista inglés. SOCIEDAD: 3814.

KEYSERLING, HERMANN ALEXANDER VON (1880-1946), filósofo alemán. AMOR: 1032-1034. MUNDO INTERIOR: 2322, 2323. SOCIEDAD: 3803-3805. ARTE Y LIBROS: 5048-5051.

KHAYYAM, OMAR (1022-1123), poeta y astrónomo persa. MUNDO INTERIOR: 1480.

KIERKEGAARD, SÖREN AABYE (1813-1855), filósofo danés. AMOR: 727-730. SOCIEDAD: 3519. ARTE Y LIBROS: 4611-4619.

KING, MARTIN LUTHER (1929-1968), líder antirracista estadounidense. MUNDO INTERIOR: 2512-2516. SOCIEDAD: 3986-3988.

KISSINGER, HENRY ALFRED (1923), político estadounidense. SOCIEDAD: 3978.

KLAPKA, JEROME; *JEROME K.*(1859-1927), escritor inglés. ARTE Y LIBROS: 4845, 4846.

KLEE, PAUL (1879-1940), pintor suizo. ARTE Y LIBROS: 5042, 5043.

KOCK, PAUL DE (1793-1871), escritor francés. AMOR: 609.

KOONING, WILLEM DE (1904-1987), pintor estadounidense. SOCIEDAD: 3916.

KÖRNER, THEODOR (1791-1813), poeta alemán. AMOR: 605.

KOSACH-KVITKA, LARISA ; *LESIA UKRAÏNKA* (1871-1913), poetisa ucraniana. ARTE Y LIBROS: 4958.

KOVO, ABE (1924), escritor japonés.

KRAUS, KARL (1874-1936), escritor austriaco. SOCIEDAD: 3760-3762. ARTE Y LIBROS: 5004.

KROPOTKIN, PEDRO (1842-1921), escritor ruso. SOCIEDAD: 3609.

KRUSCHEV, NIKITA SERGEIEVICH (1896-1971), político ruso. SOCIEDAD: 3880.

KUNDERA, MILAN (1929), escritor checo. AMOR: 1199, 1200.

KUROSAWA, AKIRA (1910-1998), director de cine japonés. MUNDO INTERIOR: 2475.

L

LA BRUYÈRE, JEAN DE (1645-1696), escritor francés. AMOR: 451-456. MUNDO INTERIOR: 1722-1731. SOCIEDAD: 3159-3163. ARTE Y LIBROS: 4284-4286.

LA FONTAINE, JEAN DE (1621-1695), escritor francés. AMOR: 402-407. SOCIEDAD: 3139-3141. ARTE Y LIBROS: 4262.

LACORDAIRE, JEAN BAPTISTE HENRI (1802-1861), escritor francés. MUNDO INTERIOR: 2013-2018. SOCIEDAD: 3447, 3448.

LAFITTE, PAUL (1898-1976), ingeniero francés. SOCIEDAD: 3890.

LAFORET, CARMEN (1921-2004), escritora española. ARTE Y LIBROS: 5269.

LAGERLÖF, SELMA (1858-1940), escritora sueca. AMOR: 903. MUNDO INTERIOR: 2227, 2228.

LAMARTINE, ALPHONSE DE (1790-1869), historiador, político y poeta francés. MUNDO INTERIOR: 1963-1965. ARTE Y LIBROS: 4474.

LAMENNAIS, FÉLICITÉ ROBERT DE (1782-1854), escritor francés. AMOR: 574. MUNDO INTERIOR: 1937.

LANDOR, WALTER SAVAGE (1775-1864), escritor inglés. MUNDO INTERIOR: 1918-1921. ARTE Y LIBROS: 4444, 4445.

LANSON, GUSTAVE (1857-1939), historiador y ensayista francés. ARTE Y LIBROS: 4837.

LAO TSE (h. 565 a. C.), filósofo chino. MUNDO INTERIOR: 1283.

LARBAUD, VALÉRY (1881-1957), escritor francés. MUNDO INTERIOR: 2328. ARTE Y LIBROS: 5057.

LARKIN, PHILIP (1922-1985), poeta inglés. MUNDO INTERIOR: 2503.

LARRA, MARIANO JOSÉ DE (1809-1837), escritor y periodista español. AMOR: 706-708. MUNDO INTERIOR: 2079. SOCIEDAD: 3488-3492. ARTE Y LIBROS: 4576-4580.

LAUTRÉAMONT, CONDE DE; ver DUCASSE, ISIDORE-LUCIEN;

LAWRENCE, DAVID HERBERT (1885-1930), escritor inglés. ARTE Y LIBROS: 5100.

LAWRENCE, DURRELL (1912-1990), escritor inglés. AMOR: 1178.

LÁZARO CARRETER, FERNANDO (1923-2004), filólogo español. ARTE Y LIBROS: 5280.

LE BON, GUSTAVE (1851-1931), médico y escritor belga. SOCIEDAD: 3644. ARTE Y LIBROS: 4781.

LEFÉVRE-GÉRALDY, PAUL; *PAUL GÉRALDY* (1885-1954), escritor francés. AMOR: 1064-1069.

LE TONNELIER DE BRETEUIL, EMILIE; MARQUESA DE CHÂTELET (1706-1749), escritora francesa. SOCIEDAD: 3216.

Índice de autores

LÉCLERC, GEORGES LOUIS; , CONDE DE BUFFON (1707-1788), escritor francés. ARTE Y LIBROS: 4330.

LEIBNITZ, GOTTFRIED WILHEM VON (1646-1716), filósofo alemán. MUNDO INTERIOR: 1732. SOCIEDAD: 3164.

LENAU, NIKOLAUS (1802-1850), poeta austriaco. MUNDO INTERIOR: 2012.

LENCLOS, NINON DE (1616-1705) escritora francesa. AMOR: 387-393.

LENIN; ver ULIANOV,VLADIMIR ILLICH.

LENNON, JOHN (1940-1980), músico inglés. AMOR: 1216. MUNDO INTERIOR: 2531. SOCIEDAD: 4008, 4009.

LENORMAND, HENRI RENÉ (1882-1951), dramaturgo francés. MUNDO INTERIOR: 2330, 2331.

LEÓN XIII (1810-1903), Papa de la Iglesia cristiana. SOCIEDAD: 3512-3514.

LEÓN, RICARDO (1877-1943), escritor español. AMOR: 1024. MUNDO INTERIOR: 2312. SOCIEDAD: 3789. ARTE Y LIBROS: 5037.

LEOPARDI, GIACOMO (1798-1837), poeta italiano. AMOR: 623-626. MUNDO INTERIOR: 1987-1995.

LERMONTOV, MIJAIL YUREVICH (1814-1841), poeta ruso. AMOR: 736.

LESBRON, GILBERTE (1915-1979), escritor francés. ARTE Y LIBROS: 5253.

LESSING, GOTTHOLD EPHRAIM (1729-1781), escritor alemán. AMOR: 506-508. MUNDO INTERIOR: 1820, 1821. ARTE Y LIBROS: 4354.

LÉVI-STRAUSS, CLAUDE (1909-1986), antropólogo belga. SOCIEDAD: 3947.

LEVIS, DUQUE DE; ver GASTON, PIERRE MARC.

LÉVY, EMMANUEL (1947), sociólogo estadounidense. ARTE Y LIBROS: 5332.

LEWIS, C. S. (1898-1963), filólogo y escritor inglés. ARTE Y LIBROS: 5179.

LEWIS, JERRY (1926), actor estadounidense. AMOR: 1196. MUNDO INTERIOR: 2509.

LICHTENBERG, GEORG CHISTOPH (1742-1799), escritor y científico alemán. AMOR: 524. MUNDO INTERIOR: 1836-1839. SOCIEDAD: 3299-3301. ARTE Y LIBROS: 4366.

LIEBIG, JUSTUS VON (1803-1873), químico alemán. SOCIEDAD: 3462.

LIGNE, PRÍNCIPE DE; ver JOSEPH, KARL.

LINCOLN, ABRAHAM (1809-1865), político estadounidense. SOCIEDAD: 3494-3499.

LINDBERGH, ANNE MORROW (1906-2001), escritora estadounidense. MUNDO INTERIOR: 2462.

LINDNER, ALBERT (1831-1888), escritor alemán. AMOR: 807-809.

LISTA Y ARAGÓN, ALBERTO (1775-1848), escritor y ensayista español. MUNDO INTERIOR: 1915.

LISZT, FRANZ (1811-1886), compositor austriaco. AMOR: 725. ARTE Y LIBROS: 4603.

LLERA, CARMEN (1953), escritora española. AMOR: 1236.

LLULL, RAMÓN (1233-1315), poeta y teólogo español. AMOR: 121-125. MUNDO INTERIOR: 1490-1500. SOCIEDAD: 2751-2753.

LONDON, JACK(1876-1916), escritor estadounidense. SOCIEDAD: 3786.

LONGFELLOW, HENRY WADSWORTH (1807-1882), poeta estadounidense. MUNDO INTERIOR: 2071, 2072. ARTE Y LIBROS: 4569-4571.

LONGINO, DIONISIO CASIO (siglo III), filósofo

M

Índice de autores

MACMILLAN, HAROLD; BARÓN DE STOCKTON (1894-1986), político inglés. MUNDO INTERIOR: 2391.

MADARIAGA, SALVADOR DE (1886-1978), escritor español. SOCIEDAD: 3834.

MADONNA; ver CICCONE, LOUISE VERÓNICA.

MAETERLINCK, MAURICE (1862-1949), escritor belga. AMOR: 912, 913. MUNDO INTERIOR: 2242-2246. ARTE Y LIBROS: 4861.

MAEZTU, RAMIRO DE (1874-1936), escritor español. SOCIEDAD: 3763.

MAHOMA (570-632), profeta del Islam. MUNDO INTERIOR: 1475. SOCIEDAD: 2737-2740.

MAILER, NORMAN (1923), escritor estadounidense. MUNDO INTERIOR: 2506.

MAISONNEUVE, LOUIS J. B. (1745-1819), dramaturgo francés. MUNDO INTERIOR: 1845.

MALAPARTE, CURZIO (1898-1957), escritor italiano. MUNDO INTERIOR: 2406. ARTE Y LIBROS: 5174.

MALEBRANCHE, NICOLAS DE (1638-1715), filósofo francés. ARTE Y LIBROS: 4280, 4281.

MALESHERBES, CHRÉTIEN GUILLAUME (1721-1794), político francés. SOCIEDAD: 3266.

MALHERBE, FRANÇOIS DE (1555-1628), escritor francés. AMOR: 245.

MALKOVICH, JOHN (1953), actor estadounidense. ARTE Y LIBROS: 5337.

MALLARMÉ, STÉPHANE (1842-1898), poeta francés. AMOR: 832. ARTE Y LIBROS: 4731-4734.

MALLOCK, WILLIAM HURREL (1849-1908), sociólogo inglés. ARTE Y LIBROS: 4775.

MALLORQUÍ, JOSÉ (1913-1972), escritor español. MUNDO INTERIOR: 2487.

MALRAUX, ANDRÉ (1901-1976), novelista y político francés. MUNDO INTERIOR: 2428-2430. ARTE Y LIBROS: 5200-5203.

MANET, ÉDOUARD (1832-1883), pintor francés. ARTE Y LIBROS: 4693.

MANN, HORACE (1796-1859), pensador estadounidense. SOCIEDAD: 3428.

MANN, THOMAS (1875-1955), escritor alemán. SOCIEDAD: 3783-3785.

MANRIQUE, JORGE (1440-1479), poeta español. AMOR: 150. MUNDO INTERIOR: 1527-1529. SOCIEDAD: 2774.

MANTEGAZZA, PAOLO (1831-1910), escritor y médico italiano. AMOR: 810-813.

MANZONI, ALESSANDRO (1785-1873), escritor italiano. ARTE Y LIBROS: 4461.

MAO TSE TUNG (1893-1976), político chino. SOCIEDAD: 3865.

MAQUIAVELO, NICOLÁS (1469-1527), escritor y político italiano. AMOR: 158. MUNDO INTERIOR: 1542. SOCIEDAD: 2784-2797.

MARAÑÓN, GREGORIO (1887-1960), médico y ensayista español. AMOR: 1086-1091. MUNDO INTERIOR: 2365, 2366. SOCIEDAD: 3835-3837. ARTE Y LIBROS: 5117.

MARAT, JEAN PAUL (1744-1793), revolucionario francés. SOCIEDAD: 3322.

MARBEAU, JEAN-BAPTISTE (1798-1875), jurista francés. MUNDO INTERIOR: 2001.

MARCH, AUSIAS (1397-1459), poeta español. AMOR: 145.

MARCIAL, MARCO VALERIO (h. 40-h. 104), poeta satírico latino. AMOR: 94-97. MUNDO INTERIOR: 1425, 1426. SOCIEDAD: 2698. ARTE Y LIBROS: 4120.

MARCO AURELIO (121-180), emperador romano. MUNDO INTERIOR: 1445-1448. SOCIEDAD: 2724-2726.

MARET, HUGHES-BÉRNARD (1837-1917), político y escritor francés. MUNDO INTERIOR: 2169.

MARGARITA DE VALOIS (1552-1615), reina de Francia. AMOR: 244.

MARÍA TERESA DE AUSTRIA (1717-1780), emperatriz austríaca. SOCIEDAD: 3263.

MARÍAS, JULIÁN (1914), filósofo y ensayista español. ARTE Y LIBROS: 5252.

MARÍAS, JAVIER (1951), escritor español. AMOR: 1233.

MARINETTI, FILIPPO TOMMASO (1876-1944), escritor y político italiano. AMOR: 1017. SOCIEDAD: 3787.

MARINI, FRANÇOIS LOUIS CLAUDE (1721-1809), escritor francés. MUNDO INTERIOR: 1814.

MARION, H. (1846-1896), pedagogo y moralista francés. SOCIEDAD: 3632.

MARITAIN, JACQUES (1882-1973), filósofo francés. SOCIEDAD: 3813.

MARIVAUX; ver CHAMBLAIN, PIERRE-CARLET DE.

MARLEY, BOB (1945-1981), músico jamaicano. SOCIEDAD: 4018.

MARLOWE, CHRISTOPHER (1564-1593), poeta y dramaturgo inglés. AMOR: 275.

MARQUINA, EDUARDO (1879-1946), escritor español. AMOR: 1027.

MARSHALL, GEORGE C. (1880-1959), militar y político estadounidense. SOCIEDAD: 3806.

MARTÍ, JUAN; *MATEO LUJÁN DE SAYAVEDRA* (h. 1560-1604), abogado y escritor español. ARTE Y LIBROS: 4203.

MARTÍ, JOSÉ (1853-1895), político y escritor cubano. ARTE Y LIBROS: 4786-4788.

MARTÍN-SANTOS, LUIS (1924-1964), escritor español. AMOR: 1192.

MARTÍNEZ RUIZ, JOSÉ; *AZORÍN* (1874-1967), escritor español. AMOR: 1009. ARTE Y LIBROS: 4991-4996.

MARTÍNEZ DE LA ROSA, FRANCISCO (1787-1862), político y escritor español. AMOR: 587.

MARTIRIO; ver QUIÑONES, MARIBEL.

MARX, KARL (1818-1883), filósofo alemán. SOCIEDAD: 3536-3540.

MARX, «GROUCHO» (1895-1977), humorista y actor estadounidense. AMOR: 1118, 1119. MUNDO INTERIOR: 2394. SOCIEDAD: 3878. ARTE Y LIBROS: 5160-5162.

MASON, WILLIAM (1725-1795), poeta inglés. AMOR: 503.

MASSILLON, JEAN BAPTISTE (1663-1742), moralista francés. AMOR: 461.

MASSINGER, PHILIP (1583-1640), poeta inglés. AMOR: 336.

MATISSE, HENRI (1869-1954), pintor francés. ARTE Y LIBROS: 4954.

MATUTE, ANA MARÍA (1925), escritora española. ARTE Y LIBROS: 5285-5288.

MAUGHAM, WILLIAM SOMERSET (1874-1965), escritor inglés. AMOR: 1004-1008. MUNDO INTERIOR: 2301. ARTE Y LIBROS: 5010-5016.

MAURIAC, FRANÇOIS (1885-1970), novelista francés. AMOR: 1084-1091. ARTE Y LIBROS: 5108-5111.

MAUPASSANT, GUY DE (1850-1893), escritor francés. AMOR: 859-861. ARTE Y LIBROS: 4779.

MAUROIS, ANDRÉ; ver HERZOG, ÉMILE.

MAZZINI, GIUSEPPE (1805-1872), político y escritor italiano. ARTE Y LIBROS: 4562.

MCCARTHY, MARY (1912), escritora estadounidense. MUNDO INTERIOR: 2484.

Índice de autores

McCartney, Paul (1942), músico inglés. Amor: 1216.

Melville, Hermann (1819-1891), novelista estadounidense. Sociedad: 3544.

Menandro de Atenas (h. 343-290 a. C.), dramaturgo griego. Amor: 37-40. Mundo interior: 1338, 1339. Sociedad: 2633.

Mencken, Henry Louis (1880-1956), escritor y periodista norteamericano. Amor: 1035.

Menéndez y Pelayo, Marcelino (1856-1912), erudito español. Sociedad: 3673, 3674. Arte y libros: 4828-4830.

Meredith, George (1828-1909), escritor inglés. Amor: 797.

Mérimeé, Prosper (1803-1870), escritor francés. Sociedad: 3461.

Merleau-Ponty, Maurice (1908-1961), escritor francés. Mundo interior: 2467.

Mesonero Romanos, Ramón de (1803-1882), escritor español. Arte y libros: 4545-4549.

Metastasio, Pietro; ver Trapassi, Pietro Bonaventura.

Michelet, Jules (1789-1874), historiador francés. Amor: 629. Sociedad: 3432. Arte y libros: 4508-4510.

Mickiewicz, Adam (1798-1855), escritor polaco. Mundo interior: 2000.

Middleton, Thomas (1570-1627), dramaturgo inglés. Amor: 298, 299.

Mies van der Rohe, Ludwig (1886-1969), arquitecto y diseñador francés. Arte y libros: 5114.

Miguel Ángel; ver Buonarroti, Michelangelo.

Mikes, George (1912), escritor inglés. Sociedad: 3956.

Milanés, Pablo (1946), cantautor cubano. Amor: 1224.

Mill, John Stuart (1806-1873), filósofo inglés. Mundo interior: 2063-2067. Sociedad: 3479, 3480. Arte y libros: 4565-4567.

Miller, Henry (1891-1980), escritor estadounidense. Sociedad: 3858, 3859. Arte y libros: 5144.

Miller, Arthur (1915), dramaturgo estadounidense. Amor: 1182. Mundo interior: 2489, 2490.

Milton, John (1608-1674), poeta inglés. Amor: 362-364. Sociedad: 3119, 3120.

Miquelarena, Jacinto (1891-1966), escritor español. Amor: 1101, 1102.

Mirabeau, conde de; ver Riqueti, Honoré Gabriel.

Moix, Terenci (1942-2003), escritor español. Amor: 1218.

Moldes, Sonia, modelo y empresaria española contemporánea. Arte y libros: 5343.

Molière; ver Poquelin, Jean-Baptiste.

Molina, Tirso de; ver Téllez, Gabriel.

Mollet, Guy (1905-1975), político francés. Sociedad: 3921.

Moltke, Helmut von (1800-1891), general prusiano. Sociedad: 3445, 3446.

Mondor, Henri (1885-1962), cirujano y escritor francés. Mundo interior: 2345.

Monlau, Pedro Felipe (1808-1871), médico y escritor español. Sociedad: 3482, 3483.

Monroe, Marilyn; ver Mortenson, Norma Jean;

Montagu, Ashley (1905-1969), antropólogo estadounidense. Mundo interior: 2441.

Montaigne, señor de; ver Eychem, Michel d'.

MONTAND, YVES (1921-1991), cantante y actor francés. SOCIEDAD: 3973.

MONTERO, ROSA (1951), escritora española. MUNDO INTERIOR: 2545. ARTE Y LBIROS: 5334, 5335.

MONTESQUIEU, BARÓN DE; ver SECONDAT, CHARLES LOUIS DE.

MONTHERLAND, HENRY MILLON DE (1896-1970), escritor francés. SOCIEDAD: 3879.

MOORE, THOMAS (1779-1852), poeta irlandés. MUNDO INTERIOR: 1933.

MOORE, GEORGE (1873-1958), filósofo inglés. AMOR: 998.

MOORE, HENRY (1898-1986), escultor y pintor inglés. MUNDO INTERIOR: 2411.

MORAND, PAUL (1888-1976), diplomático y escritor francés. AMOR: 1098, 1099.

MORAVIA, ALBERTO; ver PINCHERLE, ALBERTO.

MORET Y PRENDERGAST, SEGISMUNDO (1838-1913), político español. SOCIEDAD: 3602

MORETO, AGUSTÍN (1618-1669), dramaturgo y poeta español. AMOR: 395-401.

MORGAN, CHARLES (1894-1958), escritor inglés. AMOR: 1106. ARTE Y LIBROS: 5150.

MÖRIKE, EDUARD (1804-1875), poeta alemán. MUNDO INTERIOR: 2047.

MORLEY, JOHN; VIZCONDE DE BLACKBURN (1838-1923), político y crítico literario inglés. MUNDO INTERIOR: 2170. ARTE Y LIBROS: 4716.

MORLEY, CHRISTOPHER (1890-1957), escritor estadounidense. SOCIEDAD: 3856.

MORRIS, WILLIAM (1834-1896), escritor y pensador inglés. ARTE Y LIBROS: 4699-4703.

MORROW, DWIGHT WHITNEY(1873-1931), banquero y diplomático estadounidense. SOCIEDAD: 3750.

MORTENSON (O BAKER), NORMA JEAN; *MARILYN MONROE* (1926-1962), actriz estadounidense. AMOR: 1195. ARTE Y LIBROS: 5290.

MOZART, WOLFGANG AMADEUS (1756-1791), compositor austriaco. AMOR: 545. MUNDO INTERIOR: 1862. SOCIEDAD: 3345.

MUERTE, DANZA DE LA (siglo XV). SOCIEDAD: 3012.

MUNTHE, AXEL (1857-1949), médico y escritor sueco. AMOR: 897.

MUÑOZ MOLINA, ANTONIO (1956), escritor español. AMOR: 1237. ARTE Y LIBROS: 5340.

MUSSET, LOUIS CHARLES ALFRED DE (1810-1857), escritor francés. AMOR: 714-718. SOCIEDAD: 3507-3509. ARTE Y LIBROS: 4591-4595.

N

NABOKOV, VLADIMIR (1899-1977), escritor ruso. MUNDO INTERIOR: 2414.

NASH, OGDEN (1902-1971), poeta y humorista estadounidense. AMOR: 1141.

NECKER, GERMAINE; MADAME DE STAËL (1766-1817), escritora francesa. AMOR: 553, 554. MUNDO INTERIOR: 1877. SOCIEDAD: 3355, 3356. ARTE Y LIBROS: 4402-4404.

NERUDA, PABLO; ver REYES, NEFTALÍ RICARDO.

NERVAL, GÉRARD DE (1808-1855), escritor francés. AMOR: 698.

NERVO, AMADO (1870-1919), escritor mexicano. AMOR: 974-978. ARTE Y LIBROS: 4955.

NICHOLSON, HAROLD (1886-1968), escritor y

Índice de autores

diplomático inglés. SOCIEDAD: 3833.

NICHOLSON, JACK (1937), actor estadounidense. AMOR: 1213. SOCIEDAD: 4007.

NIETZSCHE, FRIEDRICH (1844-1900), filósofo alemán. AMOR: 836-842. MUNDO INTERIOR: 2178-2180. SOCIEDAD: 3612-3622. ARTE Y LIBROS: 4402-4404.

NIEVA, FRANCISCO (1927), dramaturgo español. MUNDO INTERIOR: 2511.

NIN, ANAÏS (1903-1977), escritora francesa. AMOR: 1145.

NIVELLE DE LA CHAUSSÉE, PIERRE CLAUDE (1692-1754), dramaturgo francés. AMOR: 469.

NOAILLES, ANNA DE (1883-1973), poetisa rumana. AMOR: 1057.

NORMAND, JACQUES (1848-1931), escritor francés. MUNDO INTERIOR: 2197, 2198.

NORMAND, LOUSE M. (1789-1874), grabador francés. MUNDO INTERIOR: 1962.

NOVALIS; ver HARDENBERG, FRIEDRICH VON.

NÚÑEZ DE ARCE, GASPAR (1834-1903), político y poeta español. MUNDO INTERIOR: 2158-2160.

O

O'NEILL, EUGÈNE (1888-1953), dramaturgo estadounidense. AMOR: 1092, 1093. SOCIEDAD: 3838.

OCHOA, SEVERO (1905-1993), bioquímico español. AMOR: 1166. MUNDO INTERIOR: 2459.

OLIVIER, LAURENCE (1907-1989), actor británico. ARTE Y LIBROS: 5230.

ONETTI, JUAN CARLOS (1909-1994), escritor uruguayo. MUNDO INTERIOR: 2471. ARTE Y LIBROS: 5234.

OPPENHEIMER, JULIUS ROBERT (1904-1967), físico estadounidense. SOCIEDAD: 3913.

ORTEGA Y GASSET, JOSÉ (1883-1955), filósofo español. AMOR: 1048-1056. MUNDO INTERIOR: 2333-2340. SOCIEDAD: 3815-2340. ARTE Y LIBROS: 5078-5090.

ORWELL, GEORGE; ver BLAIR, ERIC.

OSSORIO Y BERNARD, MANUEL (1839-1904), escritor español. AMOR: 829.

OVERBURY, SIR THOMAS (1581-1613), escritor inglés. ARTE Y LIBROS: 4231.

OVIDIO, PUBLIO NASÓN (43 a. C.-17), poeta latino. AMOR: 65-72. MUNDO INTERIOR: 1381-1388. SOCIEDAD: 2670-2674. ARTE Y LIBROS: 4110-4113.

OVITRAL, JUAN (1940), abogado, político y sociólogo español. MUNDO INTERIOR: 2532.

OWEN, JOHN (1560-1662), poeta inglés. AMOR: 246.

OXENSTIERNA, JOHANN G. (1750-1818), escritor sueco. SOCIEDAD: 3333.

OXESTIERNE, AXEL (1583-1654), político sueco. AMOR: 337.

P

PABLO VI (1897-1978), Papa de la Iglesia cristiana. AMOR: 1123.

PAGNOL, MARCEL (1895-1974), escritor francés. SOCIEDAD: 3877.

PAILLERON, EDOUARD (1834-1899), comediógrafo francés. MUNDO INTERIOR: 2162, 2163.

PAINE, THOMAS (1737-1809), escritor y político inglés. SOCIEDAD: 3292-3296.

PALACIO, JUAN MANUEL (1831-1906), poeta español. MUNDO INTERIOR: 2154.

PALACIO VALDÉS, ARMANDO (1853-1938), escritor español. MUNDO INTERIOR: 2213, 2214. ARTE Y LIBROS: 4789-4794.

PALMER, SAMUEL (1805-1881), pintor inglés. AMOR: 691.

PANANTI, FILLIPPO (1776-1837), poeta italiano. AMOR: 571. SOCIEDAD: 3390.

PANCHATANTRA (siglo V), recopilación de fábulas hindúes. MUNDO INTERIOR: 1472.

PANZINI, ALFREDO (1863-1939), escritor italiano. MUNDO INTERIOR: 2251.

PAPINI, GIOVANNI (1881-1956), escritor italiano. AMOR: 1037-1039. MUNDO INTERIOR: 2326, 2327. SOCIEDAD: 3808, 3809. ARTE Y LIBROS: 5052-5256.

PAREJA DIEZCANSECO, ALFREDO (1908-1993), escritor e historiador ecuatoriano. ARTE Y LIBROS: 5233.

PARKER, DOROTHY (1893-1967), escritora estadounidense. ARTE Y LIBROS: 5149.

PARKIN (STARKEY), RICHARD; *RINGO STARR* (1940), músico inglés. AMOR: 1217.

PARRA, VIOLETA (1917-1967), cantante y poetisa chilena. AMOR: 1183.

PASCAL, BLAISE (1623-1662), escritor, matemático, físico y filósofo francés. AMOR: 432-436. MUNDO INTERIOR: 1706-1712. SOCIEDAD: 3142-3149. ARTE Y LIBROS: 4265, 4266.

PASO, ALFONSO (1926-1978), autor teatral español. MUNDO INTERIOR: 2507.

PASOLINI, PIER PAOLO (1922-1975), escritor y director de cine italiano. MUNDO INTERIOR: 2502.

PASTERNAK, BORIS (1890-1960), poeta ruso. ARTE Y LIBROS: 5142.

PASTEUR, LOUIS (1822-1895), químico francés. SOCIEDAD: 3564.

PATER, WALTER (1695-1736), pintor francés. ARTE Y LIBROS: 4325.

PAVAROTTI, LUCIANO (1935), tenor italiano. ARTE Y LIBROS: 5311.

PAVESE, CESARE (1908-1950), escritor italiano. AMOR: 1170.

PAZ, OCTAVIO (1914-1998), escritor mexicano. SOCIEDAD: 3958. ARTE Y LIBROS: 5251.

PELLICO, SILVIO (1789-1854), poeta y dramaturgo italiano. AMOR: 602.

PEMÁN, JOSÉ MARÍA (1898-1981), escritor español. MUNDO INTERIOR: 2410. SOCIEDAD: 3891.

PENN, WILLIAM (1644-1718), político inglés. SOCIEDAD: 3157, 3158.

PEREDA, JOSÉ MARÍA (1833-1906), escritor español. AMOR: 823. SOCIEDAD: 3593.

PÉREZ, ANTONIO (1540-1611), político español. SOCIEDAD: 3030. ARTE Y LIBROS: 4182.

PÉREZ DE AYALA, RAMÓN (1881-1962), escritor español. AMOR: 1043.

PÉREZ DE MONTALBÁN, JUAN (1602-1638), escritor español. AMOR: 353.

PÉREZ DE OLIVA, FERNÁN (1494?-1593), humanista español. ARTE Y LIBROS: 4165.

PÉREZ GALDÓS, BENITO (1843-1920), escritor español AMOR: 833-834. ARTE Y LIBROS: 4736, 4737.

PERICH, JAUME (1941-1995), escritor y dibujante español. SOCIEDAD: 4011.

PÉRIGORD, DUQUE DE; ver TALLEYRAND, CHARLES MAURICE DE.

PERTINI, ALESSANDRO (1896-1990), político italiano. SOCIEDAD: 3881, 3882.

PESSOA, FERNANDO (1888-1935), poeta

LIBROS: 4300-4306.

POQUELIN, JEAN-BAPTISTE, *MOLIÈRE* (1622-1673), escritor francés. AMOR: 408-431. MUNDO INTERIOR: 1700-1705. ARTE Y LIBROS: 4263-4264.

POSADAS, CARMEN (1957), escritora uruguaya. AMOR: 1238, 1239.

POUND, EZRA (1885-1972), poeta estadounidense. ARTE Y LIBROS: 5112.

PREMINGER, OTTO (1906-1986), director de cine estadounidense. ARTE Y LIBROS: 5225.

PRÉVERT, JACQUES (1900-1977), poeta francés. AMOR: 1133.

PRÉVOST, ABATE; ver PRÉVOST, ANTOINE-FRANÇOIS.

PRÉVOST, ANTOINE-FRANÇOIS; ABATE PRÉVOST (1697-1763), escritor francés. AMOR: 477.

PRÉVOST, MARCEL (1862-1941), novelista francés. ARTE Y LIBROS: 4860.

PRITCHETT, VICTOR S. (1900-1997), escritor inglés. MUNDO INTERIOR: 2422.

PROPERCIO, SEXTO (h. 50-15 a.C.), poeta latino. AMOR: 62.

PROUDHON, JOSEPH (1809-1865), filósofo francés. AMOR: 710. SOCIEDAD: 3500-3502.

PROUST, MARCEL (1871-1922), escritor francés. AMOR: 981. MUNDO INTERIOR: 2284. ARTE Y LIBROS: 4959-4962.

PROVERVIOS. MUNDO INTERIOR: 2574-2581. SOCIEDAD: 4064. ARTE Y LIBROS: 5349, 5350.

PUBLIO SIRO (siglo I a. C.), poeta latino. AMOR: 77-79. MUNDO INTERIOR: 1414-1417. SOCIEDAD: 2691, 2692.

PUNSET, EDUARD (1936), político español. SOCIEDAD: 4003.

PUYSIEUX, MADAME DE (1720-1798), escritora francesa. AMOR: 497.

Q

QUARLES, FRANCIS (1592-1644), filósofo inglés. MUNDO INTERIOR: 1653.

QUEROL, VICENTE WENCESLAO (1836-1889), poeta español. ARTE Y LIBROS: 4713.

QUESNEL, PASQUIER (1634-1719), teólogo francés. AMOR: 445.

QUEVEDO Y VILLEGAS, FRANCISCO DE (1580-1645), escritor español. AMOR: 322-330. MUNDO INTERIOR: 1649, 1650. SOCIEDAD: 3076-3086. ARTE Y LIBROS: 4229, 4230.

QUINCEY, THOMAS DE (1785-1859), escritor inglés. MUNDO INTERIOR: 1944.

QUINTILIANO, MARCO FABIO (h. 35-h. 95), escritor y retórico latino. MUNDO INTERIOR: 1424. ARTE Y LIBROS: 4118, 4119.

QUIÑONES, MARIBEL, *MARTIRIO* (1954), cantante española. SOCIEDAD: 4028.

QUOIREZ, FRANÇOISE; *FRANÇOISE SAGAN* (1935), escritora francesa. AMOR: 1206, 1207. MUNDO INTERIOR: 2524. SOCIEDAD: 4000.

R

RAABE, WILHELM; *JAKOB CORVINUS* (1831-1910), escritor alemán. MUNDO INTERIOR: 2155.

RABUTIN-CHANTAL, MARIE DE; MARQUESA DE SÉVIGNÉ (1626-1696), escritora francesa. AMOR: 438. SOCIEDAD: 3150.

RACINE, JEAN BAPTISTE (1639-1699),

ROCH, SÉBASTIEN; *NICOLAS DE CHAMFORT* (1741-1794), escritor francés. AMOR: 519-522. MUNDO INTERIOR: 1830-1835. ARTE Y LIBROS: 4362-4364.

ROCHEFOUCAULD, FRANÇOIS DE LA (1613-1680), escritor moralista francés. AMOR: 374-386. MUNDO INTERIOR: 1687-1699. SOCIEDAD: 3130-3137. ARTE Y LIBROS: 4252-4261.

ROCHESTER, CONDE DE; ver WILMOT, JOHN.

ROD, EDOUARD (1857-1910), escritor suizo. AMOR: 895, 896. MUNDO INTERIOR: 2226.

RODERO, JOSÉ MARÍA (1922-1991), actor español. ARTE Y LIBROS: 5271.

RODIN, AUGUSTE (1840-1917), escultor francés. ARTE Y LIBROS: 4727-4729.

RODÓ, JOSÉ ENRIQUE (1872-1917), político uruguayo. ARTE Y LIBROS: 4977, 4978.

RODRÍGUEZ, SILVIO (1946), cantautor cubano. AMOR: 1225.

ROIG, MONTSERRAT (1947-1991), escritora y periodista española. MUNDO INTERIOR: 2541. SOCIEDAD: 4020.

ROJAS, FERNANDO DE (h. 1470-1541), escritor español. AMOR: 159-162. MUNDO INTERIOR: 1543-1551. SOCIEDAD: 2798-3001.

ROJAS ZORRILLA, FRANCISCO DE (1607-1648), dramaturgo español. MUNDO INTERIOR: 1681.

ROLAND, MADAME DE (1754-1793), revolucionaria francesa. SOCIEDAD: 3339.

ROLLAND, ROMAIN (1866-1944), escritor francés. AMOR: 929, 930. ARTE Y LIBROS: 4909.

ROMANONES, CONDE DE; ver FIGUEROA Y TORRES, ÁLVARO DE.

ROMERO, CARMEN (1946), político española. MUNDO INTERIOR: 2540.

RONDELET, ANTOINE FRANÇOIS (1507-1566), filósofo y economista francés. MUNDO INTERIOR: 1565.

ROOSEVELT, FRANKLIN DELANO (1882-1945), político estadounidense. SOCIEDAD: 3810.

ROOSEVELT, ANNE ELEANOR (1884-1962), socióloga estadounidense. AMOR: 1059.

ROSALES, LUIS (1910-1992), poeta español. MUNDO INTERIOR: 2474.

ROSE, BILLY, empresario estadounidense contemporáneo. SOCIEDAD: 4030.

ROSENFELD, MORRIS (1862-1918), poeta polaco. MUNDO INTERIOR: 2240.

ROSSETTI, ANA (1951), escritora española. AMOR: 1234.

ROSTAND, EDMOND (1868-1918), dramaturgo francés. AMOR: 962, 963.

ROSTAND, JEAN (1894-1977), biólogo y ensayista francés. AMOR: 1109-1115. MUNDO INTERIOR: 2390. ARTE Y LIBROS: 5157.

ROUSSEAU, JEAN-JACQUES (1712-1778), filósofo ginebrino. AMOR: 490-492. MUNDO INTERIOR: 1806-1808. SOCIEDAD: 3244-3253. ARTE Y LIBROS: 4339.

ROUX, JOSEPH (1834-1886), moralista francés. ARTE Y LIBROS: 4698.

ROY, GABRIELLE (1909-1983), escritora canadiense. MUNDO INTERIOR: 2470.

RUBISTEIN, ANTON GRIGORIEVITCH (1829-1894), compositor y pianista ruso. SOCIEDAD: 3585.

RUBINSTEIN, HELENA (1882-1965), empresaria estadounidense. SOCIEDAD: 3812.

RUBINSTEIN, ARTHUR (1890-1957), pianista polaco. MUNDO INTERIOR: 2379.

Índice de autores

RUCKERT, JOHANN (1788-1866), escritor alemán. MUNDO INTERIOR: 1961.

RUFO, JUAN (1547-1620), poeta español. MUNDO INTERIOR: 1619-1621.

RUIZ, JUAN; ARCIPRESTE DE.HITA (h. 1296-h. 1353), poeta castellano. AMOR: 142-144. MUNDO INTERIOR: 1521. SOCIEDAD: 2767-2772. ARTE Y LIBROS: 4150.

RUIZ, PEDRO, humorista español contemporáneo. ARTE Y LIBROS: 5344.

RUIZ DE ALARCÓN, JUAN (1581-1639), dramaturgo mexicano. AMOR: 331-335. SOCIEDAD: 3087. ARTE Y LIBROS: 4232.

RUIZ IRIARTE, VÍCTOR (1912-1982), dramaturgo español. MUNDO INTERIOR: 2482, 2483. SOCIEDAD: 3955.

RUIZ PICASSO, PABLO (1881-1973), pintor español. ARTE Y LIBROS: 5060-5064.

RUIZ ZORRILLA, MANUEL (1833-1895), político español. SOCIEDAD: 3591.

RUPERT, JOHANN; *ROBERT HAMERLING* (1830-1889), poeta austriaco. AMOR: 806.

RUSDHIE, SALMAN (1947), escritor hindú. MUNDO INTERIOR: 2542. SOCIEDAD: 4022. ARTE Y LIBROS: 5333.

RUSKIN, JOHN (1819-1900), sociólogo inglés. AMOR: 760. MUNDO INTERIOR: 2117, 2118. SOCIEDAD: 3548. ARTE Y LIBROS: 4641-4651.

RUSSELL, BERTRAND ARTHUR WILLIAM (1872-1970), filósofo y matemático inglés. AMOR: 993. MUNDO INTERIOR: 2291-2293. SOCIEDAD: 3749. ARTE Y LIBROS: 4989, 4990.

S

SAADI, MUSLIH-UD-DIN (1184-1291), poeta persa. AMOR: 119. SOCIEDAD: 2746, 2747.

SAAVEDRA FAJARDO, DIEGO DE (1584-1648), escritor y político español. SOCIEDAD: 3088, 3089.

SÁBATO, ERNESTO (1911), escritor argentino. ARTE Y LIBROS: 5239.

SABINA, JOAQUÍN (1949), músico español. AMOR: 1231. SOCIEDAD: 4025.

SACHS, HANS (1494-1576), poeta alemán. ARTE Y LIBROS: 4164.

SÁDABA, JAVIER (1944), filósofo español. SOCIEDAD: 4017.

SADE, DONATIEN ALPHONSE FRANÇOIS; MARQUÉS DE SADE (1740-1814), escritor francés. AMOR: 517.

SÁENZ DE OIZA, FRANCISCO JAVIER (1918-2000), arquitecto español. ARTE Y LIBROS: 5262.

SAFO DE LESBOS (h. 612-h. 570 a. C.), poetisa griega. SOCIEDAD: 4065.

SAGAN, FRANÇOISE; ver QUOIREZ, FRANÇOISE.

SAGAN, CARL (1934), astrónomo estadounidense. ARTE Y LIBROS: 5306.

SAINTE-BEUVE, CHARLES A. (1804-1869), crítico y escritor francés. AMOR: 676. MUNDO INTERIOR: 2043-2045. ARTE Y LIBROS: 4551.

SAINT-EXUPÉRY, ANTOINE MARIE DE (1900-1944), escritor francés. AMOR: 1131. MUNDO INTERIOR: 2420. SOCIEDAD: 3297, 3298. ARTE Y LIBROS: 4360.

SAINT-PIERRE, JACQUES-HENRI BERNARDIN DE (1737-1814), escritor francés. AMOR: 515. MUNDO INTERIOR: 1827. SOCIEDAD: 3297, 3298. ARTE Y LIBROS: 4360.

SAKYAMUNI, *BUDA* (563-483 a.C.), religioso hindú. AMOR: 7.

SALIGNAC DE LA MOTHE, FRANÇOIS DE; *FÉNELON* (1651-1715), escritor francés.

MUNDO INTERIOR: 1733, 1734. SOCIEDAD: 3165-3167.

SALINAS, PEDRO (1892-1951), poeta español. ARTE Y LIBROS: 5145, 5146.

SALOMÓN (siglo X a.C.), rey de Israel. AMOR: 1.

SALUSTIO, CRISPO CAYO (86-34 a. C.), historiador y político latino. MUNDO INTERIOR: 1362. SOCIEDAD: 2656.

SAMAEL AUN WEOR; ver GÓMEZ RODRÍGUEZ, VÍCTOR MANUEL;

SAND, GEORGE; ver DUPIN, AURORE.

SANIAL-DUBAY, JOSEPH (1754-1817), escritor francés. MUNDO INTERIOR: 1857. SOCIEDAD: 3340.

SANTA CLARA, ABRAHAM DE (1644-1709), predicador alemán. MUNDO INTERIOR: 1721.

SANTANA, CARLOS (1959), músico estadounidense. ARTE Y LIBROS: 5342.

SANTAYANA, GEORGE (1863-1952), filósofo estadounidense. AMOR: 917. MUNDO INTERIOR: 2252-2255. ARTE Y LIBROS: 4866-4868.

SANTIAGO, LIBRO DE (siglo XII). SOCIEDAD: 2748.

SANTILLANA, MARQUÉS DE; ver LÓPEZ DE MENDOZA, ÍÑIGO.

SANTOS CHOCANO, JOSÉ (1875-1934), poeta peruano. AMOR: 1012.

SAPHIR, MOISES G. (1795-1853), escritor alemán. AMOR: 610, 611.

SARAMAGO, JOSÉ (1922), escritor portugués. SOCIEDAD: 3977.

SARTRE, JEAN PAUL (1905-1980), escritor y filósofo francés. MUNDO INTERIOR: 2442-2445. SOCIEDAD: 3922-3924. ARTE Y LIBROS: 5218-5220.

SASSONE, FELIPE (1884-1959), escritor peruano. SOCIEDAD: 3819.

SAURA, ANTONIO (1930), pintor español. ARTE Y LIBROS: 5297.

SAVATER, FERNANDO (1940), filósofo español. AMOR: 1229, 1230. MUNDO INTERIOR: 2543.

SAY, JEAN BAPTISTE (1767-1832), economista francés. MUNDO INTERIOR: 1878. ARTE Y LIBROS: 4405.

SCHELLING, FRIEDRICH WILHELM VON (1775-1854), filósofo alemán. MUNDO INTERIOR: 1916.

SCHILLER, JOHANN CHRISTOPH FRIEDRICH VON (1759-1805), escritor alemán. AMOR: 547-551. MUNDO INTERIOR: 1867-1872. SOCIEDAD: 3347-3349. ARTE Y LIBROS: 4396-4401.

SCHLEGEL, WILHEIM AUGUST (1767-1845), poeta y ensayista alemán. ARTE Y LIBROS: 4406.

SCHLEGEL, FRIEDRICH (1772-1829), pensador alemán. ARTE Y LIBROS: 4428-4435.

SCHNITZLER, ARTHUR (1862-1931), dramaturgo austriaco. MUNDO INTERIOR: 2241.

SCHÖNTAN, FRANZ VON (1859-1905), escritor austriaco. AMOR: 904.

SCHOPENHAUER, ARTHUR (1788-1860), filósofo alemán. AMOR: 598-601. MUNDO INTERIOR: 1955-1960. SOCIEDAD: 3411-3417. ARTE Y LIBROS: 4467-4472.

SCHUBERT, FRANZ (1797-1828), compositor austriaco. AMOR: 617. MUNDO INTERIOR: 1985.

SCHULZ, CHARLES MONROE (1922), dibujante de cómics estadounidense. MUNDO INTERIOR: 2504.

Índice de autores

SCHUMANN, ROBERT (1810-1856), compositor alemán. ARTE Y LIBROS: 4590.

SCHWOB, MARCEL (1867-1905), novelista francés. ARTE Y LIBROS: 4922.

SCIASCIA, LEONARDO (1921-1989), escritor italiano. SOCIEDAD: 3972.

SCOTT FITZGERALD, FRANCIS (1896-1940), escritor estadounidense. MUNDO INTERIOR: 2395.

SCOTT, SIR WALTER (1771-1832), escritor escocés. AMOR: 568. MUNDO INTERIOR: 1891, 1892. ARTE Y LIBROS: 4426.

SCUTENAIRE, LOUIS (1905-1987), escritor y crítico de arte belga. ARTE Y LIBROS: 5224.

SECONDAT, CHARLES LOUIS DE; BARÓN DE MONTESQUIEU (1689-1755), escritor y filósofo francés. AMOR: 466, 467. MUNDO INTERIOR: 1766-1773. SOCIEDAD: 3184-3194. ARTE Y LIBROS: 4307-4315.

SEGAL, ERICH (1937), novelista estadounidense. AMOR: 1214.

SÉGUÉLA, JACQUES L. (1934), publicista francés. SOCIEDAD: 3995.

SEGRE, DINO; *PITIGRILLI* (1893-1975), escritor italiano. AMOR: 1105. SOCIEDAD: 3863, 3864.

SELDEN, JOHN (1584-1654), escritor inglés. SOCIEDAD: 3090.

SEM TOB; ver ARDUTIEL, SEM TOB BEN YTIZHAK IBN.

SÉNECA, LUCIO ANNEO (4 a. C.-65 d. C), escritor y filósofo latino. AMOR: 73-76. MUNDO INTERIOR: 1391-1413. SOCIEDAD: 2677-2690. ARTE Y LIBROS: 4115, 4116.

SENILLOSA, ANTONIO DE (1929-1994), escritor y político español. MUNDO INTERIOR: 2517.

SERRE, CLAUDE (1938), pintor francés. MUNDO INTERIOR: 2530.

SÉVIGNÉ, MARQUESA DE; ver RABUTIN-CHANTAL, MARIE DE.

SHADWELL, THOMAS (1642-1692), poeta inglés. MUNDO INTERIOR: 1720.

SHAHN, BEN (1898-1969), pintor estadounidense. ARTE Y LIBROS: 5180.

SHAKESPEARE, WILLIAM (1564-1616), escritor inglés. AMOR: 276-297. MUNDO INTERIOR: 1632-1641. SOCIEDAD: 3066-3071. ARTE Y LIBROS: 4218-4224.

SHAW, GEORGE BERNARD (1856-1950), escritor irlandés. AMOR: 891-894. MUNDO INTERIOR: 2220-2225. SOCIEDAD: 3676-3689. ARTE Y LIBROS: 4831-4836.

SHELLEY, PERCY BYSSHE (1792-1822), poeta inglés. AMOR: 606-608. SOCIEDAD: 3418-3420. ARTE Y LIBROS: 4476-4481.

SHERIDAN, RICHARD BRINSLEY (1751-1816), político y dramaturgo irlandés. AMOR: 538. SOCIEDAD: 3334. ARTE Y LIBROS: 4387.

SICA, VITTORIO DE, (1902-1974), actor y director de cine italiano. MUNDO INTERIOR: 2427. ARTE Y LIBROS: 5299.

SIDONIE, GABRIELLE; *COLETTE* (1873-1954), escritora francesa. AMOR: 997. SOCIEDAD: 3755.

SIE LING-YUNG (385-433), escritor chino. ARTE Y LIBROS: 4132.

SIENKIEWICZ, HENRYCK (1846-1916), escritor polaco. AMOR: 853.

SIGNORET, SIMONE (1921-1987), actriz francesa. AMOR: 1187.

SILIO ITÁLICO (25-101), poeta latino. SOCIEDAD: 2696.

SILLANPAA, FRAUS E. (1888-1964), escritor finlandés. SOCIEDAD: 3850.

SIMÓNIDES DE CEOS (siglo VI a. C.), poeta griego. MUNDO INTERIOR: 1304. ARTE Y LIBROS: 4071, 4072.

SIXTO V (1521-1590), Papa de la Iglesia católica. AMOR: 193.

SMILES, SAMUEL (1812-1904), moralista y sociólogo inglés. SOCIEDAD: 3518.

SMITH, ADAM (1723-1790), filósofo y economista inglés. MUNDO INTERIOR: 1815. SOCIEDAD: 3268.

SMITH, SIDNEY (1771-1845), escritor y ensayista inglés. MUNDO INTERIOR: 1893.

SMITH, ALFRED EMMANUEL (1873-1944), político estadounidense. SOCIEDAD: 3754.

SÓCRATES (470-399 a. C.), filósofo griego. MUNDO INTERIOR: 1314. SOCIEDAD: 2600, 2601.

SÓFOCLES (495-406 a. C.), poeta trágico griego. AMOR: 16-18. MUNDO INTERIOR: 1277. SOCIEDAD: 2584.

SOLARI, ENRIQUE (1918-1993), escritor peruano. MUNDO INTERIOR: 2494.

SOLÍS, ANTONIO DE (1610-1686), escritor español. AMOR: 373.

SOLÓN DE ATENAS (639-559 a. C.), político y poeta griego. AMOR: 4. MUNDO INTERIOR: 1277. SOCIEDAD: 2584.

SONTAG, SUSAN (1933), escritora y directora de cine francesa. ARTE Y LIBROS: 5305.

SOUTHEY, ROBERT (1774-1843), escritor inglés. MUNDO INTERIOR: 1909-1911.

SOYINKA, WOLE (1934), escritor nigeriano. SOCIEDAD: 3996.

SOYNONOV, SOPHIE; MADAME DE SWETCHINE, (1782-1857), escritora francesa. MUNDO INTERIOR: 1938-1940.

SPENCER, HERBERT (1820-1903), filósofo y sociólogo inglés. SOCIEDAD: 3553-3556. ARTE Y LIBROS: 4652.

SPENGLER, OSWALD (1880-1936), filósofo e historiador alemán. SOCIEDAD: 3800, 3801.

SPINOZA, BARUCH BENEDICT (1632-1677), filósofo holandés. SOCIEDAD: 3151-3153.

STAËL, MADAME DE; ver NECKER, GERMAINE.

STALIN, JOSEF; ver YUGACHVILI, JOSIP VISSARIONOVICH.

STALLONE, SILVESTER (1946), actor estadounidense. AMOR: 1226.

STANISLAVSKI, KONSTANTIN (1863-1938), director y teórico teatral ruso. ARTE Y LIBROS: 4865.

STANHOPE, PHILIP DORMER ; LORD CHESTERFIELD (1694-1773), político inglés. MUNDO INTERIOR: 1774-1779. SOCIEDAD: 3196-3199. ARTE Y LIBROS: 4316, 4317.

STARR, RINGO; ver PARKIN, RICHARD.

STEELE, RICHARD (1672-1729), escritor y periodista irlandés. MUNDO INTERIOR: 1743. ARTE Y LIBROS: 4298.

STEINBECK, JOHN (1902-1968), novelista estadounidense. AMOR: 1139, 1140.

STENDHAL; ver BEYLE, HENRY.

STEVENS, E. WALLACE (1879-1955), poeta estadounidense. MUNDO INTERIOR: 2320.

STEVENSON, ROBERT LOUIS (1850-1894), escritor británico. AMOR: 862, 863. MUNDO INTERIOR: 2204-2206. SOCIEDAD: 3642.

STOKER, ABRAHAM (BRAM) (1847-1912), escritor inglés. ARTE Y LIBROS: 4762.

STOCKTON, BARÓN DE; ver MACMILLAN, HAROLD.

STONE, SHARON (1960), actriz estadounidense. AMOR: 1246.

STRINDBERG, JOHANN AUGUST (1849-1912),

escritor sueco. MUNDO INTERIOR: 2199, 2200. SOCIEDAD: 3638, 3639.

SUÁREZ, ADOLFO (1932), político español. ARTE Y LIBROS: 5303.

SUÁREZ, GONZALO (1934), escritor y director de cine español. ARTE Y LIBROS: 5307.

SUÉ, EUGÈNE (1804-1857), escritor francés. AMOR: 675.

SUETONIO TRANQUILO, CAYO (75-160), historiador latino. SOCIEDAD: 2721.

SURREALISTA, MANIFIESTO (1924). ARTE Y LIBROS: 5281.

SWEDENBORG, EMMANUEL (1688-1772), teósofo ruso. SOCIEDAD: 3182, 3183.

SWETCHINE, MADAME DE; ver SOYNONOV, SOPHIE.

SWIFT, JONATHAN (1667-1745), escritor irlandés. AMOR: 462. MUNDO INTERIOR: 1738-1740. SOCIEDAD: 3171-3177. ARTE Y LIBROS: 4288, 4289.

T

TÁCITO, PUBLIO CORNELIO (h. 54/57-h. 125), historiador y orador latino. AMOR: 102, 103. MUNDO INTERIOR: 1437-1440. SOCIEDAD: 2705-2711. ARTE Y LIBROS: 4121, 4122.

TAGORE, RABINDRANATH (1861-1941), escritor hindú. AMOR: 907-910. MUNDO INTERIOR: 2233-2239. ARTE Y LIBROS: 4857.

TAINE, HIPPOLYTE (1828-1893), crítico e historiador francés. AMOR: 791, 792.

TALES DE MILETO (h. 625-h. 546 a.C.), filósofo griego. MUNDO INTERIOR: 1278.

TALLEYRAND, CHARLES MAURICE DE; DUQUE DE PÉRIGORD (1754-1838), político francés. AMOR: 544.

TALMUD (siglos IV-V), texto sagrado del judaísmo. SOCIEDAD: 2733-2736.

TAMAYO Y BAUS, MANUEL (1829-1898), poeta y dramaturgo español. AMOR: 803. MUNDO INTERIOR: 2151-2153. SOCIEDAD: 3584.

TASSO, TORCUATO (1544-1595), poeta italiano. AMOR: 214.

TATI, JACQUES (1908-1982), cineasta francés. MUNDO INTERIOR: 2468.

TAYNBEE, ARNOLD JOSEPH (1889-1975), historiador inglés. SOCIEDAD: 3855.

TEANO (siglo VI a.C.), dama griega, esposa de Pitágoras. AMOR: 13.

TÉLLEZ, GABRIEL; *TIRSO DE MOLINA* (1581-1684), dramaturgo español. AMOR: 300-315. SOCIEDAD: 3073-3075.

TEMÍSTOCLES (542-460 a.C.), político griego. AMOR: 9.

TEMPRANO AZCONA, REINALDO (1911-1954), abogado español. SOCIEDAD: 3951.

TENNYSON, ALFRED (1809-1892), escritor inglés. AMOR: 711. MUNDO INTERIOR: 2085-2087.

TEÓCRITO (siglo III a. C.), poeta griego. ARTE Y LIBROS: 4088, 4089.

TEOFRASTO (h. 372-h. 287 a.C.), filósofo griego. MUNDO INTERIOR: 1337.

TERENCIO AFER, PUBLIO (184-159 a.C.), dramaturgo latino. AMOR: 46-49. MUNDO INTERIOR: 1345, 1346. SOCIEDAD: 2642. ARTE Y LIBROS: 4090.

TERESA DE CALCUTA (1910-1997), religiosa yugoslava. AMOR: 1175, 1176.

TERESA DE JESÚS, SANTA (1515-1582), escritora mística española. AMOR: 187-

191. MUNDO INTERIOR: 1566-1569. SOCIEDAD: 3015-3017. ARTE Y LIBROS: 4167, 4168.

TERTULIANO, QUINTUS SEPTIMIUS FLORENS (h. 155-h. 222), Doctor de la Iglesia cristiana. MUNDO INTERIOR: 1450. SOCIEDAD: 2727-2729.

THACKERAY, WILLIAM MAKEPEACE (1811-1864), novelista inglés. SOCIEDAD: 3515.

THATCHER, MARGARET (1925), político inglesa. SOCIEDAD: 3980.

THIAUDIÈRE, EDMOND (1837-1898), filósofo y escritor francés. MUNDO INTERIOR: 2168.

THIBAULT, FRANÇOIS-ANATOLE; *FRANCE, ANATOLE*; (1844-1924), escritor francés. AMOR: 843-851. MUNDO INTERIOR: 2182-2187. SOCIEDAD: 3623-3630. ARTE Y LIBROS: 4752-4755.

THIBON, GUSTAVE (1903-2001), filósofo francés. SOCIEDAD: 3911.

THOREAU, HENRY DAVID (1817-1862), escritor estadounidense. AMOR: 739. MUNDO INTERIOR: 2109. SOCIEDAD: 3533, 3534. ARTE Y LIBROS: 4631.

TIEDGE, CHRISTOPHER A. (1752-1841), poeta alemán. AMOR: 539.

TIERNO GALVÁN, ENRIQUE (1918-1986), intelectual y político español. MUNDO INTERIOR: 2493, 2494. SOCIEDAD: 3966-3968.

TIMONEDA, JOAN DE (1520-1583), escritor español. AMOR: 192.

TITO LIVIO (59 a.C.-17 d. C.), historiador romano. MUNDO INTERIOR: 1379, 1380. SOCIEDAD: 2666-2669.

TOLSTOI, LEON NIKOLAEVICH (1828-1910), escritor ruso. AMOR: 798-802. MUNDO INTERIOR: 2145-2149. SOCIEDAD: 3578-3583. ARTE Y LIBROS: 4684.

TOMÁS DE AQUINO, SANTO (1225-1274), teólogo y filósofo italiano. AMOR: 120. MUNDO INTERIOR: 1489.ARTE Y LIBROS: 4142, 4143.

TOMMASEO, NICCOLO (1802-1874), político y pintor italiano. AMOR: 655. MUNDO INTERIOR: 2019. SOCIEDAD: 3449.

TORRE, FRANCISCO DE LA (c. 1535-h. 1570), poeta español. AMOR: 209.

TORRENTE BALLESTER, GONZALO (1910-1999), escritor español. MUNDO INTERIOR: 2476.

TORRES BODET, JAIME (1902-1974), escritor mexicano. ARTE Y LIBROS: 5205.

TORRES, MARUJA (1943), periodista y escritora española. MUNDO INTERIOR: 2537.

TOUCHIMBERT, CONDESA DE; ver BASTA, MADAME.

TOULET, PAUL-JEAN (1867-1920), escritor francés. AMOR: 959. ARTE Y LIBROS: 4925.

TOURNIER, ACHILLE (1847-1906), historiador francés. AMOR: 854. ARTE Y LIBROS: 4925.

TOWNES HOPE, LESLIE; *BOB HOPE* (1903), actor estadounidense. AMOR: 1147. SOCIEDAD: 3912.

TRAPASSI, PIETRO BONAVENTURA; *PIETRO METASTASIO* (1698-1782), escritor italiano. AMOR: 478.

TREITSCHE, VON (1834-1896), historiador alemán. SOCIEDAD: 3595.

TRÍAS, EUGENIO (1942), ensayista español. MUNDO INTERIOR: 2535. ARTE Y LIBROS: 5327.

TRUEBA, FERNANDO (1955), director de cine español. MUNDO INTERIOR: 2546.

TRUMAN, HARRY (1884-1972), político estadounidense. SOCIEDAD: 3823, 3824.

TUCÍDIDES (h. 460-h. 396 a. C.), historiador griego. MUNDO INTERIOR: 1315, 1316. SOCIEDAD: 2602, 2603.

TWAIN, MARK; ver CLEMENS, SAMUEL LANGHORNE.

Índice de autores

U

UKRAÏNKA, LESIA; ver KOSACH-KVITKA, LARISA.

ULIANOV, VLADIMIR ILLICH; *LENIN* (1870-1924), revolucionario y político ruso. SOCIEDAD: 3732-3734.

UMBRAL, FRANCISCO (1935), escritor español. MUNDO INTERIOR: 2525. SOCIEDAD: 4001. ARTE Y LIBROS: 5312-5315.

UNAMUNO, MIGUEL DE (1864-1936), escritor español. AMOR: 923-925. MUNDO INTERIOR: 2257-2261. SOCIEDAD: 3701, 3702. ARTE Y LIBROS: 4886-4899.

UNDSET, SIGRID (1882-1949), escritora noruega. AMOR: 1044.

UPDIKE, JOHN (1932), escritor estadounidense. MUNDO INTERIOR: 2520, 2521. ARTE Y LIBROS: 5304.

USTINOV, PETER ALEXANDER (1921-2004), escritor, actor y director inglés. AMOR: 1188. SOCIEDAD: 3974.

V

VALDANO, JORGE (1956), ex futbolista y empresario argentino. ARTE Y LIBROS: 5341.

VALERA, JUAN (1824-1905), escritor y diplomático español. AMOR: 790. ARTE Y LIBROS: 4679.

VALÉRY, PAUL AMBROISE (1871-1945), poeta francés. AMOR: 982-984. SOCIEDAD: 3738-3741. ARTE Y LIBROS: 4963-4976.

VALVERDE, JOSÉ MARÍA (1926-1996), poeta español. MUNDO INTERIOR: 2508. ARTE Y LIBROS: 5291.

VANDEREM, FERNAND (1864-1939), escritor francés. ARTE Y LIBROS: 4900-4902.

VAN VENARGUES, MARQUÉS DE; ver CLAPIERS, LUC DE.

VARGAS LLOSA, MARIO (1936), escritor peruano. SOCIEDAD: 4004. ARTE Y LIBROS: 5316.

VASCONCELOS, JOSÉ (1882-1959), escritor y político mexicano. AMOR: 1045. ARTE Y LIBROS: 5072.

VEGA, GARCILASO DE LA (1501-1536), poeta español. AMOR: 182-186.

VEGA, ANTONIO (1957), músico español. AMOR: 1240.

VEGA Y CARPIO, FÉLIX LOPE DE (1562-1635), dramaturgo y poeta español. AMOR: 256-274. MUNDO INTERIOR: 1629-1631. SOCIEDAD: 3060-3065. ARTE Y LIBROS: 4214-4217.

VENARGUES, MARQUÉS DE VAN; ver CLAPIERS, LUC DE.

VENTADORN, BERNART DE (O BERNARD DE VENTADOUR) (siglo XII), trovador francés. ARTE Y LIBROS: 4140.

VENTADOUR, BERNARD DE ; ver VENTADORN, BERNART DE.

VERDI, GIUSEPPE (1813-1901), compositor italiano. ARTE Y LIBROS: 4625.

VERHAEREN, ÉMILE (1855-1916), poeta belga. ARTE Y LIBROS: 4827.

VERLAINE, PAUL (1844-1896), poeta francés. AMOR: 835. MUNDO INTERIOR: 2177. SOCIEDAD: 3611. ARTE Y LIBROS: 4738, 4739.

VERNE, JULES (1828-1905), escritor francés. SOCIEDAD: 3570.

VICENT, MANUEL (1936), escritor y periodista español. MUNDO INTERIOR: 2526.

VIDAL, GORE (1925), escritor estadounidense. ARTE Y LIBROS: 5289.

VIGIL, CONSTANCIO (1876-1954), escritor y periodista venezolano. AMOR: 1018.

VIGNY, ALFRED DE (1797-1863), escritor francés. AMOR: 622. MUNDO INTERIOR:

1986. SOCIEDAD: 3431. ARTE Y LIBROS: 4503, 4504.

VILLAESPESA, FRANCISCO (1877-1936), escritor español. AMOR: 1021, 1022. MUNDO INTERIOR: 2310, 2311. SOCIEDAD: 3788. ARTE Y LIBROS: 5035.

VILLEGAS, ESTEBAN MANUEL DE (1589-1669), poeta español. AMOR: 338, 339.

VILLENA, LUIS ANTONIO DE (1951), poeta español. AMOR: 1235.

VILLON, FRANÇOIS (1431-1480), poeta francés. AMOR: 149.

VINCI, LEONARDO DA (1452-1519), humanista italiano. AMOR: 151, 152. MUNDO INTERIOR: 1530-1536. SOCIEDAD: 2775-2777. ARTE Y LIBROS: 4155-4157.

VIOLA, MANUEL (1917-1987), pintor español. ARTE Y LIBROS: 5260.

VIRGILIO MARÓN, PUBLIO (70-19 a. C.), poeta latino. AMOR: 61, 62. MUNDO INTERIOR: 1363, 1364.

VISCOTT, DAVID STEVEN (1938), psiquiatra estadounidense. AMOR: 1215.

VITORIA, FRANCISCO DE (1486-1546), teólogo español. AMOR: 176, 177.

VIVES, LUIS (1492-1540), humanista español. SOCIEDAD: 3011. ARTE Y LIBROS: 4163.

VOLTAIRE; ver AROUET, FRANÇOIS MARIE.

W

WACKENRODER, WILHELM HEINRICH (1773-1798), poeta alemán. ARTE Y LIBROS: 4440.

WAGNER, RICHARD (1813-1883), compositor alemán. AMOR: 733, 734. ARTE Y LIBROS: 4622, 4623.

WALESA, LECH (1943), sindicalista polaco. SOCIEDAD: 4015.

WALLACE, WILLIAM ROSS (1819-1881), poeta estadounidense. MUNDO INTERIOR: 2115.

WALTARI, MILKA (1908-1979), escritor finlandés. SOCIEDAD: 3941-3943.

WARD, ARTEMIUS (1834-1867), escritor estadounidense. SOCIEDAD: 3594.

WARHOL, ANDY (1930-1988), pintor estadounidense. MUNDO INTERIOR: 2518, 2519. ARTE Y LIBROS: 5296.

WASHINGTON, BOOKER TALLAFERRO (1856-1915), líder estadounidense. SOCIEDAD: 3675.

WASHINGTON, GEORGES (1732-1799), político estadounidense. AMOR: 514. MUNDO INTERIOR: 1824. SOCIEDAD: 3287-3290.

WAUGH, EVELYN (1903-1966), escritor inglés. SOCIEDAD: 3908, 3909.

WEBER, KARL MARIA VON (1786-1826), compositor alemán. AMOR: 585.

WEBSTER, NOAH (1758-1843), escritor estadounidense. AMOR: 546.

WEIL, SIMONE (1909-1943), escritora francesa. AMOR: 1172. SOCIEDAD: 3946.

WELLES, ORSON GEORGE (1915-1985), actor y director de cine estadounidense. ARTE Y LIBROS: 5256.

WELLESLEY, ARTHUR COLLEY; DUQUE DE WELLINGTON (1769-1852), general y político inglés. SOCIEDAD: 3379.

WELLINGTON, DUQUE DE; ver WELLESLEY, ARTHUR COLLEY.

WELLS, HERBERT GEORGE (1866-1946), escritor e historiador inglés. SOCIEDAD: 3714.

WEST, MAE (1892-1988), actriz estadounidense. SOCIEDAD: 3862. ARTE Y LIBROS: 5147.

WHITMAN, WALT (1819-1892), poeta estadounidense. AMOR: 759. MUNDO INTERIOR: 2116. SOCIEDAD: 3546. ARTE Y LIBROS: 4639.

Índice de autores